KB182806

해고는 살인이다!

5천 조합원이 모여 "정리해고 박살! 총고용 쟁취!"를 외쳤다.(2009.5.7)
정리해고. 우리는 살고 싶어서 공장에 모였다.

12
노동자 생존권을

6·10범국민대회에서 "해고는 살인이다"를 외쳤다.

가족들도 투쟁에 나섰다.

형님 · 아우, 평택 · 창원 · 정비,
정규직 · 비정규직, 해고자 · 비해고자
모두 투쟁 앞에서 하나가 되어 갔다.

단결 투쟁

단결 투쟁

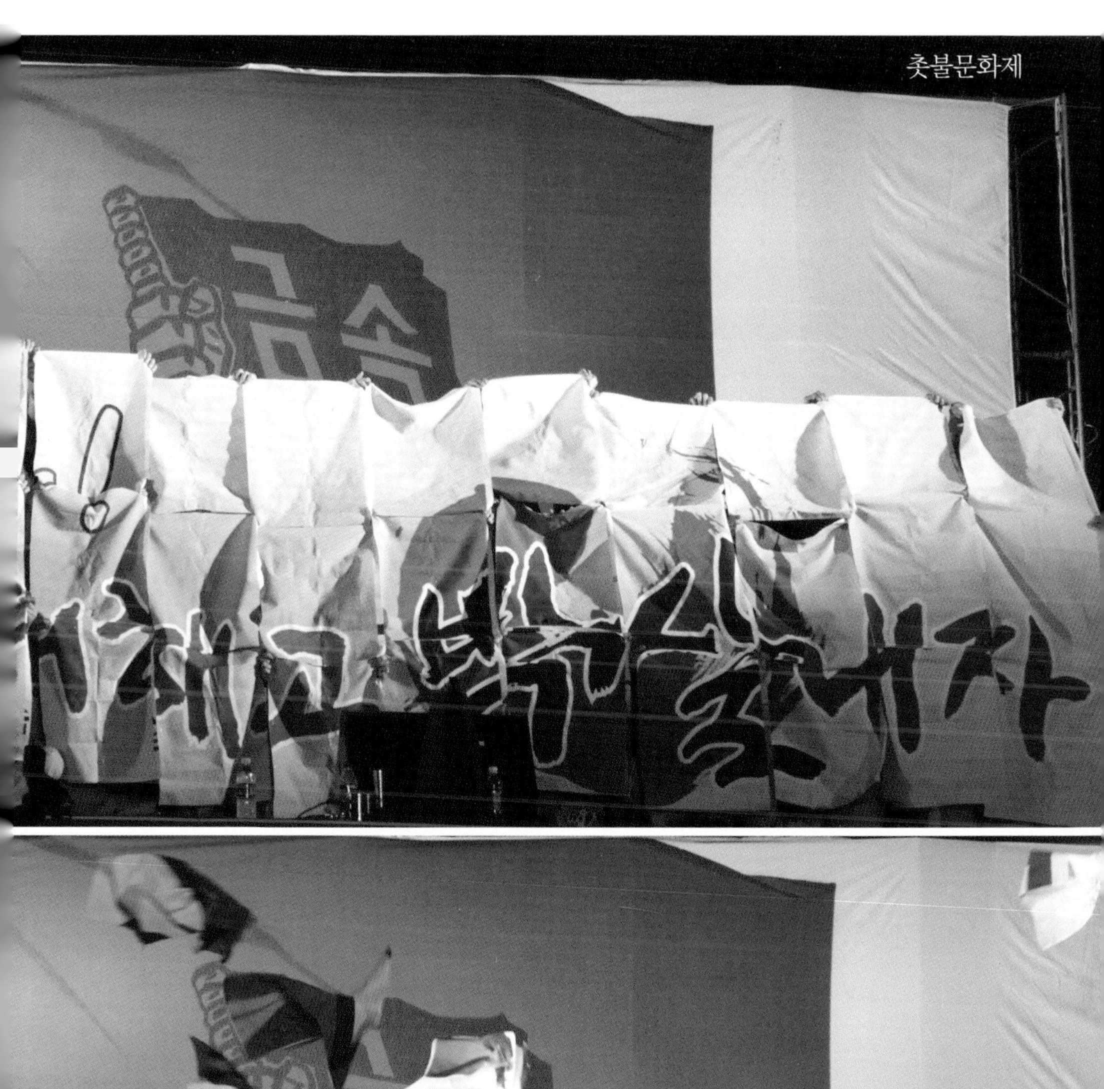
금속

파업대오, 가족, 굴뚝농성자. 77일 투쟁의 힘.

공장을 사수하기 위해 바리케이드를 치고 방어 훈련을 했다.

W 12
W 12

용역과 구사대의 침탈. 경찰의 봉쇄

선봉대
금속
쌍용자동차지부

정리해고 반대
쌍용자동차가족 대책위원회

경찰은 파업대오를 공장 안에 가두었다.

사측은 유인물을 뿌리며 대오를 흔들었지만 우리는 더욱 강해졌다.

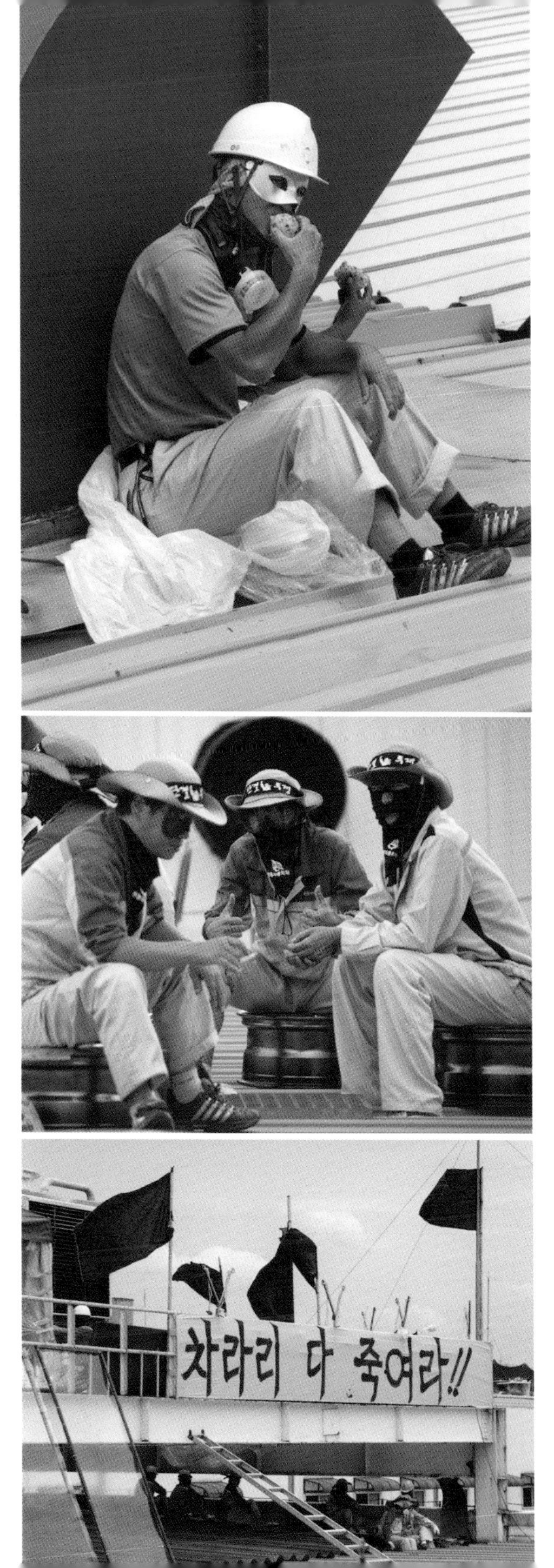
차라리 다 죽여라!!

연대의 힘. 노동자 투쟁을 강화하는 힘.

경찰 침탈에 맞선 투쟁이 시작되었다.

우리는 이긴다
쌍용자동차지부

113
들어오면
가족들 사랑 한다!

동지들과 함께였기에 77일이 후회스럽지 않다.

투쟁

투쟁
단결 투쟁
투쟁
쌍용자동차지부
단결 투쟁

우리는 아직 깃발을 내릴 수 없다.

해고는 살인이다

금속노조 쌍용자동차지부 77일 옥쇄파업 투쟁백서

_ 글쓴이

양 돌 규

노동자역사 한내 조직국장. 성공회대 사회학 석사. 울산 노동역사자료실에서 일했고 『민주노총 10년 연표』(2007) 제작에 참여하였다. 백서로 『한국가스공사지부 낙하산 인사 저지 투쟁』(2009, 공저)이 있다.

이 승 원

노동자역사 한내 사무처장. 민주노총 공공연맹 사무처장과 위원장을 역임하고, 2008년 대법원 승소로 데이콤에 원직복직하였다. 백서로 『투쟁은 계속되고 있다-LG자본에 맞선 데이콤 노동자들의 투쟁』(2005, 공저)이 있다.

정 경 원

노동자역사 한내 연구위원 및 노동운동역사자료실장. 이화여대 법학 석사. 노동운동역사자료실 연구실장, 민주노총 정책연구원 노동운동자료실 연구위원으로 일했다. 『민주노총 10년 연표』(2007)를 제작했으며 백서로 『전노협 백서』(1997, 개정판 2003) 발간과 재발간에 참여했고 『517일간의 외침-한국통신계약직노조 투쟁백서』(2002), 『가자! 총파업투쟁으로-38일간의 발전산업노조 투쟁백서』(2003), 『과거에서 희망을 찾자-가스노조20년사』(2005, 공저), 『현자노조 20년사』(2009, 공저) 등이 있고 『노동자, 자기역사를 말하다』(2005, 공저)를 함께 썼다.

해고는 살인이다

금속노조 쌍용자동차지부 77일 옥쇄파업 투쟁백서

초판 1쇄 발행 2010년 1월 27일
2쇄 발행 2010년 5월 18일
글쓴이 양돌규 이승원 정경원
펴낸이 양규헌

펴낸곳 한내 http://hannae.org

주소 서울특별시 영등포구 영등포동2가 94-141호 동아빌딩 303호
전화 02-2038-2100 팩스 02-6326-2618
등록 2009년 3월 23일(제318-2009-000042호)

ISBN 978-89-962441-2-7 93330

값 25,000원

*이 도서의 국립중앙도서관 출판시도서목록(CIP)은 e-CIP 홈페이지(http://www.nl.go.kr/ecip)에서 이용하실 수 있습니다. (CIP제어번호 : CIP2009004135)

노동자역사 한내가 쌍용자동차 정리해고특별위원회를 지원합니다.

금속노조 쌍용자동차지부 77일 옥쇄파업 투쟁백서

해고는 살인이다

금속노조 쌍용자동차지부 · 노동자역사 한내 저

한내

발간사

동지들, 당당하게 전진합시다

2009년 이 땅의 노동자를 굴종시키려는 무자비한 탄압이 쌍용자동차에 퍼부어졌습니다. 이에 맞서 조합원의 힘으로 생사를 넘나드는 투쟁을 했습니다. 원하청 공동투쟁으로 상하이차 악질 자본의 범죄행위를 단죄하고 회사를 올바르게 정상화하기 위해 투쟁했습니다. 우리는 다른 누구 때문에 투쟁한 것이 아닙니다. 노동자로서의 당당함을 스스로 찾기 위해 나섰습니다.

자본과 정권의 탄압은 우리의 심장마저도 도려낼 것 같은 기세였습니다. 상하이차와 무책임한 경영진 뒤에는 거대한 자본과 정권이 있었습니다. 우리는 자신들의 위기를 노동자에게 전가하지 말라고 외쳤습니다. 완강한 투쟁으로 공장을 사수하고 그 기운을 연대의 힘으로 모아 저들과 한판 전쟁을 벌였습니다. 우리의 힘으로 무너뜨리기에는 너무나 두터운 장벽이었지만 우리의 투쟁은 저들의 간담을 서늘하게 했습니다.

혼자만의 투쟁이 아니어서 외롭지 않았습니다.

혹여 지도부가 나약해질까 봐 걱정하며 투쟁의 선두를 자청했던 자랑찬 조합원 동지들.

수많은 국민들을 울리면서 이 땅 노동자들의 선봉대를 자처한 가족대책위 동지들.

지역의 모든 역량을 모아주신 평택, 경기 지역 대책위 동지들.

노동자의 아픔을 함께하기 위해 현장으로 달려와 주신 노동단체, 사회단체, 진보정당, 종단 대표님, 국회의원, 공투본과 범대위 동지들.

힘들 때마다 먼 길 마다않고 전국에서 달려와 주신 민주노총, 금속노조 조합원 동지들.

동지들의 힘, 연대의 힘이 없었다면 우리는 한 발짝도 전진할 수 없었습니다.

동지들께 감사한 마음을 전하며 더 큰 연대로 함께할 것을 약속드립니다.

현장에서 땀 흘려 일하면서 주먹밥 투쟁의 무용담을 이야기했으면 좋았을 텐데 아쉬움과 고통을 동지들과 함께하지 못함에 가슴만 뜨거워집니다. 그러나 뚜벅뚜벅 다시 길을 가야 하기에 아쉬움 많은 기록이라도 남겨야 한다고 생각했습니다. 투쟁을 만들어온 우리의 경험과 기억을 생생하게 남기고, 눈에 보이는 결과대로 냉정하게 평가하자는 것이었습니다. 처절한 생존 투쟁을 한 8개월간의 흔적들이 전체 노동자 반격에 도움이 되길 바랍니다.

쌍용차 조합원 동지들

산 자도 죽은 자도 구속자도 징계자도 희망퇴직자도 어떤 위치에 있건 여전히 내가 노동자일 수밖에 없다는 것을 금새 깨달을 날이 올 것입니다. 그때는 민주노조 깃발이 외롭지 않고 전 조합원의 이름으로 단결의 광장에서 휘날리기를 기원합니다.

지금 이 순간 힘들겠지만 더 이상 잃을 것이 없기에 좌절하지 맙시다. 자본과 정권에 당당했던 힘으로 포기하지 말고 희망을 갖고 전진합시다.

그동안 우리와 같이 울고 웃으며 연대한 수많은 동지들과 노동조합, 단체들에게 감사의 말씀을 전합니다. 정작 백서 제작의 주축이어야 하는 동지들이 대부분 구속된 가운데 품을 아끼지 않고 함께해 주신 노동자역사 한내 동지들에게도 감사드립니다. 끝으로 이 투쟁이 한창이던 때 운명하신 조합원과 가족에게 이 백서를 정중하게 바칩니다.

2010년 1월

구치소에서 금속노조 쌍용자동차지부장 **한 상 균**

서문

지금보다 더 강한 미래를 위해……

쌍용자동차지부 77일 투쟁백서 『해고는 살인이다』는 2009년 5월 22일부터 2009년 8월 6일까지 옥쇄파업을 전개한 전국민주노동조합총연맹 전국금속노동조합 쌍용자동차지부 조합원들의 투쟁 준비와 과정, 의의를 총체적으로 정리하고 있다. 쌍용자동차지부의 투쟁은 경제공황기에 자본에 닥친 위기를 노동자에게 전가하는 방식이 어떻게 현장에 적용되는가를 여실히 보여준 것이다. 2009년 한국사회 한 여름을 뜨겁게 달구었던 쌍용자동차지부의 투쟁은 아쉬움도 있었지만 노동의 가능성을 보여준 투쟁이다. 77일 투쟁을 되돌아보고 기록하는 것은 과거에 대한 애착과 아쉬움이 아니라, 소중한 경험을 미래의 더 나은 실천과 민주노조운동의 역량 강화에 기여하고자 하는 것이다.

백서는 사실에 바탕을 두고 투쟁을 종합적이고 체계적으로 정리하는 작업이었다. 그러나 쉬운 작업은 아니었다. 2009년 9월 쌍용자동차지부의 요청을 받고, 노동자역사 한내의 설립목적상 반드시 해야 할 일이라고 생각했지만, 난관이 있었다. 그것은 사법 처리 문제와 작업의 공개 문제였다. 구속자들의 사법처리 문제와 계속되는 검찰의 추가 구속 때문에 자료의 공개에 제한적일 수밖에 없는 상황이었다.

또한 투쟁 주체들이 구속되어 있어 그들의 생각을 듣는 것이 제한적이었다. 그럼에도 2009년 9월, 10월에 길쳐 방대한 자료를 수집하였다. 노조 소식지, 각종 정책자료, 사업보고서, 언론 기사 모음, 사진, 동영상, 회의자료, 회의록, 각종 교안, 공문, 홈페이지 게시판 의견, 파업 프로그램 등을 수집하여 2개월에 걸친 분류 작업을 통해 17권의 '쌍용자동차지부 투쟁자료집'으로 엮었다. 자료집은 이영기가 정리했다. 자료로 부족한 것을 채우기 위해 조합원 17명의 구술과 4명의 연대단위 면접, 조합원 13명의 서면질의와 면담, 한상균지부장의 서면질의 등을 진행하였다.

투쟁백서『해고는 살인이다』는 총 4장으로 구성되었다. 1장은 쌍용자동차의 경영위기와 고용문제 부상으로 쌍용자동차의 약사를 살펴보고, 경영 상황, 노동조합의 약사와 노사관계, 경영 위기의 원인과 사측의 도발, 한상균 집행부의 등장을 담고 있다. 2장은 파업전야라는 제목으로 파업준비시기를 다루었다. 2009년 1월 9일 법정관리 신청으로부터 사측과의 공방전, 파업을 조직하는 과정과 가대위 결성, 비지회 투쟁, 연대단위의 구성, 굴뚝농성 돌입 등을 담고 있다. 3장은 77일의 총파업을 다루고 있다. 전반부는 조합원들이 모이는 과정에서부터 파업프로그램의 운영, 대오 정비, 훈련, 회의, 일상생활 등 옥쇄파업의 모습들을 입체적으로 보여주고 있다. 후반부는 구사대와 경찰의 침탈, 이에 대항하는 조합원들의 전투, 교섭, 봉쇄, 갈등, 전쟁, 합의 등 실제적인 전투와 교섭의 과정을 생생하게 다루고 있다. 합의 이후 사측의 약속불이행과 사법처리의 문제도 함께 다루고 있다. 4장은 투쟁의 의미와 성과를 정리하였다. 계량적인 성과의 부분보다는 이후 평가할 수 있는 논쟁지점을 정리하는데 역점을 두었다.

역사는 성과보다는 한계와 오류를 분명히 인식하는 것에서 더 많은 발전이 있다는 생각에서 한계와 과제를 함께 정리하였다. 집필은 양돌규, 이승원, 정경원이 나누어서 하였다.

한 권의 책으로 쌍용자동차지부 동지들의 투쟁을 제대로 표현하기에는 애초에 불가능했을 수도 있다. 불과 4개월의 기간에 자료 수집과 집필, 초안 검토까지 마치는 것 자체도 무리한 것이었다. 그러나 쌍용자동차지부의 투쟁을 폄하하려는 자본과 정권의 이데올로기를 종식시키고, 투쟁의 의미와 성과를 왜곡하려는 세력에 대항하여 '사실'을 알리기 위해 백서작업을 서둘렀다. 아직 쌍용자동차지부의 투쟁이 끝나지 않았기 때문에 백서작업 또한 끝은 아니다. 이 백서를 통해 쌍용자동차지부 동지들의 투쟁을 기억하고 평가하기 위한 시작을 알리는 것뿐이다. 이제 민주노조운동의 주체들이 이 투쟁을 올곧게 계승발전 시켜야 할 것이다.

끝으로 백서제작을 위한 자료의 수집과 제공을 위해 고생하신 이영호 정특위 의장, 인터뷰와 서면질의에 응해주신 35명의 간부와 조합원 동지들, 훌륭한 사진을 제공해 주신 김철수, 신동준, 이명익, 이원용 동지, 77일 내내 투쟁의 경험과 느낌을 생생하게 적어 일지를 보내주신 익명의 조합원께 감사드린다.

2010년 1월

글쓴이 일동

차례

3장_ 총파업 - 해고는 살인이다

4장_ 투쟁의 의미와 성과

부록

쌍용자동차의 경영위기와 고용문제 부상

- 쌍용자동차의 상황
- 쌍용자동차노동조합과 노사관계
- 해외자본의 문제와 고용문제
- 한상균 집행부의 등장

쌍용자동차의 상황

쌍용자동차의 설립과 현재

쌍용자동차는 1954년 1월 서울 마포구에서 하동환자동차제작소로 설립되어 버스를 생산하였고, 1963년 7월 동방자동차공업을 합병하여 하동환자동차공업(주)로 법인 전환하였다. 1967년 5월에는 신진자동차(GM대우의 전신)와 업무 제휴를 맺기도 하였다. 1977년 2월 동아자동차(주)로 상호를 변경하고, 1979년 지금의 평택공장을 준공하는 등 종합자동차회사로서의 면모를 갖추게 되었다. 1984년 12월에는 KH-7 코란도 지프를 생산하던 (주)거화를 흡수 · 합병하여 본격적

쌍용자동차 1980년대 생산모습

쌍용자동차 평택공장 전경

으로 4륜구동 자동차 생산에 돌입하였으며, 부산에 있던 지프 생산시설을 평택으로 이전하였다.

동아자동차(주)는 1986년 11월 쌍용그룹으로 매각되었고, 1988년 3월 쌍용자동차란 사명으로 변경되었다. 쌍용자동차(주)로 새롭게 탄생하면서 한국 최초로 스테이션 웨건형 4륜구동차인 '코란도훼미리'를 생산함으로써 국내 독보적인 4륜구동차 생산업체로 알려지기 시작했다. 이후 1991년 독일 벤츠(현 다임러크라이슬러)와 소형상용차와 디젤엔진에 대한 기술제휴, 1993년 대형승용차와 가솔린엔진의 기술제휴에 이어 자본 합작까지 협력관계가 이루어졌다.

쌍용자동차는 1998년 IMF외환위기를 맞아 쌍용그룹의 경영난으로 대우그룹에 인수되었다. 대우가 회사부채 3조 5,300억 원 중 1조 7,600억 원을 부담하는 조건이었다. 이어진 대우그룹의 자금난과 그룹해체에 따라 1999년 12월 기업개선작업(워크아웃)에 들어갔고, 2000년 4월 대우그룹에서 분리되었다.

정부는 2002년 2월에 주채권은행인 조흥은행에 공적자금 1조 원과 금융지원 2,000억 원을 투입하여 출자전환토록 하였고, 2002년 6월 무상균등감자(10:1)하여 자본금을 5조 7,220억 원에서 5,722억 원으로 축소하였다. 그해 8월 쌍용차 매각 주간사로 삼일회계법인을 선정하고 11월 공개 경쟁입찰을 통해 인수사를 선정하게 되었다. 인수의향서는 GM, 르노, 란싱그룹, 상하이기차 등 7~8개 업체가 참여했으나 란싱그룹이 우선협상대상자로 선정되었다. 그러나 채권단은 란싱그룹과 매각 조건이 합의되지 않자, 2004년 3월 24일 란싱그룹을 우선협상대상자에서 탈락시키고 2005년 1월 27일 상하이차에 쌍용자동차를 5,909억 원에 매각하였다.

워크아웃 및 매각 과정에서 노동조합은 '독자생존 관철과 현장조직력 강화를 위한 특별비상대책위원회'를 공식 출범시키고, 매각 반대 조합원 총투표 가결, 순환 파업, 부분 파업 등 투쟁을 전개하였다. 2003년 말에는 금속연맹과 함께 '쌍용자동차 처리방안에 관한 공청회'를 열어 매각에 대한 우려와 특히 중국매각에 대한 위험을 경고하였다. 노동조합은 중국매각에 대한 위험으로 기술추격과 중국자동차산업의 구조적 문제로 생산업체의 난립, 부품산업의 낙후, 글로벌메이커의 시장지배와 생산기술의 낙후, 과잉 생산능력, 중국 정부의 산업 정책 등을 꼽고 있다. 공청회에서 중국기업들이 쌍용차를 필요로 하는 이유는 기술이전과 원천기술 확보의 용이성, 브랜드 전략, SUV 시장의 증가와 경쟁력 있는 국내메이커로 생산능력이 적음에 있음을 분명하게 밝혔다. 그러나 정부와 채권단은 노조의 주장을 무시한 채, 중국의 상하이차에 출자 전환 된 1조 2,000억 원의 절반 가격으로 쌍용차를 매각했다.

해외매각 초기 노동조합은 해외매각 반대를 목표로 투쟁을 전개하였으나, 결국에는 조건부 매각으로 기울어져 상하이차로의 매각을 받아들이고 회사 발전과 고용안정에 관한 협상에 주력하였다. 2004년 10월 28일 상해기차공업(집단)공사(SAIC)로의 지분매각에 따른 노사간 특별협약을 노동조합과 회사, 상해기차공업(집단)공사 대표자들이 국제인증을 해서 체결하였다. 특별협약에는 상해기차공업(집단)공사가 인수 후 쌍용자동차를 위한 투자 이행 및 투자약속, 지속적인 쌍용자동차 발전 계획, 노동조합 단체협약을 포함한 당시 근무

하는 모든 직원의 고용을 승계하고 보장한다고 명시되어 있다. 그러나 상하이차는 새로운 이사회 구성에서는 의장을 기존의 소진관 사장이 아닌 상하이차그룹의 천홍 총재를 선임하고, 사내이사 4명 중 3명을 상하이차 인사로 채웠다. 2005년 단행한 인사에서 투입된 상하이차측 부사장 3명은 각각 기획 · 재무총괄본부와 관리 · 구매총괄본부의 부본부장, 경영관리위원회 위원으로 임명하였고, 상무 2명은 종합기술연구소 소장 보좌역과 이사회 및 경영관리위원회 업무 관장을 맡겼다. 상하이차 임원들이 회사의 중장기 프로젝트, 부서간 업무조정, 자금운용, 인사, 구매 등을 맡는 핵심 부서에 배치되어 사실상 경영을 장악하였다. 특히 종합기술연구소에 상하이차측 상무가 소장 보좌역으로 들어간 것에 대해 중국으로의 기술유출이 기우가 아니라 현실화될 수 있다는 우려가 제기되었다. 이러한 우려 가운데 노동조합은 2005년 5월 17일에 상하이집단공사 천홍 총재와 직접 협상을 하여 4,000억 투자, 30만 대 생산설비를 위한 중장기 계획을 담은 특별노사합의서를 체결하였다. 이후에도 노사간 투자와 생산설비 증설 등의 약속이 되풀이 되었지만, 상하이차는 지키지 않았다. 약속을 지키지 않고 기술이전에만 혈안이 되어 반복된 거짓말로 일관했던 상하이차의 문제는 쌍용자동차의 경영위기로 현재에 이르게 되었다.

재무구조와 생산, 판매능력

재무실적 변화 추이

쌍용자동차는 1998년 대우그룹으로 매각되었다. 대우그룹 편입이

후 1년만인 1999년 기업개선작업(워크아웃)에 들어갔으며, 2000년 4월 대우그룹으로부터 분리되었다. 5년에 걸친 워크아웃 끝에 2004년 상하이차에 매각되었다. 쌍용그룹에서 대우그룹으로 매각, 워크아웃, 해외매각을 거치며 공적자금까지 투입되었던 쌍용자동차의 지난 10년간 재무실적의 변화 추이를 살펴보면 다음과 같다.

[쌍용자동차 재무구조 총괄표 : 1999~2008년]

(단위 : 백만 원)

구분	총자산	납입자본금	자본총계	매출액	영업이익	순이익
1999	2,982,773	345,981	-61,343	1,359,736	-489,440	-1,074,639
2000	2,093,230	190,404	-949,281	1,778,479	-259,221	-972,293
2001	2,074,610	190,404	246,941	2,326,694	152,464	9,178
2002	2,197,447	604,023	616,350	3,417,338	318,366	320,425
2003	2,529,664	604,023	1,206,028	3,261,452	289,576	589,696
2004	2,610,199	604,023	1,220,396	3,297,855	31,043	11,389
2005	2,708,841	604,023	1,121,401	3,403,697	-2,113	-103,360
2006	2,351,295	604,023	925,341	2,951,837	27,270	-195,962
2007	2,417,230	604,023	966,444	3,119,335	44,086	4,571
2008	1,705,288	604,023	257,870	2,495,217	-227,389	-709,684

*출처 : 한국기업데이터(주), 기업정보제공서비스(cretop)

쌍용자동차는 대우그룹으로 인수된 후에도 비핵심사업(이스타나, 체어맨)에 대한 과잉투자, 핵심부품의 대외의존 심화에 따른 수익성 악화와 IMF외환위기에 따른 판매부진 등으로 1999년 8월 워크아웃 대상 업체로 선정되었다. 그해 12월에 주채권은행단과 기업개선작업 약정을 체결하면서 본격적인 구조조정에 들어가게 되었다. 1999년은 자본금이 잠식되고 1조 746억 원의 당기순손실을 내는 등 심각한 상황이었으나, 2002년 공적자금이 투입되고부터는 3조 원대의 매출달성과 영업이익, 당기순이익의 흑자를 내고 있다. 2003년에는 당기순이익 5,897억 원을 내는 등 경영 상황이 호전되었다.

그러나 상하이차가 인수한 2004년부터 자산규모도 점진적으로 하락 경향을 보이고 있으며, 자본총계 또한 감소 추세를 보이고 있다. 영업이익과 당기순이익도 감소 또는 적자를 나타냈고, 2006년에는 매출액도 감소하였다. 매출액은 2007년 개선되는 듯이 보였으나, 2008년 최악의 실적을 나타내고 있다. 2008년의 매출감소 원인은 세계적인 경제공황의 영향으로 설명할 수도 있겠지만, 2005년부터의 순이익 감소폭과 2006년부터의 매출액을 보면 상하이차 인수 이후의 경영실패가 주요원인이라고 볼 수 있다.

인력 변동 추이와 현황

상하이차 인수 이후 인력변동을 보기 위해 2003년 인력현황부터 2009년 초 법정관리 신청 직전까지 인력 변동 추이를 살펴보면 아래와 같다. 주요한 특징은 임원의 숫자가 증가하고 있다는 것과 비정규직의 수가 지속적으로 감소하고 있다는 점이다.

[연도별 인력변동추이]

(단위 : 명)

구 분	2003	2004	2005	2006	2007	2008. 9
정규직	5,334	5,504	5,697	5,664	5,190	5,156
비정규직			1,700	1,200	695	640
사무관리직	2,108	2,211	2,311	2,018	1,975	1,983
계	7,442	7,715	9,708	8,882	7,860	7,779
임원(사외이사)	11(6)	19(6)	47(9)	35(9)	31(9)	34(10)

*출처 : 노동조합 현황자료
*2003~2007년은 연말기준임.
*회사의 총원자료에는 비정규직 인원이 제외되어 기존자료와 차이가 있음.

생산부분 정규직과 사무관리직은 2005년을 정점으로 점진적으로 감소하고 있으며, 비정규직의 경우 2005년 대거 채용되었다가 2006

년부터 강제적인 구조조정의 대상으로 활용되었다. 노사간 정규직의 고용안정 수단으로 비정규직을 활용한 것이다. 2007년에는 정규직 470여 명, 비정규직 500여 명의 인력이 축소되었다. 2006년부터는 지속적인 인력감소가 진행되어 2008년 9월 총원이 2004년 수준으로 축소되었다.

[쌍용자동차 인력 현황 : 2009.2.1. 현재]

(단위 : 명)

구분	관리직	생산직	기타	직계
구매본부	140	19	4	163
기술연구소	614	195	11	820
기획재무본부	106	1	9	116
사장직속	149	147	25	321
생산부문직속	462	4,038	24	4,524
영업부문직속	407	380	35	822
품질본부	73	270	3	346
별도관리		20	1	21
총계	1,951	5,070	112	7,133

*출처 : 금속노조 쌍용자동차지부, 『함께 살자』

쌍용자동차의 인력현황을 보면 2009년 2월 1일 현재 7,133명이며, 생산직 5,070명, 관리직 1,951명이다. 전체 인력의 직무별 구성비는 생산부문 인력이 64%에 달하며, 영업직 12%, 연구직 11%의 순이다.

[쌍용자동차 인력 구성비]

구분	구매	연구	생산	영업	품질	재무·관리	계
구성	2%	11%	64%	12%	5%	6%	100%

*출처 : 금속노조 쌍용자동차지부, 『함께 살자』

인력구성 중 사무관리직은 24%를 구성하고 있으며, 이는 동종업계인 현대자동차의 30.8%(2008년 반기보고서)에 비하면 낮은 수준이다. 생산부문의 인력은 4,524명이다. 이 중에서 출하운영팀, KD물류팀, 자재조달팀, 도입자재관리팀, 창원공장을 제외한 인원은 3,765명이고, 이 중 원청은 3,507명, 하도급 소속은 258명이다.

[평택공장 생산인력 및 휴업 인원 : 2009.2.1. 현재]

구분		현재원			휴업 인원								
					C200공사관련			도장1라인			랙스턴차체		
		원공	하도	계	원공	하도	계	원공	하도	계	원공	하도	계
생산1담당	차체1팀	192	2	194	57		57				54	2	56
	도장1팀	226	25	251				226	25	251			
	조립1팀	497	22	519	497	22	519						
	보전1팀	101		101	30		30	33		33	9		9
	프레스생산팀	213	11	224	3		3				4		4
	소계	1,229	60	1,289	587	22	609	259	25	284	67	2	69
생산2담당	차체2팀	143	20	163									
	도장2팀	328	49	377									
	조립3팀	573	90	663									
	조립4팀	371		371									
	보전2팀	119		119									
	소계	1,534	159	1,693									
생산·물류	생산관리팀	48	10	58	6		6	2		2	2	2	4
	물류운영1팀	165	20	185	106	12	118				9		9
	물류운영2팀	272	9	281	14		14						
	소계	485	39	524	126	12	138	2		2	11	2	13
제조품질	제조품질1팀	69		69	60		60						
	제조품질2팀	115		115									
	부품품관팀	50		50									
	소계	234		234	60		60						
	산업안전팀	25		25									
총 계		3,507	258	3,765	773	34	807	261	25	286	78	4	82

*출처 : 금속노조 쌍용자동차지부, 『함께 살자』

363명은 상시주간으로 근무하고 있고, 3,402명이 1,701명씩 2개조로 교대근무를 하고 있다. 신차인 C-200생산을 위해 설비공사를 진행하고 있어 조립1팀은 휴업 상태이며, 관련 인원은 하도급을 포함하여 609명이다. 조립1팀이 휴업을 하면서 도장1라인 284명과 렉스턴 차체 69명도 휴업에 들어갔다. 조립3 · 4팀 515명은 노사가 합의에 이르지 못해 강제 휴무 상태이다.

생산 현황

상하이차가 쌍용자동차를 인수한 이후 카이런, 액티언, 액티언스포츠, 체어맨W가 새로 생산되었고, 무쏘와 코란도는 2006년에 무쏘스포츠는 2007년에 단종되었다. 그러나 자동차 개발, 생산과정에 소요되는 기간을 계산하면 상하이차 인수 후 진정한 신차종 출시는 없었다. 체어맨W가 있으나 이 차종도 기존에 예정되어 추진되던 프로젝트였다.

[연도별 차종별 생산현황]

(단위 : 대)

차종	2004년	2005년	2006년	2007년	2008년
렉스턴	55,245	45,039	25,862	24,108	10,114
카이런	-	23,047	30,964	35,251	19,736
액티언	-	7,760	22,741	21,149	11,365
액티언스포츠	-	-	13,813	23,434	22,674
체어맨H	14,559	15,466	12,119	9,571	6,092
체어맨W	-	-	-	-	7,049
로디우스	15,739	16,574	9,872	9,344	4,232
무쏘 SUT	24,444	19,100	1,768	-	-
무쏘	2,987	1,528	-	-	-
코란도	17,805	7,387	-	-	-
합계	130,779	135,901	117,139	122,857	81,265

*2008년은 실제자료와 차이가 있을 수 있음.
*출처 : 쌍용자동차(주), '쌍용자동차 현황자료'

상하이차 인수와 무관하게 보더라도 2005년 이후 SUV, CDV 분야에 신차 투입이 없었으며, 렉스턴과 로디우스는 2005년을 정점으로 생산량이 감소하고 있음에도 대체차종 투입 시기를 놓쳤음을 알 수 있다.

재무현황에서 볼 수 있듯이 2005년 무쏘와 코란도의 후속 신차인 카이런과 액티언이 출시되면서 일시적으로 매출액이 상승했으나 이후 SUV시장을 둘러싼 경쟁이 격화되면서 매출이 감소하기 시작하였다. 판매량에서 보듯이 2005년을 정점으로 감소 추세로 접어들었다.

판매 감소의 원인은 전반적으로는 다목적차량의 시장이 위축되고 있다는 점도 작용하고 있으나 후속 신차들의 개발이나 적극적인 시장에서의 대응 부재 등이 주요 원인이라 할 수 있을 것이다.

[쌍용자동차 연도별 판매대수]

구분	2004	2005	2006	2007	2008
내수	98,001 (75%)	73,543 (53%)	55,947 (48%)	60,671 (49%)	39,165 (48%)
수출	32,533 (25%)	65,521 (47%)	60,035 (52%)	64,001 (51%)	43,240 (52%)
계	130,534	139,064	115,982	124,672	82,405

*출처 : 쌍용자동차(주), '쌍용자동차 현황자료'

판매 추이도 2005년 이후 감소세를 보이고 있다. 내수와 수출의 비율을 보면 2004년에는 내수 비중이 전체의 3/4에 이르는 등 대단히 높았으나, 2005년부터는 내수와 수출의 비율이 거의 비등하게 나타나고 있다. 2005년 이후 나타나는 판매 감소도 내수와 수출이 동반 하락하고 있다.

한국 자동차 생산에서 쌍용자동차가 차지하는 비율은 2007년 1~11월의 누계로 3%였으나, 2008년 1~11월의 비율은 2.2%로 낮아졌다. 전년대비 31.8%의 감소를 나타내고 있다. 한국 자동차산업 전체적으로는 전년 동월(2008.11.현재) 대비 18.2% 감소, 2008년 1~11월 생산은 357만 465대로 전년 동기대비 4.6%가 감소하였다.

[업체별 생산 현황 2008.11. 현재]

구분	2007			2008			증감률		
	11월	1~11월	비중	11월	1~11월	비중	전월비	전년동월	전년대비
합계	401,403	3,744,580	100.0	328,178	3,570,465	100.0	-18.8	-18.2	-4.6
현대	167,393	1,560,770	41.7	155,493	1,552,703	43.5	-14.9	-7.1	-0.5
기아	115,783	1,023,124	27.3	108,166	963,745	27.0	-5.5	-6.6	-5.8
대우	90,530	868,209	23.2	50,294	782,716	21.9	-37.0	-44.4	-9.8
쌍용	9,239	114,130	3.0	3,550	77,818	2.2	-50.5	-61.6	-31.8
삼성	16,738	162,638	4.3	9,500	178,993	5.0	-49.1	-43.2	10.1

*출처 : 자동차공업협회

쌍용자동차가 생산하는 차량의 시장점유율은 생산대수 기준으로 2%대이다. 그러나 쌍용자동차가 주력으로 생산하는 고급승용차와 SUV의 생산단가 등을 고려할 때 매출액 기준으로는 비중이 조금 높아질 것이다. 또한 완성차의 특성상 부품업체와의 공동 운명을 생각한다면 지역경제에 미칠 영향은 적지 않을 것이다. 쌍용자동차 협력업체는 2007년 말 기준으로 213개 업체로 연간 1조 3,000억 원 상당의 매출을 기록하고 있으며, 3차 협력기업까지 포함한다면 약 1,300개의 업체가 있는 것으로 파악되고 있다.

매출, 원가, 순이익 변화

쌍용자동차의 연도별 매출, 원가, 영업이익, 경상이익, 당기순이익의 추이를 보면 매출액은 2005년 이후 지속적인 감소를 보였으나 매출원가의 감소로 2008년을 제외하고는 매출총이익이 일정하게 유지되었다.

[쌍용자동차 연도별 손익계산서 요약]

(단위 : 백만 원)

구 분	2004	2005	2006	2007	2008
Ⅰ.매출액	3,297,855	3,403,697	2,951,837	3,119,335	2,495,217
Ⅱ.매출원가	2,665,963	2,804,184	2,386,681	2,532,148	2,186,791
Ⅲ.매출총이익	631,892	599,513	565,155	587,187	308,426
Ⅳ.판매비와 관리비	600,849	601,627	537,886	543,101	535,815
Ⅴ.영업이익(손실)	31,043	-2,113	27,269	44,086	-227,389
Ⅵ.영업외수익	116,353	79,628	93,188	130,857	257,853
Ⅶ.영업외비용	91,215	136,753	178,186	163,338	740,148
Ⅷ.경상이익(손실)	56,180	-59,239	-57,186	11,605	-709,684
Ⅸ.법인세비용	44,791	44,121	138,234	34	0
Ⅹ.당기순이익(손실)	11,389	-103,360	-195,962	11,571	-709,684

*출처 : 한국기업데이터(주), 기업정보제공서비스(cretop)

매출액 대비 20%에 육박하는 매출이익을 보이고 있으나, 판매비와 관리비의 비중으로 영업이익은 적자 아니면 매출액 대비 1%대의 미미한 수준이다. 2005년 대비 2008년의 원가 변동을 보면 직접원가는 20%가량 감소하였으나 판매비와 관리비는 10%대의 감소를 보이고 있다.

영업이익률이 낮은 것보다 더 문제되는 것은 영업외 비용의 증가이다. 영업외 수익도 2005년 이후 꾸준히 증가하고 있지만, 영업외 비용의 증가에는 훨씬 미치지 못해 경상이익의 악화에 결정적인 영향을 미친다. 영업외 비용의 증가 요인은 외환차손의 급증, 파생상품평가손실 급증, 이자비용 증가, 유형자산처분손실 급증 등을 꼽을 수 있다. 이는 생산을 위한 직접적인 비용이 아닌 경영활동과 의사결정에서 파생되는 비용으로 전적으로 경영진의 책임이다. 특히 2008년은 매출감소로 인해 영업이익이 2,274억 원의 적자를 기록하고 있지만, 영업외 비용이 7,401억 원이 발생하여 7,097억 원의 당기순손실을 기록하였다. 상하이차의 인수 이후 쌍용자동차 본연의 자동차 생산, 판매보다 영업외 활동에 문제점을 보이고 있다.

결론적으로 상하이차가 쌍용자동차를 인수한 이후 급격히 손익구조가 나빠지고 있다. 2004년 매각 당시의 재무 상태는 대손충당금 800억 원, 대우자판 어음 3,000억 원, 이익잉여금 6,000억 원으로 부도나 자본잠식 상태가 아니었다. 상하이차가 인수한 후 계속되는 적자로 경영상태가 악화되었고, 영업외 비용의 급증으로 2008년에는 7,000억 원에 달하는 당기순손실을 내게 된다. 상하이차는 인수 대금 5,909억 원 중 실제 부담한 것은 1,200억 원에 불과하고 인수 대금 중 쌍용자동차 자산을 담보로 채권단이 대출한 4,200억 원을 포함한 4,620억 원은 국내에서 조달한 것이다. 그중 4,200억 원은 쌍용자동차가 2006년도에 대납하였다. 인수 비용이 쌍용자동차 채무로써 손익에 직접 영향을 미치는 상황에서 쌍용자동차의 경영실적 호전이나 회생을 기대한다는 것은 어려운 상황이었다.

주주 구성

쌍용자동차를 인수했던 상해기차집단고분유한공사는 자신이 소유했던 쌍용자동차 주식 51.33% 중 48.92%를 2006년 12월 상하이차에 현물 출자하였다. 그 결과 쌍용자동차의 주식은 상하이차가 48.92%, 상해기차집단고분유한공사가 2.41%를 소유하게 되었다. 이는 완성차, 핵심부품 및 자동차 금융 등 핵심사업에 집중하여 상장사로서의 역량을 강화하기 위한 상하이차그룹의 전략적인 선택인 것으로 볼 수 있다.

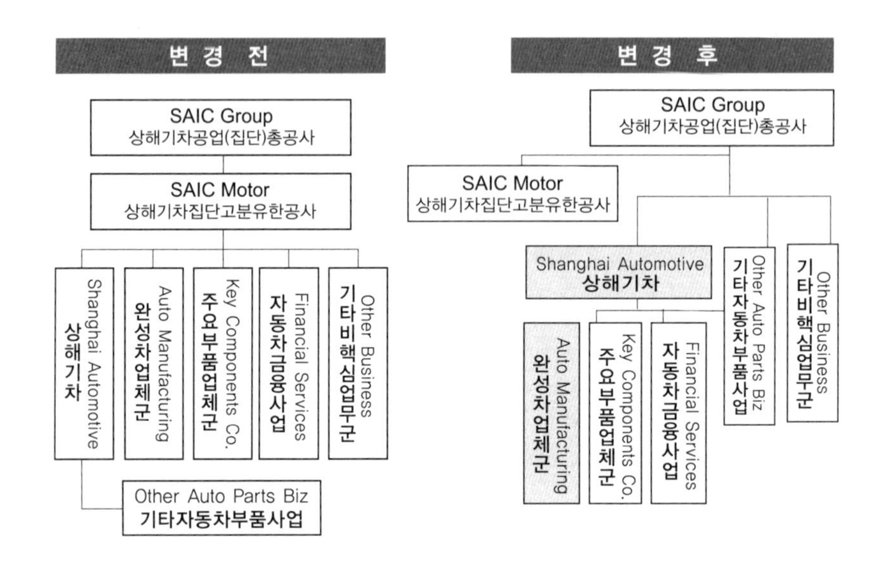

[쌍용자동차 지분 변동 내역(2006.12.)]

구분	주주	지분율	주식수
변경전	상해기차집단고분유한공사	51.33%	62,004,680주
변경후	상해기차	48.92%	59,094,098주
	상해기차집단고분유한공사	2.41%	2,910,582주

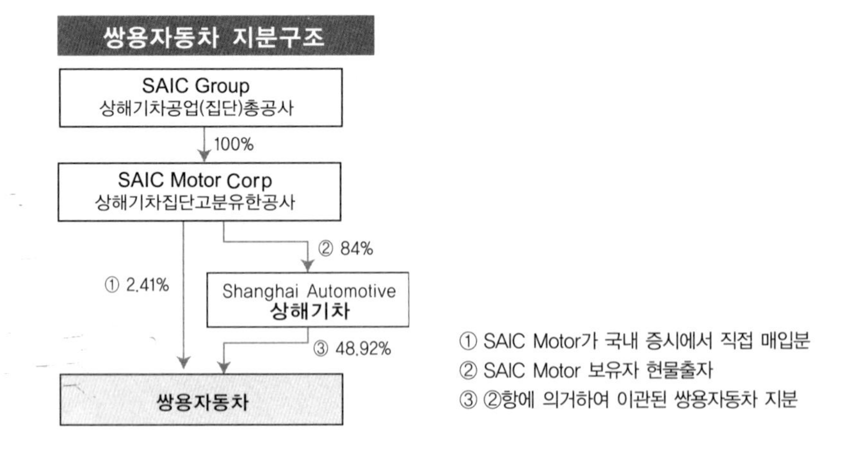

쌍용자동차 주식은 주당 액면가 5,000원, 발행주식 수는 1억 2,080만 4,620주로 납입자본금은 6,040억 2,310만 원이다. 최대 주주는 상해기차집단고분유한공사로 6,200만 4,680주(51.33%)를 소유하고 있으며, 우리사주조합이 4만 8,723주(0.04%)를 소유하고 있다. 나머지는 금융기관과 기관, 소액주주로 구성되어 있다. 주식 소유자별 성격에 따른 주주의 수와 주식의 분포는 아래 표와 같다.

[소유자별 주주구성 및 주식분포]

주주구분	주주수	주주구성비율	주식수	주식분포비율
소액주주법인	192	0.65%	7,713,836	6.39%
소액주주개인	29,552	99.33%	47,534,972	39.35%
최대주주1인	3	0.01%	62,005,961	51.33%
기타주주법인	2	0.01%	3,539,980	2.93%
기타주주증권예탁원	1	0.00%	9,871	0.01%

*출처 : 한국기업데이터(주), 기업정보제공서비스(cretop)

2008년의 종합적인 상황

쌍용자동차 위기의 원인은 크게 두 가지로 볼 수 있다. 첫째는 2004년 정부에 의해 주도된 해외매각의 실패에 기인한다. 물론 쌍용자동차를 인수한 상하이차의 인수목적이 제일 핵심일 것이다. 그러한 의도가 뻔히 보이는 상황에서도 중국 자본에 쌍용자동차를 넘긴 정권의 문제이다. 둘째는 세계적인 경제공황에 따른 자동차 판매의 급감에 있다. 공급과잉과 이윤율 저하로 어려워지는 자동차산업에 세계 경제공황은 신차 출시 없이 버텨가는 쌍용자동차를 회생 불능의 상황으로 몰아간 것이다.

앞서 살펴본 대로 상하이차가 인수한 첫해인 2005년은 신차도 출시되고 매출도 증가되어 2002년과 비슷한 수준을 나타냈지만 적자를 냈으며, 2007년 한 해만 흑자를 기록했을 뿐 계속적인 적자를 기록했다. 상하이차는 인수비용 5,909억 원 중 1,200억 원 제외하고는 국내자본으로 조달하였고, 그중 4,200억 원은 쌍용자동차의 자금으로 상환하고 나머지는 부채로 안게 되어 실제 인수 비용은 1,200억 원이었다. 공적자금 1조 원과 금융지원 2,000억 원 등 1조 2,000억 원을 투입한 쌍용자동차를 다국적 자동차 메이커들이 시장 선점을 위해 신모델 개발과 생산설비 확대를 추진하고 있는 중국에 헐값에 매각하고 만 것이다.

중국의 당시 시장 상황과 생산 능력의 향상 속도를 보면 상하이차가 쌍용자동차를 인수한 저의는 분명했다. 무엇보다도 그 당시 중국시장에서 성장가능성(SUV시장 점유율 : 2003년 10% → 2007년 25% 예측)이 컸던 SUV 핵심기술을 보유한 쌍용자동차를 인수하는 것이 유리했을 것이다. 또한 쌍용자동차는 필요한 기술에 비해 회사의 규모가 작아 큰 부담이 안 된다는 장점이 있었다. 새로운 자동차를 만드는데 2~3,000억 정도가 드는데, 1,200억 원의 재정으로 쌍용자동차를 인수한 상하이차는 엄청난 이익을 챙긴 것이다.

상하이차는 쌍용자동차 인수전에 10억불 이상의 투자계획을 밝혔고, 2004년 10월에는 노 · 사 · 상하이차 3자 합의서에 고용승계 및 보장, 장기발전 및 투자, 경영의 자율성과 브랜드 유지에 관한 사항, 합의내용 이행에 관한 사항 등을 명시하였다. 그러나 지켜지지 않았으며, 2005년 5월 17일 상하이집단공사 천홍 총재와 직접 협상을 통해 당해 연도 4,000억 원 투자, 평택공장 30만 대 생산설비 증설 및 신규 프로젝트를 위한 중장기 계획을 2005년부터 2010년까지 단계별로 추진한다고 합의했으나 이것마저 지켜지지 않았다. 상하이차는 약속된 투자보다는 S-100 프로젝트를 통해 중국으로의 기술 유출을 시도하는 가운데 계속되는 경영위기 상황을 비정규직의 구조조정과 복지 축소 등으로 끌어왔다. 2008년 세계 경제공황으로 매출이 부진해지자 노동조합의 양보를 요구하고 일방적인 복지를 축소하는 등 자신들이 저지른 문제를 노동자들에게 일방적으로 전가하였다.

계속된 휴지조각 합의서의 남발, 쌍용자동차를 중심으로 경영하기보다는 평택공장을 하청 기지화 하려는 상하이차의 의도에 춤춰야 하는 경영진은 노동조합의 양보만을 요구하였다. 협조적인 노동조합 집행부였던 정일권 집행부와 회사는 2008년 10월 27일 전환배치에 합의한다. 이 합의로 비정규직 347명이 강제 휴직에 들어가게 되었고, 며칠 뒤 비정규직 희망퇴직을 재협의하여 합의에 이르게 된다.

이는 전초전에 불과하였고, 경영위기를 극복하고자 하는 의지가 없는 상하이차와 경영진은 계속적으로 노동자의 것을 빼앗는 방법만을 제시하였다. 2008년 하반기 들어 고유가, 경기침체, 세제혜택 축소, 금융위기 등으로 판매는 급감하였고, 운영자금 마저 바닥이 난 상태였으며, 상하이차그룹은 지원 불가 입장을 갖고 있었다.

쌍용자동차는 근본적인 대책이 강구되지 않으면 회생하기 어려운 조건이었다. 가장 중요한 문제는 투자 약속을 지키지 않는 상하이차를 어떻게 할 것인가, 회생을 위한 대책이 무엇인가였다. 이는 단지 쌍용자동차만의 문제가 아니라, 쌍용자동차 노동자의 가족, 그리고 39만 평택시민, 관련 부품 업체 등 직접적인 이해 당사자들의 문제이며, 해외 자본에 매각된 기업들의 노동자들과 자동차산업 노동자들에게 공통으로 주어진 문제이기도 하였다.

쌍용자동차노동조합과 노사관계

쌍용자동차노동조합의 설립과 역대집행부, 주요 투쟁

쌍용자동차노동조합은 노동자대투쟁이 전개되던 1987년 7월 26일에 설립되었다. 57명의 발기인이 전장노련 회의실에 모여 창립총회를 열고 초대위원장에 김상쾌, 부위원장에 김명화, 백영상, 전진수를 선출하였다. 8월 12일 노동조합 현판식을 하였고, 8월 27일 초대대의원을 선출하고, 8월 29일 부평지부(지부장 김재구)를 결성하였다. 그 다음해 8월 18일 한국노총 금속노련에 가입하였고, 1989년 9월 22일 판매지부를 결성(지부장 배범식)하였다. 1990년 8월 2대 위원장으로 부위원장이었던 김명화를 선출하였고, 1993년 8월 3대 위원장으로 배범식을 선출하였다. 배범식은 그해 10월 6대 대의원을 조기 해산시키고 7대 대의원 선출을 했으며, 그 다음해인 1994년 6월 14일 조합원 93%의 찬성으로 한국노총을 탈퇴하였다. 1995년 3월 30일 창원지부가 노동조합을 결성하고 쌍용자동차노동조합에 지부로 가입(지부장 최상권)하였다. 배범식 위원장은 회사로부터 해고를 당하고 1995년 10월 1일 대법원에서 해고확정판결을 받았다. 대법확정판결로 위원장직을 계속 수행하기 어려워 11월 3일 총회를 개최하여 규약 개정(안)으로 위원장 조기선거 실시건과 민주노총 자동차연맹 가입 결의건을 상정하여 통과시켰다. 이어 실시된 위원장 조기선거에서 4대 위원장으로 박태석을 선출하였다.

노동조합 임원선거 유세(1995.11.)

1996년 1월 1일 출범한 4대 집행부는 그해 12월 김영삼 정권의 노동법 날치기 통과를 전면 백지화하는 민주노총 총파업 투쟁에 앞장서서 투쟁하였다. 1996년 12월 26일 새벽 여당 국회의원들의 날치기 통과에 대한 항의와 전면 백지화를 위한 총파업은 26일 아침 자동차 3개 노조를 선두로 시작되었으며, 노동조합들의 잇따른 파업과 해를 넘기는 투쟁으로 김영삼의 사과를 받아내기는 했으나, 결국 전면백지화를 관철시키지 못하고 부분 수정으로 정리되고 말았다. 쌍용자동차노동조합도 첫 파업투쟁으로 적극적인 투쟁을 전개하였으나, 1997년 초 회사의 경영위기와 삼성인수설 등으로 1월 17일 정상조업에 들어가게 된다. 회사의 위기와 삼성의 쌍용인수설 등으로 현장이 혼란스

노동법 개정투쟁에 참여한 쌍용자동차노조

러운 가운데 노동조합은 비상대책위원회를 구성하고, '구사운동'을 벌인다. 1997년 2월 20일에는 노동조합 위원장, 사장, 쌍용그룹 회장이 서명한 '21세기를 향한 노사공동 결의'를 발표한다. 이 결의에는 노동조합은 격주휴무 토요일 근무와 무교섭(무쟁의 · 무파업)을 선언하고, 회사는 재무구조 개선 및 생산 · 판매 및 AS강화를 위한 획기적인 제반조치를 취하고, 그룹은 쌍용자동차를 21세기 세계적인 자동차회사로 육성하기 위해 적극 지원하고 타그룹에 매각하지 않겠다는 내용을 담고 있다. '구사운동'을 중심으로 매각을 막아보려 했지만 1998년 1월 9일 쌍용자동차의 대우그룹 매각이 발표되었다. 노동조합은 쌍용그룹과 대우그룹을 상대로 체불임금 해결, 단체협약 준수 및 고용안정 보장을 요구하며 투쟁을 전개하였다. 사측은 정리해고를 안 하려면 그룹사간 인원교류가 있어야 한다는 명분으로 '사간전보 계획'을 발표하였다. 이는 노사간 쟁점이 되었으나 결국 노동조합이 받아들여 조합원 수가 대폭 감소했다. 대우그룹으로 인수 전 쌍용자동차노동조합의 조직은 본조 4,356명, 정비본부 1,336명, 판매지부 1,227명, 창원지부 550명, 부평지부 137명으로 총 7,606명이었다. 대우그룹 인수 후 사간전보와 부평공장 별도법인화 등으로 조합원 수는 4,141명으로 줄었고, 지부는 창원 513명만 남게 되었다. 대우그룹에 편입된 쌍용자동차는 영업은 대우자동차의 영업망을 활용하고 A/S는 대우자동차 소속의 RV(레저용 차량)정비팀에서 담당하였다. 대대적인 인력조정에도 불구하고 노동조합은 상여금 지급중지, 복지후생비용 지원중지 등에 합의한다.

1999년 5대 집행부가 유만종을 위원장으로 출범하였다. 5대 집행부는 대의원 선출과 선거구별 조합원 간담회 등을 통해 조직화 작업을 하며 1999년도 임단협을 발빠르게 준비했다. '99년 임투의 특징은 민주노총과 금속연맹의 총파업 일정과 맞추어 파업과 교섭을 진행하며 투쟁을 승리로 이끈 점이다. 6월 8일 임단협 조인식을 마쳤지만, 이어진 대우그룹 사태와 쌍용자동차 워크아웃 선정 과정에서의 투쟁 등으로 힘든 투쟁을 전개하였다. 2000년 4월 쌍용자동차는 대우그룹에서 완전 분리되어 기업개선작업(워크아웃)에 돌입한 상태였다. 그럼에도 쌍용자동차노동조합은 대우자동차 매각과 정리해고투쟁에 적극 연대한다. 4월 6일 완성차 4개 노조 공동 총파업과 5월 31일 민주노총 총파업에 참여하였다. 대우그룹과 분리 당시 대우자동차와 쌍용자동차는 영업은 판매수수료를 14%로 결정하여 대우자동차가 쌍용자동차 판매를 위탁하는 것으로 하였고, A/S는 기존의 '국내외 위탁정비서비스 계약'을 파기하고, 대우자동차 소속의 관련인원 841명을 쌍용자동차에 넘기려고 했다. 대상 사업장은 구로, 인천상용, 신탄진, 광주상용, 서대구, 서부산, 양산 등 쌍용차 정비 관련 7개 사업장과 중부 부품물류부로 모두 8개였다. 2001년 3월부터 쌍용자동차로 넘어가도록 되어 있었으나, 쌍용자동차는 기업개선작업(워크아웃) 중임을 이유로 인력을 비정규직으로 받기를 희망하였다. 이에 대우자동차노동조합 정비지부 산하 RV사업장 조합원들은 2001년 2월 5일부터 고용보장을 요구하며 전면파업에 돌입(일명 알브이투쟁)하였다. 파업이 10일을 넘기자 600여 조합원이 서울 구로동 정비사업소로 상경하여 함께 숙식을 하며 옥쇄파업을 벌였다. 경찰의 진압경고에 건물 4층 각 계단에 책걸상으로 바리케이드를 치고 방마다 석유통, 시너통을 준비해 놓았으며, 600명 전원이 합숙하는 투쟁을 전개했다. '총파업 51일, 집결투쟁 41일' 만에 전원 고용보장에 합의하며 투쟁을 마쳤다. 이때 쌍용자동차로 넘어온 조합원들을 중심으로 쌍용자동차 A/S정비지부를 조직하였다.

저희가 대우자동차로 잠깐 넘어갔을 때가 있었어요. 대우자동차 잠깐 넘어갔다 오면서 정비 같은 경우는 조합원들이 사실 있었구요. 근데 대우 넘어갔다가 오는 과정 속에서 대우자동차 그때 구조조정 싸움, 1,750명이 해고가 되고 한 2개월 가량이죠. 알브이(RV) 투쟁이 정비에는 있었습니다. 그때 당시 대우자동차에서는 쌍용자동차에서 온 정비, 영업 인원들을 다시 쌍용으로 보내겠다. 대우에선 그랬구요. 또 쌍용에서는 대우랑 결별을 하면서 정비인원하고 영업인원은 받지 않겠다. 그러니까 공중에 뜬 상태였죠. 그러면서 이제 영업에 있는 분들은 다 영업으로 그냥 빠져서 대우 자판으로 갔고, 정비만 그렇게 해서 서로 핑퐁게임을 하는 과정 속에서 옥쇄파업을 했죠. 그래서 약 한 오십여 일 넘게, 한 사십일 정도 옥쇄파업을 하면서 사실상 그때 조합원들이 많이 빠져 나가는 아픔들이 많이 있었죠. (구술자 B)

2001년에는 초대위원장이었던 김상쾌가 다시 6대 위원장으로 선출되었다. 6대 집행부는 취임하자마자 대우자동차투쟁에 연대하며 산별노조 전환을 위한 조합원 교육 사업에 집중하였다. 그러나 2월 6일 실시한 산별노조 전환 총회에서 66.37%의 찬성으로 가결선인 2/3에 10표(0.3%)가 부족하여 산별노조 전환 안건이 부결되었다. 6대 집행부는 알브이(RV)투쟁을 마치고 쌍용자동차로 넘어온 A/S정비부문의 조합원을 받아 6월 22일 A/S정비지부를 승인하였다. 2003년 7대(위원장 유만종)집행부가 출범했다. 이 시기는 대우그룹과 분리되어 워크아웃과 매각과정을 겪은 시기였다. 노동조합 총파업 등을 통해 초기에 적극 대응하여 우선협상 대상자였던 난싱을 막아냈으나, 이후 현장이 무너져 큰 힘을 발휘하지 못하고 매각반대가 아닌

조건부매각으로 선회하여 합의에 이르게 되었다. 그 당시를 한 조합원은 이렇게 회상하고 있다.

> 2003년과 2004년은 처음에 중국 난싱그룹 막아냈고, 그때 강하게 투쟁해서 막아냈고, 난싱이 물러간 뒤 이후에 자격 조건이 없는 거죠. …(중략)… 상하이가 들어오기 전 난싱이 2003년 11월달 우선협상대상자로 선정된 이후 논쟁이 두 가지였어요. 매각 반대냐? 조건부 매각이냐? 지도부에서 굉장히 격한 토론을 했고, 그 결과 지도부에서는 매각반대 입장을 주력 삼았고 현장에서는 대부분이 조건부매각을 선호 했어요. 투쟁을 3월까지… 총파업까지 벌이다가 결국 4월에 난싱이 물러갔고, 임단협 치른 이후에 입단협 과정에서 상하이차가 다시 우선협상 대상자로 선정돼서 들어오면서 그때도 매각 반대하고 조건부매각이 쟁점이 됐었는데, 그때는 현장이 이미 무너졌고, 지도부 자체도 더 이상 싸울 힘이 없었어요. 내부적으로 조건부매각으로 선회해 이제 상하이로 받아야 되는데, 제가 보기에는 조건부매각이 훨씬 더 힘들었던 것 같아요. 조건부매각을 하는 요구사항을 정하는 것부터 문구까지. (구술자 M)

2005년 1월 8대 오석규 집행부가 출범하고 상하이차와 본격적인 투쟁이 시작되었다. 2005년 5월 '전 라인 인원재배치' 합의가 비정규직과 정규직에 대한 전환배치, 진성 도급화 논란으로 대의원대회에서 두 번이나 부결되었다. 임금협상은 8월 31일 잠정합의가 54%로 가결되었으나, 쟁점이었던 상하이차의 투자 약속 이행 건은 오리무중이었다. 이러한 상황에서 그해 10월 15일 중국의 언론에 상하이차 독자브랜드 청사진 발표가 보도되었다. 노동조합은 투자 약속을 한 특별협약 이행과 S-100프로젝트 중단을 요구하였다. 특별협약에는

2004년 10월 매각인수 전 10억불 이상 투자 약속, 매각당시 체결한 특별협약에 관한 합의사항, 2005년 5월 중국에서 제시한 장기적 투자계획에 대한 합의사항이 있었다. 대표이사가 경질되는 가운데 노동조합이 11월 15일 실시한 쟁의행위 찬반투표는 조합원 총원대비 79%의 찬성으로 가결되었다. 그러나 별다른 진전 없이 해를 넘기게 된 노조는 장기전에 돌입하게 되었고, 감시위원회가 상하이차측 임원의 불참과 사측의 무성의로 공전을 거듭하게 되었다.

이에 대의원들은 노조의 예산을 부결시키고 투쟁할 것을 종용하였으며, 집행부는 3월 13일 2006년도 임단협 요구안을 사측에 발송하였다. 17차까지의 지리한 교섭 끝에 교섭을 결렬하고 6월 8일 임시대의원대회를 통해 쟁의발생을 결의하고 조정신청을 냈다. 그런데 6월 13일 급식업체 선정관련 리베이트 수수 혐의로 오석규 위원장이 구속되고 20일에는 7대 간부들이 구속되었다. 이런 분위기에서 진행된 쟁의행위 찬반투표는 6월 23일 성원 미달(투표율 45.58%)로 유회되었다. 그 와중에 사측은 상하이그룹과 기술 라이센스계약(중국내 개조 카이런 제조, 조립, 판매 계약)을 체결(6월 26일)하고, 6월 28일자로 희망퇴직 희망자 모집을 일방적으로 공고하였다. 노동조합은 대의원 간담회를 개최하여 '희망퇴직 면담 원천봉쇄', '위원장 조기 선거', '산별 전환', '쟁의행위 찬반투표 건'을 논의하여, 6월 29일 노동조합 총사퇴를 선언하고(위원장 직무대행 김규한) 7월 5일 총회를 소집하여 쟁의행위 찬반투표는 73.19%로, 조직형태 변경(산별전환)은 91.24%로 가결하였다.

7월 7일 회사는 여유인력 986명에 대한 감축관련 노사협의를 요청하고, 노조의 단체교섭 재개 요청에 대해서는 교섭 권한이 없다며 교섭불가 회신을 보내왔다. 노동조합은 임단협 결렬을 선언하고 7월 14

일 부분파업에 돌입한다. 사측의 입장 변화가 없자 노동조합은 7월 24일 파업 전술을 변화시켜 엔진생산 타격 및 출고 저지를 하였다. 7월 28일 사측은 희망퇴직을 마감하고 432명의 희망퇴직자 명단을 발표하였고 노조는 이에 맞서 하계휴가 후인 8월 11일 전면파업에 돌입했다. 사측은 노동부 송탄사무소에 554명의 정리해고를 신고하고 임시주총을 열어 공동 대표이사에 GM대우 출신인 필립 머터우 사장을 선임하였다. 노동조합은 8월 16일부터 평택공장에서 창원, 정비지부 조합원까지 모여 집중 옥쇄파업에 돌입하였다. 이 기간에 21~26차 교섭이 진행되었고 잠정합의안이 나왔다. 잠정합의안의 내용은 구조조정 철회, 2009년까지 4년간 신차 개발에 투자, 임금 및 제수당 동결, 단협에 보장된 체육대회 · 만근자 포상 · 장기근속자 건강검진은 2007년까지 시행 중단, 희망퇴직에 따른 여유인력 재배치 등이었다. 조합원 중 36%만이 찬성하여 잠정합의안은 부결되었다. 8월 28일 월요일에 노조는 회사 임원과 관리직 출입을 봉쇄하고 대의원대회에서 재교섭을 결정하였다. 경찰이 공장주변에 배치된 가운데 8월 29일 27차 임단협 교섭이 진행되었고, 8월 30일 28차 교섭에서 잠정합의안이 도출되어 조합원 총회에서 58%의 찬성으로 가결되었다. 2006년 투쟁으로 사측이 구조조정을 철회하였지만, 희망퇴직 인원이 400명이 넘었다는 점과 인력운영(주요하게는 전환배치)에 대해 사측이 주도권을 갖고 유연성을 발휘하게 되었다는 점에서 성과 없는 투쟁이었다. 조합원 총회에서 58%의 찬성으로 가결되었다. 2006년 투쟁은

2006년 파업출정식

2009년 투쟁과는 달리 특별한 프로그램 없이 자유롭게 진행되었다. 2009년 77일간의 옥쇄파업과는 긴장도의 차이는 있었지만 조합원들은 2006년 투쟁에서 16일간의 옥쇄파업을 경험한 상황이었다.

> 그때도 화두는 정리해고였고, 정리해고의 칼을 뽑아 드니까 생존권과 직결되는 임금, 복지 이런 것도 상당히 중요하지만, 특히 해고반대라는 부분에서는 큰 이견이 없다고 봐야 되죠. 지도부가 잘 싸웠냐 못 싸웠냐 이건 두 번째고 조합원 스스로 구심력을 갖는 거죠. 프로그램은 거의 없었어요. 물론 일부 프로그램이 있었는데 주로 없어서 그냥 대부분 지금처럼 하지 않고, 교육도 거의 안했어요. 그냥 처음에는 오전, 오후 두 번 집회 열다가 뒤에는 한번 집회 하는 거… 대부분 안에서 거의 술먹고 족구하고 장기 두고 컴퓨터하고 이런 일정에 있었죠. 바로 선거하고 연결되어 있어서 대부분 현장에 매몰되어 있었구요.(구술자 M)

투쟁 말미에 진행된 9대 집행부 선거에서 정일권 위원장이 선출되었다. 사측은 9대 집행부가 출범하자 인력재배치와 하도급 축소를 제기하며 노동조합을 압박하였다. 노사상생을 외치며 협조적 노사관계를 유지하던 정일권 집행부는 2006년 12월 29일 라인재배치에 합의하였다. 계속되는 사측의 휴업요구에 집행부는 투자약속 이행만을 촉구하며 조합원의 의사와는 다르게 합의해 준 것이다. 사측은 2006년 9월 4일 노조에 신차개발을 위해 매년 3,000억 투자를 약속하고, 2007년 8월 13일 신차 및 A/S 등 매년 3,000억 투자를 재약속 하였다. 노동조합은 2007년 8월 14일, 이미 결정되어 있던 전국금속노동조합 쌍용자동차지부로 전환하였고, 지부장은 별도의 선거 없이 정일권 위원장이 남은 임기를 하게 되었다.

2008년 10월 27일 정일권 집행부는 사측과 전환배치 합의를 하여 비정규직 347명이 강제휴직을 당하게 되고 후에 희망퇴직까지 강요받게 된다. 이어 회사는 2008년 12월 1일부터 복지 전면 중단, 12월 17일부터 1월 4일까지 강제적 휴업을 통보하였다. 사측의 일방적인 선전포고 가운데 노동조합 2대 지부장 선거가 치러졌다. 민주세력의 연합집행부 후보인 한상균 집행부는 12월 5일 2차 투표 끝에 조합원들의 예측과 달리 52.2%의 지지율로 당선된다.

[쌍용자동차노동조합 역대 집행부]

구분		출범일	위원장	수석 부위원장	부위원장	사무국장
노동조합	1대	1987. 7.26	김상쾌		김명화, 백영상, 전진수	
	2대	1990. 8. 1	김명화		박태석, 이병묵, 강성덕, 이해연	
	3대	1993. 8. 1	배범식		김주현, 김진수, 이선호, 이훈호	
	4대	1996. 1. 1	박태석		김성수, 남기영	이준희
	5대	1999. 1. 1	유만종	김수경	양형근, 오석규, 안병욱	최병욱
	6대	2001. 1. 1	김상쾌	이봉래	김흥연	심근식
	7대	2003. 1. 1	유만종	정상진	김선동	홍봉석
	8대	2005. 1. 1	오석규	김승호	김규한	김영건
	9대	2006. 9. 5	정일권	이홍섭	김주영	김재영
지부	1대	2007. 8.14	정일권	이홍섭	김주영	김재영
	2대	2009. 1. 1	한상균	김선영	김을래	한일동

::: 노동조합 현황

노동조합 및 조합원 현황

노동조합은 사측과의 단체협약을 통해 유니온 숍 제도를 적용하고 있다.

단체협약 제5조(조합원의 범위 및 가입) UNION SHOP제 적용

1. 전사원 중 본사기능 업무 수행자 및 다음 각호의 해당자를 제외하고는 당연히 조합원이 된다. 단, 공장근무부서로서 회사기구개편에 의하여 본사업무수행부서로 변경된 경우 노사간 합의에 의한다.
   1) 대리급 이상
   2) 인사, 노무, 총무, 경리회계, 안전(소방, 보건 포함) 및 보건, 관리직사원
   3) 임원과 임원에 준하는 자의 비서 및 운전기사
   4) 전화교환원 및 통신업무취급자
   5) 예비군 및 민방위 관련 상시근무자
   6) 임시고용원 및 촉탁
   7) 직업훈련생
   8) 수습근무사원(3개월 미만 근무자)
   9) 예산 및 원가업무 취급자
   10) 노사 쌍방이 합의한 자
   11) 본사 기능 업무 수행부서에 대한 세부사항은 별도 합의한다.
2. 통신업무유지보수자, 취사직, 민원업무취급자, 직업훈련원 기능직, 방제실 · 앰브란스 운전 · 안전용품 · 안전순찰 요원은 조합원으로 한다.
3. 회사는 사원이 노동조합 가입을 거부하거나 자의로 탈퇴할 때에는 즉시 해고하여야 한다.

노동조합 조직은 전국금속노동조합 쌍용자동차지부로 되어 있으며, 평택공장을 중심으로 한 본조와 창원지회, 정비지회로 구성되어 있다. 지회는 지회장을 비롯한 임원을 지회 조합원 직선으로 선출하며, 독자적인 활동을 보장하고 있다. 창원은 엔진생산 공장으로 단일 사업장이다. 정비는 지역이 아닌 일의 성격으로 구분되어 있으며, 구로, 대전, 부산, 광주에 있는 서비스센터와 천안에 있는 부품센터로 구성되어 있다. 정비지회는 구로에 있으며, 대전, 광주, 부산, 천안은 분회로 편재되었다. 조합원 수는 본조 4,654명, 창원 556명, 정비 384명으로 구성되어 있다. 조합원의 평균 연령은 38세이며, 부양가족은 3.8인, 평균 근속연수는 15년이다.

[쌍용자동차지부 조합원 현황]

구분	본조	창원	정비	계
인원	4,223	556	384	5,163

*2008.12. 임원선거 선거인 명부 기준

조직체계

쌍용자동차지부의 조직체계는 지부총회를 최고 의결기관으로 지부조합원 전원으로 구성한다. 총회의 권한은 지부임원의 선출과 불신임, 노동쟁의 조정신청에 관한 사항, 단체교섭 체결에 관한 사항, 지부의 해산 · 합병 · 분리에 관한 사항, 조직형태의 변경에 관한 사항을 의결하도록 규정하고 있다. 총회의 고유 권한을 제외한 대부분의 사항들은 대의원대회에서 의결한다. 대의원은 해당 조합원들의 직선으로 선출된다. 대의원의 배정은 공장별, 부서, 과, 직별로 하되, 25명 이상 단위에서 1명을 배정하고 51명 이상일 때 2명을 배정하도록 되어 있다. 배정 기준에 따른 대의원은 본조 87명, 창원지회 13명, 정비지회 9명으로 총 109명이다.

집행기구로는 상무집행위원회가 지부장, 부지부장, 사무국장, 지회장, 각부서 실 · 부장으로 구성되어 있다. 지부장이 필요에 의해 소집하도록 되어 있으며, 대의원대회의 결의 사항을 집행하는 역할과 일부 의결 기능들을 갖고 있다.

[쌍용자동차지부 2기 집행부 조직체계 : 2009.1.]

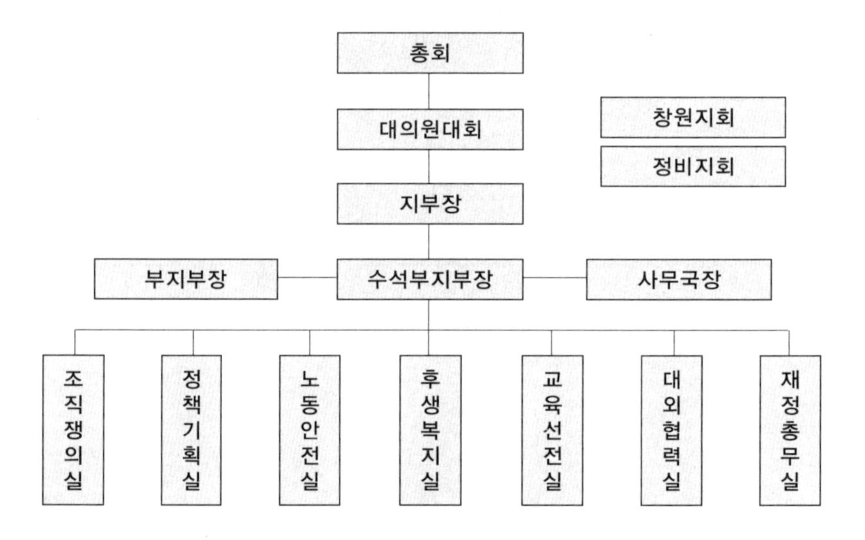

사무국은 수석부지부장 총괄체계에 7실 체제이며, 임원은 지부장, 수석부지부장, 부지부장, 사무국장으로 되어 있다. 특이한 것은 통상 사무국장이 사무국을 총괄하는데 수석부지부장이 총괄하는 체제라는 점이다. 전국금속노조 쌍용자동차지부 2기 집행부는 전 집행부가 11실을 운영하던 것을 통폐합하여 7실로 축소하였다. 폐지된 부서는 노사대책실, 고충처리실, 문화체육실, 정치선전실이다. 노사대책실은 정책기획실로 고충처리실과 문화체육실은 조직쟁의실로 기능을 통합하였고, 정치선전실은 폐지하였다. 조직쟁의실은 조직쟁의부와 문화체육부를 두고 있으며 실장 포함 9명의 간부들이 일하며, 정책기획실은 정책부와 기획부로 5명, 노동안전실은 노동안전부와 보건부로 3명, 후생복지실은 후생부와 복지부를 두고 3명, 교육선전실은 교육부와 선전부, 편집부를 두고 4명, 대외협력실은 대외협력부를 두고 3명, 재정총무실은 총무부를 두고 3명이 상근하였다. 실 산하 부서와 집행부 전원의 직책은 아래와 같다.

[쌍용자동차지부 2기 집행부 구성 및 직책]

실	성명	직책	실	성명	직책
임원	한상균	지부장	노동안전실	정재중	노동안전실장
	김선영	수석부지부장		이은복	노동안전부장
	김을래	부지부장		김갑수	보건부장
	한일동	사무국장	후생복지실	강동환	후생복지실장
조직쟁의실	김득중	조직쟁의실장		박기철	후생부장
	임창호	조직쟁의부장		최성기	복지부장
	정병기	조직쟁의부장	교육선전실	김정운	교육선전실장
	강환주	조직쟁의부장		최용석	교육부장
	최영호	조직쟁의부장		원성재	선전부장
	김성태	조직쟁의부장		채희국	편집부장
	서민식	조직쟁의부장	대외협력실	장영규	대외협력실장
	고동민	문화체육1부장		최근원	대외협력부장
	정기군	문화체육2부장		정진태	대외협력부장
정책기획실	최기민	정책기획실장	재정총무실	김재환	재정총무실장
	이재진	정책부장		신희균	총무부장
	이지준	정책부장		이태웅	총무부장
	김정욱	기획1부장			
	이창근	기획2부장			

⁙노사관계와 노동조합의 상황

1987년 노동자대투쟁 과정에서 노동조합이 설립되어 노사관계 우위를 점하며 출발했지만, 쌍용그룹에서 대우그룹으로, 워크아웃과 상하이차로 경영권이 변화함에 따라 노사관계 또한 변화를 겪었다. 쌍용자동차노동조합이 96 · 97 노개투 총파업에 선두에 서고 2000년 대우자동차 투쟁 때도 완성사 4사 노조 총파업과 민주노총 총파업에 복무하는 등 조합원과 집행부의 건강성이 유지되던 시기로 판단할 수 있다.

여기서는 대우그룹으로부터 분리된 2000년 4월 이후 노사관계를 중심으로 살펴보고자 한다. 쌍용자동차의 노무관리방식은 이중적인 조직으로 이루어져 있었다. 본사는 노사협력팀에서 노무관리 전반에 대한 기획과 조율을 담당하고 공장에는 생산본부 소속으로 공장관리팀을 운영하고 있었다. 본사에 있는 팀은 주로 근태에 관련된 업무와 임 · 단협과 홍보를, 공장관리팀은 현장에서의 일상적인 노무관리를 담당하고 있었다. 2007년에는 노사협력팀을 본사에서 생산부문 산하로 옮겨 통합적 기능을 수행하게 했다.

쌍용자동차의 노무관리는 전통적으로 인정주의와 정실주의에 기반을 두고 있다는 평가를 받는다. 특히 임 · 단협기간이나 집행부 선거기간을 중심으로 현장의 계파관리를 통해 노 · 노 갈등을 야기하거나 집행부 구성에 영향력을 행사하기도 한다. 인터넷 언론인 프로메테우스의 보도내용에 따르면 쌍용자동차가 돈으로 노조나 현장활동가 집단을 관리하여 왔음을 보여준다. 프로메테우스가 입수한 쌍용자동차 노무관리팀에서 작성한 '2000년 노무관리비 내역서' 에 따르면 임금, 단체협상 찬반투표와 선거기간에도 회사측의 돈이 개입된 것으로 나타났다. 심지어 집행 날짜와 만난 사람 등 자세한 부분까지 기록되어 있다. 이 같은 쌍용자동차의 노무관리는 또 다른 자료에서도 잘 나타난다. '2004년 노무세미나 자료'와 '파업관련 지침', '현장활동가 동향'에 따르면 "본조와 지부/지부와 지회간 견제세력 양성 → 지부내 현장O/L를 통한 집행부 견제세력 양성"이라고 명시되어 있다. 특히 매시기 현장활동가들의 동향을 지속적으로 관찰하고 계파와 성향을 지적한 부분도 있다. 쌍용자동차노동조합의 현장조직은 일부 조직을 제외하고는 학연이나 지연으로 연결된 친목조직이 대부분이다. 이러한 친목조직의 특징은 사측과 비공식네트워크를 형성하고 자신의 입지와 조직을 확대, 관리하기 위해 사측과 정치적인 거래, 사측의 힘을 이용한다는 점이다.

쌍용자동차는 구성원들의 의식과 행동의 변화를 추구한다는 목적에서 2005년부터 M.I(Mind Innovation) 실행을 준비하였다. 이는 신경영전략의 일환으로 준비된 것으로 노무관리도 크게 두 가지로 나타난다. 첫째, 회사가 요구하는 인력을 양성하겠다는 것. 둘째, 관리자/리더에 대한 새로운 역할을 부여함으로써 기업의 위계조직을 확립하겠다는 것이다. 이는 실제로는 직 · 공장에 대한 현장통제권을 강화하기 위한 것이다. 그러나 현장통제권은 사측의 의도대로 되지 않았고, 노무관리방식은 전통적인 인정과 정실에 의한 정치적 거래가 고착화 되고 있었다.

이러한 노무관리는 노사간 불신과 현장조직들의 집단적 이기주의를 유발시키고, 조합원간의 불신을 증폭시키는 결과를 낳게 한다. 비공식 채널에서의 정치적 거래는 비리로 연결되고, 그 비리에 간부들이 개입되고, 노사관계는 협조적으로 유지될 수밖에 없다. 교섭 과정에서도 조합원들의 이익을 위해 사측과 투쟁하는 것이 아니라, 일정

부분 '쇼'를 하다가 사측의 안에 끌려가는 행태를 보였다. 이러한 노동조합에 조합원들은 실망하였고 냉소를 보냈다.

> 한마디로 말하면 노사 협조 세력이지… 회사가 원하는 대로 다 해줬으니까… 하튼 현장에 힘이나, 현장에 중심성이 거의 없었다고 봐야지 각종 협의 일을… 노사협의를 하면 회사안을 백프로 다 받아 들여요. 회사 라인 재배치 안이 있고 지부의 입장이 있을 거 아니에요. 노조의 입장이, 어떻게 대응한다던가, 전략과 전술이 있을 꺼고. 편성이 이렇게 나면 우리는 택타임에 대해서 대응의 노력을 한다든가 이런 게 없어요. 그래서 그 안을 다 수용하는 입장으로 그렇게 이루어졌죠. (구술자 M)

> 정일권 집행부가 있는데, 중국이 뭘 하던 중국 경영진들이나 회사 경영진들이 뭘 하던 회사 장래를 위해서 꼭 필요했던 것들은 강제를 했어야 되는데 조합 차원에서도 그런 부분들은 거의 없고 회사나 중국에서 내놓은 장밋빛 청사진이라고 해야되나, 그런 거에 현혹 되가지고 회사나 조합원들을 위해서 강조해야 될 부분들 막아야 될 부분들, 하지 말아야 될 부분들을 기술을 빼간다든가 하면 충분히 포착이 될 수가 있거든요. 어차피 같은 일을 하는 회사 안에서니까 그런 부분들을 좀 막아내고 투자 안하는 부분들을 노조 차원에서 강력하게 요구를 했어야 되고, 여러 가지 협약서나 합의서 같은 건 많이 받아왔는데 실제로 집행되거나 기술 빼내가는 걸 막아내거나 그러지 못했던 거예요. 전혀. 서로 붙어서 거의 그 집행 간부들은 중국 여행은 한 번씩 갔다 올 정도로 자주 들락날락 했으니까… 그러면서 결국 얻어온 건 하나도 없고, 회사가 망하기 직전의 모양새를 만들어 놓은 거죠. (구술자 P)

노조 임원이 되면 자동차회사라는 명목으로 업무차가 나오고 최대 주주가 중국이라는 명분으로 중국여행에 다녀오고 온갖 이권에 개입되어 구속까지 되는 사태가 발생하였다. 사측의 요구는 회사의 방침 수용과 조합원들의 임금삭감, 근로조건 악화에 동의하는 것이었다. 쌍용자동차의 노사 유착 관계는 단지 노사만의 문제가 아니라 지역의 조직들과 연계되어 있다는 것이다. 이는 각종 이권에 노 · 사 · 지역 토호세력이 개입하여 나눠먹는다는 것을 의미한다.

> 굉장히 큰 문제죠. 그 부분에 대해 정부에서도 알고 있는지 없는지는 모르겠지만 지금 이 부분도 그런 것과 무관치가 않거든요. 분사문제도 그렇고 분사문제가 지역에서 좀 한다는 분들, 회사도 마찬가지고 거기에 뭐 자유롭지 못한 그런 상황인 거 같아요. 그런 것도 무관치 않다라고 보고 실질적으로 경영진들… 지금 아시겠지만 경영진들이 분사도 추진하고 여러 가지로 추진하는 과정들이 여러 가지 요인이 있었겠지만 그 부분에 너무 그런 부분들도 무관치 않다고 보는 거고. 실질적으로 지금 안에서 일부 세력들이 민주노총 탈퇴까지 얘기를 했었는데 그걸 주도하는 사람들도 지금 쭉 쌍차 역사에서 보면 입사 이래로 그런 관계를 해서 유지를 해왔고 밖에서도 알게 모르게 좀… 협박이라고 할까요? 그런 힘을 과시하는 부분이 좀 있다고 보는 거죠. (구술자 A)

실제로 2006년도 16일의 '옥쇄파업' 끝에 합의한 2006년 8월 30일 합의서 중 '고용유지를 위한 세부 잠정 합의안'의 1. 고용유지를 위한 조치사항 다. 관행 및 노사관계 개선부문에 의하면 "정상근무를 하지 않는 직원은 해고 조치하며 이를 묵인하는 관리자도 해고한다.

(일하지 않고 출근하지 않는 자)" 라는 조항이 있다. 이는 일하지 않으면서 임금을 받는 사람이 있었다는 것을 의미한다. 조합원들은 이런 사람들이 노동조합 선거 때는 나타나 선거운동을 하고 분위기를 조성했다고 한다. 출근도 안 하고 일도 안 하는데 정상근무에 초과근무까지 하는 조합원보다 더 많은 임금을 받았다고 한다. 이를 노동조합도 알고 있었지만 묵인하고 조장했다는 것이다.

> 그쪽은 어쨌든 회사에서도 묵인을 해왔고 노조에서도 터치를 안 했고 근데 실질적으로 노조와 결코 무관하지 않은 사람들이죠. 내가 집행부에서 어떤 역할을 하겠다라고는 안 하지만, 선거철마다 나타나서 그 어떤 분위기를 엮어가는 그런 역할을 하는 사람들이 있었고. 그런 사람들이 주로 그런 사례죠. 출근도 제대로 안 하고 그러면서 실질적으로 월급은 뭐, 진짜 잔업 특근 하는 거 이상으로 받아가고, 그런 것들을 현 경영진 지난 경영진들도 다 알고 있는 사항이었는데 그런 부분들을 우리가 정리를 못했죠. (구술자 A)

현장조직의 박○○동지의 제안으로 2006년 2월 15일 '쌍용자동차 노동운동을 살리기 위한 혁신토론회' 가 개최되었다. 민주노조 운동의 문제와 쌍용자동차노동조합의 문제를 중심으로 발제되었다. 자료에 의하면 민주노조 운동이 안정적으로 정착된 시점부터 새로운 시기에 걸맞는 노동운동의 변화와 혁신은 찾아볼 수 없고 '담합적 실리구조' 의 노사관행에 빠졌다고 지적하고 있다. 간부 및 활동가들의 '도덕적 타락현상' 은 극에 달하고 있으며 쌍용자동차노동조합도 예외가 아니라고 비판하고 있다. 아울러 쌍용자동차노조 조합원들이 동의하는 도덕적 일탈행위의 유형으로 아래와 같은 것들을 꼽고 있다.

- 출퇴근 악용(미출근이나 일하지 않는 간부 제재 못함)
- 공적 활동 뒤 현장복귀 거부 및 미출근
- 사업비가 아닌 식비 사용 다수
- 비합리적인 청탁 일반화
- 업무차 사적 용도 활용 및 비공식적 특혜 구입
- 비공식적 휴가 및 시간할애 악용
- 이권개입 및 의혹 근절 못함
- 장소에 제한 없는 도박(노름)행위
- 모든 협의 및 합의 과정이나 결과 독점과 미공개
- 전임자 처우조항 악용(승격남용과 부서전환 원칙무시)
- 전, 현직 노조간부 차량출입 제한 못함
- 명절 때 회사선물 제공 묵인
- 관리자 개별접촉 및 향응 접대 요구
- 산업시찰 및 해외연수

> 묵시적으로 방치 또는 인정되어 왔던 그동안의 낡은 관행들을 청산하지 못한다면 '노동운동의 도덕성 회복'은 기대할 수가 없기 때문이다. 노동운동의 위기를 극복하기 위해선 간부 및 활동가들의 '도덕성 회복'이 가장 중요하며, 끊임없이 자신들을 투명하게 조합원 대중에게 노출시키고 감시당하고 견제 받는다는 공인의식과 함께 자기혁신의 자세가 필요하다. ('쌍용자동차 노동운동을 살리기 위한 혁신토론회' 발제문 중)

위와 같이 지적하고 있으나 노동조합 집행부의 개선 의지는 별로 보이지 않았다. 이러한 상황에서 노동조합에 대한 조합원들의 신뢰는 떨어졌고, "그놈이 그놈이다"라는 정서가 팽배해져 있었다. 해외매각 시기부터 따지면 삼대의 집행부가 있었다. 선거 때와 집행 초기에는 '투사'였지만 투쟁과 합의는 사측과 상하이차에 끌려 다니는 모습을 보였고 이런 노동조합을 조합원들은 더 이상 신뢰할 수 없었고 답답한 마음뿐이있다.

조합원들의 이러한 판단과 무관심 속에 상하이차의 기술유출은 합작회사 설립까지 추진하며 교묘하게 진행되었고, 공수표인 합의서만 반복하는 상하이차 앞에서 노동조합은 무기력한 모습을 보이고 있었다. 노사협조적인 집행부는 비정규직을 희생양으로 정규직의 고용을 유지하고 전환배치권을 회사에 넘겨 고용을 불안하게 하는데 일조했다. 노동 강도를 높이는 등 현장이 어려워지는데 자신들의 잇속만 챙겼다는 평가를 면치 못했다.

난립한 현장 제조직의 문제 또한 쌍용자동차 노사관계의 특징으로 제기된다. 조합원이 5,200여 명인 노동조합에 2008년 7월 15일 현재 노조에 등록된 현장조직만 35개이며, 미등록 조직(친목조직)까지 포함하면 약 130여 개가 넘을 거란 추측이다. 조직에 몸담고 있는 조직원 수는 대략 1,800~2,000여 명 정도로 예상된다. 현장의 활동가들을 확대 재생산하고 노동조합의 관료화를 견제하고 현장 실천을 통해 올바른 투쟁 방향을 견지해야 할 현장조직의 모습을 가진 조직은 극소수에 불과하고 대부분은 선거 조직으로 지연, 학연, 인맥에 의해 형성되면서 노동조합 조직과 활동에 문제로 나타났다. 물론 이 중에는 정치적, 이념적 노선을 분명히 갖고 실천적인 운동을 전개하는 조직도 소수지만 분명히 있었다. 2006년 혁신토론회에서 제기된 현장조직의 구체적 문제는 아래와 같다.

- 정치적, 이념적 노선이 없다 ; 이해관계에 따라 이합집산
- 선거용 조직에서 탈피 못함 ; 오너중심 활동과 줄 세우기, 보험용으로 가입
- 간부(활동가) 양성 역할 미비 ; 정책생산과 교육, 선전 등

실무력 부족
- 깎아내리는 비판 다수 ; 현실성 있는 대안 부재
- 이권 및 금전적 실리에 집중 ; 조합주의 탈피 못함
- 결의와 실천은 따로따로 ; 계급적 단결과 연대는 구호와 선전물로 대체
- 일탈행위 시 통제 및 정화능력 상실 ; 조직원 감싸기와 챙기기
- 현장조직간 선의(실력)의 경쟁 실종 ; 일방적 주장과 선명성, 투쟁성 과시
- 대의원 선거나 각종위원 선출은 나눠먹기식 ; 특성이나 역량보다는 쪽수 채우기
- 회비, 후원금은 대부분이 경조사비나 식비로 지출 ; 교육이나 토론보다는 술조직 문화

정확하게 확인할 수는 없지만 공공연한 소문으로는 회사가 한 해 평균 노무관리비로 40억 정도를 썼다는 것이다. 노무관리비란 것이 성격상 조합원에게 돌아가는 복리후생 비용이 아니라 노동조합과 친목조직들을 관리하는 비용이라 한다면 과도한 금액이다. 2006년 임단협 교섭위원 룸싸롱 사건 등을 보더라도 그 당시 노무관리가 어떠했을까를 짐작할 수 있다.

근본적인 문제 해결보다는 상층 간부를 포섭하여 사측의 이데올로기를 주입시키고 동의하게 하고 그 반대급부로 이권에 개입하는 악순환의 고리는 노사협조주의를 넘어 노동자에 대한 배신이며 반노동자행위인 것이다. 쌍용자동차의 이러한 노사관계 속에서 조합원들의 고용과 근로조건을 송두리째 내어주어야 할 시기는 점차 다가오고 있었다.

해외자본의 문제와 고용문제

⁞⁞⁞ 상하이차 자본의 문제

상하이자동차그룹은 상하이 바오창자동차로 1915년에 설립되었다. 노동자 수는 2007년 현재 6만 4,000여 명에 달한다. 상하이자동차그룹은 상하이GM, 상하이VW 등 완성차 회사 7개와 자동차부품 회사 32개, 서비스회사 9개, 해외현지법인 4개, R&D센터 3개를 보유하고 있다. 중국내 50여 개의 공장을 가지고 있으며, 주요 생산 품목은 승용차, 버스, 트럭, 농업용 트럭, 오토바이, 엔진 등이다. 1981년 폴크스바겐과 1997년 GM과 각각 합작사를 설립하였고, 미국의 포춘지로부터 세계 461위로 500대 기업에 선정되었다. 상하이차는 쌍용자동차를 인수함에 따라 중국 1위의 자동차회사가 되었다.

상하이자본의 근본적인 문제는 상하이차가 쌍용자동차를 인수 할 때, 쌍용자동차를 자체적으로 발전시키기 보다는 핵심기술을 이전해가는 것이 목적이었다는 점이다. 사실 사측 또는 상하이차는 매년 노동조합과 투자와 고용보장에 관한 합의를 한다. 매년 재약속을 한다는 것을 뒤집어 말하면 약속을 지키지 않는다는 것이다.

상하이차는 총 네 번의 약속을 한다. 첫 번째는 2004년 10월 쌍용자동차 인수 전에 10억불 이상 투자계획을 밝혔다. 두 번째는 2004년 10월 28일 상해기차공업(집단)공사(SAIC) 대표와 노동조합, 회사 간에 특별협약을 체결한다. 이 특별협약은 고용안정 및 노동조합에 관한 사항, 회사 장기발전 및 투자에 관한 사항, 경영의 자율성 및 브랜드 유지에 관한 사항, 합의내용 이행에 관한 사항 등을 명시하고 있다. 세 번째 약속은 2005년 5월 17일 상하이집단공사 천홍 총재와 직접 협상을 통해 특별노사합의서를 체결한 것이다. 합의서의 주요 내용은 2005년 4,000억 원 투자, 평택공장 30만 대 생산설비증설, 중장기계획 2005년부터 2010년까지 단계별로 추진 등이었다. 네 번째는 2006년 8월 30일 특별협약 관련 투자 부문 합의를 통해 신규 차종 개발을 위해 2009년까지 매년 3,000억 원 투자를 약속하였다.

쌍용자동차에 대한 투자 약속이 반복되는 과정에서 상하이차와 사측은 '전 라인 인원재배치' 를 추진하는 한편, 공동 투자를 통해 중국 현지 독립법인을 세우는 S-100프로젝트를 추진하였다. 이는 쌍용차의 카이런을 중국시장에 적합한 모델로 변경, 현지 생산 · 판매 하겠다는 계획으로 쌍용자동차의 핵심기술 및 우수 인력 유출, 평택공장 하청화 가속화, 국가기간산업과 지역경제의 붕괴, 인력 구조조정이라는 문제를 수반하는 프로젝트였다. 또한 쌍용자동차와 상하이자동차 그룹간에 기술 라이센스 계약(중국내 개조 카이런 제조, 조립, 판매 계약)을 체결하였고, 이 계약으로 카이런과 관련한 설계, 개발, 제조, 판매, 마케팅과 관련 있는 도면, 자료, 소프트웨어, 과정 등과 관련한 기술 정보가 중국 상하이자동차 그룹으로 넘어갔다. 라이센스 계약 금액은 카이런 개발비의 1/10인 240억 원에 체결되었다. 상하이차로의 기술이전이 어느 정도 되었는지를 현장 조합원의 목소리로 확인해 보자.

> 한편으로는 아직까지 기술쪽 일반 도면이나 설계도면이나 이런 거 다 가져갔는데, 걔들이 핵심이 뭐냐면, 현장맞춤이란 게 있어요. 도면상으로 보는 것과 직접 현장은 안 맞잖아요. 현장기술력이라고 하죠! 그건 사람 기술력이고, 한 가지 예를 들어서 조립을 금형을 만들어 완성을 하면 이게 설계 도면대로 안 나오는 게 있어요. 그런 부분은 새로 현장에서 맞게끔 해서 다시 설계 쪽으로 토스를 해요. 그래서 설계를 변경시켜라! 이런 식으로… 그 기술력이죠. 연구소 인력을 빼가서 한 50명, 100명씩 파견을 계속 해서 수량 늘려서 그쪽에서 어떤 기술 지원한 것 같아요. 그 정도까지만 알고 있어요. (구술자 M)

> 사실 처음에는 어떻게든 얘네(상하이차)는 남아 있을 것이라고 생각을 했던 건데. 그게 아직 얘네들이 빼갈 수 있는 기술이 쌍용에 남아 있다. 얘네들이 쉽게 떠나진 않을 것이라고 예상을 했었는데 그 기술의 이전이 어느 정도 완성이 되지 않았을까 생각을 합니다. 심지어 이제 우리 한국에서 만들어야 될 차가 있고 중국에 기술적으로 도와줘야 될 부분이 있으면 계속 중국 것을 먼저 도와줄 수밖에 없는 그런 시스템으로 만들었어요. 그 정도로 중국에서 아주 적극적으로 기술을 빼갔으니 지금 단계에서 떠난다, 안 떠난다 하는 것은 의미가 없고. 걔네들이 가져갈 건 다 가져갔기 때문에 손을 턴 게 아닐까 하는 생각을 하죠. 걔네들도

> 4년 동안 열심히 해왔으니까 열심히 빼가는 거죠 열심히 도둑질 해갔으니까 충분히 그렇다고 저는 판단합니다. (구술자 P)

네 번의 투자 약속이 있었지만 상하이차는 지키지 않았다. 한 푼도 투자를 하지 않았을 뿐 아니라 오히려 인수비용 중 1,200억만 납부하고 그 외는 쌍용자동차가 부채로 안거나 쌍용자동차의 자금으로 납부하게 하였다. 2008년 12월 17일 쌍용자동차의 유일한 신차인 C-200 관련 기술유출 의혹 제보가 발생하고 중국임원의 차량을 제지하는 사태가 발생한다.

쌍용자동차의 경영 위기에 대한 문제에서 가장 핵심적인 것은 상하이차의 투자에 대한 이행 문제였다. 실제적으로 상하이차 인수 이후 신차의 출시가 없었기에 미래를 위한 신차생산 인력이 모두 유휴인력으로 분류되고 일방적인 구조조정이 준비되고 있었다.

⁙ 필연적인 경영위기를 노동자에게 일방 전가

투자 없는 경영, 오로지 기존에 개발한 차를 팔아서만 운영해야 하는 경영, 지역 토호 세력과의 유착으로 회사에 필요해서가 아닌 개인적 이익을 위한 분사와 리베이트, 이들을 비호하고 출근도 하지 않는 사람들에게 지급되던 임금, 노사 상호 눈감아 주는 관행, 선거 때는 목소리를 높이지만 당선되고 나면 사측에 끌려다니는 노동조합. 어느 것 하나 희망을 이야기 할 수 있는 상황이 아니었다.

상하이차는 핵심기술의 이전 등 소기의 성과를 거두자 법정관리로 넘겨 버리고 관망하며 철수도 하지 않고 있다. 감자는 진행되겠지만 혹시 있을지도 모를 매각 등에서 대주주로서의 권리를 챙기려는 얄팍한 수로 보인다. 정일권 전 집행부로부터 전환배치와 비정규직의 희망퇴직을 받아낸 사측은 본격적인 인력구조조정과 복리후생 축소, 노동강도 강화를 위한 자본의 촉수를 드러내기 시작했다. 사측은 노동조합 임원 선거 와중에 학자금지급, 의료비뿐 아니라 야간근무자에게 지급되던 라면과 요구르트까지 중단하였다.

> 그때 당시 2008년 11월쯤 됐을 겁니다. 근데 그때 전격적으로 전면 복지 중단도 했죠. 하다 못해서 야간근무자들한테 나오던 라면하고 요구르트가 중단되고 뭐 학자금에 이르기까지 일체에 모든 것을 중단한다는 말을 사측에서 했는데, 정일권 집행부는 임기 말이라는 이유를 들어서 실제로 대응을 안 했어요. 복지 전면 중단이라는 큰 내용인데도 불구하고 대응을 안 했죠. 조합원들도 진짜 이거 말도 안 되는 거 아니냐, 밑도 끝도 없이 일방적으로 이렇게 중단할 수 있는 거냐? 노조 분명히 있는데 분명히 합의사항인데, 이거 합의해야 될 내용들인데 그냥 일방적으로 할 수 있는 거냐? 라면서 노조에 말을 해야 되는데 그런 분위기도 아니었고, 그런 부분들이 되돌아보면 그런 거에 너무 익숙해져 있는 거죠. 그냥 뭐 노조에서 대응 안 하는 부분들이 어떻게 보면 당연하다는 식의 인식이 있었던 것 같아요. 거기에 대해서 조합원들이 좀 지적을 하고 현장조직들이 반론을 하고 했어야 되는데 그런 분위기가 전혀 없었죠 (구술자 A)

경영위기를 조합원에게 전가하는 사측의 도발은 노동조합의 선거기간인 2008년 12월 1일 일방적으로 복지를 전면 중단하고 12월 17일에서 2009년 1월 4일까지 휴업을 하겠다는 통보로 시작되었다.

한상균 집행부의 등장

5팀이 난립한 노동조합 선거

전국금속노동조합 쌍용자동차지부 2기 임원 선거는 경영위기와 고용의 불안 가운데 치러졌다. 한상균 후보 진영에서 발표한 자료에 의하면 93.3%의 조합원이 고용불안을 심각하게 느끼고 있던 상황이었다. 그러나 한편, 계속되어 온 경영권의 변화를 겪은 조합원들은 불안감을 느끼면서도 자신의 문제로 받아들이려 하지 않았다. 고용불안 못지않게 조합원들의 의식을 좌우한 것은 노동조합에 대한 불신이었다.

> 쌍용자동차의 오래된 그런 고질적인 치부? 그런 것들이 끝내 정리되지 못하고 오면서 결국은 노와 사가 우리가 하는 말론 밀실에서 그냥 하는 회의식으로 진행되었던 부분

들. 10년차 이상 되신 조합원들은 그런 부분에 대해서는 거의 다 아는 거예요 처음에는 몰랐다가 10년차 이상 되시는 분들은 그렇고 그런 거 아니냐, 다 똑같은 놈들이다, 하셨죠. (구술자 A)

이러한 노동조합에 대한 불신은 고용불안과 함께 이번에는 제대로 투쟁할 수 있는 집행부를 뽑아야겠다는 생각으로 나타났다. 고용불안이 닥친 엄혹한 상황에서 진행된 쌍용자동차지부 2기 임원 선거는 2008년 10월 29일 선거일정 공고로 시작되었다. 11월 5~6일 양일간 진행된 후보등록에서는 5팀이 출마하였다. 후보는 기호1번 김규한-심근식-임경빈-임완호, 기호2번 김광수-양형근-김정우-윤대산, 기호3번 한상균-김선영-김을래-한일동, 기호4번 이강철-이양우-정진수-박민혁, 기호5번 이성기-김홍연-엄봉강-김윤식(지부장-수석부지부장-부지부장-사무국상 후보순임)이었다. 11월 말까지 이어진 선거운동을 통해 후보들은 상하이차 자본에 대한 문제(투자냐? 철수냐?), 고용안정(총고용보장), 노동조합 혁신, 금속노조 강화 등을 주요 공약으로 내세웠다. 다섯 팀이 난립하였지만 쟁점은 상하이차에 대한 문제와 고용안정의 문제였다. 정일권 지부장이 2008년 10월 27일 합의한 전환배치에 대해서는 후보 5팀 모두 잘못된 것이라고 비판하였다. 공약사항은 얼핏 보면 별 차이가 없어 보이지만 기호3번 한상균 후보 진영의 공약은 구체적인 대안과 투쟁 조직, 방향성 등을 제시하는 등과 결의에 있어 다른 후보들과의 차별성이 분명하게 보였다.

대부분 다 상하이 투자약속 이행, 고용쟁취 등 기본은 어느 후보나 걸었다고. 그런 걸 안 걸면 선거 자체가 전략상 안 되니까 누구나 다 걸었어요. 그러니까 핵심 공약은 제가 봐서는 대동소이했어요. 다만 그전에 현장 실천 활동을 누가 정말 했느냐, 실천할 의지가 있으냐 이것이 조금이라도 판단 기준이 됐을 거라 봐요. (구술자 M)

선거결과 1차 투표에서는 기호3번 한상균 후보가 1,600여 표를 득표하여 1위를 차지하였고, 기호5번 이성기 후보가 2위를 차지하여 2차 투표에 오르게 되었다. 2차 투표에 오른 두 후보의 공약을 중심으로 두 후보를 살펴보면 다음과 같다.

기호3번 한상균 후보 선거운동

기호3번 한상균 후보는 범민주 세력의 연합집행부로 출마하였다. 현장조직인 실천연대, 노동광장, 진보하는노동자위원회, 전망IN, 노동자해방투쟁실천단, 송림회 등에서 연합하여 후보를 냈으며 여기에 소속된 현장 활동가들이 조합원들로부터 실천력에 있어 긍정적인 평가를 받았다. 타 후보와 차별적인 부분은 상하이차 자본에 있어 단순히 투자이행을 약속한 타 후보들과 달리 한상균후보 진영은 2009년 2월까지 투자불이행 시 상하이차 철수를 요구하는 전면 총파업을 걸고 있다.

기호5번 이성기 후보 선거운동

이는 고용의 핵심문제는 투자불이행에 있음을 명확하게 한 것으로 조합원들의 생각과 일치한 것이다. 선거 슬로

건도 '상하이 숨통 끊는다!' 로 명확한 입장을 보여주었으며, 전면투쟁 시기까지 분명하게 제시하고 있었다. 주간연속2교대제에 있어서도 3무(노동강도 강화없는, 임금삭감 없는, 고용불안 없는)원칙을 분명히 하였고, 노동조합에 대한 조합원의 불신을 의식한 공약으로 이권과의 전쟁을 선포한다. 이러한 사항들을 핵심으로 구체적인 대안을 제시했다.

한편 기호5번 이성기 후보는 동창회, 향우회 중심의 조직들이 연합하여 낸 후보이다. 그 조직수가 상당하여 사실 조직적으로는 당선 가능성이 대단히 높았던 후보였다. 주요한 공약은 총고용사수, 노동조합 개혁, 노조경영 참여 등을 내놓았다. 기호3번과의 차별되는 공약으로 노동조합의 경영참여가 있다.

기호3번 한상균 후보 주요공약

불패공약1 투자 않는 상하이자본 즉각 철수하라!
당선 즉시 '상하이 자본'에 맞선 투쟁에 돌입하겠다. 9개월 집행부! 허비할 시간이 없다! 당선 즉시, 상하이자본에게 투자집행을 요구하고, 의사가 없다면 곧 바로 '상하이자본 철수 전면적인 총파업 투쟁'에 돌입할 것이다.

불패공약2 올바른 주간연속2교대제 3무원칙 쟁취!
노동강도 강화 없는, 임금삭감 없는, 고용불안 없는 주간연속2교대제 3무원칙 반드시 쟁취한다!
완전월급제, 올바른 주간연속2교대제, 주야맞교대는 물론 상시주간조 완전월급제 반드시 쟁취한다!

불패공약3 고용안정 대책위원회 신설
고용안정 대책위원회 역할
- 고용안전 현장실천팀 : 현장 자원 활동가를 모집하여 실제적인 고용안정 투쟁을 담당

• 조사 및 사례분석팀 : 대내외적인 고용현황을 조사하고 분석하여 대응방안을 마련
• 교육선전팀 : 노동조합 교육선전실과 연계하여, 고용전반에 대한 교육선전을 담당

불패공약4 노동조합 혁신 및 이권과의 전쟁선포

1. 현장에서부터 살아 움직이는 노동조합 건설
2. 공장별 대의원대표 조합원 직선!
3. 노동조합의 혁신은 집행부 혁신으로부터
4. 노동자 민주주의를 실현하는 노동조합 건설 : 간부 윤리강령 제정, 각종 투표(선물 및 식당, 업체 선정, 총회) 노동조합 홈페이지를 통해 공개, 대의원대회 및 회의 홈페이지 생중계(규약 개정을 통해 지부 규정에 삽입), 지부와 지회의 유기적 사업진행, 금속노조 지역편제에 따른 '쌍용차 기업별 대응방안' 마련
5. M/H산정위원회를 통해 강제적 전환배치 박살!
6. 한상균, 이권과의 전쟁선포! 이권개입시 집행부 즉각 총사퇴!

불패공약5 금속 노조, 지역 연대성 강화

기호5번 이성기 후보 주요공약
'끝장보자! 반드시 쟁취 하겠습니다.'

총고용 사수 : 가장 빠르고 효과적인 방안으로 대대적인 투자를 통한 경영환경의 대폭적인 쇄신을 이루어야 한다는 판단으로 이를 관철하기 위하여 세부적인 사업들을 펼쳐나갈 것이다.

노동조합 개혁 : 노동조합에 대해 제2의 창립을 선언하며 실질적이고 대폭적인 개혁을 통해 일하는 노동조합, 현장에서 조합원들 속에 존재하며 어떠한 투쟁에서도 반드시 승리할 수 있는 불굴의 노동조합을 반드시 건설할 것이다.

노조경영 참여 : 경영참여 없는 총고용 보장은 있을 수 없다. 사측은 고유권한이란 명목으로 연구, 개발, 생산 등 투자과정의 결정권을 일방적으로 집행하고 있다. 노동조합의 실질적이고 적극적인 경영참여 보장을 위해 모든 수단과 방법들을 강구할 것이다.

금속노조 위상 강화 : 1천 200만 노동자의 염원이었던 산별노조인 금속노조가 출범하였지만 아직 걸음마 단계로서 많은 문제점들이 노출되고 있다. 우리는 그동안 수많은 투쟁을 통해서 정권과 자본에 맞설 수 있는 커다란 조직을 간절히 바라왔다. 이제 그 희망으로 우뚝 솟은 금속노조를 더욱 튼실하게 다듬어 앞으로 있을 거대자본과의 투쟁을 준비할 것이다.

한상균 집행부의 당선

2차 투표에서 총원 5,163명 중 5,001명이 투표하여 기호3번 한상균 후보가 2,610표(52.2%), 기호5번 이성기 후보가 2,320표(46.4%)를 득표하여 한상균 후보가 당선되었다. 한상균 후보는 열세라는 판단들이 있었는데 1차부터 1등을 하는 이변을 낳으며 당선되었다.

한상균 후보가 1등 할 거라고 예상하는 사람은 별로 없었어요. 왜냐면 그 당시 이성기 후보가 상당히 많은 모임, 써클을 기반으로 하고 있어서 또, 확인은 안 됐지만, 회사가 일정부분이 지원 한다는 얘기도 있었고, 그 선본에서 1

등 한다고 장단 했거든요 사실 한상균 후보 쪽은 3등이다 했거든요. (구술자 M)

한상균 당선이 의외라고 말씀드렸던 건 왜 그랬냐면 다섯 후보가 처음에 나왔어요. 1차에 거기서 예선을 통과를 할 수 없을거다라고 생각을 했는데 1등으로 1차를 통과하고 2차 때도 마찬가지로 현격한 차이로 당선이 되긴 했는데… 사실 '이성기 후보'가 2차에서 한 15개 이상의 조직을 연합한 조직이었기 때문에 한상균 후보는 끽해야 6개 정도가 모였던 조직이라 의외였고, 쌍용노조 역사 이래 집행부 이렇게 해서 이긴 경우가 그렇게 흔치 않았어요. (구술자 P)

쌍용자동차지부 조합원들이 한상균 후보를 선택하게 된 것은 겉으로는 큰소리치지만 결국에는 사측에 끌려가는 노사협조적인 노동조합으로는 안 된다는 것이다. 자신들의 고용문제도 결국 건강한 노동조합이 없이는 해결할 수 없다는 것을 지난 4년간의 경험을 통해 체득했을 것이다. 또한 누가 말뿐이 아니라 실천할 수 있느냐 하는 점이었다. 자신들을 희생하면서도 진정으로 조합원을 위한 후보가 누구인가를 선택하는 선거였다. 경영위기의 핵심인 상하이차의 약속된 투자 불이행도 이제 종지부를 찍을 때가 되었다는 것이다. 이번이 마지막 기회이며 이를 해낼 전투적인 집행부가 필요했던 것이다.

4년 동안 곪고 또 곪아서 그 단계에 왔는데 정말 어려울 때가 되니까 투쟁력 있고 바르게 할 수 있는 집행부를 조합원들도 무의식중에 선택을 한 거예요. 그렇게 해서 당선이 되었죠. 위기의식이 찾아온 거고 그거를 과거에 했던 방식으로는 풀 수 없는 상태가 됐다. 뭔가 좀 조합원들을 위해서 진짜로 노력할 수 있는 사람을 뽑아야겠다는 의식들이 밑바탕에 상당히 짙게 깔려있었죠. 그렇게 하면서 정말 예상치 못했던, 제 개인적으로는 예상치 못했던 결과가 나왔고 그래서 지도부가 탄생을 하게 된 거죠. (구술자 P)

그 당시 이제 고용문제는 두 번째 문제고 이제 핵심은 투자죠. 투자! 투자가 핵심이었고 상하이차 자본을 볼 때 어떤 시각으로 볼꺼냐? 이게 쟁점이 많이 됐었거든요. 5월달에 현장조직 민주파 다섯, 여섯이 모여서 얘기하는데 이 상하이 자본을 투기자본으로 볼꺼냐? 아니면 투자자본으로 볼꺼냐? 이 논쟁부터 있었어요. 만약에 투기자본으로 본다면 우리가 상하이차 자본에 대해서 어떻게 대응을 할꺼냐? 그냥 솔직하게 내 보내야 된다. 니네 가라. 쫓아내야 된다. 이런 게 있었고, 아니다. 투자를 이행할 수 있도록 해서 협상을 해야 된다. 이런 얘기도 있었고, 그런 여러 가지 논쟁이 있었어요. 그 전부터, 그런데 핵심이 뭐냐면 투자! 상하이차가 2004년도 11월에 공식적으로 인수하고 2005년도 1월에 출범을 했는데 그 이후에 한 번도 투자를 안 하거든요. 단 1원도. 그리고 정일권 집행부는 중국을 몇 번 왔다 갔다 했어요. 왔다 갔다 하면서 천홍 총재 만나서 손 흔들고 하면서 뭐 30만 대를 위해서 매년 3천억 원씩 투자한다는 합의서를 썼지만, 그래서 실제로 우리가 갖고 있는 것은 고용보다는 투자를 이 회사가 계속 투자를 안 하게 되면 이게 고용문제랑 직결된다. 이런 위기 위식이 그때부터 있었던 것이죠. 왜냐하면 정일권 지부장이 저희 회사가 저쪽 후문 쪽으로 들어오는 길에 있는 땅 8만평을 다졌어요. 그게 8억 정도가 들었어요. 뭐 파이프 꽂고 해서. 원래 계획은 2010년까지 거기에 별도의 10만 대 생산라인을 구축한다고 했었는데, 그것도 이제 포크레인으로 땅 다지기하고 끝내거든요. 그런 식으로 하니까 좋은 일이라도 집행부에 대한 불신이 굉장히 큰 거죠. (구술자 M)

조합원들의 기대와 열망을 한몸에 받으며, 한상균 집행부는 12월 5일 당선자가 된다. 임기가 2009년 1월 1일부터지만 선거 이전부터 시작된 사측의 공세는 당선자로 있을 수 있는 시간을 주지 않았다.

::::사측의 공세와 대응

이미 선거 기간 중에 복지 전면 중단과 2008년 12월 17일부터 31일까지 휴업을 선언했던 사측에 맞서 노동조합 인수위원회는 12월 10일 근무 첫날부터 천막농성을 시작하였다. 선거에도 쟁점이었던 사측의 일방적인 복지 중단에 무대응이었던 정일권 집행부에 기대할 것이 없는 상황에서 한상균 집행부는 임기 전에 이미 투쟁을 시작한 것이다.

천막농성 중 사측이 예고한 휴업 돌입시기를 하루 앞둔 12월 16일 15시에 사측은 노조에 협의하자는 공문을 발송하였다. 이에 노동조합은 17일에 정상조업을 하면 17일 오전에 협의를 하자고 답변하자, 회사는 17일부터 31일까지 휴업을 하고 임금 70%를 휴업급여로 지급하겠다고 공문으로 일방적으로 통보하였다. 노동조합은 강제휴업으로 규정하고 17일부터 조합원 출근투쟁을 전개하였다. 8시 30분 출근하는 조합원들과 함께 '불법적인 복지 중단, 일방 휴무 강행 규탄대회'를 개최하여 실질적인 교섭을 촉구하였다. 그날 인수위에 급박한 첩보가 들어왔다. 공도연수원에서 아직 생산도 되지 않은 C-200 관련하여 상하이차 임원들이 무엇인가를 가지고 나간다는 첩보였다. 인수위 20여 명은 자동차 세 대로 나눠 타고 공도연수원으로 들이닥쳤다. 상하이차 임원들은 이미 그 자리를 뜨고 없었다. 재빠른 추격 끝에 상하이차 기술본부장을 비롯한 임원들을 잡고, 경찰과 국정원에서도 와서 인수위원들과 대화가 있었으나 회사는 사실무근이라며 거짓말로 일관하였다. 그러나 C-200프로젝트는 1,200억에 상하이차에 넘기는 것으로 비밀리에 계약이 되었다. 경영진은 외형상으로는 플렛폼만 공유할 뿐 독자적인 디자인과 모델로 생산, 판매한다고 말하고 있지만, 사실상 기술유출인 것이다.

C-200이 프로젝트명이잖아요. 근데 당시에 그 C-200이 10월 1일날 양산 출범 SOP를 할려고 했는데, 그 이전에 C-200과 관련된 계약이 비밀리에 신현탁 전 사장과 상하이차 사무총재가 맺어서 그 판권이 기존에 있는 것까지 포함이 되면서 1,200억으로 서명을 했다는 거야. 문서로. 실제로 아직까지 차가 나오지 않았는데, 나오지 않은 차에 대해서 판권까지, 기술력까지 다해서 엄청난 특혜였죠. 근데 그게 600억도 안 되는 돈으로 한 것 같아요 그때 보니까 1,200억 중에서 600억을 받았고 아직 600억 원을 받았는지 확인이 안 됐는데 그래서 사실 상식적으로 생각해도 초등학생 데려다놓고 어떤 일을 같이 합의를 한다해도 불공정 협의를 넘어서 일방적 협의잖아요. 잘못된 계약이구, 가장 문제죠. 처음엔 몰랐어요. 그게 어떻게 됐냐면 12월 15일날 저희가 인수위 가동하고 16일날 천막을 치고 다음날인 12월 17일날 특보가 들어 왔어요. 공도에서 상하이 임원하고 플레이

> 트를 해서 뭐 갖고 나간다! 듣고 그날 20여 명 그 인수위원들이 들여 닥쳤죠. 공도로… 닥쳐서 차 세 대로 공도에 가보니까 벌써 튀었어요. 그래서 중간에 잡아 가지고 걔들 말로는 강금 납치라는데, 그런 건 없었고 경찰이 오고 국정원에서 오고해서 막 회사로 와서 굉장히 시끄러웠어요. 언론에… 그래서 그때 이제 상하이차의 기술본부장 하나 하고 통역 한 명, 노조쪽 임원 한 명을 포함해서 두 명 하고 그리고 통역 한 명, 여섯 명이 들어갔어요. 저하고 같이… 병실 들어가서 쭉 W-car부터 얘기하고, 얘기했는데 자기들은 모른다! 다 발뺌을 하더라구요. (구술자 M)

12월 22일 14시에는 빨간벽돌(구 연구동) 4층에서 임시대의원대회를 개최하였다. 임시대의원대회에서는 쟁의대책위원회 전환건, 쟁의발생 결의, 조합비 인출 및 복지기금의 투쟁기금 전환, 기타 특별위원회 설치건, 고용안정특별대책위 설치건, 범시민 및 가족대책위 구성건을 통과시키고, 지부장/정비지회장/창원지회장 금속노조 중앙위원 선출, 대의원 이상 확대간부 전원 천막투쟁을 결의하였다. 또한 임시대의원대회는 상하이자본의 구조조정에 신속히 대응하기 위해 휴회를 선언하여 언제든지 별도의 공고기간 없이 속회할 수 있도록 하였다.

임시대의원대회의 결의를 모아 12월 23일에는 1,500여 조합원이 모여 '구조조정 분쇄! 기술유출 저지! 단체협약 사수!를 위한 결의대회' 를 하였고, 대회 후 평택역까지 도보로 이동하며 대시민 선전전을 하였다. 같은 날 노사특별협의회가 개최되었다. 회사는 노조의 기술유출 관련 투쟁이 중국의 자존심을 건드려 자금지원이 어렵다는 등 책임을 노조에 전가하였다. 아울러 상하이차가 철수할 수도 있다는 이야기를 흘리며 노동조합에게 일방적인 양보만을 요구하였다. 분노한 노동조합 간부들은 회사의 입장만 확인하고 협의를 마쳤다.

평택공장 정문앞 집회

12월 29일에는 여의도 국회 의원회관에서 노 · 사와 국회의원, 평택시장이 만나 대화를 하였다. 노조측은 한 지부장과 임원, 정책실장, 교선실장이 참석하였고, 사측은 최형탁 사장과 임원 8명(장쯔웨이 상하이 부총재는 이유 없이 불참)이 참석하였다. 또한 원유철 국회의원, 송명호 평택시장이 참석하였다. 사측은 "어렵다", "아무런 결정권이 없다"라는 말만 되풀이 하였고, 결론은커녕 다시 만날 약속도 없이 마무리 되었다. 노동조합은 30일 10시 평택공장 정문 앞에서 '기술유출 저지! 구조조정 분쇄! 단체협약 사수를 위한 전 조합원 총력투쟁 결의대회'와 기자회견을 개최하고 휴업기간의 조합원 출근투쟁을 마무리하였다.

사측은 '위기 극복을 위한 전 임직원 결의문'을 작성하여 전 임직원의 서명을 강제적으로 받기 시작하였다. 사측은 조합원을 현혹하려고 근거도 명확하지 않은 "경쟁시장에서 퇴출될 수 있다. 워크아웃마저 불가능할 수 있다. 법정관리로 가면 파산할 수 있다"는 등 흉흉한 소문을 퍼뜨렸다. 상하이 자본과 자신들의 문제는 감춘 채, 노동자들의 희생만이 쌍용자동차가 회생할 수 있다는 논리만 주장하였다.

노동조합은 사측의 이러한 행동이 기술유출을 완결시키기 위한 시

긴벌기와 고강도 인력구조조정의 수순밟기, 모든 책임을 노동자에게 전가시키고 경영진은 뒤로 빠지려는 술수라고 파악하였다. 강제서명 결의문에는 "상하이 그룹의 투자약속 이행, 기술유출 오해 등 소모적 논쟁을 하지 않는다. 임금삭감과 상여금 반납폭 백지 위임, 어떤 고통도 감내한다" 등의 내용이 포함되어 악용 소지가 다분히 내포되어 있었다. 이에 노동조합은 강제서명 행위를 ① 원칙적으로 노동조합 자체를 부정하는 행위 ② 노동조합과 합의 없는 강제적 결의문 ③ 내용이 포괄적이고 악용소지가 있음 ④ 사실에 근거하지 않는 왜곡, 날조된 것이라고 규정하고 서명을 중단할 것을 요구하고 저지하기로 하였다. 2009년 1월 5일 결의대회를 열고 현장순회를 통해 결의문 서명을 거부할 것과 쟁의행위 찬반투표에 참여할 것을 호소하였다. 사측은 결의문 서명을 강제로 진행하며, 노동조합 결의대회 참석자에게 근무시간 공제 협박을 하고 무대 설치를 방해하는 등 야비한 행위를 했다. 이런 와중에 1월 5~6일 진행한 쟁의행위찬반투표에는 95%의 조합원들이 투표에 참여하였다. 집행부는 대의원들의 동의를 받아 구조조정 발표 시 공개된 장소에서 개표하고 그 결과에 따라 투쟁에 돌입한다는 조건으로 개표를 보류하였다. 이는 결과 발표 시 상하이차의 기술유출 등 핵심 문제가 파업과 노사대립으로 묻힐 우려가 있다는 판단이었다. 투표함을 컨테이너 박스에 넣고 용접 밀봉 후 정문 천막 옆에 보관하였다.

쟁의행위 찬반 투표함을 컨테이너 박스로 옮기고 있다.

노동조합은 고용안정특별대책위원회를 구성하고, 역량 있는 외부

자문단을 구성하여 생존권을 위협하는 모든 요소에 적극 대응함을 기본 원칙으로 하고, 금속노조, 투기자본감시센터와 함께 기술유출에 대한 법적 대응 방안을 강구하였다. 2008년 12월 임금체불에 대해 노동부에 진정하고, 사측에는 2009년 1월 5일까지 체불 임금을 지급할 것을 요구하였다. 사측의 대표 3인(최형탁, 장하이타오, 란칭총)을 근로기준법 제43조 위반으로 노동부 평택지청 근로감독과에 고발하였다.

법적 조치를 취해 나가는 한편으로 노동조합은 내부 조직을 위해 제22대 지부대의원을 뽑기 위한 선거 일정을 공고하고, 현장선봉대와 문화선봉대 모집공고를 내는 등 투쟁을 준비하는 데도 소홀함이 없었다.

2009년 1월 8일 상하이자본의 입장 발표도 없는 가운데 중국 상해에서 쌍용자동차 이사회가 개최되었고, 1월 9일 일반적으로는 채권단이 신청하는 법정관리를 최대 주주인 상하이자본이 신청하는 사태가 발생하였다. 상하이자본은 최상진 상무가 대신한 언론과의 인터뷰에서 "대주주 지위가 박탈된 것이 아니며 이번 법정관리 신청은 기업회생에 그 목적이 있으며 상하이차는 기업회생을 위해 대주주로서의 역할을 할 의지가 있다"(2009.1.9. 동아일보)고 밝혀 자본 철수의 의사가 없음을 분명히 하였다.

2장

파업전야

• 법정관리 신청과 정리해고 반대투쟁 조직
• 정리해고 가시화와 파업전야

법정관리 신청과 정리해고 반대투쟁 조직

중앙쟁대위 체제로의 전환과 정리해고 반대투쟁 준비

상하이차의 법정관리 신청과 지부의 대응

쌍용자동차는 1월 8일 중국 상하이차 본사에서 이사회를 개최했다. 이사회는 최형탁 사장을 비롯한 한국인 3명, 장하이타오 대표 등 중국인 6명으로 구성돼 있다. 이날 이사회에서는 법정관리 신청을 결정했다. 또 △희망퇴직의 시행, △순환 휴직(평균임금 70%에서 50%로 축소 지급), △향후 2년간 임금삭감(최고 30%~10%) △승격 · 승호 · 채용 동결, △복지지원 잠정 중단 등을 결정했다.

통상 법정관리를 신청하게 되면 약 1개월 내에 법원이 법정관리를 받아들일지를 결정하게 된다. 여기서 법원이 법정관리를 받아들이지 않고 기각 결정을 내리면 해당 기업은 파산 절차를 밟게 되고 만약 법정관리를 받아들이면 회생절차를 개시하게 된다. 회생절차는 관리인과 조사위원을 선임하고 조사 결과는 보고서로 제출한다. 이 보고서를 토대로 채권자들이 회생절차를 계속 진행해도 된다는 의견을 내면 법원에서는 관리인에게 회생계획을 제출할 것을 명령한다. 조사위원이 보고서에서 쌍용차의 회생 가능성이 없다고 하고 법원도 그 내용이 타당하다고 인정하면 해당 기업의 회생절차는 바로 폐지될 수도 있다. 회생절차 개시결정 이후 회생절차 인가까지는 통상 4개월 정도가 걸린다.

상하이차의 법정관리 신청에 대해 서울중앙지법 파산4부는 1월 12일 쌍용차에 대한 재산보전처분 및 포괄적 금지 명령 신청을 받아들였다. 이것은 법원이 쌍용차에 대한 회생절차 즉, 법정관리 개시 여부를 결정할 때까지 재산을 함부로 처분하지 못하고, 가압류나 경매 신청도 제한하는 조치다.

언론은 상하이차의 법정관리 신청이 알려지자 자세한 분석 기사를 싣고 동시에 한목소리로 상하이차를 비판하는 논조의 기사를 내보냈다. 상하이차가 최대주주로서 적극적 투자는커녕 기술 이전에만 몰두했다는 것이다. 또 법정관리란 채권자가 기업이 망할 위기 상황에 처했을 때 빚을 돌려받기 위해 신청하는 것인데 상하이차 같은 대주주가 법정관리를 신청하는 기이한 현상에 대해서도 비판했다. 이는 달리 말하면 당장 망하게 생겨 법정관리를 신청한 것이 아니라는 얘기이다. 또 150% 부채율까지는 재무 상태가 건전하다고 보는 게 통상적인데 그렇게 봤을 때 쌍용차의 경우 재무 상태가 나쁘지 않은 상태인데도 불구하고 법정관리를 신청했다고 지적했다. 또 한국 정부에 대해서도 산업은행이 '상하이차의 선 지원' 요구만 했을 뿐 적극적으로 대응하지 않았고 그 결과 상하이차가 한국 정부와 채권단, 쌍용자동차에 짐을 떠넘긴 꼴이 되었다며 비판을 덧붙였다. 도망갈 명분을 줬다는 얘기이다.

쌍용자동차지부는 "쌍용자동차는 자산대비 부채비율이 적음에도 불구하고 채권단이 아닌 먹튀 자본 상하이에 의해 법정관리 신청이 이루어졌다. 이것은 먹고 튀기 위한 수순이었다는 것을 스스로 증명하고 있다"고 비판했다.

쌍용자동차지부 기자회견(2009.1.12)

쌍용자동차지부는 1월 12일, 한상균 지부장 명의로 '상하이 먹튀 자본의 책임 끝까지 묻겠습니다. 정부는 책임지고 생존권을 보장해야 합니다'라는 담화문을 발표하고 기자회견을 가졌다. 담화문에서 한상균 지부장은 "2009년 1월 9일은 중국 기업 상하이자본이 한국기업 쌍용자동차를 철저히 유리한 날로 기억될 것입니다"라고 서두를 시작했다. 한 지부장은 쌍용자동차 투쟁은 "전국민적 지지로 발전시켜야" 한다고 천명하고 당장은 "법원의 관리인 선임에 노동조합의 의견이 반영되도록 할 수 있는 모든 투쟁을 전개"하겠으며 "현 경영진은 법정 관리인에 선임될 수 없음"을 분명히 했다. 그리고 쌍용자동차의 향후 전망과 관련해서 "당분간 국가가 책임지는 형태의 발전전략을 제시하도록 하겠다"고 밝혔다. 또한 이날 컨테이너에 봉해 놨던 쟁의행위 찬반투표함을 열고 개표를 진행했다. 개표 결과 투표자 대비 75.8%, 재적대비 71.4% 찬성으로 쟁의행위 결의는 가결되었다.

법정관리 신청은 조합원들에게 큰 충격을 가져다주었다. 임금이 체불되고 복지혜택이 중단되면서 큰 불안감을 느끼기는 했으나 조합원들은 '언젠가 다시 정상화 되겠지' 하는 생각도 없지 않았다. 그러나 막상 법정관리가 신청되자 불안감은 증폭되었다. 당시 조합원들의 불안감에 대해 지부 2기 집행부 중 한 명은 이렇게 말한다.

> 1월 9일에 법정관리 신청을 했는데, 그때 많은 사람들이 사실 충격을 받았죠. 이 회사가 법정까지 갈 정도로 그 정도로 현재 경영상태가 악화, 안 좋은 거냐! 실제로 제가 봐서는 그렇지 않은 것 같거든요. 굉장히 우량한 회산데 이게 채권자들이 법정으로 신청한 게 아니라 그 회사가 일방적으로 한 거잖아요. 그래서 거기에 제가 듣기론 최초라고 얘기하더라구요. 법정 신청한 곳에서. 그런 쪽에서 굉장히 의문이 많았던 거죠. …(중략)… 왜냐하면 이제 그전에 상하이 총재를 비롯한 여러 문제들이 우리나라 정장선 의원인가? 그분이 상하이에 1월에 신청한다고 12월부터 얘기는 있었거든요. 실제로 이제 법정에 들어가니까 충격을 좀 받은 거지. 이게 실제로 들어간 거구나. 장난이 아니구나! 그럼 앞으로 어떻게 되는 거냐! 이런 데 이제 관심이 있는 거죠! …(중략)… 상당히 불안해 했던 것 같아요, 조합원들은. 어떻게 되는 거냐! 법정관리 신청 이후에 앞으로 향후 방향이 어떻게 되는 거냐! 거기에 굉장히 관심 많이 가지시고 불안해 하시고. (구술자 M)

대의원선거 및 조합원 교육

쌍용자동차가 법정관리에 들어간 가운데 지부는 대의원선거를 치른다. 대의원선거 일정은 1월 9일 입후보 확정공고를 하고 12~13일 투표를 진행해 13일 오후 개표를 했다. 이렇게 해서 평택지회 87명, 정비지회 9명, 창원지회 13명, 총 109명의 대의원을 선출했다.

쌍용자동차지부는 22년차 대의원선거를 진행하면서 1월 13일, 전 조합원 교육도 함께 진행했다. 교육 내용은 '법정관리 신청 후 대응

방향' 이었다. 교육이 끝난 후 지부 대의원선거 투표를 배치했다. 교육 일정은 다음과 같다.

[쌍용자동차지부 1월 13일 전 조합원 교육 일정]

<table>
<tr><th>일정</th><th>교육장소</th><th>해당부서 (관련지원부서)</th></tr>
<tr><td rowspan="2">2009년
1월13일(화)
주간조
오전 10:30
~12:30</td><td>복지동 식당</td><td>조립1팀 의장 · 샤시 · 완성 · 제조품질, 차체1 · 2팀, 도장2팀, 프레스, 치공구, 물류운영, 생산관리, 타이어샵, A/S물류, 환경안전관리, 시설팀, 보전1 · 2팀, 도장 보전, 도장 품질, 공정기술</td></tr>
<tr><td>TRE 식당</td><td>조립3팀 의장 · 샤시 · 완성 · 제조품질, 도장1팀, PDI, 출하운영팀, 부품품질, 모니터링 사무실, 품질경영, 선행보증, 공정관리기술, 생산지원1팀, 4WD조립보전</td></tr>
<tr><td rowspan="4">오후
15:00~17:00</td><td>구 연구동(4층)</td><td>조립4팀 의장 · 샤시 · 완성 · 제조품질</td></tr>
<tr><td>연구동 식당</td><td>연구소 전체</td></tr>
<tr><td>본관 식당</td><td>본관 조합원 전체 총무 · 식당 · 공무시설 · SQE 부품 도장생기팀</td></tr>
<tr><td>공도 식당</td><td>공도 근무 관련부서 전체</td></tr>
<tr><td rowspan="3">2009년
1월13일(화)
야간조
22:00~24:00</td><td>복지동 식당</td><td>조립1팀 의장 · 샤시 · 완성 · 제조품질, 차체1 · 2팀, 도장2팀, 프레스, 치공구, 물류운영, 생산관리, 타이어샵, A/S물류, 환경안전관리, 시설팀, 보전1 · 2팀, 도장보전, 도장품질, 공정기술</td></tr>
<tr><td>TRE 식당</td><td>조립3팀 의장 · 샤시 · 완성 · 제조품질, 도장1팀, PDI, 출하운영팀, 부품품질, 모니터링 사무실, 품질경영, 선행보증, 공정관리기술, 생산지원1팀, 4WD조립보전</td></tr>
<tr><td>구 연구동(4층)</td><td>조립4팀 의장 · 샤시 · 완성 · 제조품질</td></tr>
</table>

쌍용자동차지부 2기 집행부는 교육에 남다른 공을 들였다. 교육이 끝나면 지부 집행부가 조합원들 앞에 직접 나와 지부의 방침과 입장 등을 알리기 위해서 노력했다. 교육뿐만이 아니었다. 선전물 역시 자주 만들어 배포해 그때그때의 상황과 지부의 입장과 방침을 조합원들에게 정확히 알리는 동시에 사측의 악선전과 분열 책동에 대응하고자 노력했다. 옥쇄파업 전까지 평균 2.5일에 한 번꼴, 옥쇄파업 들어간 이후 6월 말까지 1.4일에 한 번꼴로 쟁대위속보를 발행했다.

저희가 선전물이 지금 103호인가 102호가 나갔는데. 9개월 동안 선전물을 이제 정상적으로 회사 출퇴근하면서 돌리는데, 옥쇄 들어가기 전에는 선전물을 돌리면 새벽 6시 50분까지는 선전물을 돌리는 곳에 가 있어야 돼요. 지부장님이 먼저 나와 계세요. 왜냐면 7시에 출근하시는 분들도 있다고 그분들한테 최소한 출근한 한두 명이라도 출근한 사람한테 줘야 된다고 그래서 6시 50분에 돌리기 시작해서 8시 반까지 꼬박 다 돌려서 이제 식당에서 그때 와서 밥 먹고 하루 일과를 시작하거든요. 그런 희생정신이 바탕이 되는 노조가 있어야 된다. (구술자 P)

이처럼 교육, 선전 활동 외에도 쌍용자동차지부는 1월 초, 현장선봉대 모집공고를 내고 현장선봉대를 조직해나가기 시작했다.

쌍용차 투쟁 대책회의 구성과 금속노조의 대응

상하이차의 철수와 법정관리 신청이 임박한 가운데 전국금속노조는 1월 6일 상집회의에서 체계를 갖춰 현안에 대응하기 위해 쌍용차 투쟁 대책회의를 구성할 것을 결정하였다.

금속노조는 1월 7일에 열린 71차 중앙위원회에서 '쌍용자동차 투쟁 승리를 위한 결의문'을 채택하고 "쌍용자동차 투쟁에서의 승리가 금속노동자", 나아가 "전체 노동자의 생존을 위한 투쟁"이기에 "쌍용자동차 투쟁에 함께 할 것을 결의"하고 "쌍용차를 위기에 빠뜨린 책임"은 상하이차와 정부에 있음을 분명히 지적하고 노동자들에 대한 공격을 중단하지 않을 경우 "전국적으로 투쟁을 확대해 나갈 것임을 결의"했다.

쌍용차 사측이 법정관리를 신청한 2009년 1월 9일, 금속노조 쌍용자동차 투쟁 대책회의는 1차 회의를 열고 쌍용자동차 투쟁을 상하이차와 정부의 책임을 묻는 방향과 내부의 결속력을 강화라는 큰 두 가지 방향으로 가져가기로 하였다. 또 당장 핵심적인 쟁점은 법정관리인이 누가 될 것인가의 문제라 분석하고 이에 대해 대응하는 한편 산업은행과 정부의 책임을 분명히 함으로써 향후 쌍용차를 책임지는 방향으로 연결시켜 가기로 하였다. 또한 △쌍용차 관련 토론회를 시급히 개최해 문제점을 공유해 가고, △금속노조 차원의 집회를 통해 투쟁을 확산시키며, △조합원들을 조직해 조직력을 유지, 강화시켜 갈 것을 결정했다. 이후 투쟁 대책회의는 4월 17일까지 총 14차례 회의를 열고 금속노조 차원의 대응을 논의해 나갔다.

금속노동자 투쟁본부 발대식 및 투쟁선포대회(2009.1.15)

금속노조는 1월 15일, '노동자 · 서민 살리기 금속노동자 투쟁본부 발대식 및 투쟁선포대회'를 서울 세종로 정부종합청사 앞에서 열었다. 이 자리에서 쌍용차 한상균 지부장은 "상하이자본은 기술이전과 투자약속에 대한 정당한 대가를 지불하고, 정부는 당당하게 상하이자본과 쌍차 경영진의 죗값을 물어야 한다. 그리고 가족까지 포함한 4만 5천의 생존권을 보장해야 한다"고 촉구했다. 집회를 마친 후 조합원들은 대국민 선전전을 전개하고 쌍용자동차 문제를 시민들에게 알렸다.

상하이차와 정부 책임론의 공세적 제기

금속노조와 쌍용자동차지부는 기자회견, 인터뷰, 토론회, 집회와

쌍용자동차 먹튀 사태 올바른 해결촉구 기자회견
(2009.1.13)

선전전 등을 통해 쌍용자동차가 법정관리에 이르기까지는 상하이차와 정부에 그 책임이 있으며 노동자들의 일자리를 지키는 것의 정당성을 널리 알리기 위한 활동에 돌입했다.

1월 13일 서울 중국대사관 앞에서 민주노총, 민주노동당, 진보신당, 투기자본감시센터 등 정당시민사회단체가 모여 '쌍용자동차 먹튀 사태 올바른 해결촉구' 기자회견을 열고 중국 정부의 책임을 촉구했다. 이 자리에 참석한 민주노동당 이정희 국회의원은 "중국 상하이차는 중국의 국영기업이다. 중국정부에 책임을 요구해야 한다"고 강조했다. 금속노조 정갑득 위원장은 "쌍용차 문제는 노동자에 대한 대대적인 구조조정의 시작이다. 지부만의 문제가 아니라 부품협력업체 포함한 15만의 고용을 지키기 위해 위원장이 직접 챙기겠다. 국민들의 일자리를 지킨다는 각오로 투쟁하겠다"고 천명했다.

금속노조는 1월 15일에 서울 영등포 민주노총 회의실에서 '위기의 쌍용자동차, 어떻게 할 것인가'라는 주제로 긴급 토론회를 열었다. 발제자로 나선 산업노동정책연구소 이종탁 부소장은 "쌍용차의 실패는 정부와 자본의 실패"라고 지적하고 쌍용자동차는 "고용 · 사회적 가치를 봤을 때 회생시키는 게 맞다"면서 "쌍용차를 살리기 위해 공적자금을 투입하고 이후 사회화하자"고 주장했다. 투기자본감시센터 정종남 기획국장도 "국유화가 근원적인 해결책"이라고 주장하고 "정부는 주 채권은행인 산업은행을 통해 쌍용차 노동자와 생계가 벼랑에 내몰린 관련 서민들의 삶을 구하기 위해 자금을 지원해야 한다"는 의견을 개진했다. 한남대 정명기 교수도 "공익기업, 국민기업으로 가는 것이 경제 · 사회 측면에서 쌍용차의 위치에 맞는 것"이라 주장했다. 이날 토론회에서는 쌍용자동차의 국민기업화, 지역기업화, 국유화, 노동자기업화 등 다양한 대안이 논의되었으나 회생과 공적 자금 투입에 대해서는 목소리를 모았다.

지하철1호선 서명운동(2009.1.24)

또 금속노조와 쌍용자동차지부는 1월 16~18일에는 대국민 선전전을 진행하고 1월 21일부터는 '쌍용자동차 정상화를 위한 대국민 서명운동'을 시작했다. 서명운동은 설 연휴 기간을 거쳐 1월 31일까지 서울역, 동서울터미널, 강남 고속터미널, 평택역, 수원역, 평택 이마트, 천안역, 안성 롯데마트 등 평택과 서울 수도권 등지에서 새로 당선된 22년차 신임 대의원과 조합원 연인원 100여 명이 함께 참여해 진행했다. 이 서명운동에는 2만 5,556명의 서명이 모아졌다.

상하이자본 규탄 금속노동자 결의대회(2009.1.22)

1월 22일에는 금속노조와 완성차 4사 지부가 공동으로 기자회견을 개최하고 "완성4사 지부는 정부와 산업은행의 쌍용차 문제 해결과정을 국민들과 함께 지켜보고 쌍용차 노동자가 바라고 국민이 바라는 쌍용차정상화가 실현될 수 있도록 노력할 것"이라 밝혔다. 또 금속노조는 같은 날 서울 세종문화회관 앞에서 '상하이자본 규탄! 정부책임규명, 총고용보장 금속노동자 결의대회'를 열었다. 이날 집회는 완성차 4사 및 수도권 지부 확대간부 중심으로 조직되었다. 1월 23일에는 금속노조와 쌍용자동차지부가 함께 지식경제부 면담을 가졌다.

2월 4일에는 서울중앙지법 앞에서 투기자본감시센터, 대안연대회의, 금융경제연구소, 진보금융네트워크, 산업노동정책연구소, 민주노동당 이정희 의원실 등의 기자회견이 열렸다. 이날 기자회견에서는 "법정관리인 선임 문제와 기술유출에 관한 수사결과 즉시 공개"를 요구하는 한편, "법정관리 절차가 이런 노력 없이 오직 노동자 대량 해고와 고통전담 강요로 이뤄진다면 시민사회단체, 진보정당 등 모든 힘을 다해 저항"할 것임을 밝혔다.

그러나 이 같은 노력에도 불구하고 국민 여론은 아직까지 쌍용자동차지부의 구조조정 반대 싸움에 호응도가 그리 높지는 않았다. 특히 평택지역에서 쌍용자동차지부의 구조조정 저지 요구에 대해 여론이 좋지 않았다. 쌍용자동차 조합원들에 대한 부정적 이미지가 작용한 것이다. 쌍용자동차는 평택 인근에서 가장 큰 사업장이다. 자본의 이데올로기가 작용해 대공장 노동자는 놀면서 월급 받는다는 시각으로 보는 이들이 많았다. 지난 몇 년 동안 생산량이 줄어 계획정지가 잦아짐에 따라 근무 시간에도 밖에서 쌍용자동차 작업복을 입은 사람들의 모습이 보이면서 시민들은 더 그런 생각을 하게 되었다. 선전전, 서명운동을 받으러 다니던 조합원들은 자신들을 바라보는 시민들의 시선을 느낄 수 있었다.

평택만큼은 취약지역이었죠. 제가 옥쇄 들어가기 전에 다녔거든요. 쌍용자동차 살려달라는 서명 했잖아요. 자동차 살리기 운동, 서울이고 천안이고 다녔거든요. 그런 데

가서는 좋아요. 분위기 좋고. 중국 놈들이 기술만 빼먹고 도망갔어? 이 나쁜 놈들, 이러면서 분위기가 좋은데 평택에서만큼은 하고 싶지 않았어요. (구술자 J)

법정관리 개시와 총고용 보장 투쟁

법정관리 신청

서울중앙지법 파산4부는 2월 6일 기업회생절차 신청을 받아들임으로써 쌍용자동차에 대한 법정관리가 시작되었다. 법원은 이날 쌍용자동차 법정관리인으로 이유일 전 현대자동차 사장과 박영태 쌍용자동차 기획 · 재무 담당 상무를 공동 인명하고 쌍용자동차 재무 상태에 대한 실사를 벌일 조사위원으로는 삼일회계법인을 선임했다.

재판부는 "쌍용차는 올해 1월 만기가 도래한 어음 920억 원을 자체 자금으로 결제하지 못했고 현재 보유 현금이 400억 원에 불과해 4월 만기 회사채 1,500억 원도 상환할 수 없는 상태여서 지급 불능의 파산원인이 존재해 회생절차 개시 사유가 있다"고 밝혔다.

어쨌든 이렇게 법정관리 신청 후 쌍용자동차의 미래는 불확실하기만 했다. 경영 위기로 인해 생계가 막막해진 노동자들과 가족들, 협력업체, 평택 등 지역경제의 악화된 상황은 고스란히 그들만의 몫으로 남았을 뿐, 그 누구도 책임지는 자가 없었다.

법정관리가 진행되는 한편에선 쌍용자동차 경영 상태가 심각할 지경으로 어려워지고 있었다. 쌍용자동차는 2009년 1월 내수 1,149대, 수출 495대 등 모두 1,644대 판매에 그쳐 2008년 같은 달보다 판매량이 82%나 감소했다. 또 쌍용차 1차 협력업체 중 처음으로 대구에 있는 대신산업이 2월 10일 1차 부도를 냈다. 이 회사는 만기 도래한 어음을 막지 못해 1차 부도를 냈고 쌍용차 협력사 모임인 협동회에 따르면 이외에도 6~7개 협력업체가 자금난이 심해 연쇄 부도 가능성이 있는 상태인 것으로 알려졌다.

법정관리인 선임 반대 투쟁

쌍용자동차지부는 법정관리 신청 직후인 1월 12일 지부장 명의의 성명을 통해 법정관리인 선임에 노동조합의 의견이 반영되어야 하고 특히 상하이자본의 꼭두각시 노릇을 했던 경영진들이 관리인에 선임되는 것은 반대한다고 천명했다. 이것은 쌍용자동차지부의 일관된 입장이었다. 상하이자본의 하수인 노릇을 하다가 경영을 파탄낸 현 경영진이 관리인이 되는 것은 현 사태를 해결하는 데에 아무런 도움이 되지 않고 상황을 오히려 악화시킬 뿐이라는 것이었다.

지부는 1월 13일부터 법정관리인에 전문 경영인 선임을 촉구하는 서명운동에 돌입했다. 서명에는 조합원뿐만 아니라 관리직, 연구원 등도 광범하게 참여를 했다. 이렇게 모아진 서명을 모아 쌍용자동차지부는 1월 19일 서울중앙지법과 법정관리인협회 등에 "쌍용자동차 법정관리 사태의 올바른 해결 위해 법정관리인을 제대로 선임해야 된다"는 내용의 탄원서를 제출했다. 탄원서 제출 후 한 지부장은 서울중앙지법 이동원 부장판사와 면담을 갖고 "중국 상하이자본이 내부전산망을 통해 신차 기술을 유출하고 이에 소요되는 인력 · 비용을 쌍용자동차에서 충당한 것은 회사 경영진의 도움이 있어야 가능하며 이러한 파탄의 원인 제공자인 현 경영진은 법정 관리인에 선임되는 일은 결코 있어서는 안 된다"는 의사를 전달했다.

언론은 누가 법정관리인에 유력한지 추측성 보도를 쏟아내고 있었고 상하이차 임직원, 쌍용자동차 경영진, 현대자동차 출신 부사장 등 여러 인사들이 거론되고 있었다. 특히 법정관리인 선임을 코앞에 둔 2월 5일에는 실명까지 거론되며 현 경영진 1명을 포함한 2명의 공동관리인이 선임될 것이라 언론 보도가 나오기 시작했다. 현 경영진이 포함되는 것에 대해 쌍용자동차지부는 "쌍용자동차 1만 노동자와 15만 협력업체 노동자들을 우롱하는 처사"라며 법원을 비판했다.

이러한 반대에도 불구하고 법원은 법정관리인으로 이유일 전 현대자동차 사장과 함께 경영 파탄에 책임을 져야 할 현 경영진인 박영태 쌍용자동차 상무를 앉혔다. 이에 쌍용자동차지부는 법원의 법정관리인 선임에 대해 강력하게 비판했다. 쌍용자동차지부는 "박영태 상무는 재무, 회계, 기획을 총괄했던 상하이자본의 철저한 하수인으로 상하이자본의 투자약속 불이행과 기술유출을 방조하고 묵인한 책임이 그 누구보다 크다"고 비판했다. 또 쌍용자동차지부는 "관리인은 정상화를 위해 선임된 것"인데도 이들이 관리인 선임 전부터 "마치 저승사자처럼 행동"하며 구조조정 필요성을 역설하는 것을 용납할 수 없고 정상화를 위해 총고용을 위한 방안을 마련해야 한다고 주장했다.

특별단체교섭과 사측의 일방적 휴업 실시

쌍용자동차지부와 사측은 2월 4일 본관 대회의실에서 C-200 공사와 관련한 1차 특별단체교섭을 진행했다. 이 교섭은 처음엔 사측이 먼저 노사협의를 요청했었던 것이다. 이에 대해 지부가 특별단체교섭으로 협의를 진행할 것을 다시 제안했고 이를 사측이 받아서 이루어진 것이다. 사측의 계획은 C-200 공사와 관련해 상반기 절반은 휴업을 해야 한다는 논리로 현장 위기를 조장하는 측면이 있었다.

2차 특별단체교섭은 2월 11일 본관 대회의실에서 열렸다. 쌍용자동차지부는 "5+5" 노동시간 단축 일자리 나누기 제안을 했지만 사측은 끝내 휴업 강행만을 되풀이했다. 지부는 사측안에 대해 고용 불안감을 없애고 함께 쉬고 함께 일할 수 있는 안이 전혀 아니라고 평가하고 일자리 나누기 차원의 "5+5" 양보안을 던졌음에도 이를 거부하고 일방적으로 휴업을 강행할 시 이 모든 책임은 사측에 있다고 경고했다.

쌍용자동차지부는 2차 교섭이 끝난 후 2월 13일, 휴업 문제와 근무형태 변경 문제를 분리해 대응할 것을 검토했다. 조립3 · 4팀과 도장1 · 2팀이 해당되는 근무형태 변경 문제는 다양한 주간연속2교대제(8+8, 6+6, 5+5, 4+4, 3조 2교대제)로 대응하고 조립1팀에 해당되는 노조 휴업은 2월 16일~5월 말 휴업을 수용하고 C-200 양산 설비 공사, 휴무기간 동안 발생할 수 있는 긴급상황 대응책 마련에 중점을 두는 것이다. 휴업시에도 휴업을 지속적으로 진행하려는 사측의 의도를 분쇄하고 비상체제 구축을 위해 조립1팀과 관련 부서 해당 조합원 807명에 대해 두 개조로 나누어 월 4회, 조별 격주 2회로 출근투쟁 지침을 발령한다는 계획이었다. 이 같은 검토는 조합원 내부의 차이가 존재한다는 것을 인정하고 그러한 차이에도 불구하고 "쌍용차 1만 노동자의 고용안정과 생존권 사수"라는 2기 지도부의 기조와 "주간연속2교대제를 통한 총고용 사수"라는 투쟁 초점을 재확인하는 의미를 지니고 있다.

쌍용자동차지부의 이 같은 대응 방침이 수립된 가운데 2월 16일 이루어진 3차 특별단체교섭에서 지부는 "4+4" 양보안을 제안했다. 그러나 사측은 여전히 "8+0", 즉 야간조 휴업 강행만을 주장하는 한편 시간 여유와 준비 부족을 이유로 2주 동안 노사 실무협의를 진행하자고 제안했다. 지부는 이에 대해 일단 사측이 제시한 2월 16일~28일까지의 전공장 야간조의 한시적 휴업에 동의한다고 밝히고 이후 합의를 통해 △노동시간 단축을 통한 일자리 나누기, C-200의 성공적 출시를 위한 노사공동 점검반 운영, △야간조의 한시적 휴업동의가 정리해고 회피를 위한 법적 절차가 아님을 명시할 것을 요구했다. 사측은 이에 대해 급여시스템 문제를 거론하면서 지부가 제시한 안을 거부했다. 이에 지부는 지부가 고용안정 지원금 지원방안 마련 등 여러 대안을 제시했지만 사측은 단순히 비용절감 차원에서만 접근하고 성실한 교섭을 회피한다며 비판하고 이후 사태에 대한 전 책임이 사측에 있음을 경고했다.

사측은 3차 교섭 결렬 후 같은 날 "8+0", 즉 야간조 일방 휴업을 강행했고 지부는 이에 대해 쟁내위 지침을 내려 전 조합원 정상 출근, 2월 17일 21시 복지동 식당에 야간조 조합원을 집결토록 했다.

2월 17일 본관 대회의실에서 4차 특별단체교섭이 열렸다. 이날 사측은 급여시스템 조정에 1년여의 시간이 걸린다며 지부의 일자리 나누기 방안(5+5, 4+4)을 거부했다. 지부는 이에 대해 한 달이면 충분한 것으로 확인됐다며 반박했다. 그러자 사측은 책임을 소요 시간을 산출한 전산담당자에게 전가했고 지부는 성실한 교섭태도를 가질 것을 사측에 요구했다.

4차 특별단체교섭에서는 일단 한시 휴무에 대해 일부 합의했다.

노사합의서(2009.2.17)

노사는 전 라인 야간조 휴업 및 출고사무소 이전과 관련하여
다음과 같이 노사 합의한다.

1. 회사는 2월 17일부터 전 라인 야간조 휴업을 2월 28일까지 한시적으로 시행한다. 단, 노조가 제시한 휴업형태 변경 건은 관리인이 참석하여 2월 28일까지 협의결과에 따라 시행한다.
2. 출고사무소 이전은 별도 노사합의한다.
3. C-200 관련 휴업자는 회사의 제반여건을 고려하여 교육, 판매캠페인 등을 실시할 수 있도록 한다.
4. C-200 성공적 출시를 위한 노사공동 점검반을 운영한다.

이렇게 한시 휴무에 대해 합의한 후 노사는 근무형태 변경을 위해 5차 특별단체교섭을 2월 25일 진행했다. 지부는 "일방적 고통전가는 있을 수 없다"며 "비용측면에서 5+5안이 8+0안보다 더 들어갈지 모르지만 조합원들의 고용불안 해소 차원에서 접근할 필요가 있다"고 강조했다. 사측은 이에 대해 여전히 급여시스템 문제를 들고 이에 더해 수당, 통근버스, 주차장, 식사, 품질 문제 등을 거론하면서 안 된다는 말만 되풀이했다.

지부는 2월 27일, 사측에 2월 17일의 특별노사합의에서 규정한 휴무가 한시적 시행임과 이후 휴업은 협의 결과에 따라 시행한다는 합의사실을 재확인했다. 또 사측에 성실교섭을 촉구하며 일방적인 휴업 강행의도에 대해 경고했다. 또 지부는 조합원들에게 사측이 일방적인 휴업을 실시할 경우 중앙쟁대위 지침에 따라 전원 출근투쟁하고 쟁대위 지침에 적극 동참할 것을 당부했다.

이러한 가운데 2월 27일 본관 대회의실에서 6차 특별 단체교섭이 열렸다. 사측은 "5+5" 형태로 급여시스템의 근무형태를 변경하려면 5~6개월의 시간과 1억 6,000만 원의 예산이 소요된다면서 현 시점에서는 변경이 불가능하다는 입장을 표명했다. 교섭 끝에 지부와 사측은 토, 일요일 양일간에 걸쳐 급여시스템에 대한 구체적인 실사를 거치기로 했다. 7차 교섭에서 이 실사 결과에 따라 3월 한 달 동안 근무 형태를 운영하는 것을 논의하기로 하였다.

6차 교섭 결과에 따라 2월 28~3월 1일 양일간 지부가 추천한 전문가와 사측 IT팀이 함께 급여시스템 관련 실사를 통해 비용과 기간을 산출했다. 실사 결과 급여시스템 전환에는 6주 정도 소요되고 비용은 사측 주장의 25퍼센트가 소요되는 것으로 확인됐다.

3월 2일, 7차 특별 단체교섭이 열렸지만 사측은 6차 교섭에서의 합의사항을 무시하고 급여시스템 전환 비용 문제와 기간 문제를 재거론했다. 이에 지부는 모든 비용은 노동조합에서 지불하겠다고 제안하고 사측이 안을 제시하면 계속 대화할 뜻임을 밝혔다. 그러나 사측은 이에 아랑곳 않고 야간조 휴업을 고집하면서 더 이상의 안은 없다고 선언했다. 이에 지부는 사측의 무조건적인 "8+0" 고집은 노동자에 대한 일방적인 고통전가이며 인원 구조조정을 강행하겠다는 의도가 숨어 있는 것이라 비판하고 노사관계를 파국으로 몰고 간 모든 책임은 사측에 있음을 분명히 했다.

결국 3월 3일, 지부는 성명서를 발표하고 "일방적 휴업 강행은 애초부터 시간 벌기용 교섭이었음을 스스로 인정한 꼴"이라고 비판하고 "일방적 휴업 강행은 구조조정의 사전 정지작업"이며 이에 대해 "모든 수단과 방법을 동원하여 투쟁할 것"이라고 밝혔다. 결국 이후 사측은 3월 말, 생산량이 늘어났음에도 주간 잔업을 실시하고 야간조를 휴업해 "8+0"을 고집했던 의도를 드러내게 된다. 그것은 정리해고를 강행하겠다는 것에 다름 아니었다.

총고용 유지와 공적자금 투입 요구 투쟁

복지동 식당 교육(2009.2.10)

법원이 법정관리를 개시하자 쌍용자동차지부도 본격적으로 대응에 나섰다. 지부는 조합원들을 대상으로 집중적인 교육부터 시작했다. 쌍용자동차지부는 1월 13일 교육에 이어 2월 10일과 2월 24일에 법정관리 이후 대응방안에 대한 전 조합원 교육을 실시했다. 조합원 교육 일정은 아래 표와 같다. 교육 이후에는 한상균 지부장과 공청회를 통해 기업회생절차 개시 이후 노동조합의 대응방향, C-200 공사 관련 휴업 및 혼류 관련 현안문제에 대한 질의와 응답 시간을 가졌다. 2월 16일에는 조립 3 · 4팀 설명회를 가졌고 2월 20일에는 연구동 설명회를 가졌다.

일정	장소	시간	해당부서(관련지원부서)
2009년 2월 10일	주간조		
	복지동 식당	08:30~10:30	조립1팀, 도장1팀, 프레스 치공구, 관련지원부서
		10:30~12:30	조립4팀, 도장2팀, 차체2팀, 관련지원부서
		13:30~15:30	조립3팀, 차체1팀, PDI, 출하운영팀, 관련지원부서
	야간조		
	복지동 식당	21:00~23:00	조립1팀, 도장1팀, 프레스 치공구, 관련지원부서
		23:00~01:00	조립3팀, 조립4팀, 도장2팀, 차체1 · 2팀, 관련지원부서
2009년 2월 24일	본관 식당	10:30~12:30	SEQ부품팀, 도장 생산기술, 본관, 해외A/S팀, 부품수출팀, 공무시설, 전기 · 시설 · 계획 · 토목 · 건축, 환경안전관리, 총무, 식당

또 2월 11일, 조합원 공청회를 계기로 "우선회생, 총고용 보장을 위한 자료집-함께 살자!"를 제작 배포했다. 이 자료집은 우선 △법정

관리에 따른 일정과 상황을 정리하고, △예상되는 사측의 공격과 쟁점을 싣고 있다. 또 노조의 기본 대응 방향을 ① 상하이차 대주주 자격박탈, ② 쌍용차 우선회생, ③ 공적자금(운영자금)투입, ④ 모든 해고반대, 총고용 보장, ⑤ 노동자 생계보장, 이렇게 다섯 가지로 정리하고 각각에 대한 대응안을 상술했다. 또 구조조정 투쟁 사업장 사례로 2000년 대우자동차 '해외매각 · 정리해고 반대 투쟁'과 1997년 기아자동차 '회사 살리기'와 '노동자 살리기' 투쟁을 함께 실어 조합원들에게 예상되는 시나리오와 쟁점을 알기 쉽게 정리했다.

제22년차 정기대의원대회 및 이취임식(2009.2.12)

쌍용자동차지부는 2월 12일, 빨간벽돌(구 연구동)에서 제22년차 정기대의원대회 및 이취임식을 개최했다. 이날 정기대의원대회 주요 안건은 △2008년 4/4분기 감사보고 및 결산보고 건, △2009년 사업계획 및 예산안 인준 건, △감사선출 건, △선거관리위원 선출 건, △각종위원 선출 건, △결의문 채택 건 등이었다. 한상균 지부장은 대회사를 통해 집행부 중심의 단결과 화합, 실천을 주문하는 한편 "총고용에 방점을 찍고 쌍용자동차 회생을 위해 정부 관계자, 채권은행, 사측과 심도 있는 논의가 필요하다"고 주문했다.

이날 정기대의원대회 참석자들은 결의문을 채택하고 법원이 쌍용차 회생계획과 관련 공동 관리인의 최대임무가 '노동자 구조조정'임을 명확히 하고 있다는 사실에 경악을 금치 못한다고 밝히고 "진정 쌍용차를 살리려는 의지가 있다면, 쌍용차 최대의 구성원인 노동조합과 머리를 맞대고 다양한 회생방안에 대한 논의가 우선되어야 한다"고 주장했다. 또 "경제 위기를 틈탄, 회사의 일방적 구조조정에 단호히 반대"하고 "잘못된 구조조정 정책에 맞선 투쟁을 조직할 것을 결의"했다. 또 "쌍용차의 회생과정에서 인위적인 인력 구조조정을 단호히 반대하며 '총고용 보장, 생존권사수'를 위해 모든 수단과 방법을 동원하여 '결사항전' 할 것을 결의"했다.

금속노조 23차 대의원대회(200.9.2.16)

금속노조도 대응에 나섰다. 2월 16일 금속노조는 제23차 임시대의원대회를 충북 충주호리조트에서 열었다. 이날 대의원대회에서는 쌍용자동차지부에서 준비한 '쌍용차 구조조정 투쟁' 영상이 상영되기도 했다. 본 회의 심의안건에서 금속노조 2009년 투쟁방침 중 투쟁의 목표를 "쌍용차와 비정규직 등 당면 구조조정 투쟁현안에 정면 대응하여 조합의 책임성을 강화하고 이후 구조조정 사업장을 묶는 금속노동자 전체투쟁으로 발전시켜 총고용 보장을 실현하고 생존권을 사수한다"로 확정했다.

산업은행에 쌍용차살리기 서명지전달(2009.2.18)

2월 18일 '쌍용자동차 산업은행 긴급 자금투입 촉구 결의대회'가 쌍용자동차지부 주최로 여의도 산업은행 본사 앞에서 열렸다. 법정관리에 들어간 쌍용자동차가 회생하기 위해 결정적으로 중요한 C-200 개발비와 R&D, 현대화 공사가 정상적으로 진행되지 않고 있어 오는 9월 C-200 양산(SOP)시점에도 차질이 생길 위험이 있기 때문이었다. 그러나 산업은행은 여전히 "회생계획안과 법원의 결정을 보고 지원을 검토한다는 입장이고, 정부 또한 현금지원은 어렵다는 입장"인 상태였다. 쌍용자동차지부는 이날 집회에서 △C-200 공사와 부품 개발비, R&D 개발비 투입, △비정규직 생활임금 지급, △협력사 지원금 투입, △판매 활성화를 위한 지원 요청, △C-200 플랫폼 공유 계약서와 C-200 기술이전 계약서 공개 등을 요구하고 쌍용차 살리기를 염원하는 10만여 명의 서명지를 산업은행 관계자를 만나 전달했다.

2월 28일에는 '함께 살자! 국민생존, 총고용 보장을 위한 전국 금속노동자 결의대회'가 금속노조 주최로 서울 여의도 산업은행 앞에서 열렸다. 이날 집회가 끝난 후 참석자들은 여의도 문화마당에서 민주노총 주최로 열린 '이명박 정권 심판 전국노동자대회'에 합류한 후 서울 시내로 진출해 밤늦게까지 명동, 종로3가 일대에서 가두시위를 전개했다. 이날 집회에는 쌍용자동차지부에서 대의원 및 조합원 30여 명이 참석했다.

이명박정권 심판 전국노동자대회 후 서울시내 가두시위 (2009.2.28)

3월로 접어들면서 쌍용자동차지부는 산업은행에 대한 긴급자금 투입 요구를 부각시키면서 동시에 총고용 보장을 원칙으로 한 투쟁을 조직하기 위해 노력했다. 3월 5일 빨간벽돌(구 연구동)에서 속개된 정기대의원대회 심의안건은 △2009년 임금요구안 확정 건, △임금교섭위원 선출 건, △쌍용자동차 서울상경 투쟁 건, △확대간부 결의대회 건, △기타 사항 등이었다. 2기 집행부는 "C-200의 정상적 출시는 쌍용자동차의 회생과 총고용 보장이라는 측면에서 중요"한데

"자금이 없어 C-200의 정상적 출시가 불투명한 상태"라며 "산업은행에 대한 긴급자금 투입요구는 노동조합만이 아닌 회사도 함께 해야 할 요구"라고 밝혔다. 이날 휴업자 조합원 전원이 3월 11일 있을 서울 상경투쟁에 참석하는 방안이 결정되었다.

대의원대회 결정에 따라 3월 11일, 서울 여의도 산업은행 앞에서 대의원 69명과 강제휴업 조합원, C-200공사 관련 휴업 조합원 등 400여 명이 모인 가운데 '쌍용자동차 우선 회생! 총고용 사수! 긴급자금 투입 촉구를 위한 조합원 결의대회' 가 열렸다. 평택, 창원, 정비지회에서 상경한 조합원들은 "함께 살자", "긴급자금 투입"이라 적힌 손팻말을 들고 집회에 참석했고 결의대회 후 과천 정부종합청사로 이동해 약식 집회를 가지기도 했다. 이날 집회에서 지부는 "긴급자금 투입 없이는 쌍용자동차 정상화는 불가능하다", "20만 명의 일자리 보존과 노동자 생존권을 지키기 위해선 긴급 운영자금 투입이 불가피하다"는 입장을 분명히 했다.

산업은행 앞에서 열린 조합원 결의대회(2009.3.11)

또 3월 25일에도 지부는 민주노총 경기지역본부 주최로 수원역에서 열린 '일할 권리와 생존권 쟁취를 위한 2009년 총력투쟁 선포식' 에 참석했다. 이날 집회에는 경기지역본부 소속 조합원 2,000여 명이 참석했다. 금속노조 사전결의대회에서 금속노조 경기지부장은 투쟁사를 통해 "쌍

경기투본결의대회
(2009.3.25)

용자동차가 상하이 투기자본에 인수된 이후 2,000여 명이 넘게 인력 구조조정을 했지만 또 어려워졌다며 인력 구조조정이 위기를 돌파하는 올바른 해법이 아니다"라고 주장했다. 한상균 지부장은 이날 집회에 참석, 투쟁사를 통해 "쌍용자동차 문제는 근본적으로 자본과 정부에 의해 촉발되었다"고 목소리를 높이고 "그들이 책임지는 것이 당연"하다고 주장했다. 또 "일방적으로 노동자에게 고통을 전가시키는 구조조정과 정리해고에 반대하고 끝까지 투쟁해서 승리하겠다"고 강한 의지를 천명했다.

금속노조와 쌍용자동차지부의 대의원대회 결정에 뒤이은 이 같은 노력들은 4월 3일 금속노조 주최로 열린 '함께 살자! 국민 생존! 총고용 보장! 구조조정 분쇄! 전국 금속노동자 1차 결의대회'로 모아졌다. 평택공장에서 열린 이날 결의대회는 쌍용자동차 구조조정 저지 투쟁에 금속노동자의 힘을 모으는 의미가 있었다. 집회는 전국에서 모인 금속노조 조합원 2,300여 명과 쌍용자동차지부 조합원 1,700여 명 등 총 4,000여 명이 결집한 가운데 열렸다. 한상균 지부장은 이날 투쟁사에서 "회사는 7,000여 명의 직원 중 절반을 난도질한다고 협박할 뿐만 아니라, 이데올로기 공세를 통해 현장을 갈라놓으려 하고 있다"고 현장의 분위기를 전했다. 한 지부장은 또 사측에 대해 "노동조합을 벼랑 끝으로 밀지 마라. 죽을 수는 있어도 물러설 수 없다"고 결연한 의지를 밝히고 "총고용 보장을 전제로 그 어떤 누구와도 대화를 할 수 있으며 강고한 투쟁으로 반드시 승리하겠다"는 의지

전국 금속노동자 1차 결의대회(2009.4.3)

를 천명하고 "쌍용차를 둘러싼 엄중한 상황은 전체 노동자에 대한 위협이 초읽기에 들어갔음을 보여주는 것"이라며 "개인주의를 버리고, 노동자답게 싸우자"고 호소했다. 조합원 가족인 권지영 씨는 "꽃구경 나들이하는 봄이 왔건만, 우리는 아직도 을씨년스러운 겨울"이라며, "잘못을 저지른 경영진과 자본 측이 책임을 지기는커녕, 그들을 위해 열심히 일한 죄밖에 없는 노동자들을 해고시키려 한다"며 울분을 토했다. 또한 그녀는 "천 명이 한 사람처럼, 만 명이 한 사람처럼 한 몸 되어 싸우자"며 단결을 강조했다. 집회를 마치고 평택역까지 1시간 반가량 거리행진을 진행하면서 "구조조정 분쇄"와 "총고용 보장"을 시민들에게 호소했다. 평택역에 도착한 대오는 도로위에 앉아 정리 집회로 이날의 투쟁을 마무리했다.

이렇게 쌍용자동차지부는 금속노조와 함께 집회를 여는 등 투쟁을 이어가는 한편으로 서울 상경투쟁을 전개했다. 서울 상경투쟁은 대의원대회에서 결정한 후, 쟁대위 소식지를 통해 상경투쟁단을 모집했다. 그 결과 4월 6~10일 4박 5일 일정으로 1차 상경투쟁을 조합원 38명이 참여한 가운데 진행했고 2차 상경투쟁은 4월 15~17일 2박 3일 일정으로 진행했다. 여기에는 비정규직지회 조합원들도 함께 참여했다.

그 외에도 지부는 2월부터 4월까지 매주 수요일 '쌍용자동차 올바른 정상화를 위한 촛불문화제'를 평택 세교공원, 평택역 등지에서 진행했다. 촛불문화제를 통해 조합원과 가족들의 자발적인 참여가 이루어지고 현장 동력을 조직해나갔다.

대규모 구조조정 강행과 노조의 대응

3월 초부터 삼일회계법인은 쌍용자동차에 대한 실사를 본격적으로 진행하고 있었다. 쌍용자동차의 존속가치가 청산가치보다 높게 나와야 쌍용자동차는 회생절차를 밟을 수 있는 상황이었다. 이 같은 상황에서 박영태 법정관리인은 "채권단은 쌍용차를 청산하는 게 유리하다는 의견을 갖고 있다"라는 소리를 흘렸다. 박 관리인은 3월 10일, 쌍용차 사내 조직인 한마음위원회에 참석해 "지금은 솔직히 기업이 영속될지 불투명한 실정"이라며 "재산 조사를 해보니 채권단은 차라리 쌍용차를 청산하는 게 못 받은 빚을 받는 데 유리하다는 입장"이라고 말했다고 한다. 이 같은 사실은 3월 12일 노사협력팀이 경기 평택공장 직원들에게 배포한 유인물을 통해 알려졌다. 쌍용자동차지부는 3월 13일 박영태 관리인에게 강력하게 항의했다. 사측은 "직원들에게 경각심을 심어주기 위해서 했던 말일 뿐"이라고 해명했지만 지부는 "협박만으로 쌍용자동차 전체 노동자가 한마음이 되어 정상화가 된다는 순진한 착각"이라고 경고했다. 박영태 법정관리인은 쌍용자동차가 법정관리까지 신청하게 만든 경영진의 일원이었으면서 이렇게 정상화를 위한 노력과 대화 없이 엉뚱한 소리만 하고 있었다.

이런 상황에서 경영진의 책임을 묻고 기술 유출에 대한 책임을 묻기 위해 쌍용자동차지부는 법정 소송을 준비하게 된다. 쌍용자동차지부는 3월 25일, 소액주주 서명운동을 진행해 0.3%, 35만 9,000주를 모았고 이는 법정소송에 필요한 0.05%, 6만 주를 훨씬 넘는 양이라고 밝히고 민형사 소송을 진행하겠다고 밝혔다. 이는 흑자부도를 내 법정관리 상황에 이르게 만든 상하이차를 대주주로서의 지위를 잃게 하고 그들이 보유하고 있는 지분 51%를 모두 소각하도록 만들기 위한 지부의 대응이었다. 상하이차가 보유하고 있는 지분 700억 원이 소각되면 자산 가치를 높여 회생에 밑거름을 만들 수 있기 때문이었다. 쌍용자동차지부, 투기자본감시센터 등은 3월 31일 서울 서초동 서울지방법원 앞 기자회견을 가졌다. 이날 기자회견에서는 상하이차 경영진과 쌍용차 임직원에 대해 손해배상 청구소송을 진행한다고 밝혔다. 소액주주 1,779명을 대리해 투기자본감시센터가 소송을 맡고 천훙, 장쯔웨이, 장하이타오, 최형탁 등의 전 경영진 14명에게 위자료 명목으로 10억 원을 청구할 예정이다. 소액주주들은 소장에서 상하이차가 쌍용차를 인수·합병(M&A)하는 과정에서 비합리적인 가격으로 기술을 이전한 부당한 자기거래가 있었고, 회사 전산망을 통해 완성차 기술을 불법 유출했으며 M&A 당시 한 투자약속을 이행하지 않아 쌍용차에 막대한 피해를 입혔다고 주장했다. 이 소송의 변호를 맡은 이대순 변호사는 "쌍용차를 위해 쓰인 공적자금 1조 4,000억 원은 국민의 돈임에도 기술유출 등으로 중국의 상하이차가 이익을 보고 있다. 쌍용차를 공중분해한다고 해결될 문제가 아니며 부실경영의 책임을 반드시 묻고 쌍용차를 국민에게 돌려줘야 한다"고 말했다. 또 이 변호사는 "자동차 업계에서 신차 개발 비용이 대개 3,000억~5,000억 원인데 상하이차로 넘겨준 카이런, 체어맨W, C200의 기술 이전료는 다 합쳐봐야 1,440억 정도"라며 "3개 차종이면 개발비만 9,000억~1조 5,000억 원인데 턱없이 적은 액수"라고 말했다. 사건은 4월 1일 수원지방법원 평택지원에 접수됐다. 이후 지부는 상하이차의 기술유출과 관련한 제보자의 신변보호 및 익명 보장을 위해 이정희 국회의원실로 사서함을 마련하고 수집된 증거자료는 국회의원실에서 소송

손해배상 청구소송 기자회견(2009.3.31)

대리인인 투기자본감시센터 변호인단에 사본으로 제공하기로 했다.

그러나 3월 말이 되면서 컨설팅 회사인 삼정KPMG로부터 대규모 구조조정 얘기가 흘러나오기 시작했다. 삼정KPMG는 3월 쌍용차 사측으로부터 구조조정 컨설팅을 의뢰 받았던 회사이다. 이 삼정KPMG가 제출하는 컨설팅 결과를 토대로 사측은 구조조정안을 확정하게 된다. 4월 6일에는 약 2,000명 이상을 구조조정 하겠다는 얘기가 전해졌다.

대규모 구조조정이 임박한 상황에서 쌍용자동차지부는 강력한 투쟁을 결의하기 위해 4월 6일 긴급 임시대의원대회를 개최했다. 대의원대회는 채택된 결의문을 통해 “삼정KPMG의 자구 구조조정안은 대규모 인력감축을 동반한 고강도 노동자 희생방안이 될 것으로 예상”된다며 “쌍용자동차 위기 사태의 책임이 상하이자본과 정부에 있음을 다시 한 번 확인한다”고 밝혔다. 이어 “노동자 일방적 희생의 구조조정안 발표에 결코 동의할 수 없다”면서 “일방적 구조조정안이 발표된다면 철회를 위한 강력한 투쟁에 돌입할 것을 결의”했다. 또 이날 대의원대회에서는 대규모 정리해고가 예견되는 상황에서 “정리해고를 강행한다면 원점으로 되돌릴 수밖에 없다”는 것을 전제로 자구안을 확정했다.

쌍용자동차지부는 4월 7일 기자회견을 열고, 임시대의원대회에서 만장일치로 통과된 자구안을 발표했다. 그 내용은 다음과 같다.

> 기자회견문
> 노동조합은 쌍용자동차의 당당한 주인으로서 역할을 다하기 위해서 우선회생과 총고용보장을 위해 다음의 조치를 발표한다.

총고용 보장을 위한 기자회견(2009.4.7)

1. 부실경영 책임을 법적으로 정리해야 한다.
   - 상하이가 갖고 있는 51.33% 지분 소각
2. 일자리 나누기(잡셰어링)로 총고용 유지한다.(5+5와 3조 2교대)
   - 정부정책을 사측과 정부 스스로 거스르는 우를 범하지 말아야 한다.
3. 비정규직 고용안정 기금 쌍용자동차지부가 12억 출연
   - 비정규직 정규직 함께 살아야 한다.
4. C-200긴급자금, R&D 개발자금, 쌍용자동차지부가 1,000억 담보
   - 회생의 주체적 입장에서 어떻게든 쌍용자동차를 살려야 한다는 대의에서 결단
5. 산업은행 우선회생 긴급자금 투입요구
   - 쌍용자동차 자금 투입 더 이상 미루면 호미로 막을 문제, 가래로도 못 막는다.

이 같은 자구안은 금속노조와 쌍용자동차지부 내부에서도 논란이 있었다. 쌍용자동차지부 고용안정특별대책위원회와 지부 임원단 사이에서 공방이 벌어지기도 했다. 사측이 정리해고를 분명한 목표로 설정하고 있는 상황에서 어떤 양보안을 내더라도 내부만 흔들릴 뿐 실효성이 없다는 의견이었다. 반론을 펴는 쪽에서는 자구안이 현장 조직력을 다지는 데에 도움이 되고 또 지부가 명분을 쥘 수 있다는 의견이었다.

현장조직인 실천연대에서도 4월 15일 성명을 통해 "지도부는 국면 여론과 현장결속이라는 명분 아래 스스로 '자구안' 을 발표하는 오류

를 범한다"고 지적하고 "정부와 채권단의 목표는 노동자 목 자르는 정리해고에 초점이 맞추어져 있다"며 "그 어떤 자구안으로도 현 구조조정 투쟁국면을 돌파할 수 없다"고 비판한다. 이러한 인식 하에 실천연대에서는 비타협 전면전으로 구조조정 투쟁에 나설 것을 지도부에 주문했다.

이렇듯 '자구안'을 우려하는 의견이 있었지만 임시대의원대회에서는 만장일치로 통과되었다.

하지만 자구안 발표에도 불구하고 쌍용자동차 사측은 4월 8일, 결국 전 직원의 37%에 해당하는 2,646명을 구조조정하겠다는 안을 발표했다. 이로써 쌍용자동차 위기 사태는 새로운 국면으로 돌입하게 되고 노동자들도 새로운 각오로 투쟁에 임하게 된다.

비정규직 노동자들의 투쟁

비정규직지회 설립과 희망퇴직

고용위기가 닥치면 비정규직 노동자들이 제일 먼저 불안해진다. 쌍용자동차 비정규직 노동자들은 그러한 사실을 이미 여러 차례 경험했다. 2006년에도 쌍용자동차는 정규직 420명을 라인별로 재배치했고 그와 함께 비정규직 500여 명이 희망퇴직과 휴직으로 구조조정됐다. 비정규직 노동자들에게는 고작 4개월치의 위로금이 지급되었을 뿐이었다. 쌍용자동차에 상하이차가 들어선 이후 비정규직 노동자들은 해마다 소리 없이 감원되었다. 결국 2005년 쌍용자동차에 1,700여 명에 달했던 비정규직 노동자 수가 2008년에는 640여 명 밖에 남지 않았다. 이들은 12개 하청업체 소속 노동자 340여 명과 식당, 청소, 경비 노동자 300여 명을 합한 숫자이다.

이러한 가운데 2008년 10월 22일, 전국금속노조 쌍용자동차 비정규직지회가 설립되었다. 비정규직지회는 긴급호소문을 발표해 비정규직 대량 희망퇴직은 "2009년 정규직 구조조정을 위한 1단계"임을 분명히 하고 △일방적 구조조정 반대, △정리해고 없다는 확약, △필요하다면 순환휴직 관련 2009년 2월 구체적 협의, △상하이자본 책임 규명 등을 주장했다. 또 12개 사내하청 비정규직 노동자들에게는 희망퇴직 동의서를 절대 쓰지 말 것, 비정규직지회 가입 등을 호소하고 정규직 노동자들에게는 연대의 필요성을 당부했다. 아울러 비정규직지회는 호소문에서 10월 21일 쌍용자동차지부 정일권 지부장과의 면담 내용을 설명했다. 비정규직지회에 따르면 정일권 지부장은 "희망퇴직과 같은 인위적 구조조정은 절대 없고, 정규직/비정규직 모두의 총고용을 유지한다는 원칙으로 대협의를 하겠다"는 입장을 밝혔다고 한다.

쌍용자동차 비정규직지회가 10월 22일에 설립한지 이틀 만에 600여 명의 비정규직 중 150여 명이 가입할 정도로 비정규직 노동자들의 호응은 컸다. 2006년에는 비정규직 동료 500여 명이 잘려나갈 때도 쌍용자동차 비정규직 노동자들은 노조를 결성하지 못했다. 그런 생각을 마음속에 품었던 이들이 없었던 것은 아니었으나 조직적인 행동으로, 실천으로 옮기지는 못했다. 그러나 똑같은 대량 해고 사태가 발생

쌍용자동차 비정규직지회 설립 보고대회(2008.10.23)

하려 하고 있을 때, 가만히 두고 볼 수만은 없었던 것이다. 비정규직 지회 설립 보고대회가 10월 23일 오후 12시 40분부터 복지동 옆 민주광장에서 약 30분 동안 열렸다. 비정규직지회 지회장은 김운산, 부지회장은 서맹섭, 사무국장은 복기성이었다. 비정규직 노동자들은 자리에 앉거나 혹은 주위에 빙 둘러서서 임원들의 발언을 경청했다. 정규직 활동가들도 일부 참석했다. 사측은 군데군데 끼어 카메라로 보고대회 과정을 촬영하기도 했다.

그러나 이처럼 이번만큼은 비정규직들이 가만히 앉아서 짤려나가지는 않겠다고 다짐하고 결집하고 있는 와중에 금속노조 쌍용자동차 지부 정일권 집행부는 사측과 2008년 10월 27일 전환배치에 합의했다. 다음은 합의서의 내용이다.

노사합의서(10월 27일)

금번 라인 재배치와 관련하여 다음과 같이 노사합의한다.

－다 음－

1. 금번 전환배치로 발생하는 휴업 인원에 대해서는 단체협약에 의거한 휴업급여를 지급한다.
2. 사내 협력업체의 경우 계약기간 내 업체 직원들의 신분을 유지하며 휴업기간 내에는 어떠한 경우라도 강제적인 인원 정리를 하지 않는다. 단, 휴업 기간 내라도 필요 인원 발생 시 우선 배치토록 한다.

이 합의는 결국 정규직의 전환배치를 합의해주고 정규직이 투입되는 곳에서 일하던 비정규직 노동자를 강제휴업하겠다는 것이다. 이러한 합의에 따라 2008년 11월 5일 비정규직 347명이 강제 휴직에 들어가게 된다. 정일권 집행부의 합의에 대해 비정규직지회는 10월 28일 조합원총회를 열고 △휴업기간과 복귀시한, △휴업급여를 언제까지 어떤 기준으로 지급하는가, △휴업대상자를 어떻게 확정하고 필요인원 발생 시 누구를 우선배치할 것인가 등을 묻고 노사합의서는 비정규직 해고통지서에 다름 아니라고 규정하고 정규직에게도 연대를 호소했다.

하지만 이때까지는 '강제적 인원정리를 하지 않겠다'는 약속이라도 있었으나 불과 8일 만인 11월 4일, 쌍용자동차 사측과 정일권 집행부는 비정규직 희망퇴직을 재협의해 합의하기에 이른다.

노사합의서(11월 4일)

08년 4/4분기 및 09년 라인운영과 관련하여 사내협력사 운영에 대한 기합의 원칙에 따라 휴업을 실시하되, 휴업에 대한 세부사항 및 사내 협력업체 직원의 희망퇴직 요청에 대해 다음과 같이 노사합의 한다.

– 다 음 –

1. 사내 협력사별 잉여인원에 대해서는 2008년 11월 5일부로 휴업을 실시한다.
2. 휴업인원은 첨부인원 기준으로 한다.
3. 휴업에 대한 휴업급여 및 처우는 근로기준법에 준한다. 단, 최초 평균임금 70% 이하로 저하시킬 수 없다.
4. 퇴직을 희망하는 자에 한하여 통상급 120일분(상여포함)을 일시금으로 지급한다.
5. 휴업기간 내라도 필요인원 발생시 최우선 배치토록 한다.

쌍용자동차 비정규직지회 기자회견(2008.11.5)

11월 5일 비정규직지회는 평택공장 정문에서 기자회견을 진행하고 천막농성장을 설치하기 위한 투쟁을 전개했다. 이에 쌍용자동차 사측은 관리자 50여 명을 동원해 이를 저지했다. 금속노조 쌍용자동차지부 1기 집행부는 사측과 이 문제를 두고 협의했으나 비정규직지회 조합원들의 회사출입 보장과 지회 간부들의 현장순회 보장은 하겠으나 천막농성장은 안 된다는 회사의 입장을 전달받았다. 이에 비정규직지회는 11월 6일부터 '희망퇴직 중단' 등을 요구하며 출근투쟁에 나설 방침이라고 밝혔다.

원청 노사 간의 11월 4일 합의가 있고 나자 하청업체 사장들은 "복귀시점도 없는 휴직이니, 4개월치 임금을 위로금으로 받고 퇴사하는 게 좋은 것 아니냐"며 12개 하청업체 비정규직 노동자들 330명에게 희망퇴직을 종용했다. 비정규직 노동자들 중 상당수는 희망퇴직 했고, 이를 거부한 비정규직은 강제휴업자가 되었다. 비정규직 노동자들은 거리로 내몰리게 된 것이다.

비정규직 노동자들이 해고의 위협 속에 놓여 있던 당시, 정규직 노동자들의 쌍용자동차지부는 2기 임원 선거를 치르고 있었다. 비정규직지회는 이미 11월 27일 노조 임원선거에 출마한 각 후보 선본에 △쌍용자동차지부와 비정규직지회간 책임 있는 정기적 협의틀 마련, △쌍용차 원청, 쌍용자동차지부, 비정규직지회, 하청업체간 4자 협의체 구성 등 7가지 요구를 담은 의견서를 전달하였다. 이러한 가운데 금속노조 쌍용자동차지부 2기 집행부 선거가 진행되었고 12월 5일, 한상균 집행부가 당선이 확정되었다. 한상균 집행부 진영에 있던 활동가들 중 일부는 초기 비정규직지회 출범에 상당 부분 역할을 하였다. 12월 8일 비정규직지회는 한상균 집행부와 면담을 가졌다. 비정규지회는 희망퇴직의 문제점을 지적하고 원하청공동투쟁을 만들어가자는 의견을 전달했다. 2기 집행부 당선자 측에서도 인수위 구성과 지부집행부 구성이 되면 비정규직 문제에 대해 원청지부도 책임을 갖고 문제를 풀어가겠다는 원칙을 밝혔다.

비정규직의 고용 문제는 비단 쌍용자동차만의 문제는 아니었다. 이에 금속노조 소속 13개 비정규직지회 대표자들로 구성된 '총고용 보장-노동자 살리기 금속비정규투쟁본부'(이하 금속비정규투본)는 12월 17일, 서울 국회 앞에서 기자회견을 열었다. 금속비정규투본은 이날 "경제위기를 빌미로 한 비정규직 죽이기를 중단"할 것을 요구하는 한편 "비정규직을 포함한 전체 노동자들의 총고용 유지"를 위해 투쟁해 나가겠다고 밝혔다.

사측의 단체교섭 불응과 임금체불

비정규직지회는 결성 직후부터 수십 차례에 걸쳐 공문을 통해 단체교섭을 요구해왔다. 그러나 업체들은 3월이 될 때까지 단 한 차례도 대화에 응하지 않았다. 그것은 원청인 쌍용자동차 사측도 마찬가지였다. 또 쌍용자동차 원청은 비정규직지회 임원들과 비정규직 강제휴업자, 비정규직 야간근무 휴업자들의 출입을 막기도 했다. 3월 12일, 쌍용자동차 사측이 휴업자 출입금지와 비정규직지회 노조 활동 관련물품 반입 금지 공문을 발송함에 따라 12개 하청업체가 "장기휴업자는 쌍용자동차 출입불가하오니 불이익 받지 않도록 주의 부탁 드립니다"라는 문자메시지를 발송하기도 했다.

이렇게 단체교섭 요구가 묵살되고 사내에서의 조직 활동이 철저히 봉쇄되는 가운데 비정규직 노동자들은 임금체불로 인한 생계의 위협 앞에 노출되어 있었다. 1월 14일 현재 12개 사내하청 340여 비정규직 노동자들은 12월 임금을 전혀 받지 못한 상황이었고 언제 체불 임금을 받을 수 있을지도 미지수인 상황이었다. 정규직 노동자들은 비록 체불되기는 했지만 보름 만에 임금을 받았고 1월 임금도 50% 정도라도 받았지만 비정규직 노동자들은 12월부터 계속 임금 체불 상황을 감내해야만 했다. 하청업체와 원청은 서로 책임을 미뤘고 법정관리 상태에 들어간 1월 9일 이후에는 법원에 가서 하소연하라고 쏘아붙이기까지 했다.

임금체불 본관 항의 집회(2009.1.20)

비정규직지회는 1월 20일 평택공장 정문 앞에서 기자회견을 열고 12개 하청업체 340여 명과 식당, 청소, 경비 등 총 640여 명의 비정규 노동자들의 임금 체불 문제를 공론화했다. 12개 하청업체 340여 명의 체불임금 규모는 4억 5,000만 원 수준이고 650여 명 비정규직 노동자 전체의 체불임금 규모는 7~8억 수준에 불과하다. 비정규직지회는 원청인 쌍용자동차가 비정규직 생계를 직접 책임져야 한다고 주장했다. 비정규직지회는 경인지방노동청 평택지원에 체불임금 지급을 호소하는 진정서를 내고 서울중앙지방법원에 탄원서를 제출했다.

그러나 임금체불은 2009년 11월 말에 이르기까지 말끔하게 해결되지 않았다. 하청업체들은 대부분 2009년 7, 8월이 되어야 체불임금을 지급했다. 또 1개 업체는 2009년 11월 말 현재 상여금 미지급분을 남겨둔 상태이다. 비정규 노동자들은 생계를 어렵사리 꾸려가야만 했다.

정리해고 통보와 업체 폐업

2월 27일 평택공장 정문 앞에서 비정규직지회 지회장, 부지회장, 사무국장은 삭발을 했다. 640여 명의 비정규직 노동자들 중 300여 명이 희망퇴직했고, 40여 명이 강제휴업 신세였으며 나머지 300여 명의 식당, 청소, 경비 노동자들도 임금이 체불된 상태였다. 비정규직지회 지도부는 "앉아서 쫓겨나지만은 않을 것"이라는 의지를 강하게 표명했다.

사측은 휴업자들에 대해 정리해고를 통보했다. 3월 9일, 총 40여 명의 강제휴업자 중 현장으로 복귀하거나 회사를 그만둔 노동자를 제외한 5개 업체 소속 20명이 정리해고 통보서를 받았고 다른 한 업체인 명성은 15명에게 "고용을 유지할 수 없다"고 밝혀 총 35명이 해고로 내몰리게 된 것이다. 명성은 얼마 뒤인 3월 31일, 우편물 한 장으로 폐업을 통지했다. 그리고 한 하청업체에 남아 있던 11명의 비정규직 노동자들조차 3월 25일에 4월 25일부로 정리해고 통보를 받았다.

이에 쌍용자동차 비정규직지회는 금속노조 비정규공투본과 함께 4월 3일 경기 고양시 킨텍스에서 개막한 '2009 서울국제모터쇼' 투쟁에 참여했다. 이들은 비정규직의 고용 현실의 부당함을 알리는 기자회견을 가졌고 회견 끝 무렵 한국 자동차산업이 비정규직 노동자들의 '피'로 만들어진 점을 상징적으로 보여준다는 의미에서 기아차 모닝 1대에 선지를 뿌리는 퍼포먼스를 펼쳤다. 이날 쌍용자동차 비정규직 노동자들도 해고통지서와 폐업통지서를 가지고 기자회견장에 참석했다. 그러나 회견을 마치고 정리하던 도중 금속노조 비정규공투본 참석자 40여 명이 경찰에 의해 강제연행돼 일산경찰서로 이송됐다. 이들 중 36명은 조사 직후 풀려났지만 경찰은 비정규직투쟁본부 김형우 본부장 등 4명에 대해 집시법 위반 및 공무집행 방해 혐의 등으로 구속영장을 청구했다. 그러나 법원은

서울국제모터쇼에서 연행되는 비정규직 노동자들 (2009.4.3 출처 참세상)

4월 6일 영장실질심사에서 4명에 대해 구속영장을 기각했다. 이것으로 끝이 아니었다. 이날 연행된 비정규직지회 소속 휴업중인 두 조합원은 언론에 사진에 나왔다는 이유로 4월 9일 소속 하청업체인 신천테크놀리지의 징계위원회에 회부되었다. 이 조합원들은 이미 4월 25일부로 정리해고 통지서를 받은 상태이기도 했다. 4월 20일 재심까지 열렸지만 결국 한 명은 1개월 정직 징계 후 정리해고 되었고, 다른 한 명은 2호봉 감봉 징계에 처해졌다.

원하청 공동투쟁

쌍용자동차 2기 집행부는 원하청 공동투쟁과 비정규직, 관리직을 포함하는 총고용 보장의 원칙을 집회, 인터뷰 등을 통해 여러 차례 재확인했다. 또한 2기 집행부는 각종 회의에 비정규직지회의 동등한 참여를 보장해 결합도를 높였다.

쌍용자동차지부의 투쟁에 있어 귀감으로 삼는 부분 중의 하나가 원하청 연대투쟁이다. 과거 상하이차 인수 이후 4년간 구조조정의 대상으로 정규직의 방패막이 역할만 했던 비정규직의 문제를 쌍용자동차지부가 함께 투쟁하는 주체로 했다는 점이다.

비정규직지회는 조합원 중 상당수가 희망퇴직으로 그만둬 투쟁을 하기에 어려운 조건 하에 있었다. 그러함에도 비정규직지회는 원하청 공동투쟁의 기치를 지키고 조합원들의 총고용 보장을 위해 적극적으로 투쟁했고 정규직노조와 함께 끝까지 연대의 정신을 이어 나갔다. 비정규직지회 동지들의 헌신적인 연대의 자세가 한몫을 하고 있는 것이다.

또한 같은 해고자, 곧 일자리를 잃어버린 사람이라는 동질감이 사람 대 사람으로서의 연대를 있게 해 주었다.

그러한 까닭으로 5월 13일 비정규직지회를 대표해 서맹섭 부지회장이 굴뚝농성에 함께하게 된다. 서 부지회장은 70미터 상공 굴뚝에 올라가기 2시간 전인 5월 13일 새벽 2시에 비정규직 동료들에게 편지를 남겼다.

> 우리는 강제휴업, 정리해고, 업체폐업 관련 사측에 요구하고, 대화 하자고도 하고, 교섭 요청도 해보고, 노동부 찾아가 각 업체에서 부당행위가 벌어지고 있다고 면담도 해 보고 항의 농성도 수차례 해봤지만, 돌아오는 답변은 정리해고, 어느 누가 우리 요구를 들어주지 않았습니다. 아니 들으려 하지도 않았습니다.
> 우리의 최소한의 요구는 간단했습니다. 지금 이대로 일만 할 수 있게 해 달라. 우리 가족 생계가 달려있으니 적은 돈이라도 좋다. 제발 현장에 남아 일만 할 수 있게 해 달라했습니다. 그러나 답은 하나! 정리해고. 이런 개 같은 경우가 어디에 있습니까? 우리가 개만도 못합니까? 만약 개라도 이런 대우받지 않습니다. 정말 개새끼란 말이 절로 나옵니다.
> 쌍차의 원청, 하청사장들. 돈 있는 놈들은 살고, 돈 없는 사람은 죽고 이런 개 같은 세상이 어디 있단 말인가? 이런 개 같은 세상과 한 번 제대로 싸워 보고 싶습니다.
> 몸과 마음이 힘들지만, 웃음을 잃지 말고 우리의 생존권을 위해 즐겁게 투쟁합시다. 저 자본 놈들한테 머리 숙이지 말고, 당당하게 싸워서 끝까지 우리에 요구와 이런 차별 없는 세상을 위해 동지들과 함께 뜻을 모아 단결하여 이 싸움 승리 했으면 좋겠습니다. 마지막으로 어느 상황이 발생 하더라도 용기 잊지 말고 함께했으면 합니다. 그리고 동지들 사랑합니다.
> 많이 부족한 저를 지금까지 따라줘서 너무 감사합니다. 투쟁!
> 자본가들이 제일 무서워하는 건 노동자 단결된 힘이고 우리의 무기입니다.
>
> (서맹섭 비정규직지회 부지회장, 2009년 5월 13일)

비정규직지회는 비록 적은 숫자이긴 했지만, 5월 22일부터 전개된 옥쇄파업에도 19명이 끝까지 참가했다. 2008년 10월 비정규직지회 결성부터 대량 강제휴업, 희망퇴직, 정리해고, 굴뚝농성, 옥쇄파업으로 이어온 비정규직지회는 비록 신생 노조였지만 조합원들의 마음을 모아 투쟁을 전개한 것이다. 옥쇄파업을 정규직 조합원들과 함께하면서 작업장에서 일상적으로 맞닥뜨렸던 정규직 조합원들과의 갈등, 마음의 골도 한층 메워질 수 있었다. 그것은 비정규직 조합원들의 헌신성과 투쟁성을 옥쇄파업 현장에서 지켜본 정규직 조합원들이 변화했기 때문에 가능한 것이었다. 원하청 공동투쟁이 남긴 가장 큰 교훈은 노동자가 단결해야 한다는 것, 바로 그 평범한 원칙이었다.

> 한상균 지도부 이전에는 비정규직에 대한 생각을 거의 안 했었죠, 정규직들이. 당연한 거라는 식으로 생각했었고. 내용상으로는 비정규직의 문제가 결코 남의 문제가 아니라는 걸 알고 있었지만. 지금 당장 내가 살아야 될 판에 비정규직 문제를 끌어안고 가는 게 말이 되느냐. 그런 정도의 인식이었는데 그게 많이 바뀌었죠. 이제 비정규직의 문제가 결코 남의 문제가 아니라는 생각을 했었고. 실제적으로 굴뚝 올라갔을 때 서맹섭 동지가 같이 저희 정규직과 함께 올라가서 투쟁을 했었구요. 86일 가까이. (구술자 A)

> 정규직 시각에서 바라볼 때 일반 조합원들이. 비정규직지회 투쟁은 훨씬 이전부터 했는데 1,700명의 비정규직들이 300명까지 정리해고 되었고, 지회 결성되고 투쟁을 하게 되는데 비정규직에 대한 대의원들, 상집간부들, 상집간부도 마찬가지라고 보는 거예요 제가 봤을 때는. 비정규직을 어쨌든 정규직에 대한 방파제, 방패막이, 이런 시각이

지배적이었고, 투쟁을 하면서도 비지회가 같이 깃발 아래 있고 공장 굴뚝에 비지회 부지회장이 올라가는 건 원하청 공동투쟁 상징이 강한 거잖아요. 오히려 초창기에는 되게 부담스러워 했죠. 마지막에 이 마무리를 어떻게 할 것인가와 관련해서 몇몇 대의원들, 상집 간부들은 사석에서 우스갯소리로 마지막에 정리 어떻게 하려고 굴뚝을 같이 올라갔냐고 얘기하는 간부들을 보면 여전히 비정규직을 협상에서 우리가 양보할 수 있는 카드로 생각하는 조합원들, 다수라고 보면 될 거 같아요. 거의 모든 조합원들이 그렇게 판단하고 있었고 그리고 상집이든 대의원들이 그렇게 판단을 했었는데 …(중략)… 옥쇄투쟁을 같이 결합하고 하면서 우리 3대 목표가 생존권 보장, 원하청 공동투쟁을 통한 비정규직에 대한 고용보장, 분사 저지였는데 처음에 들어왔을 때는 분사 문제 적당히 할 수 있다, 비정규직도 적당히 카드로 활용할 수 있다, 그리고 정규직 내부에서는 생존권 보장이었다고 보면 옥쇄가 길어지고 교육들이 되면서 분사가 정리해고의 또 다른 이름 이런 교육들을 하면서 막바지 조합원들의 의식은 일반 대의원들, 상집간부들을 능가하는 수준이 되는 거죠. (구술자 L)

정리해고 가시화와 파업전야

대규모 정리해고에 맞선 노동자투쟁

정리해고 발표와 쟁의행위 압도적 찬성

쌍용자동차지부가 4월 7일 자구안을 발표했음에도 불구하고 사측은 4월 8일 쌍용자동차 전체 노동자 7,179명의 무려 37%에 해당하는 2,646명을 정리해고 하겠다는 계획을 발표했다. 일명 '경영 정상화 방안'으로서 노동자의 밥줄을 끊어 경영을 정상화시키겠다는 것이었다. 사측은 이날 서울 역삼동 포스틸타워에서 사무직 297명, 연구직 30명, 기능직 2,319명 등 총 2,646명을 정리해고 하겠다고 밝히고 이를 통해 연간 총 2,320억 원의 비용 절감이 예상된다고 주장했다. 여기에 이미 희망퇴직을 하고 나간 비정규직 노동자들과 촉탁직 등을 합하면 3,000명이 넘는 인원이 되는 셈이었다.

이 같은 인원 규모는 경영 컨설팅업체인 삼정KPMG가 추산한 유휴인력 수에 따라 산정됐다. 그런데 쌍용자동차가 컨설팅을 맡긴 삼정KPMG는 어떤 곳인가? 이미 2006년 외환은행 주가조작을 통한 론스타 해외 헐값 매각 직후 론스타가 회계법인으로 삼정KPMG를 지목했었다. 또 사측에서 선임한 컨설팅회사인 삼정KPMG가 노동자의 고통과 희생을 담보로 안을 던졌으리라는 것은 불을 보듯 뻔한 일이었다. 철저하게 자본의 편에 서서 자본이 원하는 안을 만들어내는 곳이 바로 이런 대형 회계법인들인 것이다.

사측은 또 △유동성 확보를 위해 포승공단 부지, 영동물류센터 등 운휴 자산을 매각, △쌍용차의 강점인 스포츠유틸리티차량(SUV)을 모두 신모델로 전환, 또 매년 1개씩 총 5개의 신모델 출시, △해외 지역 국가별 대형 거점 딜러 육성 등의 방안도 함께 발표했다. 그러나 세간의 이목은 정리해고의 규모에 쏠려 있었다.

조합원 결의대회(2009.4.8)

사측이 정리해고안을 발표하던 같은 시각, 쌍용자동차 조합원 3,000여 명은 평택공장 정문에서 '함께 살자! 총고용 사수! 구조조정 분쇄! 조합원 결의대회' 를 진행했다. 결의대회에서 2기 지부 집행부 전원이 삭발을 진행해 정리해고 분쇄투쟁의 의지를 높여냈다. 한상균 지부장은 "사측이 정리해고 감행한다면 총력투쟁할 것"임을 천명하고 조합원들에게 "사측의 공세에 흔들림 없이 쟁대위 지침에 따라 움직여 달라"고 당부했다.

금속노조도 성명을 내고 "이건 회생이 아닌 청산"이라며 "저항과 충돌 속에 회사 정상운영은 불가능하다"고 비판했다. 이어 "대규모

해고는 전 산업에 도미노 효과를 미쳐 3중, 4중의 실업대란을 부추길 것"이라 우려를 표명했다.

또 같은 날 사측이 기자회견을 연 역삼동 쌍용자동차 앞에서 자본의 위기 전가에 맞선 공동투쟁본부와 투기자본감시센터 등은 기자회견을 열고 "투기자본과 정부의 책임을 노동자에게 떠넘긴다"고 사측을 비난하고 "외환위기 때도 일부 노동자만 희생하면 된다고 했지만 그 결과 비정규직만 늘고 남은 노동자도 상시적 고용불안에 시달렸다"고 주장했다.

구조조정 분쇄 기자회견(2009.4.8)

사측의 정리해고 발표 하루 뒤인 4월 9일, 쌍용자동차지부는 임시대의원대회를 속개하고 참석 대의원 만장일치로 쟁의행위 발생을 결의했다. 대의원대회에서는 즉각 옥쇄파업에 돌입하자는 주장도 있었으나 지부는 단계적으로 투쟁 수위를 높여 가겠다는 방침이었다. 이에 따라 상집간부와 대의원, 선봉대 등은 4월 13일부터 아침 출근투쟁 및 천막농성에 돌입했다. 또한 정문에 천막 5개를 설치하고 현장 집행위원 중심으로 철야농성 역시 진행했다.

2009년 임금교섭 및 정리해고 분쇄를 위한 쟁의행위 찬반투표는 4월 13일에 부재자투표가, 4월 14일에는 주간조 투표가 진행되었다. 쌍용자동차지부는 조합원들에게 "쟁의행위 찬반투표는 모두가 함께 살기 위한 마지막 몸부림이자 결연한 의지 표현"이라며 "압도적 찬성만이 정리해고를 막아낸다"고 찬성표를 던져줄 것을 호소했다.

조합원들의 의지는 강고했다. 전체 조합원 5,151명 중 97.55% (5,025명) 투표율에 86.13% 찬성률로 총파업 투쟁은 압도적으로 결의되었다. 이는 쌍용자동차 역대 쟁의행위 찬반투표 중 가장 높은 찬성률이었다. 쌍용자동차지부는 4월 15일, 정문 앞에서 기자회견을 열고 이 같은 쟁의행위 찬반투표 결과를 발표했다. 쌍용자동차지부는 "파업시 청산이라는 사측의 현장 흔들기에도 불구하고 86.13%의 압도적인 쟁의행위 찬반투표 결과는 애꿎은 노동자 죽이기에 대한 쌍용차 조합원들의 분노와 투쟁에 대한 결연한 의지의 표현이다"라고 그 의미를 정리했다. 또 사측의 정상화 방안에 대해 "사람 자르겠다는 것 외에는 구체적인 근거성이 없는 인신매매 계획"이라고 그 허구성을 지적했다. 쌍용자동차지부는 "정리해고를 거두고 사측이 진정성 있는 대화에 나서길 원하지만 또 다시 조합원이 짓밟힌다면 한계를 넘어서는 행동에 나설 것"이라고 경고했다.

[2009년 임금교섭 및 정리해고 분쇄를 위한 쟁의행위 찬반투표 결과(2009.4.14.)]

구분	총원	투표인수	투표율(%)	사고	무효	기권	찬성	반대	총원대비 찬성률(%)	투표인수 찬성률(%)
평택	4,212	4,112	97.56	100	16	2	3,524	570	83.67	85.70
창원	555	543	97.84	12			473	70	85.23	87.11
정비	384	370	96.35	14	2		331	37	86.20	89.46
합계	5,151	5,025	97.55	126	18	2	4,328	677	84.02	86.13

조합원들의 분노와 투쟁 결의에도 아랑곳 않고 쌍용차 사측은 관리직을 대상으로 4월 16일부터 30일까지 희망퇴직 신청을 받기로 하고 희망퇴직서를 받으러 나섰다. 이에 지부는 희망퇴직서를 받기 위해 팀장, 부서장 등이 면담을 진행한다면 책상을 들어내는 것을 비롯한 그에 상응하는 조치를 취하겠다고 경고했다. 또 그런 행위가 벌어진다면 지부로 신고해줄 것을 사무관리직 직원들에게 당부했다. 쌍용자동차지부는 또한 관리직 직원들에게 "눈치 보지 말고 당당히 희

망퇴직을 거부하"고 "노동조합과 함께 정리해고 투쟁에 나서자"고 호소했다.

전조합원 결의대회(2009.4.15)

압도적인 쟁의행위 찬반투표 결과에서 확인된 조합원들의 의지는 4월 15일 촛불 결의대회에도 이어졌다. 이날 저녁 6시 본관 뒤에서 열린 '쌍용자동차지부 촛불 결의대회'는 비가 내리는 추운 날씨임에도 불구하고 조합원과 가족 1,000여 명이 참석한 가운데 열렸다. 조합원들은 우비를 쓰고 끝까지 자리를 지켰다. 이날 집회에서 한상균 지부장은 "우리를 파탄으로 몰아가고 있는 세력과의 전쟁을 선포한다"며 "이후 다양한 전술과 전략 속에 싸움을 해나가겠다"고 밝히고 "정리해고를 분쇄하겠다"고 다짐했다. 집회가 끝난 후 조합원들은 수십 개의 풍등에 정리해고 철회의 염원을 담아 하늘에 띄우기도 했다.

조합원들의 분위기는 확실히 고조되고 있었다. 4월 22일 저녁에 민주노총 주최로 열린 '총고용 사수! 쌍용자동차 정리해고 분쇄를 위한 노동자 결의 문화제'에서도 확인된다. 이날 집회는 쌍용차 조합원 및 가족, 그리고 민주노총 조합원 등 2,000여 명이 참석해 공장을 촛불로 환하게 밝혔다. 민주노총 임성규 위원장은 투쟁사를 통해 "쌍용자동차가 미치는 경제적 영향력을 생각하면 국가가 나서 국유화

노동자 결의문화제(2009.4.22)

를 시켜야 한다"고 주장했다. 한상균 지부장은 "단 한 사람의 정리해고도 없이 구조조정을 막아내겠다"고 재확인하고 4월 23일 열리는 교섭에서 사측이 정리해고를 철회하지 않는다면 24일에는 4시간 부분파업에 돌입하겠다고 밝혔다. 이날 문화제에서는 조합원 자녀들이 무대에 올라 율동을 선보이고 조합원 가족도 무대에 올랐다. 쌍용자동차지부가 단계적으로 투쟁 수위를 높여나가겠다고 결의했던 것처럼, 집회가 회를 거듭함에 따라 조합원들의 참여도나 열기는 날로 고조되어 가고 있었다.

정부와 자본의 자동차산업 재편 전략

이렇게 쌍용차 조합원들이 정리해고를 막아내기 위해 투쟁의 의지를 높여가고 있을 때 정부는 이미 자동차산업을 구조조정해 3개 내외로 재편하겠다는 전략을 세워놓고 있음이 알려졌다. 4월 14일, 주요 언론은 지식경제부가 2008년 12월 대통령 업무보고를 통해 자동차 등 주요산업 구조조정안을 제시하고 2009년 1월에는 '주요 업종별 구조조정 방향' 보고서를 작성했다는 사실을 앞 다퉈 보도했다. 그중 자동차산업의 경우 현재 5개인 완성차 업체를 3개 내외로 줄여 육성하겠다는 계획을 세웠다고 보도했다. 이는 GM대우차, 르노삼성차, 쌍용차 중 1~2개사는 육성 대상에서 제외해 자연적으로 구조조정 되는 쪽으로 유도하겠다는 뜻이라고 언론은 풀이했다. 정부는 이 보도가 사실이 아니라고 손사래를 치며 강제적으로 재편할 뜻이 없고 단지 실무선에서 작성된 보고서일 뿐이라고 밝혔다.

쌍용자동차지부는 이에 대해 "지금까지 공적자금을 투입하지 않고 있었던 것은 쌍용차나 GM대우나 다 망하기를 기다렸다는 이야기밖에 안 된다"고 비판하고 "치졸하게도 정부는 파산의 수순을 밟으면서도 우리에게는 회생을 빌미로 뼈를 깎는 구조조정을 요구하고 있는 것"이라며 결국 "대정부 투쟁을 전개해야 한다"고 밝혔다.

쌍용차에 대한 이와 같은 기획파산과 자동차산업 재편에 관한 설은 끊이지 않았다. 쌍용자동차가 법정관리에 들어갔던 1월에도 일부 언론은 청와대 고위관계자가 "삼성이 자동차산업에 진출한다면 이를 허가하지 못할 이유가 없다"고 말했다고 보도하기도 했다. 그 뒤에도 삼성그룹이 쌍용차를 GM대우 · 르노삼성과 묶어 인수한 뒤, 완성차 사업에 뛰어들 것이라는 소문이 돌기도 했다. 삼성은 그럴 때마다 늘 부정적 입장을 표명했다고 보도됐다. 하지만 삼성경제연구소는 3월 11일 '세계 자동차산업의 구조재편 전망과 시사점'이라는 보고서를 발표하고 쌍용자동차는 탈락될 가능성이 크다고 전망하기도 했다.

김문수 경기도지사는 1월 13일 CBS 라디오 프로그램 인터뷰를 통해 쌍용자동차 '먹튀 단정'은 신중해야 한다는 망언을 한 데 이어 1월 28일에도 라디오 인터뷰에서 "우리 평택시 많은 시민들은 삼성이 쌍용차를 인수해 줬으면 좋겠다는 생각을 하고 있다"고 말했다. 그는 이어 "삼성은 자금력이 있고 자동차 사업을 하려 했었으며 이건희 회장도 의지가 있다고 본다"고 덧붙이면서 그러나 "여러 경로로 타진해 보니까 뜻이 별로 없는 것으로 알려져 어떻게 될지는 모르겠다"고 말했다.

이러한 흐름에 대해 2기 집행부 중 한 명은 전혀 근거 없는 얘기는 아니라며 다음과 같은 이야기를 들려준다.

> 삼성의 문제가 순전히 제 개인적인 생각인데, 그게 결코 유언비어만은 아닐 거라는 생각을 갖고 있어요. 왜 그러냐면 지금 상황들이 회사에서 어떤 역할을 할 수 있는 상황은 아니고 모든 것들이 정부의 주도하에 이 프로그램이 이루

어졌다고 보는 건데. 그 가장 큰 핵심적인 내용이 노조 죽이기라고 저는 보는 거고. 삼성이 무노조잖아요. 그거와 또 무관하지 않다고 보는 거고. 물론 더 크게는 전체 노동계를 좀 길들여야겠다라는 생각도 있겠지만 그게 결코 삼성과 무관하지 않을 것이다라는 생각이 있는 거고. 실질적으로 지역사회에 떠도는 소문에 의하면 쌍용자동차 주변 땅이 굉장히 많은데 그 땅을 삼성이 굉장히, 거의 다 사들이다시피 했고. 삼성, 그 대학교 있죠? …(중략)… 성균관대도 이쪽으로 오고. …(중략)… 병원도 이쪽으로 오고. 그런 얘기들이 끊임없이 지금 나오고 있고. 그래서 저는 그게 꼭 유언비어만은 아닐 것이다. 그, 삼성이 어떤 그런 손들어 주기 식의, 삼성을 지원하기 위해서 노동자를 죽이는 게 아니냐 그런 생각이 있어요. (구술자 A)

경기 쌍차공투본과 자동차범대위 구성

3월 27일 열린 제11차 금속노조 투쟁 대책회의에서는 공동투쟁본부 체계로의 전환에 대한 논의가 있었다. 이는 쌍용차를 둘러싼 국면이 점차 구조조정 본격화로 치닫는 가운데 기존의 대응시스템을 대폭 강화해 통합일원화함으로써 투쟁력, 대응력을 강화하고 쌍용차에 집중 가능한 모든 역량을 최대한 효율적으로 집중할 필요성에서 제기되었다. 그 결과 3월 31일 기획회의를 거쳐 4월 3일 제12차 금속노조 투쟁 대책회의에서 공투본 체계의 구성은 민주노총 경기도본부와 쌍용자동차지부가 제안 주체가 되어 경기지역 시민사회단체 및 정당을 대상으로 9일 회의를 소집하기로 했다. 또 이날 논의 속

경기 쌍차공투본 출범기자회견(2009.4.15)

에서 민주노총을 통한 전국 차원의 범국민공투본 구성을 동시에 추진하기로 결정됐다.

4월 9일 열린 '쌍용자동차 회생과 구조조정 저지를 위한 경기지역 정당, 사회단체 대책회의'에는 경기지역 정당 및 제사회단체들이 모여 쌍용차공투본을 출범시키기로 결정했다. 공식 명칭은 '경제위기 고통전가 반대! 쌍용자동차 정리해고 저지! 경기지역 공동투쟁본부(쌍차공투본)'로 하고 그 역할은 쌍용자동차 투쟁에 대한 지지 · 지원 · 엄호를 넘어 지역투쟁전선을 구축하는 투쟁본부임을 명확히 했다.

4월 15일 오전 11시 쌍차공투본은 출범 기자회견을 평택공장 앞에서 가진 데 이어 제1차 대표자집행위원연석회의를 개최해 논의 끝에 공동대표, 공동집행위원장, 파견 집행위원 등 조직체계를 확정했다.

또 4월 17일 열린 제14차 금속노조 투쟁 대책회의에서는 범국민대책위원회를 제안하기로 결정하고 민주노총, 진보 · 시민 · 사회단체, 학계, 청년학생, 진보정당 등을 조직해 나아가기로 결정했다. 이를 위해 민주노총은 이미 4월 15일 상집회에서 검토를 끝마치고 16일에는 중앙집행위원회에서 결정했으며 제 시민 · 사회 · 정당에 제안서를 발송했다. 4월 23일 쌍용차 회생방안 토론회를 시작으로 5월 25일 자동차범대위 1차 집행위원회 회의와 5월 26일 내부 정책 워크샵이 열렸다. 6월 3일 '일방적 정리해고 반대, 자동차산업의 올바른 회생을 위한 범국민대책위원회(자동차범대위)'가 출범 기자회견을 가졌다. 자동차범대위는 사람 자르기식 구조조정이 아니라 당면한 자동차 산업의 위기를 헤쳐나가고 미래를 함께 고민하는 올바른 방안을 모색

쌍용자동차 회생방안 토론회(2009.4.23)

해야 하고, 정부도 해외매각 정책을 반성하고 회생 가능한 기업을 지원하는 동시에 외국 자본의 책임을 끝까지 추적해 책임을 물어야 한다고 주장했다. 자동차범대위는 6월 4일, '쌍용차의 대량해고 반대, 일자리 나누기 어떻게 할 것인가' 주제로 국회에서 토론회를 열기도 했다.

쌍차공투본은 이후 쌍용자동차 투쟁에 있어서 정세에 대한 판단, 전략과 전술 수립, 연대 단위의 조직, 쌍용자동차지부가 평택공장에 묶여 있는 상황에서 폭넓은 행보 등 많은 역할을 하게 된다. 쌍차공투본과 쌍용자동차지부의 관계도 밀접했고 쌍용자동차지부는 쌍차공투본 등 연대단위가 옥쇄파업에 직접 결합할 수 있는 구조를 만들어 함께 투쟁했다.

> 지부장 마인드죠. 지부장이 패권적이고 권위적이고 특히 대공장, 쌍차는 대공장도 아니지만 지부장들이 패권적이고 독선적이고 그러잖아요. 근데 우리 한상균 지부장은 마인드 자체가 열려 있고. 항상 가장 낮은 자세에서 임하려고 하고 자기가 부족한 것은 배우려고 하고. 또 쌍차 투쟁을 연대나 금속 민주노총 공투본 지역, 학생들에 대한 지원이 없으면 투쟁이 힘들다고 봤던 거였고 공을 엄청 들인 거죠. 점거파업 전부터 12월부터. 지부장 당선되고 나서부터 지역에, 자동차 완성사 지부장들 찾아가면서. 투쟁 준비는 당선되자마자 한 거였고 공투본 관계 설정도 그때부터 얘기됐던 거였고. …(중략)… 공투본과의 관계 설정도 지부장이 그렇게 하지 않으면 안 된다고 판단했기 때문에 모든 걸 수용하고 맡기려고 했던 거죠. (구술자 L)

조합원의 힘으로 정리해고 분쇄하자!

4월 23일, 임시대의원대회가 속개되었다. 한상균 지부장은 "사측의 전향적인 자세 변화 없이 교섭의 의미는 없다"면서 23일 열린 임금교섭에서 결렬을 선언했다고 밝혔다. 이날 임시대의원대회의 주요 심의안건은 △전 조합원 참여 방안 건, △특별결의 건, △일반회계 차용 건 등이었다. 전 조합원 참여 방안 건은 조합원의 자발적 참여를 높여내기 위한 방안으로 징계 방안을 수립했다. 징계 방안은 △1~3회 불참시 명단 공개와 경고, △4회 불참시 명단 공개와 조합 선물 지급 금지, △5회 불참시 명단 공개 및 대의원, 각종 위원, 상집간부 자격 박탈, △6회 불참시 명단 공개 및 징계위원회 회부였다. 특별결의 건은 법정관리 속에서 대량 정리해고가 자행될 것이 예견되는 상황에서 전 조합원 모두가 해고를 결의하고 싸움에 임해야 하고 따라서 먼저 대의원들이 이를 결의하고 전 조합원 서명을 받아나가기로 했다.

이후 쌍용자동차지부는 4월 24일에는 예고한 것처럼 4시간 부분파업에 돌입하고 과천 정부종합청사에서 진행한 '쌍용차 청산음모 폐기! 노동자 생존권 보장을 위한 쌍용차 조합원 결의대회!'를 개최했다. 이날 결의대회는 비가 내리는 가운데서도 2,000여 명의 조합원들이 우비를 차려입고 참석했다. 또 기획되지 않았던 삭발식이 진행되기도 했는데 13명의 조합원들이 자발적으로 참여해 결연한 의지를 보여주기도 했다. 쌍용자동차지부와 조합원들은 쌍용차 파산을 통한 자동차 완성사 재편 시나리오 음모를 꾸미고 있는 지식경제부에 항의서한을 전달하고 이 투쟁은 대정부 투쟁의 성격임을 명확히 했다.

쌍용자동차 조합원 결의대회(2009.4.24)

현장의 분위기를 조직하기 위한 노력은 지속되었다. 특히 쌍용자동차의 많은 현장조직의 참여와 조직은 필수적인 일이었다. 4월 27일, 지부는 현장조직 간담회를 열었고 이 자리에서 제조직들은 정리해고 분쇄 투쟁에 앞장설 것을 힘차게 결의했다. 이어 28일에는 정문에 현장제조직 천막을 설치하고 농성에 돌입했다.

5월 초, 사측이 노동부에 정리해고 신청서를 제출할 것이 예견되고 있는 상황에서 지부는 4월 말, 5월 초, 두 차례에 걸쳐 조합원 교육에 들어갔다. 2기 집행부는 정리해고를 막아내고 일자리를 지키기 위한 투쟁 방향을 공유하고 전 조합원의 투쟁 의지를 모아내기 위해 교육을 실시한다고 밝혔다. 4월 27~29일 여러 곳에서 열린 교육에는 주로 정리해고 투쟁을 직접 경험했던 분들을 초청해 이후 투쟁의 방향을 논의했다.

날짜	시간	해당부서(관련지원부서)		교육장소
4월 27일 (월)	오전 09:30~11:30	조립3팀	조립3팀(의장)	의장8직 통로
			조립3팀(샤시/화이널)	조립3팀 화이널
			완성, 제조품질	TRE 완성
			관련 지원부서 (자재, 보전, 생기 등)	빨간벽돌(구 연구동)4층
	오후 14:30~16:30	조립4팀	조립4팀(의장)	프리트림 입구
			조립4팀(샤시/화이널)	조립4팀 화이널
			완성/제조품질	TRE 완성
			관련 지원부서 (자재, 보전, 생기 등)	빨간벽돌(구 연구동) 4층
4월 28일 (화)	오전 09:30~11:30	차체1팀		차체리트프 사무실 앞
		차체2팀		복지동 식당
		기술연구소		연구소 식당
		기술연구소		시작 완성
	오후 14:30~16:30	프레스		2공장 신규건물 안
		치공구		지그반
		도장1팀		도장1팀 3 · 4직 앞
		도장2팀		메탈직 앞
4월 29일 (수)	오전 09:30~11:30	시설, 총무, SQ, 본관, W200차체액슬 관련 지원부서		본관 식당
		공도		공도 식당

조합원 교육(2009.4.27)

또 이어 5월 4일과 6일 양일간에 걸쳐 쌍용자동차지부는 오전, 오후로 나눠 2시간씩 파업을 벌이고 전 조합원 교육 일정을 발표했다. 휴일이 겹친 날임에도 불구하고 교육은 조합원 90%가 참석하는 등 높은 참석률을 보였으며 현장에는 '정리해고 철회' 구호가 라인을 타고 울려 퍼졌다. 조합원들은 2,646명을 해고할 바에야 5,150명의 노동자 모두를 해고하라며 '결의서'를 제출하기도 했다.

날짜	시간	해당부서(관련지원부서)		교육장소
5월 4일 (월)	오전 09:30~11:30	조립3팀	조립3팀(의장)	의장8직 통로
			조립3팀(샤시/화이널)	조립3팀 화이널
			완성, 제조품질, 출하운영	TRE 완성
			관련 지원부서 (자재, 보전, 생기 등)	빨간벽돌(구 연구동)4층
	오후 14:30~16:30	조립4팀	조립4팀(의장)	프리트림 입구
			조립4팀(샤시/화이널)	조립4팀 화이널
			완성/제조품질	TRE 완성
			관련 지원부서 (자재, 보전, 생기 등)	빨간벽돌(구 연구동) 4층
5월 6일 (수)	오전 09:30~11:30	차체1팀		차체리트프 사무실 앞
		차체2팀		복지동 식당
		도장1팀		도장1팀 3 · 4직
		도장2팀		메탈직 앞

한편 그동안 사측은 쌍용자동차지부의 단체교섭 요구에 기피해왔다. 이에 쌍용자동차지부는 중앙노동위원회(이하 중노위)에 두 차례에 걸쳐 중재신청을 한 바 있다. 이에 중노위에서는 노사 현안문제를 논의하는 특별단체교섭을 진행하라고 중재안을 내놓았다. 하지만 지

부는 중재안을 받아들인다는 입장이었으나 사측은 이마저도 거부했다. 이에 중노위에서는 5월 4일 본조정을 통해 '조정중지'를 결정했다. 이는 예고된 파업이 정당한 법적 요건을 갖추었다는 의미로서 이제 남은 것은 조합원들의 단결된 힘으로 총파업투쟁을 일구어 나가는 것뿐이었다.

함께하면 승리할 수 있다!

쌍용자동차의 기업 가치를 조사한 삼일회계법인은 5월 6일 법원에 그 결과를 보고했다. 이 결과에 따르면 쌍용차의 존속가치(1조 3,275억 원)가 청산가치(9,386억 원)보다 3,890억 원가량 더 많다는 것이다. 재산 정밀실사 결과 자산은 2조 1,272억 원, 부채 1조 6,936억 원으로 자산이 부채보다 4,336억 원 많았다. 이는 자기자본이 잠식당한 상태라는 것을 의미한다. 서울중앙지법 파산4부는 이날 삼일회계법인이 3개월에 걸쳐 쌍용차의 재산 상태와 기업 가치 등에 대해 조사하고 작성한 보고서를 공개했다. 그런데 삼일회계법인의 조사 결과는 대규모 구조조정, 경영 정상화, 주거래은행이 2,500억 원 규모의 신차 개발비를 추가 대출해주는 것을 전제로 하고 있다.

보고서는 쌍용차의 재정 파탄 원인으로 세 가지를 꼽았다. △2008년 유가급등 및 서브프라임 사태로 촉발된 미국발 금융위기에 따라 주력 차종인 스포츠유틸리티차량(SUV) 판매 감소, △연구개발과 생산설비 투자 부진으로 영업수익성 악화, △환율 급등에 따라 파생상품 거래 손실 다량 발생 등이다. 보고서는 상하이차의 경영 파탄 책임을 과소평가하고 있다. 쌍용자동차지부 이창근 기획부장은 "존속 결정은 당연한 결과이지만, 대규모 구조조정을 전제로 한 것은 잘못"이라 지적하고 "결국 조사한 측에서 쌍용차 사태를 이해하지 못하고 있거나 대주주와 경영진, 그리고 해외매각 정책에 실패한 정부에 면죄부를 주려는 것"이라고 지적하면서 지부로서는 헌법에 보장된 노동쟁의권을 활용하는 수밖에 없다고 밝혔다. 이 기획부장은 "향후 파업 수위는 사측의 움직임을 보고 결정할 방침"이라 전했다.

삼일회계법인의 조사보고서는 이후 "대규모 구조조정은 쌍용자동차 회생을 위한 전제"라는 그릇된 인식을 유포함으로써 상하이차의 책임은 그 어떤 매체에서도 등장하지 않고 실종되기에 이른다. 또 여러 반노동적 보수언론은 이 조사보고서에 의거해 반노조, 반노동자적 보도 관점을 유지한다.

정리해고 신고는 이제 곧 임박한 현실로 되어버렸다. 사측은 조합원들의 저항을 예상하고 주야맞교대로 근무형태를 변경했다. 쌍용자동차지부는 이를 저항을 무력화시키기 위한 조치라고 비판하고 야간조 파업을 쟁의대책위 지침1호로 내렸다. 야간조 조합원들은 지침에 따라 5월 6일 오후 9시 출근을 거부하고 8시간 파업투쟁을 벌였다. 사측은 쌍용자동차지부 집행부 11명을 고소고발했다. 할 테면 해보라는 도발이었다.

전 조합원 결의대회 및 문화제(2009.5.7)

사측이 5월 8일 노동부에 정리해고 계획 신고를 예정하고 있는 가운데 5월 7일 오후 4시부터 '정리해고 박살! 총고용 쟁취! 전 조합원 결의대회 및 문화제'가 평택공장 본관 뒤 단결의 광장에서 4시간에 걸쳐 열렸다. 이 결의대회는 평택공장 조합원뿐만 아니라 창원지회, 그리고 진국의 정비지회 조합원들이 모두 참여하는 집회로서 5,000여 명이 참석해 투쟁 열기는 뜨겁게 타올랐다.

한상균 지부장은 "절반에 이르는 직원들을 해고하고 자동차 생산공장만 남겨 팔아넘기려는 정부와 사측의 음모가 속속 드러나고 있다"며 "회사가 정리해고계획을 신고하면 전면 전쟁을 선포"할 것임을 예고했다. 한 지부장은 이어 조합원들에게 "쟁대위 지침에 따라야만 승리할 수 있다"며 "우리 모두가 투쟁의 주체로 나서야 한다"고 호소했다. 금속노조 정갑득 위원장은 격려사를 통해 "울산에서 완성차 4사 위원장들이 모여 쌍용차 정리해고 투쟁에 공동대응하기로 했다"고 발표하고 "지부를 믿고 끝까지 투쟁해야 한다"고 목소리를 높였다. 또 쌍용자동차지부와 공동대응하기로 한 현대자동차, 기아자동차, GM대우 완성차 3사의 간부들도 함께 자리해 힘을 보태기도 했다.

이날 결의대회는 저녁식사 시간 전까지 진행되었고 마무리 순서로 지부 및 지회 임원 등은 승리하는 싸움을 만들겠다는 각오로 '구속결단식'을 하면서 칼로 손가락을 그어 낸 피로 "정리해고 분쇄! 죽기를 각오한 투쟁으로 우리는 이긴다"라고 쓰인 천에 손도장을 찍기도 했다. 또 12개 현장조직 의장들도 삭발식을 하고 정리해고 반대투쟁에 앞장서서 싸우겠다는 의지를 보여주었다.

결의대회를 마친 후 문화제가 진행되었다. 5,000여 명의 조합원들의 손마다 촛불이 들려 있었고 이는 단결의 광장을 가득 메웠다. 정비에서 창원, 평택의 촛불이 모여 횃불이 되고 그 횃불로 정리해고를 활활 불태워 버리겠다는 의미를 담은 상징의식이 펼쳐지기도 했다.

문화제에서는 이후 가족대책위 대표를 맡게 되는 이정아 씨가 연단에 나와 "60여 가족들이 모여서 가족 대책위를 결성할 것"이라고

소개하고 "우리 아이들의 미래를 위해, 가족을 위해 힘을 더 모아 달라. 우리는 노동권이 있는 노동자라는 사실을 아이들에게 가르쳐주자"고 호소했다.

노동자의 선택, 총파업 투쟁을 향하여

정리해고 신청과 희망퇴직 강요 공작

조합원 5,000여 명이 결집한 5월 7일 결의대회는 조합원들의 사측에 대한 분노를 유감없이 보여주었다. 경영을 잘못해 회사를 파탄 지경에 몰아넣고 사측은 오히려 묵묵히 일만 해온 조합원들을 자르겠다는 것이다. 쌍용자동차지부에서 그동안 여러 가지 회생방안도 제출해 왔건만 사측은 그 같은 요구를 진지하게 검토하지도 대화하지도 않았다.

사측은 결국 어버이날인 5월 8일, 노동부에 2,646명 중 대리, 부장 등 관리직 희망퇴직 인원을 뺀 2,405명을 정리해고 하겠다는 계획서를 제출했다. 또 생산직, 사원급 사무직에 대해서도 5월 18일까지 희망퇴직 신청을 받을 계획이라 밝혔다. 사측은 그저 구조조정만이 유일한 살길인 것처럼 우기며 끝끝내 조합원들과 가족들의 염원을 송두리째 배신한 것이다. "함께 살자!"라는 절절한 요구에 사측은 "너희만 죽어라!"라는 행동으로 대응한 것이었다.

사측이 노동부에 '경영상 이유에 의한 해고 계획 신고서'를 제출하자 쌍용자동차지부는 즉각 논평을 내고 "어버이날 쌍용자동차 법정 관리인들은 카네이션을 짓밟는 패륜"을 저질렀다고 비난하고 이제 "일자리를 지키는 정리해고 분쇄투쟁으로 나아갈 수밖에 없는 벼랑 끝"이라고 현 상황을 표현했다. 지부는 이날 오후 2시부터 5시 30분까지 부분 파업을 벌였다. 또한 지부는 조합원들의 분노를 사측에 전달하기 위해 본관 항의 집회를 가졌다. 또한 사태가 이 지경에 오기까지 속수무책으로 일관한 정부에도 항의하기 위해 경인지방노동청 평택지청 앞에서 항의 집회를 열고 관계자와 면담을 가지기도 했다. 지부는 이어 5월 11일, 다음과 같은 쟁대위 투쟁지침 2호를 하달했다.

본관 항의 집회(2009.5.8)

중앙쟁대위 투쟁지침 2호

1. 희망퇴직은 정리해고다. 따라서 노동조합은 '2,646명 정리해고와 희망퇴직 반대'를 분명히 하며, '강고한 철폐투쟁을 전개' 한다.
2. 쟁대위 투쟁지침으로 하달한다. 조합원 동지들을 비롯한 그 누구라도 '희망퇴직을 단호히 거부' 하라!
3. 희망퇴직은 죽음이다. 또한 강고한 정리해고 분쇄투쟁을 전개하고 있는 '동지를 죽이는 것' 이자 투쟁 전선에 찬물을 끼얹는 '반노동자적 행위' 임을 분명히 한다.
4. 희망퇴직을 '강요하거나 회유, 협박하는 행위' 가 발생될 시 노동조합으로 즉각 신고 바란다. 반드시 그에 상응하는 조치를 취할 것임을 천명한다.
5. 경영진 및 관리자는 경거망동 하지 마라! 희망퇴직에 대한 그 어떠한 행위라도 발생될 시 응분의 조치를 취할 것이며, 모든 책임은 전적으로 경영진에 있음을 엄중히 경고한다.

한편 5월 9일 결성된 가족대책위원회는 5월 11일 평택시청 앞 광장에서 30여 명이 모인 가운데 '쌍용차 정리해고 반대 기자회견'을 열었다. 5월 12일에는 사업부에서 조합원들이 집회를 열고 '정리해고 분쇄 게시판 꾸미기' 행사를 진행하기도 했다.

가족대책위 기자회견(2009.5.11)

사측이 희망퇴직 신청을 받기 시작했을 때 당장 이에 응하는 조합원들이 많지는 않았다. 이에 사측은 희망퇴직을 '조직'하기 위해 나섰다. 이른바 정리해고 명단을 흘리기 시작함으로써 조합원들에게 불안감을 조성하고 조합원들을 갈라놓기 위함이었다. 여기에는 현장 관리자들과 수구보수 현장조직들이 앞장섰다. '명단'에 있는지 없는지 확인시켜주고 명단에 들어간 이들을 상대로 희망퇴직을 '조직'하기 위해 끈질기게 매달렸다.

하지만 명단에 들어간 조합원들은 그런 설득에도 불구하고 도저히 받아들일 수 없는 사실이 있었다. 그것은 바로 "내가 왜 해고되어야 하는가" 하는 의문이었다. 그건 다시 말해 "정리해고자 선정 기준은 무엇인가" 하는 의문이었다. 납득할 수 없는 선정 기준에 분노하는 조합원들은 쉽사리 희망퇴직 신청서에 서명하지 않았지만, 마음이 흔들리는 것은 어쩔 수 없었다. 결국 5월 14~15일을 경유하면서 희망퇴직자는 급증하기 시작했다.

사측은 또한 사업장을 분사시키겠다며 조합원들로 하여금 희망퇴직을 하게끔 회유를 하고 나섰다. 사측의 분사 계획은 생산과 영업부분 일자리 일부를 도급회사로 외주화하겠다는 것으로서 일단 317명을 분사 대상으로 삼고 있다. 그중 평택공장에서는 217명을 분사 대상으로 하는데, 선정 기준으로는 "직접적인 메인 라인을 제외한 독립 공정과 지원공정, 그리고 유지 · 보수 관리 업무"로 명시하고 있다. 분사의 사업주와 직원 자격은 희망퇴직자로 하고 있고 분사에 지원한 사업주와 직원은 "희망퇴직 위로금 미지급을 원칙"으로 하고 있다. 결국 사측은 정리해고와 비정규직 중 하나를 고르라고 강요하고 있는 것에 다름 아니었다.

쌍용자동차지부에서는 "경영악화로 정규직도 정리해고 하는데 분사된 노동자를 누가 어떻게 책임지겠는가"라고 묻고 "정리해고와 분사를 박살내고 생존권을 지켜내자"고 호소했다. 쌍용자동차지부에서는 중앙쟁대위 투쟁지침 3호를 하달했다.

> 중앙쟁대위 투쟁지침 3호
>
> 1. 분사는 전형적인 정리해고다. 따라서 노동조합은 '분사에 대한 반대와 거부'를 명확히 하며, 변형된 정리해고 '분사' 철폐투쟁을 전개한다.
> 2. 조합원 동지들은 그 누구라도 '분사를 단호히 거부하라!' 이는 정규직의 비정규직화이며, 분사는 강고한 정리해고 투쟁에 찬물을 끼얹는 행위다.
> 3. 분사 지원을 '강요하거나 협박하는 관리자'가 있다면 노동조합으로 즉각 신고하기 바란다. 반드시 그에 상응하는 조치를 취한다!
> 4. 만에 하나 쟁대위 지침을 어기고 분사를 지원하는 조합원이 있다면 '노동조합은 그 어떠한 책임도 지지 않을 것'임을 명확히 한다!

이런 상황에서 5월 13일, 쌍용자동차지부, 지회 및 비정규직지회 임원 세 명이 굴뚝 농성을 시작했다. 또 현대, 기아, GM대우 완성차3사 노조 대표자들은 기자회견을 열고 "정리해고는 노사 갈등을 낳는

낡은 패러다임이며 쌍용차부터 자동차산업과 경제위기의 해법을 위한 새 틀을 만들 것"을 정부에 촉구하고 쌍용자동차가 정리해고를 강행할 경우 총파업에 들어갈 것이라고 선언했다.

이어 같은 날 오후 2시, 평택공장 단결의 광장에서는 '정리해고 분쇄! 총고용 쟁취! 함께 살자! 쌍용자동차, 금속노동자 결의대회'가 열렸다. 한상균 지부장은 "투쟁 승리를 위해 모든 것을 바치겠다"는 결의를 밝혔다. 비정규직지회 복기성 사무국장도 연단에 올라 굴뚝 농성을 두고 "정리해고 분쇄투쟁의 길에 원하청 공동투쟁이 시작된 것"이라 밝히고 "자본의 탄압에 맞서 정규직과 비정규직이 함께 단결해 반드시 승리하자!"고 강조했다. 집회 도중 굴뚝 농성자 3명이 휴대폰을 통해 참석자들에게 결의를 밝히기도 했다. 결의대회 직후 집회대오는 굴뚝 아래까지 행진했다. 지부 집행부와 가족대책위 회원들은 "정리해고 분쇄"라고 적힌 대형 현수막을 들고 행진 대오 맨 앞에 섰다. 굴뚝 아래에 이르자 현수막은 로프를 이용해 굴뚝으로 올려 보내 매달았다.

금속노동자 결의대회(2009.5.13)

또 금속노조는 전국에서 상경한 1,200여 명의 조합원들이 오후 5

시, 서울 여의도 전국경제인연합회 회관으로 집결해 '함께 살자! 국민생존 · 총고용 보장! 노동자 고통전담, 정리해고 결사반대! 금속노조 결의대회' 를 열었다. 한상균 지부장은 이날 결의대회에서 굴뚝 고공농성을 언급하며 "15만 금속의 힘으로 싸움에서 승리해 그들을 구출하자" 고 목소리를 높였다.

쌍용자동차 조합원들은 연일 집회에 참석해 정리해고 분쇄 투쟁에 나섰다. 5월 15일, '정리해고 분쇄! 노동자 생존권 쟁취! 전국 동시다발 결의대회' 가 전국적으로 6곳에서 열렸다. 쌍용자동차지부에서는 경기도청 앞에서 결의대회를 열었고 집회를 마친 후 경기도청 관계자와 면담을 가지고 김문수 경기도지사에게 정리해고 반대 입장을 밝혀줄 것을 요구하며 항의서한을 전달했다. 5월 16일에도 쌍용자동차 노동자들과 연대하기 위해 민주노동당 경기도당, 경기 진보연대 등의 결의대회가 비가 내리는 가운데서도 평택공장 굴뚝 아래에서 열렸다. 이들은 "정리해고를 중단하고 정부가 공적자금을 투입해야 한다" 고 주장했다. 5월 18일에는 조합원들이 파업을 벌였고 공장별로 정리해고 반대투쟁에서 반드시 승리하겠다는 의지를 담아 "NO 정리해고!", "상하이 처벌!", "함께 살자!", "총고용 사수!", "해고는 살인!" 등의 문구를 써넣은 만장기를 제작했다. 조합원들은 이 만장기를 들고 행진해 굴뚝 아래에서 약식 집회를 가지기도 했다.

5월 19일에는 아침 9시 30분부터 '정리해고 분쇄! 총고용 사수! 전조합원 결의대회' 가 단결의 광장에서 3,000여 명이 모인 가운데 힘있게 열렸다. 이날 집회는 사측의 희망퇴직 공세에도 불구하고 조합원들의 강고한 의지가 살아 있음을 행동으로써 보여준 집회였다. 한상균 지부장은 "전면전을 준비하자" 고 당부하고 "지침이 하달되면 지도부를 믿고 모여 달라" 고 말하고 "끝까지 함께 투쟁해 승리의 기

뼘을 같이 나누자"고 약속했다. 집회를 마친 후 조합원들은 굴뚝 아래에서 약식집회를 가지고 힘찬 함성으로 농성자들을 응원했다.

전 조합원 결의대회(2009.5.19)

한편, 이날 민주노총은 기자회견을 열고 "일방적 구조조정이 아닌 전 국민을 위한 일자리 나누기, 지키기, 만들기"를 위한 노정 교섭을 제안했다. 특히 민주노총은 쌍용자동차와 관련해 "정리해고 중단" 등을 요구하고 쌍용자동차를 비롯한 당면 현안 해결을 위한 노정 대화와 교섭을 촉구했다.

이렇게 연일 집회가 열리고 조합원들의 분노가 조직되고 있는 가운데 같은 날 임시대의원대회가 속개되어 다시금 투쟁을 결의하고 109명 대의원 전원이 철야 농성에 돌입할 것을 결의했다. 또한 지난 대의원대회에서 결의됐던 '불참자 처리방안'을 논의했고 논의 결과 "불참 대의원 및 조합원에 대한 징계로 지부 쟁대위 속보에 명단을 공개"하기로 결정했다. 이는 "징계를 위한 징계"가 아닌 "정리해고 분쇄를 위한 자발적 참여를 끌어내기 위한 방안"임을 명확히 했다.

5월 20일에는 경기도청 앞에서 열린 '실업과 빈곤, 정리해고 없는 경기도 만들기 결의대회'에 쌍용자동차지부 조합원들과 민주노총 경기본부 조합원 1,500여 명이 참석했다. 이날 집회에서 조합원들은 경기도지사에게 "정리해고와 실업, 빈곤 문제를 해결하라"고 요구하고 "쌍용자동차 정리해고 문제를 정부가 책임있게 나서서 해결할 것"을 촉구했다. 집회를 마친 후 수원역까지 거리행진을 하면서 시민들에게 유인물을 배포하고 쌍용차 문제에 관심을 가져줄 것을 호소하기

수원역을 향해 거리행진(2009.5.20)

도 했다. 또 같은 날 평택공장에서는 C-200 공사 관련 휴업 조합원들이 "정리해고 분쇄! 총고용 사수!"에 대한 의지를 담아 타이어를 모아 승리의 탑을 쌓고 맨 꼭대기에 "죽을 각오로 싸워 승리하겠다"는 결사 투쟁의 깃발을 꽂았다. 이날 승리의 탑은 돌로 쌓을 예정이었지만 사측은 필요한 석재 반입을 가로막았다. 사측은 이날부터 용역경비 50여 명을 정문과 후문에 배치하기도 했다.

70미터 굴뚝에서 열어젖힌 77일 파업투쟁

굴뚝농성은 4월 8일 2,646명에 대한 정리해고 방침이 알려지게 되면서 논의되었다. 이는 쌍용자동차 정리해고 반대투쟁을 어떻게 상징화시키느냐 속에서 기획되었다.

그러나 굴뚝에서 생활을 해나가면서 투쟁을 지속해야 한다는 것은 그 누가 시킨다고 할 수 있는 것도, 억지로 떠민다고 할 수 있는 것도 아니었다. 그 무엇보다 중요한 것은 자신의 결의와 결단이었다. 또 지도부가 현장에 대한 판단과 전술을 고민해야 하는 까닭에 지부장, 지회장 등이 올라갈 수 있는 것도 아니었다. 그러면서도 쌍용자동차 지부와 지회, 비정규직이 모두 올라가 "총고용 보장!"이라는 상징 또한 부각되어야 했다. 그러한 이유

굴뚝 농성자 3인의 모습(2009.5.19)

에서 쌍용자동차 김을래 부지부장, 정비지회 김봉민 부지회장, 비정규직지회 서맹섭 부지회장이 굴뚝 농성에 대한 결의를 하게 된다. 이들은 "정리해고가 분쇄되지 않는 한 절대 스스로 내려오지 않겠다"는 굳센 결의를 갖고 5월 13일 새벽 4시 70미터 상공 도장라인 굴뚝에 오른다. 굴뚝농성은 5월 13일 시작되어 8월 6일 내려오기까지 86일간 진행된다. 처음 굴뚝의 사다리를 오르던 날, 이들 중 그 누구도 자신들이 86일 동안 굴뚝에 있게 되리라고는 생각하지 못했다.

굴뚝은 비정규직의 요구도 있지만 정규직 비정규직 단 한명도 해고 아니고도 살 수 있는데 왜 굳이 해고를 해야 이 회사가 사냐 그걸 알리기 위해서 올라갔고 특히 비정규직 관련해서 우리 힘들었던 부분을 알려야 되기 때문에 위에서 알리고 밑에서 알리고. 고용 문제 때문에 올라갔다고 봐야죠, 솔직히 두 달 생각하고 올라갔는데. 저는 한 달, 누구는 두 달 그래가지고 제가 지고 올라갔는데 두 달 안에 싸워보자, 각오하고 올라가자, 끝까지 승리하지 않으면 내가 죽겠다 그냥. (구술자 I)

1996년에도 굴뚝농성이 있었기 때문에 사측은 굴뚝으로 올라가는 길목을 미리 용접하고 막아뒀다. 지부에서는 봉쇄를 뚫고 굴뚝 농성자들은 추운 바람을 맞으며 굴뚝에 오른다. 그리고 절대 그냥 내려오지 않겠다는 결의로 그 누구도 올라오지도, 내려가지도 못하게 입구를 용접해 다시금 봉쇄했다.

이날 굴뚝농성 돌입에 대해 대의원들의 반응은 이러했다.

옥쇄 이전에 굴뚝에 올라간 건데, 새벽 3시에 쟁대위 회의를 통해서 올라간 건데, 대의원들한테 사전 논의 없이 올

> 리기고 난 다음날 보고한 건데, 처음에는 몇몇 대의원들은, 신상을 걱정한 사람들은 두 명의 당뇨환자가 올라간 것에 대한 신상에 대한 걱정을 했고, 몇몇 대의원들은 이거 또 쇼 아니냐 했는데… (구술자 L)

굴뚝농성에 돌입하던 그 시점에는 옥쇄파업은 결정되지 않은 상태였다. 자연스럽게 굴뚝농성은 쌍용자동차 정리해고 반대투쟁의 상징으로 떠올랐다. 굴뚝농성에 돌입했다는 소식이 뉴스를 통해 알려졌고, 언론 매체에서도 관심을 보였다. 전화로 인터뷰가 진행되고 그렇게 쌍용자동차 노동자들의 요구와 염원이 보다 더 많은 이들에게 알려지는 계기가 되었다. 조합원들은 투쟁 승리 결의를 적은 소지천을 만들어 굴뚝과 연결된 줄에 매달기도 했다. 또 굴뚝 아래서 정비지회 조합원들은 투쟁의 결의를 밝히고 자발적으로 삭발식을 하기도 했다. 굴뚝농성이 시작되자 매일 10명에서 50명씩 쌍용자동차 투쟁에 연대하는 단위들이 지지방문을 왔고 조합원들도 집회를 마치고 꼭 굴뚝에 들러 농성하는 이들에게 응원의 함성을 질렀다.

그러나 아무리 강한 결의를 다지고 올라왔다 하더라도, 70미터 상공에서의 생활은 녹록치 않았다. 굴뚝에 올라간 첫날, 평택에는 비가 조금 내렸다. 그러나 한뎃잠을 자야 하는 이들에게 조금의 비도 고역이지 않을 수 없었다. 비닐을 치고 바닥에 나무를 깔고 그 위에 스티로폼을 설치했다. 비를 막기 위해 비닐로 천막을 치고 용변을 볼 수 있도록 페인트통과 비닐로 화장실을 설치했다. 굴뚝에서의 밤은 추웠고 그곳에서의 낮은 더웠다. 사람들은 굴뚝이 그저 서 있겠거니 했지만 바람이 불면 굴뚝이 흔들리는 것을 농성자들은 알 수 있었다. 바람이 심하게 부는 날이면 바람에 부대끼는 비닐 소리 때문에 잠을 이루지 못해 뜬눈으로 밤을 새워야 했다.

식사도 쉬운 문제는 아니었다. 끼니때마다 지부 집행부에서 식사를 챙겨 밧줄을 이용해 올려 보냈다. 하지만 비가 내리는 날이면 밥을 올려 보내기가 용이하지 않았고 그런 날이면 첫날 올라갈 때 챙겨간 비상식량을 먹어야 했다. 초콜릿도 요긴한 식사가 되었다.

농성자들에게는 굴뚝 아래에서 들려오는 소식들이 그 무엇보다 중요했다. 집회를 하고 있는 조합원들과 연대단위의 모습을 보면서 힘을 얻고 또 투쟁이 잘 진행되지 않을 때 마음속에는 바람이 불었다.

> 안타깝죠. 최고 안타깝던 게 조합원들 사망, 하고 그 저 정책부장 와이프 되시는 분 목숨 끊었다는 얘기 들었을 때. 그때는 안타깝고 울기도 하고 했죠. 특히 저 같은 경우는 김영훈 조합원이라고 그래서, 부산에 계시는 조합원. 그 몰라, 그분도 굉장히 제가 교육이나 이런 거 내려가면 잘해주셨어요. 그분이 노동조합 그 지침에 거스른 적이 없거든요. 근데 옥쇄파업을 안 왔다고 그래가지고 제 개인적으로 좀 놀랬어요. 왜 안 왔냐. 근데 위에서 보니까 그분이 지나가는 걸 봤거든요. 그래가지고 왔는데 왜 안 왔다고 그러냐. 안 왔다고 그러더라구요. 이상하다? 내가 봤는데. 안 왔다고 그러더라구요. 한참 며칠 지났죠. 그랬더니 돌아가셨다고 그래가지고선 그때 좀 힘들었죠. (구술자 B)

굴뚝 위에서 농성자들은 태양광 충전기로 노트북을 연결해 무선인터넷을 이용, 뉴스를 보고 글을 전송하기도 했다. 또 각자 일기나 편지를 쓰기도 하고 언론사 취재에 응하거나 휴대폰으로 인터뷰를 하기도 했다. 마음을 가다듬기 위해 부러 아래 상황에 초연했던 이도 있었지만 또 시시각각 변하는 상황을 면밀하게 파악하는 이도 있었다.

손을 흔들고 있는 굴뚝 농성자들

농성자들은 함께 굴뚝을 공유했지만 각자가 속한 단위는 달랐다. 둥그런 굴뚝의 이편과 저편에서 각자가 속한 단위와 전화통화로 상황을 살폈다. 서로가 입장이 다른 부분도 있었고 미묘한 긴장도 있었다. 그러나 함께 둘러앉아 있을 때면 서로가 알고 있는 정보를 나누기도 했고 갈등이 야기될 수 있는 얘기는 피했다. 함께 공감할 수 있는 얘기를 나누고 각자의 소소한 일상을 이야기 나누며 웃었다. 굴뚝에서 제일 중요한 것은 함께 오래 버텨내는 것이었기 때문이었다.

서맹섭 부지회장은 '굴뚝에서의 편지'를 썼다. 정규직 구사대, 정치인, 이영희 노동부장관, 금속노조와 민주노총 조합원들, 이명박 대통령, 더 나아가 국민들에게 편지를 써 게시판에 올렸다. 이 글들이 인터넷언론에 실리기도 해 쌍용자동차 조합원들의 투쟁이 더 많은 이들에게 알려지는 계기가 되기도 했다.

굴뚝농성 돌입 후 "정리해고 분쇄 없이는 살아서 내려오지 않겠다"는 플래카드가 걸렸다. 86일간 70미터 상공에서 77일 옥쇄파업을 내려다보며 굴뚝농성의 하루하루가 흘러가고 있었다. 굴뚝은 쌍용자동차 투쟁의 가장 높은 정점에 있기도 했지만 외롭고 고독한 일상과 특히 자신의 마음과 겨뤄야만 하는 공간이었다.

창원지회 · 정비지회 조합원들의 투쟁

쌍용자동차는 1991년 독일 벤츠와 기술제휴를 맺고 이후 1994년 6월 창원에 제1엔진공장을 준공한다. 타 회사의 경우 일반적으로 완성차 조립라인 인근에 엔진공장을 배치하는 데 반해서 쌍용자동차는 평택과는 떨어져 있는 창원에 설립했다는 점에서 특징적이다. 쌍용자동차의 경우, 평택에 적당한 부지가 없는 상태에서 쌍용그룹 시절, 여유 부지가 창원에 있었고 그곳에 엔진공장을 설립하게 된다. 2004년에 쌍용자동차는 엔진 100만 대 생산을 돌파했고 또 같은 해 연간 20만 대 생산 규모의 창원 제2공장을 설립하기도 했다. 창원 엔진공장에서는 커먼레일 DI엔진, 디젤 터보인터쿨러 엔진, 가솔린 엔진, 리어 액슬, 엔진단품 등을 생산한다. 창원공장의 조합원은 555명(2009년 4월 현재)이었다.

7대 지회장으로 김남수 지회장이 당선되었고 지회 집행부는 연초부터 당면한 고용안정 투쟁을 위해 바쁜 행보를 이어갔다. 지회 집행부는 1월 14일에는 창원공장을 방문한 민주노동당 권영길 의원과 간담회를 가졌다. 이튿날인 1월 15일에 권영길 의원은 경남도청에서 기자회견을 열어 "쌍용차의 위기는 창원의 위기"라며 "정부가 재정지원에 나설 것"을 촉구했다. 또 2월 6일에는 민주노동당 강기갑 대표가 창원지회를 방문하기도 했다.

창원지회 전 조합원 결의대회(2009.4.8)

지회 집행부는 2009년 2월 19일 이취임식을 가졌다. 김남수 지회장은 이날 취임사를 통해 고용사수를 강조했다. 같은 날 김남수 지회장은 이유일, 박영태 법정 공동관리인을 창원 엔진공장에서 만나 창원지회 현안, 창원공장 중장기적 계획에 대해 질의서를 전달하기도 했다. 창원지회는 임금체불로 인해 조합원들이 생계를 꾸려가는 데에 고통이 증대하자 3월에 근로복지공단을 통해 생계비 융자를 추진하기도 했다.

창원지회는 4월 8일 '총고용 사수를 위한 전 조합원 결의대회'를 창원공장에서 개최했다. 단결투쟁 머리띠를 맨 창원지회 조합원들은 "긴급자금 투입"이라 적힌 손팻말을 들고 500여 명 가까이 참석했다. 이날 김남수 지회장 삭발식이 진행됐고 조합원들은 숙연한 마음가짐으로 지켜봤다. 율동과 노래가 펼쳐지는 가운데 "상하이자본 박살", "구조조정 박살"이라 적힌 설치물을 부수는 상징의식을 가지기도 하였다. 또한 창원지회 확대간부들은 4월 8일부터 정문에 천막을 치고 농성투쟁을 전개하는 한편, 새벽 6시 30분부터 아침 출근투쟁을 전개하기도 했다. 그러한 노력이 모아지면서 조합원들의 분위기도 한껏 고조되었다. 그 결과 4월 13~14일 쟁의행위 찬반투표에서 총 555명 중 543명이 투표해 찬성 473명, 반대 70명으로 투표인 수 대비 87.1%로 강고한 의지를 보여주었다.

또 5월 1일 창원 중앙체육공원에서 열린 119주년 세계노동절 기념대회에 창원지회 조합원들 20여 명이 참석했고 김남수 지회장은 연단에 올라 투쟁상황을 보고하기도 했다. 집회가 끝나고 경남지역 노동자들은 시청 앞 로터리를 거쳐 경남도청 앞에서 정리집회를 가졌다.

5월 13일에는 교육파업을 진행했다. 창원 1, 2공장에서는 각각 조합원들이 모인 가운데 과거 정리해고 반대투쟁 사례를 교육했다. 5월 15일에는 경남도청에서 쌍용자동차 총고용보장 기자회견을 갖고 김태호 경남도지사는 쌍용자동차 정리해고 반대 입장을 분명히 밝히고 공적자금 투입을 중앙정부에 요구할 것, 생계 파탄 지경에 이른 쌍용자동차 정규직, 비정규직, 하청업체 노동자들의 생계대책을 마련할 것을 촉구했다.

이러한 노력에도 불구하고 쌍용자동차 창원지회는 당초 예상한 것보다는 적은 인원이 옥쇄파업에 참가하게 된다. 이는 사측의 집요한 방해공작으로 인한 것이었다. 5월 21일, 창원지회 전 조합원들이 모여 간단한 교육과 집회를 가지기도 했었다. 그날 조합원들의 집회 분위기는 활기 있었고 그래서 지회 집행부는 400여 명 정도는 옥쇄파업에 동참할 거라 기대했다. 그러나 5월 22일 아침, 평택공장으로 가기 위해 대절한 버스 13대가 기다리고 있는 가운데 오전 8시까지 출근한 조합원들은 20여 명이 채 안 되었다. 결국 오전 9시도 지난 후 버스 10대를 돌려보내고 간부들 포함해 70여 명이 버스 3대에 나눠 타고 평택으로 향했다. 이후 며칠 뒤까지 창원지회에서는 참여를 독려해 창원지회 조합원 중에는 130여 명이 옥쇄파업에 참가했다.

사측은 옥쇄파업을 앞두고 조합원들을 상대로 정리해고 명단을 흘리며 희망퇴직을 강요했다. 그러한 상황에서 조합원들의 마음은 흔들렸다. 특히 옥쇄파업 전날인 5월 21일에는 전화 또는 직접 조합원 자택방문을 통해 "넌 살았으니 올라가지 마라", "올라가면 회사에서 살아남기 힘들 거다" 등등 파업 참여를 저지시키기 위해서 총력을 기울였다.

쌍용자동차 정비지회는 2001년 알브이(RV) 투쟁의 경험을 가지고 있었고 이후 쌍용자동차노조 정비지부로, 산별노조 전환 이후 쌍용자동차지부 정비지회로 편재되어 이어져 왔다. 정비지회 조합원 수는 총 384명이었다.

정비지회는 현안문제로 직영서비스센터 활성화라는 과제가 있었다. 쌍용자동차는 직영서비스센터가 몇 년에 걸쳐 계속 인원이 줄어왔고, 경영 악화로 인해 부품 공급이 제때 이루어지지 않기도 해 결국 서비스 질이 저하되어 왔다. 이에 정비지회는 직영서비스센터 활성화를 줄기차게 주장해 왔다. 내수 시장 활성화를 위해서 서비스의 질 제고는 꼭 필요하기 때문이었다. 그러나 사측은 제대로 대안을 제시하지 않았고 2008년 7월 사측과 합의한 사항인 서울서비스센터 증축과 서울부품센터 이전은 2009년 1월 법정관리 신청 이후 사측은 나 몰라라 식으로 대응하는 형국이었다.

완성차회사에서 일반적으로 정비 부문은 전국에 걸쳐 사업장이 산포되어 있어 교육과 조직에 어려움이 있다. 그러나 정비지회는 이러한 어려움에도 불구하고 전국 조합원들과 현안 문제를 공유하고, 투쟁경과 보고와 향후 투쟁방향 설명을 위해 전국 순회 일정을 배치하기도 했다.

[전국 순회 일정]

날짜	순회 일정
2월 4일(수)	안성부품센터, 망향휴게소, 천안물류센터, 대전서비스센터, 대전지역본부, 여산휴게소, 전주부품센터, 광주서비스센터, 광주지역본부
2월 5일(목)	충호지역본부(순천), 광양부품센터, 남강휴게소, 영남지역본부(창원), 영남지역본부(부산), 부산서비스센터, 양산부품센터
2월 6일(금)	대구부품센터, 영남지역본부(대구), 칠곡휴게소, 추풍령휴게소
2월 9일(월)	중부지역본부, 죽전휴게소, 성남부품센터, 원주부품센터, 횡성휴게소, 강릉부품센터
2월 10일(화)	서울1지역본부(중곡동), 의정부부품센터, 서울2지역본부(마포), 서울2지역본부(부평)정비지회

또 정비지회는 2월 2일 서울서비스센터와 서울부품센터 전 조합원

을 대상으로 집회 및 교육을 갖고 구로역, 개봉역, 구로디지털단지역, 가산디지털단지역 등에서 대 시민 선전전을 진행하기도 했다.

2월 26일 정비지회는 서울서비스센터 4층 식당에서 1, 2기 지회장 이취임식 및 22년차 정기대의원대회를 열었다. 문기주 지회장은 "회사가 살기 위해서는 인력구조조정이 아닌 최고의 품질, 적극적 영업, 최상의 서비스만이 고객만족을 통한 회생의 길임을 사측은 분명히 알아야 한다"고 지적하고 조합원들의 단결투쟁을 강조했다. 한상균 지부장 역시 이날 "쌍용자동차가 살기 위해서는 영업망 확충과 서비스센터에 대한 투자"가 필요하다고 역설하기도 했다.

정비지회는 3월 9일 철야농성을 시작하면서 본격적인 투쟁을 준비해 가기 시작했다. 3월 11일 서울서비스센터 지하교육장에서 열린 2009년 1차 임시대의원대회에서는 조합비가 부족한 상황에서 복지기금인 특별기금에서 960만 원을 전용하기로 결의하기도 했다.

4월 8일 정비지회는 서울서비스센터 2, 3직 주차장 앞에서 정비지회 수도권 조합원 150여 명이 참석한 가운데 '총고용 사수! 구조조정 분쇄! 전 조합원 결의대회'를 열고 천안, 대전, 광주, 부산의 각 분회 또한 각 지역 서비스센터 내에서 결의대회를 진행했다. 이날 정비지회 문기주 지회장, 김봉민 부지회장, 최현 사무장 임원 전원이 삭발식을 진행하기도 했다. 문기주 지회장은 "앞으로 정리해고 투쟁에서 정비지회가 선봉에서 투쟁할 것"을 천명하고 "사측의 공세에 흔들림 없이 하나 된 투쟁을 전개하자"고 조합원들에게 당부했다. 또 서울서비스센터 1직 옆에 확대간부와 조합원들이 농성 천막을 설치하기도 했다.

대규모 정리해고가 현실로 다가오면서 정비지회에서는 투쟁 자금을 확보하기 위해 노력하기도 했다. 4월 22일 서울서비스센터 지하

정비지회 조합원 결의대회(2009.4.8)

교육장에서 속개된 정비지회 임시대의원대회에서는 투쟁기금 갹출 건이 통과되었다. 이 안건은 1차 투쟁기금으로 정비지회 조합원들이 각 30만 원씩 갹출, 2차 투쟁기금(해고자 복직투쟁 기금)은 향후 해고자 발생시 최소 생계비라도 지원하기 위한 것으로 향후 정확한 금액을 정하기로 한 것이다. 지회는 쟁의기금 1,700만 원과 복지기금 1억 5,000만 원이 다 소진된 이후 이 투쟁기금을 사용하기로 하였다. 이 같은 결의가 지켜져 정비지회 조합원들은 30만 원씩을 갹출했는데 이는 지난 2001년 알브이(RV) 투쟁 당시에도 20만 원씩을 내 모범적인 투쟁을 전개했던 과거 경험이 있었기에 가능했던 것이다.

이후 정비지회는 5월 22일 옥쇄파업에 200여 명이 넘는 인원이 참가했다.

전면총파업 선언과 옥쇄파업 돌입

이제 사측의 정리해고 강행에 맞서 쌍용자동차지부가 가진 유일한 무기는 조합원들의 결의와 지부 집행부의 결단으로 전면 총파업, 옥쇄파업에 돌입해 "함께 살기 위해 죽음을 각오한 투쟁"을 벌이는 것뿐이었다. 그동안 수많은 교육과 천막농성, 선전전, 촛불문화제, 상경투쟁과 결의대회 등을 거치며 조합원들의 의지와 투쟁 결의는 고조되었다. 또 채권단 1차 관계인 회의가 5월 22일 서울중앙지법에서 열릴 예정인 상황이기도 했다. 사측은 조합원들을 상대로 정리해고 명단을 흘리며 희망퇴직 하라고 회유했고 분사로 압박해 분열시키고 있었으며 희망퇴직 마감 일자를 연장해 혼란을 야기했다. 5월 18일 희망퇴직 마감을 앞두고 조합원 중 많은 수가 희망퇴직을 신청한 것으로 알려졌고 사측은 5월 25일까지 희망퇴직 기간을 연장했다. 더 이상 지체할 여유가 없었다.

마침내 쌍용자동차지부는 5월 22일부로 무기한 전면 총파업에 돌입할 것을 선언했다. 지부는 5월 21일 오전 11시 평택공장 식당에서 전 조합원 긴급 결의대회를 개최했다. 쌍용자동차지부는 △전 조합원은 회사의 2차 희망퇴직에 대한 어떤 유언비어에도 현혹되지 말고 퇴근과 즉시 회사관리자와 모든 접촉을 차단한다, △쌍용자동차지부는 5월 22일부로 무기한 전면 총파업에 돌입한다, △전 조합원은 장기전에 대비한 모든 농성 물품을 준비하여 5월 22일 오후 1시까지 평택공장으로 집결한다, △지침에 따르지 않는 조합원의 처리방안은 22일 전 조합원의 집결 장소에서 총의를 모은다고 밝혔다. 한상균 지부장은 이날 집회에서 "내 진심은 쌍용차 정리해고 철회뿐"이라고 조합원들 앞에서 다시금 확인하고 "단결 투쟁하면 반드시 승리할 것"이라고 약속했다.

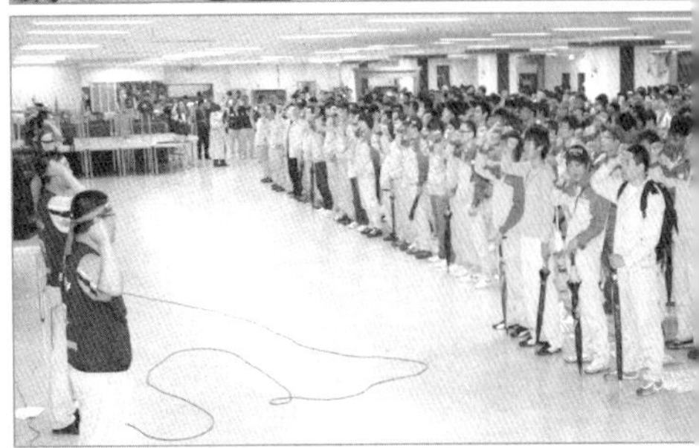

전 조합원 결의대회(2009.5.21)

쌍용자동차지부가 파업에 돌입하는 가장 적절한 순간이 언제냐 하는 문제에 대해서는 조합원들이나 활동가들이 모두 같은 생각을 가지고 있지는 않았다. 그러나 사측의 방해책동이 거세지고 해고자와 비해고자가 갈리기 전이라면 파업 대오가 더 많아지지 않았을까. 그랬다면 사측이 조장하는 노노갈등도 무시하고 노동자의 단결된 힘으로 간단히 물리치고 나아갈 수 있지 않았을까. 빨리 들어가야 한다는 활동가들 중 일부의 종용에도 불구하고 5월 22일로 예정되어 있던 1차 관계인집회까지 옥쇄파업이 이어지지 못할 수도 있다는 우려도 있었다고 한다.

> 제가 잡은 거는 마지노선이 5월 19일이었어요. 5월 19일. 시기적으로 마지막 저항선이라서 여기서 더 놓치면 안 된다. 주말에 토요일이 끼면 안 된다. 그래서 19일날 그냥 해야 된다. 5월 18일날 얘들이 희망퇴직 연장 공고한다고 막 그랬었어요. 현장에서… 그랬는데 이때 이제 3일이 연기된 거죠. 5월 22일날 들어가게 됐던 거죠. (구술자 M)

정부는 쌍용자동차 정리해고 사태에 수수방관했다. 상하이차는 제 나라 중국으로 기술을 빼돌리고 경영을 파탄시킨 채 법정관리를 신청했다. 상하이차에 굴종하고 협조하며 이 모든 사태를 초래한 사측 경영진은 법정관리인이 되어 나타나 희망퇴직을 협박하면서 조합원들을 분열시키고 노동자 탄압에 나섰다. 쌍용자동차지부가 파업을 선언하자 사측 법정관리인은 직장폐쇄까지 언급하며 정리해고 강행 방침을 내비쳤다. 이제 쌍용자동차 노동자들이 믿을 수 있는 것은 조합원들 스스로의 결단과 지혜, 힘과 단결뿐이었다. 조합원들은 결의대회를 마치고 집으로 돌아갔다. 쌍용자동차지부에서도 다음날 조합원들이 얼마나 들어올지 가늠할 수 없었다. 모든 일은 하룻밤 뒤, 옥쇄파업에 돌입하는 22일에 결정될 터였다. 지부 집행부는 사측이 도장공장을 봉쇄할 것을 염려해 21일 밤 농성을 하며 도장공장을 지켰다.

> 투쟁 동력이요? 5월 22일 날 총파업 돌입한 거잖아요. 옥

쇄파업을. 근데 그전에 회사가 뭐라 했냐면은 5월 중순부터 해고자들을 흘렸어요. 소위 산 자, 죽은 자를 구분해서 그 명단이 있다! 그걸 계속 흘렸어요. 흘려서, 수구세력들은 자기 조직들 내에 어떻게 알아 봤는지 모르겠는데 알아봐서 너는 해고 대상자라고 예를 들어 명단이 있다. 어떻게 알아 봤는지 모르지만, 알아봐서 넌 해고 대상자니까 희망퇴직서를 내라! 이런 식으로… 그래서 현장이 굉장히 혼란스러웠어요. (구술자 M)

반신반의 했죠. 조직돼야 된다고, 필히 되어야 된다고는 생각을 했지만 과연 몇 분이나 이걸 같이 할 것이냐, 그리고 또 얼마나 오랫동안 버텨낼 것이냐. 그런 문제들에서 조금 고민이 됐었죠. (구술자 A)

관리자들은 집집마다 전화를 해 다시금 조합원들에게 희망퇴직을 강요하고 파업에 참여하지 말라고 종용했다. 파업전야, 사측의 방해책동은 극성을 부렸다. 평택공장에는 전운이 감돌았고 이튿날까지 평택의 밤은 잠들지 못하고 뒤척였다.

가족대책위의 구성과 활동

가대위 결성 이전의 가족들의 고통

쌍용자동차 경영 위기와 상하이차 자본의 철수가 신문 지면과 공중파 채널을 통해 알려지기 시작했다. 가족들은 불안할 수밖에 없었다. 더구나 2008년 12월 들어서면서 각종 복지가 끊기고 임금이 체불되자 걱정은 더욱 커졌다.

사실 걱정은 그 이전부터 있어 왔다. 쌍용자동차가 상하이차에 넘어간 이후 일거리는 줄어들었고 잔업과 특근도 줄어들었다. 자동차 업종의 임금체계는 각종 수당의 비율이 크기 때문에 자연히 수입도 줄어들었다. 가계를 꾸려나가기가 빠듯해졌다. 이렇게 심상치 않다고 느끼던 차에 회사의 경영 위기가 뉴스를 채우기 시작한 것이다.

쌍용차 조합원 가족들이 꾸려가는 가계는 점차 위기 상황과 직면해야 했다. 월급이 들어오지 않으니 씀씀이를 줄여야 했고 빚을 얻어와야 했다. 회사의 무책임한 경영 파탄이 노동자 가족들의 삶을 벼랑 끝으로 밀어붙이고 있었다.

> 저희 같은 경우는 일단은 월급 체불되면서 음, 보험 하나 깨고 적금, 아 그거 적금이 아니고, 청약통장, 집 마련하는, 그거 하나 깨고 그렇게 살았구요. 그리구 애들 학원하고 학습지 하고 있었는데 그것도 다, 다 끊어 버리고. 유치원도 둘이 보내, 같이 보낼 때 정부지원금을 빼고 15만 원이 더 들거든요. 그것도 이제 안 받는 곳으로 알아보고, 돈을 한 푼도 안 들일 수 있는 곳으로 바꿨어요, 유치원도. 그렇게 또 그리고 6백 정도 대출을 받았었구요. …(중략)… 그 다음에 나머지 분들도 그 대출이 이율이 싼 이유로 많이들 했어요. 그때 가대위 같이 했던 분들 중에 저 말고도, 여러 명이 그 대출을 신청을 해서 다 그거를 받아서 생활을 했구요. 뭐 다 마찬가지더라구요. 애들 학원, 학습지는 당연히 제 1순위로 끊는 거고. 뭐 좀 보고 보험 여러 가지 있으면 좀 그 중에 필요 없는 거 조금 조금 깨도 아쉽지 않는 거 하나씩 깬 거 같고. 다 저처럼 대출받고 이렇게 생활하더라구요. (구술자 E)

은행에서 마이너스 대출이나, 쌍용차 직원이니까 신용대출로 해서 쌍용차를 보고 신용대출을 해주고. 아니면 주택담보 대출이나. 집 잡혀서 하시고. 그것도 여력이 안 되면 내 집 갖고 있던 거 전세로 옮기시고. 전세 큰 거, 작은 걸로 줄여가고 이런 상황이 되었죠. 그래서 안 되면 남편들 아르바이트 뛸 때 똑같이 부인들도 아르바이트 뛰고 그렇게들 생활하고 아이들 학원부터 당장 끊는 거죠. 돈이 들어가는 거니까, 학원 끊고. 그렇게 생활하죠. 뭐 먹는 거 줄이고 입는 거 줄이고. (구술자 N)

이렇게 살림살이를 꾸려가는 게 어려워지자 한편에서는 불안감이 커져갔지만 다른 한편으로는 지금까지 쌍용자동차가 반복되는 경영위기 속에서 그래도 살아남지 않았던가 생각하며 스스로를 위로하는 마음도 있었다. 이렇게 큰 회사가 어떻게 되지는 않겠지, 지금까지 그래왔던 것처럼 매각되거나 투자를 유치해서 해결되지 않을까, 설령 어떻게 된다 한들 사측이 고용유지 약속은 노조와 여러 차례 했으니 어떻게 되지는 않겠지, 게다가 우리 가족이 정리해고 되지는 않겠지 하면서 불안감을 달랬다.

하지만 분위기는 예상했던 것보다 더욱 심했다. 퇴근하고 돌아온 조합원들의 표정이나 전해오는 이야기를 들어보면 분위기가 예사롭지 않았다. 넋 놓고 앉아 있을 수 없었다. 쌍용자동차 조합원 가족들은 비전동, 세교동, 송탄 서정리, 이충동 등 아파트단지에 밀집해서 살기 때문에 서로 이웃한 가족들이 또 다 같은 조합원이었다. 그래서 회사 상황과 관련해 서로가 알고 있는 정보를 공유하고 이야기를 나눴다.

불안감은 커져 갔지만 딱히 가족들이 나서서 할 수 있는 일도 없는 듯 보였다. 아직 회사가 어떻게 된다는 것도 아니었고 정리해고 명단이 발표된 것도 아니었다. 그러나 한편으로는 불안감 때문에라도 집 안에 가만히 앉아 있을 수만도 없었다. 신문과 방송, 인터넷을 통해 흘러 다니는 정보에 귀를 쫑긋했다. 그러다가 한두 명씩 쌍용자동차 지부에서 여는 촛불문화제에 아이들의 손을 잡고 나오기 시작했고, 이미 가족들끼리는 서로 얼굴도 익히고 친숙해져 가고 있었다.

> 제일 먼저 평택역에 모이는 것에서부터 시작했죠. 평택역에 매주 수요일마다 사람들이 모여서 "쌍용이 지금 법정관리에 들어가고 뭐 상황이 이렇다. 상하이차가, 상하이차에 인수가 되면서 회사가 이렇게 불안해졌고…" 뭐 하여튼 이런 그동안에 있었던 이야기를 평택시민들한테 알린다 하더라구요 남편이. 저도 그때부터 한 번씩 한 번씩 나가봤는데 나가면 저 이외에도 조합원 아내들이 이렇게 나오더라구요. 그래서 그때 얼굴을 보고 인사를 하고 같이 이제 공유를 했죠. 같이 공유하게 되면서 아, 이 문제가 되게 크구나. 이게 그냥 정말 우리가 정말 집에서 별 일 있겠어 하고 지나갈 문제가 아니구나. 정말 이거 남편들이 아무 잘못한 거 없이 이렇게 잘, 짤리게 우리가 수수방관하고 있었으면 절대 안 되겠구나. 같이 뭐라도 해야겠다라는 생각들이 조금씩 커진 거죠. (구술자 N)

쌍용자동차지부 가족대책위원회의 결성

쌍용자동차지부는 4월 25일 오전, 평택 남부 문예회관 소강당에서 '쌍용차 가족 설명회'를 개최했다. 쌍용자동차지부는 "가족과 아내들이 제대로 상황을 알고 올바르게 대처할 수 있기 위해" 설명회를 개최한다고 밝혔다. 이날 쌍용차 가족 설명회에는 34명의 가족들이 모였고 2001년 대우자동차 정리해고 반대투쟁 당시의 영상을 함께 보았다. 가족들은 충격을 받았다. 설명회장에서 가족들은 눈물을 흘렸다.

아빠! 힘내세요.

이후 쌍용자동차지부에서는 가족들이 투쟁에 참여할 수 있는 기회를 많이 만들었다. 5월 5일 어린이날에는 진위천 유원지와 평택시청 광장에서 글짓기대회, 4행시 짓기, 그림 그리기, 다트 던지기 등의 행사가 열렸다. 5월 6일에는 가족대책위 구성을 위한 지역별 모임도 열렸다. 평택 시내 지역, 이충동 및 장당동, 세교동으로 나누어 가족대책위 준비회의를 진행했다. 또 인터넷 카페를 개설해 직접 참여하기 어려운 가족의 참여를 이끌어내려 하기도 했다.

어린이날 행사(2009.5.5)

이러한 가운데 5월 8일 사측은 정리해고 신청을 했다. 가족들도 빠르게 움직여야 했다. 가족대책위원회는 5월 9일 쌍용자동차지부 사무실에서 결성되었다. 가대위 결성에는 40여 명의 가족이 참석했고 1998년 현대자동차 고용안정투쟁 당시 가대위 의장이었던 조이영자 씨도 참석해 격려했고 경험을 들려줬다. 가대위 의장은 송탄지역 가대위 대표이기도 한 이정아 씨가 맡았고 함께 일할 운영진도 선임되었다. 운영진은 평택 지역 내 각 동별로 선출했다.

가대위는 5월 11일 평택시청 앞 광장에서 30여 명이 모인 가운데 '쌍용차 정리해고 반대 기자회견'을 열었다. 이날 가족들은 눈물을 흘리며 "쌍용차의 위기가 잘 해결되겠지 하고 기다렸지만, 결국 어버이날에 정리해고 계획안이 제출돼 무척 놀랐고, 두려웠다"고 밝히고 "기본 생활조차 힘든 지경으로 내몰린 지 5개월이 넘었다"며 그간 힘들었던 심경을 토로했다. 이튿날인 5월 12일에는 쌍용자동차 정문 앞에 천막을 설치하고 투쟁의 의지를 모아냈다. 천막에는 '아빠 힘내세요 울 남편 짱'이라고 가족들이 직접 쓰고 자녀들이 그림을 그린 노란 플래카드를 걸었다.

평택을 제외한 다른 지역은 가대위가 별도로 조직되어 있지는 않았다. 창원과 정비지회 가족들은 주말마다 평택에서 열리는 집회에 참여하는 수준으로 결합했다. 그러다가 6월 중순이 되면서 경남 창원과 서울 구로 정비지회에서도 가대위가 조직되고 지역 선전전과 지역 내 여론화 작업을 주도적으로 맡아 활동하게 된다. 창원지회 가대위는 6월 14일 창원 상남동 민주공무원노조 사무실에서 모임을 가지고 결성되었고 권영희 씨가 대표를 맡았다. 정비지회 가대위는 6월 15일 역곡에서 첫모임을 갖고 6월 18일 발족식을 가졌으며 서희 씨가 대표를 맡았다.

가대위는 조합원들과 함께 투쟁했다.

5월 22일, 쌍용자동차지부가 옥쇄파업에 돌입한 이후 가대위는 노동조합 지부 집행부가 평택공장을 주된 근거지로 두고 활동하게 되자 청와대, 한나라당사, 종교계 할 것 없이 모든 곳에 쌍용자동차 정리해고를 중단하라는 요구를 전한다. 가대위가 없었던 쌍용자동차 투쟁은 떠올리지 못할 정도로 가대위는 열성적으로, 그리고 진심을 가지고 모든 활동에 임했다. 그래서 가대위가 절박한 심정으로 "함께 살자!"고 시민들에게 호소할 때, 그리고 사측의 폭력적인 용역과 구사대에 주눅 들지 않고 장미꽃 한 송이와 눈물로 맞설 때 이들의 헌신성에 언론도 움직였고, 여론 또한 우호적으로 이끌 수 있었다. 이러한 가대위의 활동은 파업투쟁이 종료될 때까지 지속적으로 펼쳐졌고 가대위는 쌍용차투쟁에서 또 하나의 중요한 주체였다.

3장

총파업 – 해고는 살인이다

- 공장의 주인은 노동자다
- 공장 사수
- 경찰 침탈과 이에 맞선 투쟁

공장의 주인은 노동자다

총파업 깃발

옥쇄파업

5월 22일 오후 1시 조합원들은 짐을 챙겨 옥쇄파업에 참여하기 위해 공장으로 모였다. 옷가지, 밑반찬, 개인 약, 생필품을 싸들고 한 달 정도 걸릴 것 같다고 일러두고 집을 나섰다. 조합원들은 희망퇴직을 할 것인지 노조를 믿고 싸움을 할 것인지 함께 일하던 동료와 상의도 하고, 부인의 의사를 묻기도 했다. 고민 끝에 농성에 참여하기로 결심을 하고 나선 길이었으나 공장에 발을 들여놓기는 쉽지 않았다.

5월 22일 싸움이 시작되었다.

옥쇄파업 하면, 저번에도 했기 때문에 대충 꾸릴 건 알아요. 딱 꾸려놓고 있는데, 괜히 들어가기 싫은 거예요. 또 누구한테 이걸 물어봐야 되나! 조합 간부 아는 사람한테 전화를 해봐가지고 사람들 많이 좀 들어가느냐! 좀 알아보려는 생각도 있었고, 그리고 또 부식을 또 갖고 들어가야 되니까. 그러니까 마트에서 이것저것 먹을 거 이렇게 좀 사다 보니까 늦게 두시 반 정도에 들어갔어요. 와이프하고 애들도 이제 장시간 못 볼 수도 있으니까. 저는 가족 얼굴을 조금 더 보고 들어가려고 그랬죠. 생각을 많이 했는데도 정문 들어설 때 이거 들어가야 되나! 말아야 되나! 순간, 갈등을 해가지고 담배 한 대를 딱 피웠어요. 순간! 아~ 들어가야 되나! 말아야 되나! 근데 그 순간에 이건 누구, 남을 위해서 가는 게 아니고 내 자신이 내가 불합리하다고 생각을 하기 때문에 난 들어가야 되겠다는 판단을 하고 들어간 거죠. (구술자 C)

첫날은 좀 생각을 했죠. 들어갈까 말까 생각도 하고 또 가장이잖아요. 제가 처자식도 있고 그러니까 일단 와이프랑도 얘기를 해보고 그리고 친한 친구도 있거든요. 진짜 어렸을 때 죽마고우. 걔랑도 얘기 해보고 같이 들어간 거죠. (구술자 K)

공장 안. 결의대회에 앞서 노조는 미리 준비한 컨테이너 4개를 2층으로 쌓아 정문을 막았고 평택공장의 전 출입구를 자물쇠로 잠갔다. 컨테이너 박스에는 스프레이로 글씨를 썼다. "여보 사랑해", "해고 1순위 매각당사자"

지부는 22일 금속노조와 함께 '정리해고 분쇄, 구조조정 저지, 총고용 보장, 경제위기 극복을 위한 금속노조 5대요구안 쟁취' 등을 내

걸고 3,000여 명이 모여 평택공장에서 결의대회를 열었다. 첫날 조합원 700여 명이 옥쇄파업에 참여했다.

지부는 "상하이 먹튀 자본과 정부의 해외매각 정책의 파탄에 의해 망했음에도 엉뚱하게 노동자만 때려잡는 잘못된 처방에 맞서 결사항전을 선언하고 전면파업에 돌입"했다. 한상균 지부장은 "비상식적이고 폭력적인 행위들에 굴하지 않고 모든 수단과 방법을 동원하여 공장사수와 고용사수를 위한 투쟁을 전개할 것"이라며 지도부로서의 결의를 밝혔고 "묵묵히 일만 했던 노동자들의 분노가 어디까지 불타오르는지 똑똑히 보여주겠다"고 했다. 조합원들은 힘차게 구호를 외쳤다.

투쟁을 위한 바리케이드

일자리는 생명이다! 정리해고 박살내자!
정리해고 분쇄 투쟁! 결사 투쟁!
원하청 단결투쟁! 정리해고 박살내자!
정리해고 분쇄 투쟁! 결사 투쟁!

21일 집행부는 전면총파업을 선언하고, 다음날 옥쇄파업에 돌입했지만 몇 명이나 참여할지 그 수를 가늠하기 힘들었다. 집행 간부들은 400명 정도 모일 것이라 예상하기도 했다. 그런데 예상 외로 많은 조합원들이 공장으로 들어왔다.

지부 조사에 따르면 2009년 4월 24일 현재 조합원 수는 5,150명이었다. 남성이 5,120명, 여성이 30명이다. 이 중 농성 첫날 저녁 인원을 파악한 바로는 대략 1,038명가량이 모였다. 창원 160명, 정비 200명, 조립3팀 107명, 조립4팀 120명, 도장 102명, 조립1팀과 지원관리 합하여 120명, 연구소 60명, 프레스 치공구 등 150명, 비정규지회 19명 등이었다. 주말 지나고 파악한 바로는 파업대오가 1,500여 명까지 늘어났다. 이 중에 정리해고 비대상자 100여 명이 함께했다.

살고 싶어서

조합원들이 옥쇄파업에 참여한 이유는 여러 가지가 있지만 그 중에 정리해고 대상자였던 조합원들은 쉬지 않고 일해 왔는데 한순간에 해고된 것에 대한 분노, 항상 가족이라고 얘기하던 회사가 서류 하나로 해고해 버린 것에 대한 배신감, 기준 없이 잘린 것에 대한 억울함 때문에 투쟁에 결합했다.

가장 절박한 이유는 "가족들의 생계를 위해 살고 싶어서" 참여한 것이다. 조합원들은 회사를 법정관리까지 가게 만든 장본인들은 따로 있는데 노동자만 자르는 부당함에 대해 그냥 넘어갈 수 없었다. 이를 깨고 함께 살아야 한다는 생각에 정리해고 비대상자도 파업에 참여했다. 함께 살기 위해서는 경영상황이 좋아져야 하는데 "현 쌍용차 경영상황을 볼 때 정부의 지원 없이 생존이 불투명 하다

살고 싶어서 투쟁을 시작했다.(2009.5.22)

고 판단해 쌍용차를 살리기 위해" 파업에 참여한 조합원도 있었다.

지부는 함께 살기 위한 안들을 제안했으나 회사는 이를 받아들이지 않았고, 중앙노동위원회 결정마저도 무시한 채 교섭에 응하지 않았다. 사측의 이러한 태도는 그동안 노동조합 활동에 소극적이었던 조합원조차 납득하기 어려운 것이었다. 조합원들은 한솥밥 먹으며 일해 온 동료들과 다시 회사에 다녀야 한다는 생각에 옥쇄파업에 참여했다. "15년 동안 못한 투쟁해서 이번 기회에 모범을 보이려고 합니다."

이곳에서 30년 가까이 일해 왔다. 군대 가기 전부터 일했으니. 그런데 내가 특별히 고과에서 떨어지는 것도 없고, 연월차도 1년에 잘해봐야 2개 정도 썼던 것 같은데 내가 대상자라고 하더라. 그래서 왜 대상자에 포함되었냐고 물었더니 총각이라는 이유 때문이라고 했다. 참으로 억울했다. 이런 게 무슨 기준이냐? (분임토론)

명단도 좀 들쭉날쭉이다. 우리 쪽에서는 애초에 명단에 없었던 관리자들 15명이 희망퇴직을 쓰고 나갔다. 그런데 애초에 공장들이 올린 명단을 기초로 회사에서는 순번으로 일렬 종대로 쭈~욱 세웠던 모양이다. 그런데 그 명단에 없는 사람들이 나가다 보니까 커트라인이 조금씩 올라갔던 것 같다. 그러다보니 우리 쪽 동생들 중에 애초에 대상자라고 말을 들었던 애들 2명이 회사에서 "너는 명단에서 빠졌다"고 연락을 받았다더라. 대상자 아닌 사람이 나가다보니 커트라인에 걸려있던 친구들이 구제를 받기 시작한 것이다. 그러다가 결국 그 동생들 2명은 이곳을 떠나갔다. (분임토론)

부서에 36명이 있잖아요. 진짜 짤려야 될 사람들은 하나도 안 짤린거구, 안 짤려야 될 사람들이 한 50%정도. 60%정도 짤린 거예요. 그러니까 저도 뭐 억울하지만 안타깝다는 생각이 엄청, 진짜! 그 사람들은 오직 회사, 집 밖에 모르는 사람들인데 잠을 못 자시더라구. 저보다 좀 나이가 많으시거든요. 그래서 뭐 위로 해주고 그랬죠. 현장 제조직이 많잖아요. 우리 부서 같은 경우는 대의원조직, 또 공장하고 친척들, 그런 애들이 있어요. 그런 애들은 배드민턴 같은 거 치거든요. 싸워갖고 산재, 공상 같은 것도 많이 나가고 치지 말라고 그러는데도 치고 그런. 걔네들은 또 말도 많고. 그런 애들이 안 짤리고, 말없이 일했던 사람들이. 저는 일단 빼놓고 저도 뭐 할 말은 하고 사는 사람이라 저는 빼놓고. 그 사람들이 몇 몇 사람이 좀 억울한 거지. 그런 분은 산재, 공상 한 번도 안 냈고 오직 만근, 거의 뭐 만근이고 그런 거죠. (구술자 K)

옥쇄파업에 참석을 했을 때, 저 개인적인 생각은 이 파업이 분명히 승리 할 거라 생각을 했구요. 회사 경영상의 잘못으로 인해서 회사가 어려워졌는데도 불구하고 그 잘못을 전부 조합원들한테 전가시키는 건 분명히 잘못됐고, 억울한 부분이 많다. 그러고 정리해고 선정기준도 보면 정말 현장에서 묵묵히 열심히 일한 조합원들도 여기에 너무나 많은 조합원들도 포함이 되어 있는 부분. 선정, 정리해고 선정기준이 너무나 잘못됐다. 그래서 그런 부분에 있어서 너무나 화가 났었고. 처음 투쟁했을 때 조합원들 인원도 꽤 많았었고 그래서 그 당시 이렇게 열심히 투쟁하다 보면 분명히 좋은 성과가 있을 거다, 그렇게 확신이 있었습니다. 더군다나 저는 조합 간부고 그렇기 때문에 조합원들 이끌어야 될 상황이고 그래서 더 열심히 투쟁하면 좋은 결과 있

을 거라고 그렇게 예상을 하고 그 당시는 그렇게 열심히 투쟁을 했었죠. (구술자 O)

가족들의 응원과 동참은 조합원들에게 가장 큰 힘이었다. 희망퇴직 위로금 1,700만 원을 투자 잘못해서 날린 것으로 생각하자고 이야기하고 투쟁에 참여한 조합원도 있었다. 아내가 가방을 싸서 던지는 바람에 조금 늦게나마 옥쇄파업에 결합했다고 촛불집회 때 고백한 조합원도 있었다.

아빠의 공장은 아이들의 놀이터가 되었다.

가대위도 농성 천막으로 모였다. 아이들은 근처 화장실에서 세수를 하고 잠잘 준비를 했다. 한 조합원의 아내는 "정리해고만 막을 수 있다면 뭐든 참을 수 있어요. 여기서 무너지면 내가 살 수 있을까 싶은 생각이 들어요"라며 절박한 심정을 이야기했다.

금속노조도 투쟁에 함께했다. 금속노조는 5월 22일 확대간부 파업을 마친 후 쌍용자동차지부 파업 선포에 힘을 실어주기 위해 쌍용자동차에서 집중 결의대회를 배치하였고, 중앙집행위원회를 열어 "6월 3일 확대간부 파업 및 서울 집중집회, 6월 10일 2시간 파업, 공권력 투입 시 전면 총파업"을 결의했다. 민주노총은 쌍용과 대우 등을 묶어 자동차산업 전반의 구조조정에 대응하기 위한 범대위를 구성하였으며 화물연대 박종태 열사 투쟁, 건설, 용산참사 등 현안투쟁과 연결시켜 6월 투쟁을 준비하고 있었다.

한편, 지부가 옥쇄파업에 들어간 날 서울지방법원에서 1차 관계인 집회가 열렸다. 법원은 9월 15일까지 회생계획안 제출 명령을 내렸다. 관계인집회에는 산업은행, 채권단들이 400명이 넘게 참석했다. 상하이차도 참석했다. 채권자들은 상하이차에 대한 대주주 책임문제를 분명히 해야 한다고 제기했다. 그러나 1차 관계인집회 조사보고서에는 상하이차에 부실경영 책임을 물을 수 없다고 했다. 이날 가대위는 관계인집회가 열리는 장소에서 정리해고 철회를 호소하다가 쫓겨났다.

나를 믿고 동지를 믿고

회유와 협박

사측은 희망퇴직 신청 마감일을 5월 18일에서 25일로 연기하면서 파업대오 내부를 흔들었다. 5월 20일까지 희망퇴직을 쓴 조합원은 659명이었다. 관리자들은 회사 시설을 유지한다는 이유로 파업중인 공장으로 출퇴근을 했다. 그러면서 조합원을 만나 나가자고 회유하거나, 유언비어를 퍼뜨리기도 했다. 지부는 5월 26일 관리자를 회사 밖으로 몰아내면서 투쟁대오를 견고히 했다. 곳곳에 지게차 등으로 바리케이드를 치고 공장을 요새화 했다. 이후에도 팀장들은 밖에서 농성중인 조합원들에게 전화를 해 나오라고 했다. “정리해고 명단에서 빼주겠다”, “이번이 마지막 기회다.”

5월 27일 사측은 공도연수원에서 인사위원회를 열어 정리해고 명단을 확정하고 법원에 제출했다.

이날 파업중인 조합원들에게 슬픈 소식이 전해졌다. 신경성 스트레스로 인한 뇌출혈로 23일 쓰러진 엄인섭 조합원이 끝내 사망했다. 그는 41세의 젊은 나이였다. 유가족의 말에 의하면 그는 정리해고를 빌미로 한 회사의 회유, 협박과 임금체불에 따른 생활고로 심한 정신적 고통을 호소해왔다. 파업중인 조합원들은 "해고는 살인이다"는 외침이 현실로 드러나자 비통함과 분노를 느꼈다. 이 분노는 투쟁 의지를 더욱 강하게 만들었다.

다음날에는 옥쇄파업 중인 조합원들에게 "인사위원회 및 손배소 준비완료 노조강경에 따른 피해 최소화 위해 냉정한 판단 부탁드림" 이라는 문자가 '팀장' 명의로 발송되었다. 손배가압류는 실제 집행한 사례는 없으나 그 협박만으로도 노조, 조합간부 뿐만 아니라 평조합원 등에게 심리적 압박을 주어 파업대오를 분열시키는 데 좋은 도구로 이용되어 왔다. 사측은 개별 문자를 보내 조합원들에게 불안감을 주려 했다.

5월 31일 오전 쌍용자동차는 중앙노동위원회와 경인지방노동청, 평택시 등에 평택공장에 대한 직장폐쇄를 신고했다.

노란봉투

6월 2일 정리해고자 1,056명에게 해고통지서가 우편 발송되었다. 사측은 휴일을 낀 6월 8일에 통보할 예정이라고 언론을 통해 흘리다가 조합원들이 희망퇴직 모집, 손배가압류 협박, 직장

폐쇄에도 흔들리지 않자 그 일정을 앞당긴 것이다. 아울러 회사는 6월 5일까지 희망퇴직을 재접수하겠다고 발표했다.

대부분의 조합원은 해고 통보를 받을 것이라 예상했고, 해고 통보와 관계없이 투쟁하겠다고 결심을 했지만, 막상 우편물이 집으로 배달되니 마음이 편치 않았다. 정리해고 비대상자로 옥쇄파업에 결합해 결국 해고된 조합원들도 동료들과 같은 처지로 투쟁하게 되었다며 담담하게 술잔을 기울였다. 조합원들의 당시 심경을 들어보자.

> 겉으로는 웃죠. 겉으로는 웃는데 속으로는 기분 엄청 다운되고 나쁘죠. 서로 그런 얘기는 안 하고 그냥, 받았어? 우편 받았어? 조합에서 지침이 거부! 수취거부! 저는 거부를 시켰기 때문에, 그리고 명단 그 전에 다 알기 때문에 의미는 없는데 '아~ 정말 왔구나!' 라고 자조감이 엄청 많이 들었죠. 거의 저희랑 같이 지냈던 동지들은 다 그런 생각을 했죠. (구술자 K)

> 어차피 받을 줄 알고 있었으니까. 나같은 놈들은 주변 사람들이 축하해주러 왔던데. 노란봉투 안 받을 줄 알았는데 받았다고. 치킨 두어 마리하고 소주 갖고 왔더라고 축하파티 해야 된다고. 똑같이 해고자가 됐으니까. 분위기가 괜찮았어요. 해고자가 돼도 별로 신경 안 썼거든요. (구술자 J)

지부는 6월 2일 쟁대위 투쟁지침 6호를 통해 "△정리해고 통보를 단호히 거부하고 투쟁대오를 사수하라! △해고통지서가 집으로 도착하면 우편물 수취를 거부한다! 만약 이웃집, 경비실, 우체통 등을 통해 접수 시 통지서를 지도부로 제출하라! 통지서는 6월 6일(토)까지 취합하여 집단적으로 소각할 것이다. △조합원에 대한 손배가압류,

고소고발, 징계해고 등에 대한 협박은 사측이 투쟁대오를 파괴하기 위한 분열책동임을 명심하고, 투쟁의 대오를 굳건히 유지하라!"는 지침을 내렸다.

정리해고 명단 통보 후 해고되지 않은 조합원이 공장을 나가기도 하고, 대상이 아니라고 생각했는데 명단 통보를 받은 조합원이 다시 결합하기도 하는 등 파업대오에 약간의 변동이 있었다. 그러나 파업대오는 950명에서 1,000명 정도로 여전히 굳건했다.

정리해고 통보 바로 직전 분임토론에서 나온 이야기들을 보면 조합원들의 투쟁 결의는 이미 정리해고 여부와 상관없는 것임을 알 수 있다.

- 부인이 혼자 있어서 힘드니 파업대오에서 나오라는 연락이 오기도 하는데, 10여일간 생사고락을 함께한 식구들을 배반할 수 없다며 부인 요구를 뿌리치고 있다는 얘기도 하더라.
- 명단 발표되었는데 만약 자기 이름이 빠져있다면 어떻게 할 것인가 하는 질문에 개별적으로 다 의견을 들었는데, 모두가 "지금까지 이렇게 함께 왔는데 쪽팔리게 지금 와서 나갈 수 있느냐?"라는 답변을 했다.
- 조금의 이탈도 없이 끝까지 가자는 의견이 대세이다. 가끔 이탈이나 혼란 같은 얘기를 우려하는 지부장 발언이 나오는데 왜 그런 얘기를 하는지 좀 그렇다. 현장은 이미 결의되어서 가고 있다.
- 옥쇄 결의에 대해서는 이미 토론이 끝난 문제인데 왜 자꾸 강조하는지?

지부는 6월 4일 촛불 결의대회에서 명단 통보에도 흔들리지 않고 함께 싸우겠다는 결연한 의지를 확인하면서 투쟁대오를 견고히 하였다. 6월 6일에는 단결의 광장에서 3,000여 명이 참석한 가운데 '쌍용

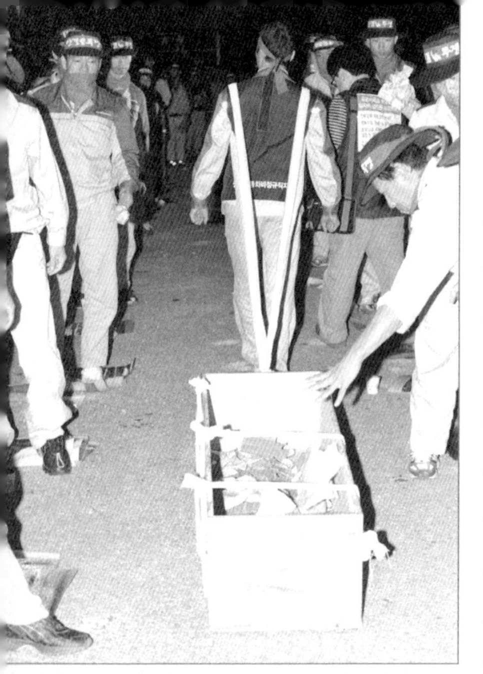

정리해고 기준은 자본이 만든 것일 뿐. 우리는 거부한다.

자동차 파업 투쟁 승리 문화제'를 열고 상징의식으로 정리해고 통지서 화형식을 했다. 한상균 지부장, 비정규지회 복기성 사무국장, 창원지회 김남수 지회장, 정비지회 문기주 지회장은 각각 나무관을 메고 대오 사이를 지나며 조합원들이 구기고 찢은 정리해고 통지서를 관속에 넣어 모두 태워버렸다. 이날 한상균 지부장은 조합원들에 대한 회유와 협박 등 노노갈등을 부추기는 사측의 행태로 인해 상처받은 조합원들을 걱정하듯 "파업투쟁 승리하고 그동안 가슴을 열지 못해 깊이 패어진 단결의 골을 우리 손으로 메우자"고 호소했다.

살아도 산 것이 아니므로

조합원들은 "정리해고 명단에 없더라도 끝까지 함께 싸우고 투쟁하겠다"는 결의를 했다. 살아남았다 하더라도 살았다고 할 수 없는 게 현실이기 때문이었다.

6월 2일부터 회사는 비해고 조합원들을 대상으로 개별동의서를 받기 시작했다. "희망퇴직으로 회사를 떠나는 직원들의 고통을 분담하는 의미에서 희망퇴직금 재원 마련"을 위해 동의서를 받는다고 했다. 기본급 동결, 상여 250%반납, 연월차수당 반납, 복지부분 중지/반납 등 금액만 환산해도 1,000만 원이 훨씬 넘는다. 또한 생산성 향상이라는 미명아래 일만 하다 골병들어 죽을 수밖에 없는 상황이 눈에 훤했다. 회사의 태도를 보면서 옥쇄파업에 참여한 조합원들은 노조를 중심으로 투쟁해서 승리하는 것만이 살 길이라 믿고 있었다.

평택경찰서는 6월 4일 지부 간부 9명에 대해 체포영장을 발부받아 검거에 나선다고 했다. 공장점거 농성과 폭력시위 등을 주도한 혐의였다. 그러나 간부들에게 그런 압박은 통하지 않았다. 사측의 회유와 협박에도 흔들림 없이 조합원들이 투쟁에 참여하고 있었고 간부들을 믿고 있었기 때문이다.

옥쇄파업 일주일이 지나면서 조합원들도 집행부에 대한 믿음이 커졌다. "처음에는 집행부가 조금 느슨한 것 아닌가 하는 생각을 가졌으나 지금은 믿음이 간다. 계획적으로 파업 프로그램이 잡혀가고 있다"고 이야기 했다.

정당한 투쟁, 반드시 승리할 것이다.(2009.6.3)

조합원들은 변변한 프로그램 없이 지내긴 했지만 2006년 옥쇄파업을 16일간 해본 경험이 있기 때문에 이번에는 한 달 정도는 투쟁을 해야 가부가 결정될 것이라 생각하고 준비를 단단히 해왔다. 조합원들은 억울함, 분노 등이 복합적으로 얽히고, 부당한 자본에 맞서 정당한 투쟁을 하고 있기에 반드시 승리한다는 확신을 갖고 있었다.

> 맨처음에 그렇게 많이 들어오지 않았는데도 불구하고 이제 차츰차츰 들어와서 그 다음주 월요일 됐는데 일요일 월요일 해서 1,500, 처음에는 1,500 가까이가 됐었어요. 그래서 "이거 우리 해볼 만하다" 우려와 그런 게 한꺼번에 날아가는 그렇게 됐었죠. 정리해고 당하신 분들이 970명 정도 남아 계셨는데 100여 명 빼고 나머지는 비해고자들이 들어왔고 해서 이제 맨처음 시작할 때 1,500정도로 해서

시삭을 한거거든요. 그 다음주 월요일 됐을 때는 싸울 만하다, 이길 수 있겠다는 그런 자신감이 생기고 했던 때죠, 그 때. (구술자 P)

제명

지부는 6월 3일 임시대의원대회를 속개하여 확대간부 중 지부 대의원 14명, 창원지회 간부 7명, 정비지회 대의원 3명 등 총 24명을 제명하였고, 6월 5일까지 내용증명서를 발송하기로 했다. 옥쇄파업에 참여했다가 도망간 이른바 '산토끼' 대의원과 간부들이었다.

대의원, 간부 제명 문제는 파업대오 내부에 별다른 이견이 없었다. 문제가 되는 것은 파업에 참여하지 않은 조합원 제명에 대한 것이다.

이미 지부는 "5월 23일 야간문화제까지 복귀하지 않는 조합원에 대해서는 제명 절차를 밟겠다"는 입장을 정하고 "구체적인 방안은 다음날 있을 대의원대회에서 논의하기로" 하였다. 지부는 이를 파업 불참 조합원에게 문자로 일괄 통보하였다. 이와 함께 집행부와 조합원들이 자발적으로 밖에 있는 조합원들에게 전화를 걸어 파업에 참여할 것을 독려했고, 그 결과 23일 야간문화제에는 1,400여 명이 참여했다. 지부는 5월 24일 대의원대회를 열어 파업불참자 처리 관련 안건을 상정해 그날 오후 5시 보고대회 때까지 참여하는 자에 한해 구제하고 그 외는 제명하는 것으로 확정하였다. 이에 따라 29일자로 제명 대상 명단을 공고했다. 조합원 제명에 대한 파업 참여 대오의 요구가 강했고 지부는 투쟁대오의 결의를 강화하기 위해 그 요구를 수용하게 된 것이다. 한 대의원은 파업대오의 힘이 약해질 것을 우려하여 조합원 제명을 신중하게 생각하자고 주장하였으나 이것이 받아들여질 분위기가 아니었다고 했다.

> 그때 분위기는 조합원이고 뭐고 자기가 죽었는데, 죽은 사람도 안 나오니. 제명을 시켜야 된다. 감정적으로 강했던 거예요. 저같은 경우엔 대대 자리에서 제명시켜야 할 사람들 많다, 그래도 그 사람들 기회를 줘야 하는 거 아니냐, 말 그대로 그 사람들 제명시키면 여기 남아 있는 사람들보다 더 많은 조합원들인데, 복수노조 만들고 그러면 어쩔거냐, 그런 여러 가지 문제점을 감안해서 해야된다. 그 얘기했는데도 조합원들이 뒤에 관람(참관)하는 조합원들이 난리였고. 그 정도로 감정적으로 쌓인 거죠. 그런데 시간이 약이더라구요. 시간이 가면서 자꾸자꾸 주변 사람들이 얘기를 하니까 그런 일도 있었구나 하게 되는 거지. 관제데모 할 때 봐요. 그 사람들 제명시키고 감정적으로 했으면 더 심했을 거 아니에요. (구술자 J)

조합원 제명 결정은 여러 가지 문제를 안고 있는 것이었다. 노조의 지침을 어긴 조합원에 대한 징계는 필요하다. 특히 단일한 대오를 형성해야 하는 파업 투쟁 불참은 그 필요성이 더 제기된다. 당시까지 희망퇴직을 한 1,200여 명은 이미 조합원 자격이 상실되고, 파업 참여자 최대 1,500여 명을 제외하면 2,200여 명이 제명 대상이었다. 문제는 소수가 다수를 제명한다는 수 문제가 아니라 이후 이들이 어떤 입장을 갖게 될 것인가였다. 사측은 끊임없이 조합원들 사이를 갈라놓을 것이다. 명단 문제만으로도 현장 분위기를 차갑게 만들었는데 조합원 자격이 박탈되는 상황으로 몬다면 정리해고 비대상자가 사측의 입장에 서서 파업대오를 패배시키기 위해 행동할 위험성이 크다는 점이다.

그런데 이미 대의원대회에서 제명 결정을 한 이상 제명을 안 할 수도 없는 일이었다. 집행부와 노조가 공식적으로 나서 대의원대회 결의를 번복한다면 지도력에 심각한 문제가 제기될 수 있다. 그렇다고 결정대로 제명을 한다면 파업대오의 고립을 자초하고 말 일이었다. 이것을 풀 수 있는 방법은 밑으로부터의 의견을 만들어가는 것뿐이었다. 지부는 분임토론 시간에 이 문제를 논의하도록 제안하였다. 이런 과정을 통해 조합원 스스로 감정들을 정리해 나갔다.

- 솔직한 말로 그들이 "미안하다" 한마디 하면 마음이 풀릴 수 있는 상태이다. 그런데 어제 이런 얘기를 들었다. 산자들끼리 모여서 야유회를 갔다고 하더라. 이런 얘기 들으면 속에 천불이 난다.
- 명단 통보 후 불참 조합원들 문제와 관련해서, 조합원들에 대해서는 받아들일 수 있지만 직·공장들만은 절대로 안 된다는 정서가 강하다.

돌아오라. 동지들이여.

- 지금 밖에 있는 조합원들, 자신이 제명된다고 생각하는 사람 한 명도 없다. 제명 결정도 그 사람을 짜르려고 했다기보다 파업 참여를 강제하기 위한 수단 아니었나 한다.
- 일부는 받아들이자는 주장도 있었고 일부는 지금 대오로도 충분하다는 주장도 있었다. 만약 잘못해서 '작전세력'이 들어올 수도 있다, 제명을 했기에 노조가 흔들리지 않는 이상 그대로 가자.
- 새로 결합하는 조합원의 서약서 받고 받자, 같이 투쟁하는 동지가 잘 챙겨주면서 내부 분열을 막고 조합의 지침을 잘 따른다면 이 투쟁 승리할 수 있다.
- 살아난 자들의 모임을 구축하여 동의서 제출을 거부하게 하고, 공장 외부에서 투쟁할 수 있는 모임을 조직해야 한다. 바로 결합시키는 것은 믿을 수가 없다. 괜히 들어와서 조직력을 갉아먹거나 사람을 빼갈 수 있다. 철저한 검증이 필요하

고, 이를 위해 공장 밖에서 투쟁할 수 있도록 해야 한다.

- 밖 대오는 소대, 분대 등을 모아서 정문 앞 천막을 치고 투쟁을 하게 하자. 이들이 연대투쟁 조직화, 언론 홍보활동 등을 맡으면 된다. 시청 도청 집회도 다니고, 우리가 촛불 할 때는 밖에서 같이 하면서 함성도 지르고 해야 한다. 그래야 우리도 마음이 풀린다.
- 참석하지 않은 조합원에 대해서는 충분한 반성과 사과가 있다면 받아들여야 한다. 하지만 이들을 다른 조합원들과 똑같이 할 수는 없으며 선봉대나 규찰대 등으로 편성시켜 스스로가 앞장서서 실천투쟁을 전개할 수 있도록 해야 한다. 다만 대대에서 제명하기로 했던 확대간부에 대해서는 분명히 처리해야 한다.

파업불참자 중 파업 참여 의사가 있는 조합원에 대한 반응은 다양했다. 늦었지만 함께할 기회를 주자는 데 대해 적극적인 반대는 적었다. 반대 의견은 '작전세력'에 대한 우려 차원이었다.

조합원들의 의견을 종합해 볼 때, 간부를 제명하는 것은 불가피하고 필요했다. 그러나 조합원 제명 문제는 다른 방침을 정할 수 있었던 것으로 보인다. 분임토론에서 제기된 대로 파업 참여 의사가 있는 조합원에 한하여 기간을 정해 소명 기회를 주고 공개적인 사과와 서약서를 쓰게 하고 끝까지 투쟁할 의사를 확인하고 공개적으로 포용하는 방법을 제시한다면 대대 제명 결정을 완화시킬 수 있는 상황이었다. 그러나 지부는 농성을 하다 나간 조합원, 뒤늦게 들어온 조합원, 아예 안 들어온 조합원 등 다양한 경우에 대해 어떻게 할 것인지 명확한 방침을 정하지 못하였고, 대대 결정은 유야무야되었다.

사측의 압박으로 인한 스트레스로 엄인섭 조합원이 사망하고, 이후 관제데모 강제동원에 시달리다가 김영훈 조합원이 사망하면서 파업대오는 미참여 조합원에 대한 미움을 잠재워 가고 있었다.

자구안 철회

정부가 나서라.(2009.6.1)

6월 1일 쌍용자동차지부는 공장 내 굴뚝농성장 밑에서 기자회견을 열고 노정교섭을 제안했다. 이미 4월 후생복지 기금 등을 담보로 한 1,000억 원 투자, 비정규직 고용안정 기금 12억 원 출연 등을 내용으로 한 자구안을 제시한 바 있는 지부는 이날 기자회견에서 실질임금의 축소까지 동반하는 인력운영방식, 무급순환휴직 등을 포함하는 새로운 '쌍용차 모델'을 만들자고 제안했다. 이른바 '쌍용차 모델'은 금속노조 담당국장의 초안에서 제안된 것으로 쌍용자동차지부 내에서는 공식 입장으로 논의한 바가 없는 것이었다. 기자회견문을 사전 검토하면서 한상균 지부장이 결정되지 않은 내용이 포함되어 있는 것을 발견하고 이를 삭제할 것을 지시했으나 그대로 기자회견문이 배포되었고, 이로 인해 기자회견을 하는 도중 혼선을 빚기도 했다.

한편, 노사 대치가 계속되자 정치권이 노사정 대화의 자리를 만들기 시작했다. 6월 5일 오전 10시부터 2시간 동안 쌍용차 평택공장 본관 5층 대회의실에서 노사정 간담회가 열렸다. 송명호 경기 평택시장, 추미애 국회 환경노동위원장, 김봉한 노동부 경인지방노동청 평택지청장, 박영태 쌍용차 공동관리인, 금속노조 쌍용자동차지부 한상균 지부장, 한일동 사무국장 등이 참석했다. 이 자리에서는 사측이 '정리해고 2년 유예'를 제안했으나 사측 내부에서 의견이 갈리면서 결국 진척 없이 끝났다.

그날 오후 3시부터 여의도 국회에서도 정장선 지식경제위원장 주제로 민주당 원혜영 의원, 홍영표 의원, 민주노동당 권영길 의원, 진보신당 조승수 의원, 조석 지식경제부 성장동력실장, 박영태 쌍용차 공동관리인, 금속노조 우병국 부위원장, 쌍용자동차지부 최기민 기획실장 등이 참석해 비공개 간담회를 가졌다. 그러나 해결점을 찾기는 어려웠다. 사측은 "인력구조조정을 해야만 한다"는 입장을 되풀이했다. 지부는 "그동안 다양한 제안을 했으나 사측은 해고 강행만을 고집한다. 강성노조가 아닌 강성회사가 문제"라고 반박했다. 국회의원들은 "공권력 투입은 안 되고 대화를 통해 풀어야"한다고 강조하며, "환노위와 지경위 논의를 통해 지속적으로 노력하자"고 했다.

이날 KBS 추적60분에서는 쌍용자동차 관련 프로그램이 방영되어 전 국민이 해외매각과 상하이 자본의 문제점을 인식하게 되었다.

정리해고 철회! 공적자금 투입! (2009.6.10)

이러한 움직임이 일자 6월 6일 회사는 기자회견을 열어, "노조는 굴뚝농성 중단, 파업 풀고 회사는 정리해고 유예하고 교섭하자"고 했다. 그러나 지부는 "언론도 사측의 강경 입장을 이해 못하자 대화하는 척 파업을 풀자고 주장, 여론을 호도하기 위한 것"이라며 회사의 제안을 일축했다. 사측은 그동안 지부가 제시했던 자구안에 대해 반드시 2,646명을 자르겠다는 강경입장을 취해왔다. 전날 열린 노사정 간담회에서도 사측은 정리해고 문제에 대해 언급도 하지 않았다. 이런 상황에서 정리해고 유예 운운하며 파업을 풀라는 것에 대해 사측의 진정성을 찾아볼 수 없으며 거짓 술수라고 판단했다.

> 6월 5일날 평택시장 주재로 노사 측에서 안을 냈어요 그래서 그 당시에 회사에서 내놨던 게 2년 유예였어요. 정리해고를 2년 유예 하겠다! 그것도 지부장은 일부 안을 받을라 했는데 회사에서 내부 의견이 조율이 안 된 거예요. 정치권들이 그렇게 할라고 했는데 그랬으면 그때 끝났을 텐데. 회사 내부에서 조율이 안 됐고 회사는 그것까지 생각을 하고 있었던 거예요. 정리해고를 2년 유예하는 것까지. (구술자 M)

노조는 6월 8일 그동안 제출했던 자구안을 모두 철회하였다. 애초 지부가 제출한 회생방안은 총고용 보장을 전제로 한 것이었다. 그런데 사측이 이미 1,700여 명을 희망퇴직시킨 이상 지부가 제안한 정상화 방안은 실질적 효력을 상실했기 때문이다. 또한 사측이 노조 무력화와 말살을 목적으로 정비부문 분사화를 밀어붙이면서 일방적인 해고를 강행하는 상황에서 지부의 제안들은 이미 의미가 없었다. 이에 지부는 다음의 세 가지 요구를 제출했다.

> 첫째, 정부는 즉각적으로 공적자금을 투입하여 공기업화하라!
> 둘째, 상하이 자본의 대주주권을 박탈하고, 51.33% 주식을 소각하라!
> 셋째, 정리해고와 분사계획을 무조건 철회하고 정규직 비정규직 총고용을 보장하라!

파업대오는 각오를 새롭게 하면서 정부가 나설 것을 요구하였다. 6 · 10 범국민대회에 140여 명이 참여하여 선전물 2만 부를 배포했다. '쌍용자동차 노동자 살리기 범국민서명'을 진행하여 8,044명이 서명하였다. 대회에 가대위 회원이 나가 발언을 하기도 했다. 집회에 참가한 조합원들은 많은 지지와 격려를 받고 힘을 받아왔다. 그리고 '해고는 살인이다'라고 쓴 손펼침막을 들고 있는 조합원들의 모습이 일간지를 장식하면서 쌍용자동차 문제를 부각시키는 데 일정한 성과를 거뒀다.

6 · 10범국민대회에서 호소하다.

살인

엄인섭 조합원 사망 이후 지부는 노동환경건강연구소, 건강권실현을 위한 보건의료단체연합과 함께 농성중인 조합원 정신건강 실태조사를 실시했다. 응답자 대부분은 30~40대 남성이 94%, 근속은 10~20년 사이가 92%였다. 조합원들은 우울증, 불안증, 스트레스, 수면장애에 시달리고 있었고, 그 원인은 경제적 고통, 불투명한 미래 때문이었다.

5월 31일 파업조합원 긴급 진료에서도 건강상태가 악화된 것으로 나타났다. 바닥에서 자기 때문에 육체적 피로감이 누적되었으며, 전체적으로 체력과 면역력이 저하된 상태였다. 고혈압이나 당뇨병 치료를 받아오던 조합원이 약 10~15% 정도 있었는데, 이들은 외부 진료를 받지 못해 혈압과 당 조절이 잘 안 되었다. 무엇보다 경제적 고통, 정리해고에 대한 불안감, 사측과 정부의 무책임함에 대한 분노 등으로 인한 스트레스가 건강을 해치고 있었다.

이러한 건강상태의 비상은 농성장에 있는 조합원에 국한된 것이 아니었다. 관제데모에 동원되었던 조합원이 죽었다. 6월 11일 김영훈 조합원은 과도한 스트레스로 인한 심근경색으로 운명을 달리했다. "불참하면 징계위원회에 회부하겠다"는 회사의 협박에 못 이겨 관제데모에 강제로 동원된 바로 다음날 새벽에 벌어진 일이다. 고 김영훈 조합원은 정비부산분회 소속으로 정리해고 명단에서 제외되었으나, 후에 분사 등으로 인한 구조조정에 놓여 있어 스트레스가 극심했다. 정비지회 간부들은 "평소 노동조합 지침을 거슬른 적이 없는 분이었는데" 허망하게 운명을 달리했다고 안타까워했다. 엄인섭 조합원이 죽은 지 보름도 채 되지 않아 벌어진 일이었다. 한 조합원 부인은 극심한 스트레스로 배 속의 아이를 잃기도 했다. 해고 협박은 일자리가 곧 생명줄인 노동자와 그 가족들에게 살인과 같은 것이었다.

6월 15일 금속노조와 민주노총은 각각 기자회견을 열어 관제데모를 즉각 중단할 것을 요구했다. 금속노조와 쌍용자동차지부는 "해고 살인의 책임자 이유일, 박영태를 살인죄로 고발"하였다. 조합원들과 가족들의 건강과 생명을 지키고 생존권을 사수하기 위해 "정리해고 분쇄, 분사계획 철회, 총파업투쟁을 반드시 승리할 것"을 결의했다.

파업체계

논의 구조

파업체계의 기본은 조합원 10명 단위로 구성한 분임조였다. 지부는 파업 시기 전투적으로 결합하면서 서로에 대한 긴밀한 동지애를 형성하기 적합한 틀로 조를 짜기로 하였다. 집행부에서 모든 것을 수행하기는 어렵기 때문에 조합원들의 참여를 이끌어내기 위한 구조를 만든 것이다. 선거구체계를 기준으로 하여 대의원들이 관장하게 하되, 조합원 수가 적은 곳은 몇 개의 선거구를 묶었고, 대의원이 파업에 결합하지 않은 곳은 조장 중에 대의원 역할을 할 조합원을 선출했다. 이들 대의원과 임시대의원은 집행위원으로서 이후 파업에서 중간 간부 역할을 담당했고 해당 선거구 조합원 조직화를 주요 업무로 삼았다. 집행위원 중 대표를 선출하여 집행위원장(대의원대표)을 맡게 했다. 집행위원장 - 집행위원 - 조장 - 조합원의 구조를 통해 지도부와 조합원이 소통했다. 조장모임을 정례화하여 월요일은 그 주 투쟁의 기조에 대한 설명 및 토론, 금요일에는 주별 평가 및 교육을 정착시켰다.

조장은 100여 명 정도인데 조합원들은 그 조원들을 통솔할 만한 능력이 있는 조장을 선출했다. 현장조직 활동가도 있었지만, 현장활동이나 조합활동 경험이 전혀 없는 조장도 있었다. 이들은 투쟁승리에 대한 확신으로 교육, 집회, 투쟁 모든 부분에서 앞장서며 조원들의 단결을 이뤄갔다.

집행부는 임실장회의 - 쟁대위(통합상집) - 상황실 체계로 재편했고, 집행부를 조직쟁의와 교육선전으로 집중 편재했다. 그 옆으로 파업프로그램 진행팀을 두어 집행을 보조했다. 6월 22일 이후 대의원과 조장 통합회의를 운영하여 조장의 활동력을 보다 강화하고 현장에서 발생하는 문제에 신속한 대응을 할 수 있도록 했다.

이렇게 조합원을 바탕으로 지도집행력을 통일할 수 있도록 짜인 구조로 투쟁 기간 다양한 쟁점에 대한 의견, 비판 등을 신속하게 논의할 수 있었다.

선봉대와 실천단

지부는 파업대오를 지키고 대외 선전활동을 활발하게 하기 위해 선봉대를 구성했다.

선봉대는 선거구별로 최소 2명씩, 예비선봉대원은 경찰 투입 등에 대비하여 선거구별로 5명 이상 확보하였다. 각 공장별로 조장을 선출했고 조장 중에 선봉대장을 선임하였다.

선봉대 수칙은 "△항상 투쟁의 최선봉에 서도록 한다. △공권력의 침탈에 대비하여 농성장의 보위를 최우선하도록 한다. △나의 안전보다 동지의 안전을 우선시하도록 한다. △한번 결정된 투쟁지침은 끝까지 수행하도록 한다. △항상 창조적인 투쟁전술을 고민하고 실천하도록 한다. △투쟁을 통한 한 발 전진이 정리해고 철폐를 위해 한 발 내딛는 길임을 각인하도록 한다"였다. 선봉대는 30명 단위로 출입문 규찰을 서며 용역과 사측의 도발로부터 대오를 지키는 역할을 했다. 선봉대장은 정주용이 맡았다.

지부는 옥쇄파업이 진행되는 동안 실천단도 구성했다. 선봉대와 실천단의 역할이 중복되는 점이 문제제기되어 이후 선봉대는 공장 사수, 실천단은 공장 밖 투쟁을 진행하는 것으로 정리했다. 실천단은 옥쇄파업을 기본축으로 삼으면서 이를 지지 엄호하는 투쟁을 외부에서 조직하고 대국민 여론 형성을 위한 활동을 진행했다. 실천단은 박금석을 단장으로 하여, 정부종합청사, 중국대사관 등에서 1인 시위를 벌이기도 했다.

식사, 거점

식사는 조합원 선거구별로 진행하였다. 지부는 가장 기본적인 부식만 제공하고 나머지는 대의원 선거구별로 자체 해결하였으며 주 1~2회 가량 특별 부식을 지급했다. 이미 옥쇄파업 지침을 내리면서 해당 선거구별로 텐트, 코펠, 버너 등 식사 준비를 가능하게 하는 모든 것들을 준비하도록 하였고, 개인별로 쌀과 밑반찬, 초코렛 등도 준비하게 했다. 공장이 봉쇄되기 전까지는 가족들이 음식을 해서 가져오기도 하고, 함께하지는 못하지만 같이 일했던 동료들이 찾아봐 밥을 사기도 했다. 체력을 비축해야 한다며 돈을 걷어 돼지고기, 닭고기 등을 사다 요리해먹기도 했다.

초기에는 시설팀이 식당을 운영했다. 시설팀 조합원들이 농성장을 나가고 난 후 정비, 창원 동지들이 취사를 담당하였다. 7월 경찰병력에 의해 봉쇄되고 나서 16일부터 부식이 끊기자 1식 1찬으로, 마지막 17일 동안은 주먹밥으로 견뎌야했다. 주먹밥에 고추장이라도 발라 먹을 수 있다면 그나마 좋은 상황이었다. 취사를 담당한 동지들은 하루 종일 공업용수를 끓이고 끼니마다 주먹밥 천 개를 만들어 댔다.

처음에는 잘 먹었죠. 돼지고기, 닭고기. 마지막에는 저 같은 경우는 봉지 하나 들고 많이 움직였어요. 안 움직이니까 먹을 게 안 생기더라고요. 움직이니깐 먹을 게 조금 조금씩 생기고. 처음에 원래 노동조합에서 각 거점별로 쌀하고 김치는 지급할라니까 거점에서 조별로 알아서 해라 했고. 시설팀이 식당을 운영하기로, 왜 그러냐면 보일러 같은 것들을 좀 그분들이 알기 때문에 그렇게 하다가 취사병이 바뀌죠. 정비, 창원 동지들로 바뀌고, 그 시설팀 사람들은 거의 산자들이었거든요. 그 동지들이 처음에는 출퇴근도 하고 그랬는데 나중에는 다 나갔거든요. 같이 했으면 좋은데 한편으론 협박, 회유가 많이 오지 않았나, 좀 그렇게 봅니다. 팀별로 돈도 많이 거출했죠. 우리는 처음에 1인당 만 원씩 내기도 했어요. 그 돈으로 며칠 생활하다 떨어지면 또 거출하고 그런 식으로 생활했던 거죠. 그러니깐 이렇게 보면 될 거예요. 회사에서 음식물 반입 막았을 때 그때까지는 나름대로 부식차에다가 해서 먹고, 그때까지도 담배 술도 좀 했었는데 그 이후론 거의 힘든 거죠. 나중에 주먹밥은 끝까지 나오긴 했는데 문제는 주먹밥에 들어가는 양념들이 없었던 거죠. 햄이나 참치 이런 게 다 빠지고 맨밥에 소금만 해서. 그나마 소금도 떨어져서 밖에 특공대 조직해서 구해가지고 간 좀 해서 먹고. …(중략)… 시설팀 옥상 앞면에 정면으로 보면 쪽문이 있습니다. 거기서 건너편에 밖에 있는 조합원 동지가 와서 맥주 피트병도 던져주고, 북어도 던져 주고. 전경들이 와서 한번 순찰 돌고 간 사이에 하나 던져주면 건너편에서 받고, 그런 것들이 있기도 하고. 그러다 북어도 한 마리 잃어버렸어요. 그래서 이것도 아깝다 해갔고 처음에는 포기 했는데 오후에 다시 가서 그 한 마리 다시 찾아와서 동지들하고 다 나눠 먹고. 옥상에서도 음식을 많이 했는데 비빔국수도 좀 많이 해먹었습니다. 나중에는 물도 공급이 안 되다 보니까 못한 건데. 해서 연대 온 동지들 주로 밥이나 국수 삶아서 같이 나눠먹는. 금속, 기자 동지들 이렇게 해가지고 모이면 한 열댓 명 모이드라고요. 우리는 3, 4일 먹을 거 하루에 없어진다고 주위에서 뭐라고 그랬는데, 아무래도 연대 온 동지도 고생 많으시니깐, 같이 나눠먹고. 술도 사무실 돌아다니면서 중국술 있길래 갖다가 동지들 다 나눠주고. (구술자 Q)

숙박은 기본적으로 선거구별 거점 장소를 이용했다. TRE동 식당 한쪽을 치우고 500여 명, 차체 400여 명, 프레스 창고 400여 명, 빨간 벽돌(구 연구동) 400여 명이 이용할 수 있었다. 이후 6월 1일경 일부 대오의 거점을 도장공장으로 이동하면서 도장공장 주변을 요새화했다. 바닥에 스티로폼 깔개를 깔았고, 이곳저곳 빨래를 널 수 있도록

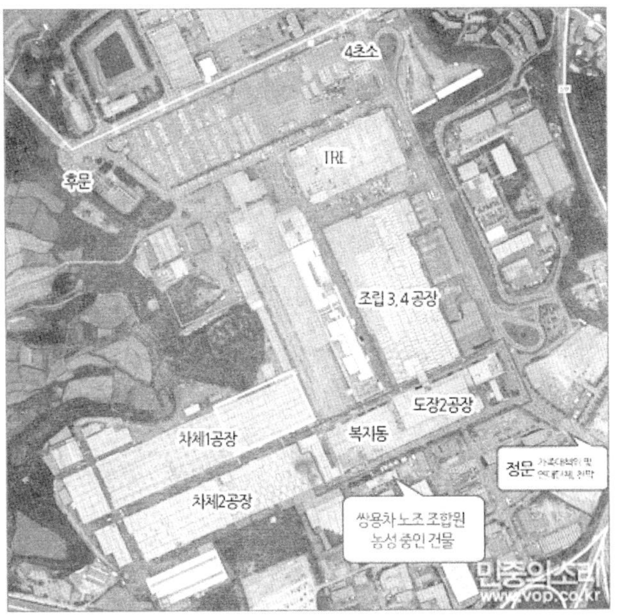

쌍용자동차 평택공장

줄을 매달았다. 파업프로그램 진행을 위해 프레스 창고를 영상교육장으로, 완성 옆 비닐 천막 두 동을 레크레이션 교육과 강의 교육장으로, 조립3 · 4팀과 완성 앞 공터를 소체육대회장으로, 복지동 앞 농성장을 율동과 노래배우기 장으로 정해 활용했다.

⁘ 파업 프로그램

5월 23일 노무현 대통령의 죽음과 '장례정국'이 옥쇄파업에 미친 영향은 양면적이다. 한 측면으로는 쌍용자동차 문제가 사회적으로 쟁점이 되지 못한 채 묻힐 수 있다는 점, 다른 한편으로 즉각적으로 경찰병력을 투입하기 어렵게 만들어 안정적 시간을 확보할 수 있다는 점이었다. 지부는 후자의 측면을 십분 활용하여 파업농성 체계를 만들었고 그 힘으로 전자를 극복해 나갔다.

> 쌍차가 모기업이 있는 것도 아니고 어느 정도 생산하지 않으면 법정관리로 파산할 거라고 봤던 거였고 공권력을 통해서 정리를 하든. 그래서 당시 요구했던 거는 군화발로 더럽힐 수 없다 공장을 끝까지 사수하자 이런 내용들이 선동 주되었던 거였고. 하지만 그 시기 노무현 대통령 서거 국면이 있어서 길어진 거지, 노무현 서거 국면이 없었으면 그 이전에 공권력을 통하든 대화를 통하든 정리할 거라고 판단했던 거죠. (구술자 L)

파업 프로그램은 용역, 경찰병력이 투입되지 않고 가족이나 연대단위의 출입이 가능했던 6월 말까지와 그 이후로 나눠 볼 수 있다. 프로그램 계획서는 주간 단위, 일일 단위로 제출되었다.

이에 따르면, 초기에는 6시에 기상, 7시에 쟁대위 회의, 8시 식사 후 집결해 9시 하루 일정 보고, 오전 10시부터 12시까지 교육 프로그램, 점심식사 후 오후 2시부터 4시나 5시까지 전술훈련, 상황별로 사안별 토론, 주제토론을 진행했다. 저녁 먹고 7시에는 촛불 결의대회로 하루를 마무리하고 그 이후에는 휴식을 취했다.

중반에 경찰병력이 배치되면서부터는 조별로 거점 사수를 위해 풀가동되는 체계였다. 타격대, 선봉대, 거점을 사수하는 사수대로 나뉘어서 아침부터 자기 맡은 구역에서 임무를 수행했다. 2시간 혹은 4시간씩 규찰을 서고 교대하였으며, 야간까지도 규찰을 서며 공장을 사수했다.

쟁대위 회의에서 결정된 프로그램을 조장이 설명하여 조합원들이 충분히 숙지한 후에 실행하는 것을 원칙으로 삼았다. 아울러 참여 인원 파악을 위해 프로그램 참여 인원 서명록을 만들고 교육 참여도 및 평가서를 일일 제출하기로 했다. 프로그램 참여율은 85%이상이었다.

파업 프로그램이 타이트하게 짜여 힘겹다는 이야기도 나왔다. 조합원들은 나이든 선배나 지병이 있는 동지가 뙤약볕에 건강을 해칠까 걱정하기도 했다. "소등을 일찍 하자", "일일 일정을 시간을 정해서 하자. 비상대기조는 제외하고 8시간 내에서 하자"는 의견을 내기도 했다. 어려운 조건 속에서도 파업 프로그램은 잘 수행되었고, 이후 조합원 스스로 성공적인 프로그램이었다고 평가했다.

아, 징말 파업이란 게, 노동조합이 어떻게 관리하고 교육하느냐에 따라서 노동자들의 의식 자체가 이렇게 바뀌는구나 이런 걸 느꼈고 실제 선진활동가라고 하는 대의원이나 상집 간부들보다 조합원들이. 오전 교육, 간담회, 분반토론, 오후에도 그런 걸 했는데 관제데모 하고부터는 전술훈련으로 가져갔지만 기본적으로 오전 교육에 대한 분반토론을 기본적으로 가져갔었고, 수많은 연사들이 투쟁사든 연대사든 살아있는 교육들을 하면서 조합원들이 일반 대의원들보다 더 정신적으로 의식적으로 무장하고 바뀌는 모습들을 보게 됐어요. (구술자 L)

모든 답은 현장에 있다

공장 내에서 안정성이 확보된 시기에는 시기별 쟁점에 대한 교육과 분임토론, 실천, 가족들과의 시간, 연대활동 등이 일상적으로 이루어졌다. 분임토론 시간에 조합원들은 두려움, 불만, 의문 등을 솔직하게 이야기했고, 집행부가 해야 할 일, 투쟁 방향에 대해 제안했다. 특히 파업대오 유지 및 확산 방안, 전술과 방어무기 등에 대해서는 반짝이는 아이디어를 제공했다. 조합원들이 제기한 안들이 프로그램에 반영되었다.

- 지도부가 투쟁 시기와 전략을 잘 조절했으면 한다. 투쟁할 때 하고, 쉴 때 쉬자.
- 신경이 예민해져 있다, 조합원들은 서로 언행을 조심하자.

- 사기 진작을 위해 대형 윷놀이 같은 체육활동을 해보자.
- 동료애를 느끼고 투쟁의 열정을 밝히기 위해 우리 지회가 거점별 지지 방문을 하자.
- 나부터 안 나가면 된다. 그리고 흔들리는 동지를 붙잡고 끈질기게 이야기한다.
- 확대를 위해서는 체계적인 계획이 집행부 차원에서 나와야 한다. 가능성 있는 조합원 리스트를 작성해서 나눠 연락해 보자.
- 내부의 적 색출, 각종 유언비어에 현혹되지 말자.
- 옥쇄파업에 따른 철저한 방어막 설치가 필요하다. 공장 내에 송곳철판을 설치하자(아스팔트 바닥에).
- 손배가압류 협박, 구속에 대한 두려움을 가족들에게 유포하고 있다. 이에 대해 대응이 필요하다.
- 분임조 토의를 통한 내부 규율을 만들어 매일 부착하자.
- 술은 반 병만 먹자.
- 옆 동료들이 팔뚝질을 하는데 힘차게 하지 못하는 것 같다. 옆 동료가 투쟁을 힘차게 전개할 수 있도록 팔뚝질을 우리 스스로가 더 힘차게 했으면 좋겠다.
- 지금 이 투쟁이 장기전이 될 가능성이 높은데 옆 동료들과 잦은 불화가 생기면 안 된다. 술로 인해 격한 감정이 대립되기도 하는데 다들 힘들기에 그런 것 같다. 옆 동료들이 이 투쟁을 전개하는 데 참 소중한 사람들이니 격려와 칭찬을 많이 해주자. 모두 힘들지만 옆에 있는 동료들을 챙기며 가자.
- 공장 사수와 관련해서는 아침에 조깅 등을 해서 육체를 단련시키는 게 필요하다.
- 공권력 투입에 대비하여 5분대기조, 비상망, 구체적 역할 분담 등 철저히 준비해야 한다.
- 프로그램에 전술훈련이 더 많이 배치되어야 한다.
- 방송 인터뷰에 자신있게 응하자. 적극 협조하자.
- 라디오 방송 프로그램에 가족들이 편지를 쓰게 하자.

- 각종 정부 기관 및 관련 부처에 대한 타격투쟁 전개, 중국 대사관을 상대로 한 1인 시위 전개
- 대오 단위별로 고속도로 점거시위, 중간 중간 기습시위

토론을 통해 조합원들은 자신의 생각을 마음껏 이야기하고, 서로의 처지를 이해할 수 있게 되었다. 조합원 스스로 규율을 만들어갔으며 서로를 강제했다. 술잔을 기울이며 하루를 마감하는 뒤풀이도 전투, 정세 이야기가 주를 이뤘다.

분임토론이나 뒤풀이에는 연대단위가 결합하기도 했는데, 이들은 조합원들의 변화에 놀랐고, 오히려 배우고 간다는 이야기를 했다. 대우자동차지부 조합원들은 2001년 투쟁 당시 도움을 받았다고 자신도 이 싸움에 도움이 되었으면 한다며 '투쟁용돈'을 주고 가기도 했다.

조합원들은 분임토론이 촛불집회와 더불어 파업 농성을 유지할 수 있는 가장 큰 힘이었다고 이야기한다.

> 토론 많이 했죠. 그냥 토론이라고 잘 기억 안 나는데 앞으로 대처해야 될 사항, 용역에 대한 대처법 얘기하고. 우리들끼리도 토론시간이 조금씩 있거든요. 그러면 마음 약하신 분들이 있잖아요. 그런 분들 추슬러 주고. 아니면 맨날 나가겠다! 아침에는 나가겠다! 저녁에는 또 마음 변해서… 그런 사람들 몇 명 있어요. 내가 달래도 보고 안 되면 내가 승질이 나잖아요. 나가라고! 내가 불러줘요? 과장 전화번호 불러줘요? 그럼 아무 말 안 해요. 저희들끼리 마음을 추스르고 어차피 시작한 거 조금만 참아라! 그게 한 달 지나고 나서부터 조금만 참아라! 계속 일주일만 참으면 나가겠지. 그게 뭐 77일까지 온 거지. (구술자 K)

토론 속에서 우리가 얘기를 하잖아요 조합원들이. 스스로 지킬 것들. 우리가 이것만큼은 해야 된다. 자기가 얘기해놓고는 무조건 지키게 돼 있거든요 사람 심리가. (구술자 J)

첫 분임토론에서는 조 이름을 정했다. 뽀사뽀사, 막장, 오뚜기, 불사조, 쌍용전사, 오뚜기2, 막가파, 수정, 불사조, 신나통, 승리, 발어발어, 흔들바위, 눈에는 눈 이에는 이, 일방통행, 돌격승리, 불싸질러, 찔린 감자, 깡다구, 투쟁단, 해방전사, 불패, 불멸의 샤시과, 산전수전, 갈지마오, 엎어버려 등 재미있는 이름들이 탄생했다.

교육

지부는 시기별로 현장에서 쟁점이 되는 사안을 교육으로 배치했는데, 조합원들은 가장 기억 남는 교육으로 대우차 사례 등 현실적으로 필요한 투쟁 사례, 전술 등을 꼽았다. 전술훈련은 자연스럽게 놀이나 체육대회로부터 시작했다. 처음부터 강고함을 요구했다면 주먹 한 번 휘둘러 본 적 없는 조합원들에게 거부감이 들 수도 있었는데 단계적으로 진행함으로써 어느새 자연스러운 과정으로 받아들이게 되었다고 한다.

저녁 시간에 촛불집회 같은 거 할 때, 퍼포먼스를 한다 이렇게 하면서 자연스럽게 헬멧도 쓰고 나오고, 어느 부서는 이렇게 파이프도 들고 들어오고 막 그러더라구요. 아~ 저 사람들은 그냥 퍼포먼스니까 그렇게 하는구나! 라고 생

각을 했는데, 나중에 한 달 지나고 나니까 그게 자연스럽게 전체적으로 싹~ 바뀌어 버린 거예요. 훈련을 바로 들어간 게 아니고 놀면서 예를 들어서 새총 만들어서 하고, 새총 쏘고 과녁 맞히기 그러면서 자연스럽게 놀이로, 처음에 놀이로 가다가 어느 순간, 한달 넘어가고 용역 애들이 서고 그러니까. 그러면서 자연스럽게 어느 한순간 확 바뀌어 버린 거예요. 파이프 하나 주면서 야! 너 파이프 들어라! 하면 나 같은 사람 진짜 막말로 나가서 법하나 안 어기고 그런 사람이구, 내가 다른 사람들 뭐 패 본적도 없고, 쇠파이프 들고 휘둘러 본 적도 없는 사람인데, 그런 사람한테 딱 줘 버리면 반감만 들고 나, 나가 버린다! 하고 나가죠. 근데 그걸 이제 자연스럽게~ 그런 게 안 생기게 놀이부터 시작하면서 천천히 아주 천천히~ 주입식으로 해서 나중에는 그게 어느 정도 개인 무기가 된 거죠. …(중략)… 파이프 저도 어떻게 잡았는지 몰라요. 생각도 안 나요. 근데 어느 순간 파이프가 내 손에 있는 거예요. 왜! 나를 지키기 위해서 내가 들어야 된다는 생각이 들었기 때문에. 어느 순간 그렇게 다 되요. 너도 들고 있고, 나도 들고 있고. (구술자 C)

무더운 여름 선풍기도 부족한 곳에서 제대로 씻지도 못한 채 교육을 받기 위해 모여 앉는다는 것 자체가 힘겨운 것이었다. 그러나 조합원들은 힘든 조건을 견뎌냈다. 조합원들은 분임토론에서 내용이 중복되는 교육을 배치하지 말고 교육시간도 짧게 잡아달라고 주문하기도 했다.

창고에 깔판 깔아 놓고, 선풍기 두 대 틀어 놓고 백 명 이상이 앉아서 교육받고 그러니까 덥고 땀냄새 나고 그러니까 근데 뭐 우리가 해야 될 일이니까 짜증나도 했죠. 열심히. 얘기도 못했죠. 교육을 어떤 식으로 했으면 좋겠다 이렇게 조언은 조금씩 했죠. 너무 지루하게 오래 잡아두지 말자고. (구술자 K)

소통

지부는 쟁대위 속보를 매일 발행해 내부 상황을 정확하게 알리고, 바깥소식을 전했다. 쟁대위 속보는 7월 27일 현재 총 96호가 발행되었으며 상황이 긴박하게 돌아가는 날에는 하루 두 번 발행한 적도 있다. 분임조 교육지 등을 통해 현장의 중심 활동가, 떠오르는 동지들의 의식을 고양해갔다.

지도부는 결의대회나 촛불집회에서 조합원들이 궁금해 하는 것, 진행상황 등을 공개했다. 물론 모든 것을 다 공개할 수는 없었지만 고민지점, 함께 결정해야 할 것들을 분임토론 주제로 제시하여 의견을 모아갔다. 이러한 원칙을 지킴으로써 장기 파업을 진행하면서 내부를 흔들 수 있는 유언비어 등을 차단할 수 있었다. 조합원들은 지도부가 소통체계를 확실하게 구축함으로써 조합원의 신뢰를 얻을 수 있었다고 한다.

> 조합에서는 모든 걸 오픈했기 때문에, 내가 잘못한 거 뭐, 걔네가 잘못한 거 뭐, 우리가 잘한 거 뭐, 쟤네가 잘한 거 뭐. 왜냐면 사람들한테 믿음을 줘야 되니까, 조합원들한테. 숨기고 뭐 하다 보면 '야! 저거 문제 있는 거 아니냐! 왜 자꾸 감추고 맨날 그런 식으로 하냐!' 그래버리면 사람들이 반감이 생기면 파업대오가 흩어져 버리면 뭘 할 수가 없으니까. 그래서 정확하게 투명성 있게 그렇게 하니까. …(중략)… 그냥 오픈해요. 촛불집회 때 아니면 어떤 중요한 사항이 이루어졌을 때, 주위에 만약에 우리 파업대오 중에

서도 어떠한 소문이 막 돌았을 때, 바깥에서 막 들어오는 정보하고 그런 게 있을 때, 요거는 수위가 높다! 그런 얘기를 하면 각 대의원들한테 연락을 해 가지고 상의를 한 다음에 그걸 갖구서 다시 대의원장한테 통화해서 그게 바로 조합으로 넘어가서 바로 그걸 갖구선 논의해서 그게 올라갔다가 다시 내려와요. 그럼 그대로 순서대로 조직적으로 하는 거죠. (구술자 C)

너무 오래 해 허리가 아프고 시간이 지날수록 식상한 프로그램이 되기도 해 개선하자는 의견도 제기되었지만 촛불문화제는 꾸준히 이어졌다. 조합원들은 힘들어 하다가도 가족들의 투쟁을 영상으로 보고, 연대투쟁에 결합했던 조합원들의 경험담을 들으면서 마음을 다잡았다. 연대단위의 연설이 때로는 지루하고 뻔한 것이었지만 이를 통해 쌍용자동차지부를 넘어선 금속노조, 민주노총, 더 나아가 한국사회에 대한 인식의 폭을 확장해 갔다.

촛불문화제와 집회 때마다 배치한 자유발언은 파업 프로그램의 꽃이었다. 조합원들은 자유발언 시간에 올라가 가족, 연애, 투쟁 동기, 연대 가서 느낀 점 등을 이야기했다. 조리있게 말하지 못해도 듣는 조합원들은 그가 하고 싶은 말을 다 알아들었다. 형식은 중요하지 않았다.

7월 10일 50일차 야간문화제에서는 60년생 이상만 모여서 "모범이 되도록, 조합원의 한 사람으로서 열심히 하겠습니다!" 결의를 밝히고 내려가기도 했고, 노래 한 곡 하겠다며 '망부석', '소양강 처녀'를 불러제끼는 조합원도 있었다. 쌍용차 청년들, 줄여서 '쌍청'이라 부르는 동지들은 '바위처럼'에 맞춰 율동을 하기도 했다.

촛불문화제 같은 거는 진짜 활력소거든요. 감동도 있고 저희들끼리 나와서 자유 발언도 하고, 저희들끼리 힘도 주고 그 다음에 가대위가 한 것도, 밖에서 한 것도 화면 띄워서. 감동이~ 제가 나중에 생각 했는데 회사에서도 살은 애들 교육을 시키잖아요. 공도 연수원에 불러서 우리같이 지게차로 한 거 막 하잖아요. 조합도 마찬가지 같아요. 가대위들 틀어 주면 웃고 울고, 사람들이 더 오기가 생기고 자유발언대 나가면 이게 뭐 지명해서 나가는 건 아닌데 없을 때는 지명도 하지만 그 사람들이 얘기하는데 아~ 맞는 얘기 한다. 저 조합원인데 하면서 더 오기가 생기게 하고. 그게 참 좋은 것 같애. 촛불문화제가 참 좋은 것 같아요. (구술자 K)

자유발언 때. 아무나 올라가서 얘기하고 싶은 사람 올라가서 얘기하고. 그날 일 있을 때 그날 올라가서 얘기하고. 자연스럽게 잘 해요. 엉뚱한. 그니까 무대에 한 번도 안 올라가본 사람들 있잖아요. 앞뒤가 안 맞아도 핵심 내용은 들잖아요, 이, 재가 왜 올라왔구나, 저것 때문에 올라왔구나. 때로는 힘차게 싸워보자 그러면서 노래한번 부르고 내려가겠다 하는 사람도 있고. 여러 사람이 있죠. 그때는 누가 연설을 잘 하고 못하고 그런 거 신경 안 써요. 그 사람 핵심만 파악하는 거죠, 핵심적인 내용. 그리고 연대단위에서 누가 와가지고 해봐야 내용이 뭐 없고. 듣던 얘기고. (구술자 J)

모든 집회 프로그램에 자유발언이 있었거든요. 12월달부터 집회를 했다고 했잖아요. 그때도 자유발언이 있었는데 그때는 생소한 집회. 쌍차에서는 자유발언이 없었거든요. 처음으로 집회를 하면서 자유발언이 있는 거예요, 지부장 총화발언 이전에. 처음에는 사람들이 안 나가고 아니면 지부에서 대의원 중심으로 해서 사전에 준비를 하든가 몇 명 만들든가 했는데 나중에는 이제 집회가 지루하다 싶을 정도로 너무 길어진다 싶을 정도로 자유발언이 쏟아질 때가 있거든요. 촛불집회 때 보면 천 명이 넘는 대오 위에서 발언한다는 게 쉽지 않잖아요. 사람들이 자유발언 시키면 두 가지죠. 한 사람은 술 먹은 거 아니야, 쓸데없는 소리 하는 사람 있고, 한 명은 어떤 부류는 코믹하고 유쾌하고 한 편의 꽁트를 보는 듯한 조합원들 언어 자체가 순수하고. 막바지에 갔을 때는 이미 조합원들 자유발언 시키면 마치 단상에 여러 번 서봤던 대의원 수준, 아니면 어디 가도 꿀리지 않을 정도의 소규모 집회, 지역 집회 한 이삼백 명 모이는 집회에서는 작은 지회장 정도의 수준의 발언을 하더라고요, 조합원들이. 나중엔 조합원들이 발언 잘 했어요. 그렇게 된 게 채 열흘에서 보름도 안 됐던 거 같아요. 그 정도 수준에서 이미 조합원들의 의식은 올라오기 시작한 거 같아요. (구술자 L)

반성, 변화

조합원들은 파업을 하면서 가족, 함께 일해 온 동료, 하청노동자, 노동운동, 연대 등 많은 부분에 대해 알게 되었다. 특히 자신들이 연대투쟁, 비정규직 노동자 문제 등에 얼마나 무관심하게 지냈는지 반성하고 새로운 결의를 다졌다. 이후 분임토론에서는 "우리 조만 연대방문을 못 갔다. 연대방문을 갈 수 있도록 배치해 달라"고 제기하는 조가 있을 정도로 연대투쟁 경험은 조합원들을 앞으로 나가게 했다.

- 지금 우리를 연대하기 위해 전국에서 매일 오고 있지만, 그 규모는 미미하다. 하지만 우리가 다른 노동자들 싸울 때 얼마나 연대했던가를 반성해야 한다. 우리가 연대한 그만큼 받고 있는 것이다. 이 싸움을 승리로 이끈 뒤에 꼭 잊지 말고 다른 투쟁에 연대를 하자.
- 움츠렸던 쌍차 조합원의 단합과 파업이 타 연대대오의 본이 되고 있다는 소리에 힘이 난다.
- 파업프로그램의 장점은 옥쇄파업이 계속될수록 동지들의 단결과 하나됨을 느낀다. 동지애를 느꼈고 노동운동에 대한 새로운 시각을 갖게 되었다. 연대라는 것이 정말 중요하고 소중하고 고마운 것임을 확연히 느낄 수 있었다.
- 쌍차지부가 타지부에 대한 연대가 부족했음을 인식하고 차후부터 적극적으로 연대할 것을 결의하자.

옥쇄파업 한 달 정도를 지나면서 어느새 조합원들은 달라져있었다. 집회 때 흐트러짐 없는 대오, 결의에 찬 표정과 함성, 서로를 배려하는 생활 등. 이즈음 분임토론에서는 "동지들과의 유대관계가 돈독해졌다", "내 삶에 자신감이 생겼다", "노동자의 삶의 냉정함을 느꼈다", "내 직장과 가족의 소중함을 느꼈다", "정규직과 비정규직 하나

라고 생각하고 같이 살 수 있도록 서로 대화하고 합심하자"는 이야기가 나왔다. 서로의 변화된 모습을 보면서 조합원들은 승리를 확신했다. 파업 참여자들과 굴뚝 농성자들은 동지들의 변화된 모습을 이렇게 말한다.

제가 쌍용에 있으면서 그런 경우는 처음 봤거든요. 조합원들이 집회 하면서 다 앉아 있잖아요, 이탈이 없어요. 중간에 화장실 가는 사람 빼고는. 나무 그늘이나 보도블록 편하게 앉을 수 있는 데 있잖아요, 그런 게 없어요. 줄 안에 딱 앉아있고. 확실히 조합원이 모든 게 바뀌었죠. 그늘에 초창기에 한두 명 앉아 있으면 조합원들이 그래요, 같이 뜨거운데 고생하는데 라인에 합류해 같이 앉읍시다. 그 사람들이 미안할 정도예요. 집행간부가 마이크에 대고 그늘에 앉으신 분들 안으로 들어오세요 이것도 아니고 조합원들이 얘기를 하니까. 나중에는 그런 사람도 없고. 집회를 세네시간 해도 흐트러지지 않고 앉아있고. 정신무장을 스스로. (구술자 J)

위에서 보면 대오들이 좀 보이잖아요, 밑에선 안 보여도. 초기엔 조금 실망도 하고, 에이 그렇지 뭐, 그냥 그러기도 하고. 우리끼리 우스갯소리로, 소위 말하면 아이~ 쌍용이 그렇지 뭐, 이런 얘기도 하고. 욕도 하고 그랬는데 언젠가 한번 봤더니 복장 딱 갖추고, 딱 섰는데. "와서 봐~" 해서 봤더니 딱 대오 맞춰가지고 서 있고. 그런 모습들이 조금씩

> 갖춰지더라구요. 그러면서 야~ 달라졌다, 이런 거 느끼고요. 그랬을 때는 힘이 진짜 나죠. 그때서부터 믿음 같은 것도 생기고. 정말 달라졌다. 그런 거 많이 느꼈죠. (구술자 B)

가장 큰 변화는 정규직, 비정규직 노동자는 하나라는 생각을 갖게 된 것이다. 파업 초반에는 조합원들에게 정규직 고용보장이 주요한 관심사였다. 투쟁에 결합하게 된 이유였기 때문이다. 그러나 파업 과정에서 교육과 토론, 비정규지회 동지들의 헌신적인 모습을 보면서 서서히 달라지기 시작했다.

조합원들은 희망퇴직이나 정리해고 된 정규직 노동자 2,646명 외에도 다수의 비정규직이 이미 회사에서 잘려나갔다는 것, 이에 대해 비정규직 노동자들이 비정규직지회를 중심으로 정규직 노동자와 같이 투쟁하고 있다는 사실, 우리의 요구 역시 원하청 총고용보장이 될 수밖에 없다는 사실을 알았다.

비정규직, 분사 문제에 대한 분임토론에서는 반성의 소리가 높았다. 함께 일하면서도 다른 위치니까 대우를 달리 받는 걸 당연히 여겼던 것, 평택공장 바로 옆 이젠텍 동지들이 싸우고 있어도 관심도 안 두고 지나다녔던 것들. 파업을 통해 분사를 저지해야 하는 이유를 알게 되었고, 이는 민주노조를 확고히 사수할 때 가능하다는 것도 스스로 평가했다. 조합원들은 "그간 노동조합 및 일부 현장조직의 관료화로 인해 분사, 비정규직, 업체 선정 등으로 비리의 온상이 되었다. 비리 척결로 새로운 민주노조 지도부를 사수하자", "한번 분사를 받아들이면 앞으로도 계속 분사 얘기가 나오기 때문에 절대 수용불가", "아이들의 미래를 위해서도 정리해고, 분사 공히 막아내자", "대국민 선전전을 강화하여 분사를 통한 비정규직화의 술책을 널리 알리자"

고 했다.

> 그리고 옥쇄할 때도 그 집회 할 때만 봤거든요. 그러니까 특별히 보는 관점이. 옛날보다는 동지들이라고 생각하는데 옛날에는 재네는 하청, 하청 이렇게 생각했는데 지금은 어차피 저도 해고자 입장이니까 똑같이 생각을 하는 거죠. (구술자 K)

> 예전에는 비정규직 말에 귀를 기울이지 않았는데 조합원들이 인제 복기성이가 나와서 얘기하면. 예전에는 비정규직이 설 자리도 없었잖아요, 임투를 해도 비정규직은 빠져 있던 거고 별개로 들어간 거고. 비정규직 노동조합이 쌍용에서는 활성화 되어 있지도 않은 거였고 몇 명만 지역단위로 했던 거고. 지금같이 옥쇄 때 복기성 사무장이 하고, 굴뚝에도 올라가 있으니까 조합원들도 같이 하는 투쟁이라고 인정을 하고 비정규직 정규직 구분이 없는 상황이에요. 똑같은 해고자니까. 원하청 공동투쟁이 뭐 쉬워요? 사실 몇 명이 안 되고 규모가 크지 않기 때문에 가능했다고 봐요. 왜냐면 규모가 컸으면 나름대로 자기네만 소외되는 거 아니냐 이런 식으로 했을 가능성도 있고. (구술자 J)

> 그때 거의 신경을 안 썼어요. 왜, 나는 원공이고, 재들은 협력업체기 때문에. 나는 나니까. 하루하루를 먹고 사니까. 이상이 없으니까. 그거를 이제 모르고 있다가 원하청 같이 파업, 옥쇄파업 들어가면서 아~ 저 사람들의 슬픔을 알겠더라구. 왜, 우리보다 먼저 겪었기 때문에. 파업대오는 이렇게 같이 형성하지만, 저 사람들은 내가 지금 겪고 있는 이거를 저 사람들은 2년 전부터 겪어 왔다! 그러면서 야~ 저 사람들! 진짜로 대단한 사람이구 불쌍한 사람들이

다. 나만 불쌍한 게 아니다. 처음에는 나만 생각 했는데, 지금에서 보면 야~ 진짜 우리는 원공이구, 하청이구 그런 거 따지는 게 아니다. 같은 인간 대 인간으로서 저 사람이 힘들면 나도 힘든 거고, 내가 힘들면 저 사람도 힘들다. 그 눈을 뜨게 된 게 이번에 옥쇄파업 들어가면서 눈을 뜨게 된 거예요. 저 사람들도 진짜 힘든 싸움을 하고 있고, 같이 우리 대오 속에서 같이 열심히 하는구나. 그때부터 이제 눈을 뜬 거죠. 관심도 없다가. (구술자 C)

옥쇄투쟁을 같이 결합하고 하면서 우리 3대 목표가 생존권 보장, 원하청 공동투쟁을 통한 비정규직에 대한 고용보장, 분사 저지였는데 처음에 들어왔을 때는 분사 문제 적당히 할 수 있다, 비정규직도 적당히 카드로 활용할 수 있다, 그리고 정규직 내부에서는 생존권 보장이었다고 보면 옥쇄가 길어지고 교육들이 되면서 분사가 정리해고의 또 다른 이름 이런 교육들을 하면서 막바지 조합원들의 의식은 일반 대의원들, 상집간부들을 능가하는 수준이 되는 거죠. (구술자 L)

현장에서 일할 때 못 느꼈던 것들을 좀 느꼈는데 같이 있어서 그랬는지 몰라도. 그동안의 자기가 10년이든 20년이든 다녔던 현장에서의 연대활동, 비정규직에 대해서 다르게 보더라고요. 자기네 스스로 연대활동 갔다 오고 그거 발표하고 비정규직 문제에 대해서도 함께하는 모습들을 보면서 먼저 다가와서 얘기도 걸고 함께 결과가 좋았으면 좋겠다는 얘기도 하고. 그럴 때 파업이 노동자의 학교라는 걸 절실하게 느꼈거든요. 오랜동안 하면 이 사람들이 다 활동가가 되겠구나, 이 짧은 기간에 몇 달 동안의 기간이었지만 상당히 바라보는 의식적 관점이 달라지는 걸 보니. 이 투쟁 끝나면 나가서 연대활동도 하겠다고 발표할 때 보면 놀랬어요. 반성도 많이 하고 쌍용자동차 있을 때, 현장에서의 문제점을 스스럼없이 얘기할 때는 많은 교육과 파업을 오랜 기간 했으면 이 사람들이 투사가 활동가가 되겠구나. (구술자 H)

시기별 프로그램

시기별 현황과 과제 속에 어떤 프로그램이 배치되고 실천되었는지 7월 중순까지의 파업 프로그램을 주간 단위로 나눠 간략하게 살펴보겠다. 지부는 프로그램으로 투쟁에 대한 전망을 제고해 줄 수 있는 교육과 토론을 우선 배치했고 2주부터는 경찰병력 투입에 대비한 준비를 꾸준히 했다.

파업에 들어간 주 분임토의 주제는 현장 체계를 잡기 위한 것과 조합원 추가 결합방안 등이었다.

첫 분임토론에서는 체계, 규율, 조 이름을 정하여 대자보로 만들었다. 대의원이 사고, 불참 시 선거구 운영방안을 논의하였고, 선거구별로 선봉대 2명, 총무 1명을 선출했다. 파업 프로그램 및 준비를 위한 진행팀도 1명씩 선출해 전체 진행을 보조했다. 오후에는 투쟁 각오, 미참여 조합원 제재방안, 현재 고민 등을 이야기하고, 결의 대자보를 만들었다. 미참여 조합원에게 전화 및 문자 보내기 지침을 정하고 실제 실행해보기도 했다.

둘째 주에는(5.24.~30.) 아직 옥쇄파업을 위한 현장 체계가 완전히 잡히지 않았기 때문에 이를 위한 토론이 주를 이루었다. 5월 27일경 대부분의 선거구 조장이 선임되고 분임토의가 진행되는 등 체계를 잡아가기 시작했다. 이와 함께 파업 결의를 높이기 위한 교육을 배치했다. 파업 첫 교육으로 5월 24일 정리해고 전면 투쟁에 관한 현장 사례 교육을 실시했다. 교육 이후에는 정세와 쌍용자동차 투쟁, 향후 예상되는 정부와 사측의 이데올로기 공격에 대한 대응방안을 토론하면서 서로의 생각을 이야기했다. 이날 조별로 깃발을 만들거나 개인 소깃발로 상징물을 만들었다.

거점별로 임원 간담회를 실시해 조합원들과 지도부가 격 없는 대화를 했으며, 쟁의물품 만들기와 쟁의물품 경연대회를 열어 새총과 과녁을 만들고 새총으로 과녁을 잘 맞추는 선거구에 상품을 지급하는 선거구별 단체전도 진행했다. 희망퇴직을 거부하고 투쟁을 결의하기까지의 고민과 결의에 대해 서로 이야기하고 단결, 투쟁 노래와 몸짓 배우기를 했다. '님을 위한 행진곡' 서부터 차근차근 노동가요를 배워갔다.

5월 27일에는 도장공장 앞 컨테이너 저지선을 설치하는 등 전투거점을 요새화하였다. 조합원들은 영상교육, 가족 편지쓰기, 공장 꾸미기, 소지천 만들어 굴뚝에 달기, 화성 장안단지 파카한일유압 집회 참석 등 다양한 프로그램에 참여했다.

5월 29일에는 고 엄인섭 동지 추모와 예상되는 사측의 공세를 규탄하는 대회를 열었다. 이 주에는 조별로 노가바 경연대회를 하기도 했다. 노가바 주제는 가족, 동지, 투쟁, 파업 등이었다. 집행위원장별 예선 1등 승리상, 2등 투쟁상, 3등 단결상을 선정했고, 상품으로 라면, 컵라면, 김 등을 지급했다.

5월 30일 촛불문화제에는 평택, 정비, 창원 가족들까지 모두 모였다. 재미있는 프로그램으로 선정된 새총 과녁 맞추기를 다시 했고, 노가바 본선을 진행해 단결상, 투쟁상, 승리상을 선정했다. 창원지회

팀이 우승하고, 정비지회팀이 2등을 했다.

30일에는 서울 민중대회 및 평택시청 앞 가족대책위 집회에 참석하는 등 공장 밖 선전전에도 힘을 실었다.

전면파업 3주차(5.31.~6.6.) 출발은 가족의 날 행사로 시작했다. 정리해고 명단이 통보되는 시기, 가족들에게 농성장 생활을 알리고, 앞으로 투쟁에서 든든한 지지자가 되어줄 것을 함께 결의하는 자리로 마련되었다. 6월 1일에는 도장공장 중심으로 거점을 이동하고 다음 날부터 전술훈련을 시작했다.

6월 2일에는 정리해고자 명단 통보 국면에서 교육을 실시하고 예상되는 점에 대해 토론을 했다. 이때부터 가대위 운영위원들이 몸풀기 체조, 요가 등을 조별로 돌아가면서 하루씩 총 3회 실시하기도 했다.

6월 3일 금속노조가 확대간부 파업을 하고 평택공장에 모였는데 이때 조합원들은 화이바를 쓰고 쇠파이프를 들고 단일한 모습을 보여줬다. 조별, 공장별로 5월 말부터 지급하였던 화이바와 쇠파이프를 이날 전 조합원에게 지급했다.

6월 3일부터 지부에서는 조합원들이 주체적으로 지역의 금속노조 사업장에 연대투쟁을 호소하는 선전전과 홍보투쟁을 시작했다. 조합원들은 "지도부만 바라보고 있는 것이 아니라 우리가 직접 연대투쟁을 호소하기 위한 실천에 돌입하자"는 결의를 했다. 3일 두원정공지회를 시작으로 4일에는 기아자동차 소하지회 · 현대자동차 남

양위원회 · 케피코지회 · 한라중공업 평택지회 · 만도기계 평택지회를, 9일에는 위니아 만도 · 유성지회 · 세정지회를, 10일에는 캄코지회 · 콘티넨탈지회 · 대한이연지회 · 유성영동지회를 순회했다. 조합원 교육 시간에 선동을 하기도 하고, 간부 대의원들과 간담회를 진행하기도 했다. 점심시간 선동과 퇴근시간 선동도 하면서 쌍용자동차 정리해고 문제가 금속노동자 전체의 문제임을 호소했다. 쌍용자동차 노동자들의 투쟁이 내일의 GM대우 투쟁이고, 모레의 현자 기아의 투쟁이 될 수밖에 없다는 점, 더군다나 완성사에 영향을 받는 부품사 비정규직의 경우 더욱 큰 영향을 받게 될 것이라는 점에서 이 투쟁이 금속노조의 총파업이 되어야 한다고 주장했다.

6월 5일에는 모의 전술훈련, 경찰병력 투입 대비 비상훈련 등을 실시했다. 밀가루, 새총, 풍선 등을 이용해 실전 같은 분위기를 냈다. 물론 새총, 풍선에 위험물질 넣는 것은 금지했다. 전술훈련 후 수박을 다 같이 먹었다. 끝나고 난 뒤에는 승리 삼거리에 모여 분위기를 이어 투쟁가 부르기 대항전 본선 및 촛불대회를 했다. 투쟁가 부르기 대항전 본선에는 신나통, 해방전사, 불패, 눈에는 눈 이에는 이, 찔린 감자, 불멸의 샤시과, 산전수전, 승리, 갈지마오, 엎어버려, 가대위팀이 진출해 '단결투쟁가', '함께 가자 우리 이 길을', '질긴 놈이 승리한다', '불나비', '금속노조가', '고백', '바위처럼', '가자 노동해방', '연대투쟁가', '늙은 노동자의 노래', '흔들리지 않게' 등을 불렀다.

이 주 분임토론도 '공권력 침탈에 맞선 우리의 전략 전술, 향후 투

쟁 요구안' 이 주제였다. 조합원들은 "집행부에서 자꾸 결의를 다지자고 하는데 우리는 결의가 이미 다 되어 있다, 어떻게 싸울 것인지 얘기를 하자"고 제안하였다.

전면파업 4주차(6.7.~13.)에는 가장 많은 조합원이 6월 10일 전국 집회에 참여하여 관심을 끌면서 '해고는 살인이다' 라는 문구를 각인시켰다. 6월 11일에는 분임조 토론 방법론을 교육하여 분임토론을 통해 조합원들이 의견을 활발하게 개진할 수 있도록 했다. 이 주 분임토론은 사측의 노노갈등 유발에 대한 대응방향에 대해 이야기한 후 토론결과 대로 실행해 보는 프로그램을 진행했다. 편지쓰기, 전화하기, 문자보내기 등. 이후 서로 결과를 발표하고 문제점 및 보완점을 평가했다. 그리고 정세, 기간 경과 및 투쟁 전망, 대우차와 한라중공업 투쟁 사례를 통한 교훈 및 전술운영 방안, 쌍용자동차 투쟁의 총고용 보장 요구안 정식화 등 투쟁의 쟁점과 이슈 정식화, 실천 과제를 중심으로 토론을 진행했다.

전면파업 5주차(6.14.~20.)에는 사측의 공장 진입에 어떻게 대응하느냐가 중요한 문제로 떠올랐다. 관제데모에 대해 물리적 충돌을 피하고 바깥에 있는 조합원과 감정적 대립을 하지 않기 위한 노력을 기울였다.

6월 14일에는 가족 한마당을 열었다. 창원지회 조합원 공연, 상황보고, 가대위 투쟁사, 조립3팀 조합원 공연, 팀별 팔씨름 대항전(팀별

남1, 여1명씩 출전), 팀별 수박 빨리 먹기(팀별 3명씩 출전), 팀별 단체 줄넘기(팀별 15명씩 출전) 등을 진행했다. 시상식 1등 민물고기 70마리, 2등 60마리, 3등 50마리씩 지급하기도 했다.

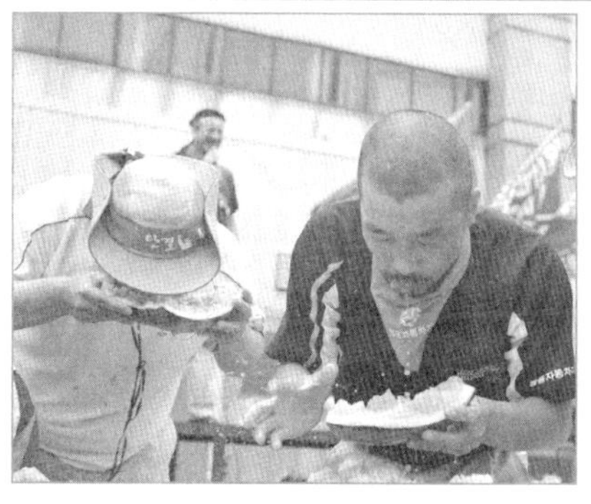

6월 18일에는 비정규 분사 관련 교육을 통해 원하청 공동투쟁 원칙을 다시 확인하고, 오후 노사 대화가 열리는 시간에 조합원들은 스무고개 게임을 하면서 동지들 간의 신뢰를 다졌다. 스무고개 게임은 오촌맺기, 3단 구호 외치기, 집단 줄넘기, 5인 6각, 물풍선 던지기, 비상! 비상!, 동지에게 내 운을, 타이어 치기, 돌발퀴즈, 이제는 동지로 마무리하는 게임으로 마지막에는 "우리는 동지다. 살아도 같이 살고 죽어도 같이 죽는다, 우리의 단결로 정리해고 반드시 박살낸다. 이제 우리는 함께 살고 함께 죽는 동지다." "동지를 믿고 나를 믿고 정리해고 박살내자!"는 구호를 외쳤다.

6월 19일에는 조립1팀, 조립3팀, 프레스팀이 금속 집회에 참여했고 저녁에는 금속노조 총력 상경투쟁 야간 문화제를 열었다. 조합원들은 금속노조 조합원들이 잠잘 자리를 마련하느라 분주했다. 평택공장에는 금속 노동자들 간의 대화가 밤 깊도록 이어졌으며 그 열기는 다음 날 열린 금속노조 결의대회로 이어졌다.

전면파업 6주차(6.21.~27.)는 가족의 날 행사로 시작을 했지만 다음날부터는 용역을 앞세우고 사측 직원들이 공장에 진입한 시기로 이에 대한 총력 대응으로 한 주를 보냈다. 사측이 용역을 동원해 공장을 침탈할 것이라는 이야기가 들리면서 지부는 전술훈련 시간을 확대하였고 침탈을 당한 26~27일은 파업 이후 최초의 전쟁을 치렀다. 때문에 기획했던 파업 프로그램을 정상적으로 가동하지 못했다. 다만, 긴박한 상황 속에서 민변 변호사들이 법률 교육을 실시했다. 조합원들은 투쟁으로 용역을 막아내면서 전투력을 향상시켰다.

전면파업 7주차(6.28.~7.4.)는 사측이 본관을 점거하다가 나갔지만 언제 다시 전투가 시작될지 몰라 온종일 비상대기 하는 것으로 시작한 주였다. 이틀 동안 농성장 청소를 하고 바리케이드를 재구축했다. 사측과의 투쟁에 대한 평가도 진행했다. 앞으로 전술 지휘 체계를 확실하게 마련하고 훈련 강도를 높여야 한다는 의견이 제기되었다. 6월 30일 저녁부터는 경찰병력이 출입을 통제하기 시작했고 다음날에는 회사가 물 공급 장치를 파괴하기도 했다. 이런 조건에서도 정세 및 이후 대응, 파산 및 손배가압류에 대한 교육을 실시해 이데올로기 공세에 대한 대비를 하였다. 이 주는 족구대회로 마무리했다.

전면파업 8주차(7.5.~11.)는 경찰병력이 공장을 봉쇄하고 파업대오를 24시간 감시하였고, 사측은 경찰병력 투입을 공개적으로 요구한 시기였다. 때문에 조합원 교육은 투쟁 사례, 손배가압류 문제 등이 진행되었을 뿐 모든 프로그램은 전술훈련이 주가 되었다. 봉쇄된 상황을 뚫고 투쟁을 확산하기 위해서는 7월 13일로 예정된 금속노조 대의원대회에서 총파업 결의가 되는 게 중요했다. 조합원들은 경찰병력과의 대치 상황 속에서 금속노조 총파업을 호소하는 대자보를 직접 작성하기도 했다.

전면파업 9주차(7.12.~18.)에는 7월 11일 전투경찰이 평택공장에 투입되고 이제 바리케이드를 사이에 두고 공장 안에서 대치가 시작되었다. 이 주부터는 전술 회의와 훈련, 그리고 실전이 일정의 대부분을 이뤘다. 현장 경험을 반영하기 위한 전술 관련 공청회, 조합원 스스로 전투물품을 제작하기 시작했고 지도부는 전투물품 경연대회를 열어 격려하기도 했다.

이후는 경찰병력과의 국지전, 전면전이 계속됨에 따라 전투체계로 가동되어 프로그램을 진행할 수 없게 되었다.

공장 사수

사측의 도발

관제데모

6월 10일 사측은 임직원과 파업에 참여하지 않은 조합원을 동원하여 첫 관제데모를 열었다. 그 일이 있은 다음 조합원 한 명이 강제동원으로 인한 스트레스로 사망했지만 사측의 도발은 멈추지 않았다. 15일에는 헬기를 띄워 유인물을 살포하였다. 한 번 띄우는 데 600만 원이 든다는 헬기를 동원해 유인물을 살포한 것은 4일, 13일에 이어 세 번째였다. 유인물을 통해 사측은 노조와 '솔직한 대화'를 할 것과 '평화적 해결'을 말하고 있다. 그리고 조건 없는 대화를 요구했다. 그러면서 16일에 맨몸으로 공장에 진입하겠다고 언론을 통해 밝혔다. 평택공장 주변에 긴장감이 돌았다.

쟁대위는 물리적 충돌이 일어나지 않도록 하자고 조합원들에게 주의를 주고 바리케이드를 점검하게 했다. 자칫 직장 동료들끼리 충돌하여 사측의 의도대로 감정적 적이 될 위험을 피하자는 것이었다.

6월 16일 오전 8시경 관리자들이 공장에 진입하기 위해 차로 이동했다. 가대위는 상복을 입고 인간띠를 만들어 정문 밖에서 관리자들에게 호소했다. '더 이상 죽이지 마라' 는 글귀가 적힌 종이꽃을 들고 관리자들을 향해 '함께 살자' 고 호소했다.

'일방적 정리해고 반대, 자동차산업의 올바른 회생을 위한 범국민대책위', '쌍용차 정리해고 반대, 서민경제 살리기 범경기도민대책위' 는 정문에서 공동기자회견을 열고 "강제동원 폭력조장을 중단하고 정리해고를 철회하라" 고 요구했다. 쌍용차 문제 해결을 위한 대책을 정부가 즉각 수립하라고 했다. 경기지역 4개 종단 종교인들도 기자회견 참가자들과 같이 선언문을 낭독했다. 4개 종단 선언 참가자 일동은 "사측은 회사 진입 시도를 통해 정리해고 대상자와 정리해고 비대상자간의 갈등과 대립을 조장하려고 하고 있다. 평화적 해결이 아닌 밀어붙이기 식으로 대결을 조장하고 이는 결국 공권력 투입을 위한 행위라는 점에서 부도덕하고 비인간적인 행태로 규정"한다며 회사와 정부를 강력히 규탄했다.

사측의 관제데모를 막는 가대위(2009.6.16)

9시 40분경 후문에 모였다 4초소로 이동한 관리자 400여 명이 공장 진입을 위해 갈고리, 밧줄, 절단기 등 장비를 배포했다가 다시 수거한 후 정문으로 행진했다. 전체 인원은 4초소 300여 명, 남문 400여 명, 정문 1,000여 명으로 총 1,700여 명이었다.

공장 안에서 바깥을 지켜보고 있던 조합원들은 아는 얼굴을 확인하고는 침통해 했다. 10년 20년 함께 일했던 동료가 살겠다고 투쟁하고 있는 곳에 와서 그만 나오라고 외친다는 게 가능한 건가. 그러면서도 먹고 살기 위해 어쩔 수 없었을 거라고 애써 이해하려 했다. 핸드폰으로 전화를 걸어 "왜 오셨어요, 다음엔 오지 마세요" 부탁하기도 했다.

방송차량에서 마이크를 쥔 한 조합원이 호소했다.

"저 앞에 서 있는 분들 얼굴을 다 알겠어요. 왜 여러분이 그 자리에서 있어야 하고, 왜 우리가 여기 서 있어야 합니까. 이제라도 정신을 차리고, 안으로 들어와 함께 해주십시오. 함께하지 못할망정 역적들의 앞잡이가 되지는 마십시오. 저기 흩어져 계신 분들 그냥 집으로 돌아가시길 정중히 부탁드립니다."

'쇼'를 중단하라. 금속노조 기자회견(2009.6.16)

사측 곽상철 전무가 "회사를 살리기 위해 옥쇄파업을 당장 중단해야 한다"고 말했다. 공장 안에서는 "야, 이 새끼야. 너네들이 회사 망하게 해놓고 어떻게 그런 말을 하냐"며 욕설이 터져나왔다. 이에 아랑곳하지 않고 사측은 '파업철회, 조업재개' 구호를 외치며 집회를 열었다. 가대위가 "다 같이 살자"고 눈물로 호소하며 관리자가 있는 간이 무대로 올라가자 사측이 강제적으로 끌어내리려고 했고, 이에 노동자들이 사측의 행동을 저지하기도 했다. 이렇게 실랑이를 벌이다가 관리자들은 공장 후문에 집결해 11시 45분경 자진 해산했고 이어 경찰병력도 해산했다.

강제동원

사측의 관제데모 동원계획, 물리력 준비 등이 지부에 의해 사전에 폭로되면서 16일날은 큰 충돌 없이 끝나긴 했지만 파업대오는 대치했던 몇 시간이 참으로 길게 느껴졌다. 파업대오는 컨테이너 박스 등에 올라 바깥에서 정상조업을 외치는 동료들의 얼굴을 유심히 바라보았다. 아는 얼굴이 보이지 않기를 바라면서도 누가 왔는지 확인하고 싶은 마음이었다. 같이 못해 미안한 마음에 얼굴을 못 들고 서성이는 모습을 보면서 오죽했으면 왔을까 연민을 느끼기도 했다. 이후 사측은 관제데모를 위해 모자와 복면을 준비하기 시작한다.

저는 관제데모 하면 집회를 나갔죠, 일부러. 나가가지고 누구누구 왔나 일부러 보기도 하고. 아는 얼굴 많아요. 같은 향우회 사람들도 있고, 같이 소주 했던 사람들. 그래서 가서 그랬어요. 안에 힘들게 싸우니깐 맥주 사먹게 돈 만 원씩만 주라 해갖고, 돈도 한 육칠만 원도 받았고, 제발 다음부터는 오지 좀 마세요, 사정도 했고. 또 인자 정문에 컨테이너 위에서 걔들이 행진하지 않습니까? 회사 한 바퀴. 위에서 얼굴 보이면 이름 불러서 '제발 내일부터는 오지 마라' 그런 것들이 많이 있었죠. 그 다음부터는 회사애들도 모자 쓰고 복면 하고 마스크 하고 하니까 얼굴을 모르겠더라고요. 그때부터 이미 안과 밖은 감정이 갔던 거여. (구술자 Q)

(운동장에서 할 때 창원은) 거의 다 왔다고 그랬어요. 거

의 300명 왔대, 300명. 현재 남아있는 조합원이 320명인데. 거의 진짜 의식 있는 사람 몇 사람, 월차 낸 사람, 가정일 있는 사람 빼고는 거의 뭐 100% 참석이라고 봐야죠. 차 열 대가 올라왔다는데 (구술자 D)

그 당시에는 옥쇄파업 들어온 초기였기 때문에 밑에 있는 살아있는 조합원들도 여기 고생하는 사람들 때문에 어떻게 올라갈 수 있겠느냐 그런 마음가짐도 좀 없지 않아 있었지만 어쨌든 회사 측의 그런 강제적인 그런 면에서 할 수 없이 끌려 왔었구요. 당시 조합원들 일부는 보면은 좀 떳떳하게 이렇게 좀 마주치고 이렇게 했었지만서도 대부분 조합원들이, 전 그때 유인물을 나눠주고 있는 상황인데, 눈길을 못 마주칠 정도로 그 당시에는 미안해하고 좀 그렇게 했었죠. 사실 그 당시에는 정말 좀 배신감을 많이 느꼈기 때문에 어떤, 어떤 조합원들이 올라왔는지 눈 여겨 보고 좀 미안해하는 조합원들 보면은 그나마 좀 인간미가 느껴지고 했었지만서도 떳떳하게 앞장서서 오는 조합원들 보면 마음이 안타까웠죠. 그 당시에는. (구술자 O)

사측은 그동안 사원들이 자발적으로 집회에 참여했고, 16일에는 공장에 맨몸으로 진입하겠다고 했다. 그러나 지부는 사측이 조직적이고 폭력적으로 공장 진입을 계획하고 있음을 보여주는 내부 문서를 입수해 15일 이를 공개했다. '내 일터 찾기 계획(안)' 과 '진입대오 인원 편성 및 역할과 임무' 라는 제목의 문건에 따르면 "비해고 노동자들을 3개조 16열로 편성, 갈고리, 포크레인, 지게차 등을 이용해 공장 울타리를 무너뜨리고 진입한다"는 내용이 담겨있었다. 또 물리적 동원 수위와 방법 및 공장 진입 경로 등까지 자세히 기술되어 있었다.

비해고 조합원들도 강제 동원되었다. '파업 중단 및 생산재개 촉구' 궐기대회에 참여한 비해고 조합원이 팀장으로부터 받았다며 언론에 공개한 문자 메시지에는 "출근 체크 했습니다. 내일(16일) 8시 30분까지 도원 주차장 앞으로 모여 주시구요. 직 단위로 출근 전개가 있으니 안 오면 결근입니다. 그 자리에 없어도 마찬가지입니다. 내일 뵙겠습니다"라고 적혀 있었다.

헛도는 대화

6월 15일 사측이 조건 없는 대화를 요청해 옴에 따라 18일 오후 2시 본관 5층 회의실에서 한상균 지부장과 박영태 공동관리인이 노사 대표로 참여한 가운데 대화가 진행됐다. 지부는 16일의 관제데모와 관련하여 관제데모를 조직하고 물리력을 사용한 회사 출입 계획을 전면 철회하지 않는 한 대화에 응할 수 없다는 입장을 전달하였고, 이를 전제로 대화가 열린 것이다. 지부는 이유일 공동관리인이 참석하지 않은 것에 대한 문제제기와 6월 15일자 조선일보에 "구조조정은 노사 문제라고 해서 정부가 아예 빠져버리면 앞으로 한국에서 구조조정 못한다. 다른 완성차의 구조조정에도 두고두고 걸림돌이 될 것이다"라고 한 망언에 대한 입장 표명을 요구했다. 특히 강압적 관제데모 동원과 공장 진입 시도를 강하게 질타했고, 정비지회 현판을 내리고 사무실 집기를 치우는 등 노조파괴를 당장 멈출 것을 요구했다. 19일 같은 시각에도 노사 대표의 대화가 이어졌지만 진전되지 않았다. 지부는 정리해고 철회, 분사 철회, 비정규직 고용보장에 대한 회사의 입장을 재차 요구했지만 사측은 "꼭 정리해고가 철회되어야 하는가"만을 되물었다. 지부는 시간벌기, 생색내기식 대화는 더 이상 의미가 없음을 선언했다.

6월 19일 파업대오와 금속노조 조합원이 만났다.

18일 노사간 대화가 진행되는 동안에도 사측은 진입작전을 멈추지 않았다. 경기지역 노동자를 중심으로 노동, 시민단체, 학생 등에 이르기까지 광범위한 연대대오가 순식간에 조직되어 이를 막아냈다. 19일에는 금속노조가 하루 총파업을 벌였고, 언론노조와 범대위는 쌀지원, 방송을 통한 이데올로기 지원 등 투쟁전선 확장에 힘을 실었다.

진입, 대화 전술이 먹히지 않자 회사는 6월 22일 점거파업 중인 노조간부 191명을 상대로 50억 원의 손해배상 청구소송을 제기하고 한상균 지부장 등 노조간부 9명의 임금을 가압류하였다. 이날 오후부터는 사내 인터넷 전산망이 차단되었다.

정부는 여전히 불개입 입장을 고수했다. 6월 23일 지식경제부는 금속노조에 공문을 보내 "쌍용자동차의 조속한 회생을 위한 노정교섭 촉구 건에 대해 정부는 노사분규 당사자가 아니므로 교섭에 응할 수 없다"고 답했다. 노동부도 동일한 의견이었다.

용역

사측은 관제데모를 안 하겠다고 약속했지만 6월 23일 비해고자 2,000여 명을 동원해 오전 9시경 공장 앞 공터와 주차장 등으로 집결했다. "파업 철회", "정상 조업" 등의 구호를 외치며 시위를 벌였다. 이들은 점심식사를 마친 후 오후 2시경 인원점검을 하고 다시 공장 앞에 모여 시위를 벌였다.

용역업체 경비원 380명도 평택공장 정·후문 주변에 촘촘히 배치돼 조합원, 가족, 연대단위의 출입을 막았다. 라면, 떡 등의 음식물 반입 저지도 모자라 환자의 약 반입조차 가로막았다.

노동자 위에 경찰 있고 경찰 위에 깡패 있다.

회사는 5월 12일 서울중앙지방법원 제4파산부에 '용역업체 대금지급 허가 신청'을 요청했다. "회사의 자산을 보호하고 기초질서 확립을 위해 외곽 경비와 반입 반출 검색을 확대 시행하고자 용역 업무를 제공받고 대금을 지급하고자 하니 허가"를 해달라는 것이다. 이에 따르면 9억 4,050만 원씩 6월 16일과 26일, 7월 7일 세 차례에 걸쳐 총 28억 2,150만 원을 용역 경비로 지출하겠다는 것이다.

사측이 용역 계약을 맺은 경비업체인 (주)마린캅스는 2002년 설립되어 개인 신변보호, 각 기업체 특수경비, 보안 업무 등을 수행한 전문업체이다. 용역깡패 하루 일당이 무려 24만 7,000원으로 알려지고 있다. 당시 드러난 자료에 따르면 용역 경비업체와의 계약기간은 7월 6일로 만료 예정이었는데 이후에도 사측은 용역 경비업체와 재계약을 체결하였다. 용역깡패들은 경찰, 구사대와 함께 파업대오를 진압하는 데 앞장섰다. 이들은 경찰과 비슷한 전투 복장을 착용했고, 사제방패를 들고 있었다.

6월 25일 오후 사측은 후문과 4초소 앞 4차선 도로를 가로막고 갈고리를 이용해 철조망 약 1킬로미터를 제거했다. 조합원들이 보기에는 몸에 맞지도 않고 부자연스러운 작업복 차림을 한 것으로 보아 용역깡패를 동원한 것 같았다. 지부는 임시방편으로 철조망을 세우고 파레트로 외부 접근을 차단시켜놓기도 했다.

충돌

구사대를 몸으로 막았다.(2009.6.26)

사측은 26일 오전 11시 기자회견을 통해 '희망퇴직과 분사' 안을 일방적으로 제출했다. 사측이 제시한 최종안은 정리해고자 976명에 대해 분사 270명, 영업전직 50명, 희망퇴직 450명, 우선 재고용 100명, 2012년 말까지 무급휴직 100명 등이었다. 금속노조, 쌍용자동차지부, 비지회는 12시 기자회견을 열고 "사측의 최종안은 모두 해고를 전제로 한 것"이라며 사측안을 재고할 필요가 없는 것이라고 했다.

노조가 사측안을 거절하자마자 정부는 경찰병력 6개 중대 600여 명을 동원해 공장을 포위하고 용역깡패와 사측 직원들이 공장에 난입하여 26일 저녁 본관을 점거하기에 이른다.

이른바 '사측의 최종안'은 지부에 공식 전달된 적이 없다. 그래서 기자회견 내용을 입수하기 위해 사측의 기자회견 장소에 갔던 쌍용자동차지부 김정운 교선실장, 최용식 교육부장, 채희국 편집부장, 김갑수 보건부장, 장영규 대협실장, 정진태 대협부장 등을 경찰이 연행하려 했다. 옆에서 쌍용자동차지부 파업투쟁을 지지하는 193인 법률전문가 기자회견을 준비하고 있던 변호사들이 이를 저지했다. 경찰은 쌍용자동차지부 간부, 금속노조 간부, 변호사 등 9명을 연행했다. '퇴거불이행'이 이유였다. 이것은 경찰들의 신호탄이었다.

오후 2시 30분경 용역깡패 400여 명과 사측 3,000여 명이 4초소 기숙사 및 연구동 쪽 주차장 철조망을 뚫고 들어와 주행장 옆 시험차량 보관 장소에 집결했다. 파업대오에 비상이 걸렸다. 기숙사, 연구동 방향으로 용역들이 밀고 들어왔다. 용역들은 저항하는 조합원의 옷을 갈기갈기 찢는가 하면 노조 방송차량을 파손했다. 이 과정에서 김정욱 기획부장이 사복경찰에 체포되었다. 파업대오는 함께 일해 온 동료들에게 차마 쇠파이프를 휘두를 수 없어 서로 팔을 엮어 대오를 가로막았지만 힘에 부쳤다. 5시 10분경 옥쇄파업 중이던 조합원들이 기숙사 울타리를 돌파당하고 도장공장 쪽으로 물러났다. 사제방패를 든 용역들이 몰려가 조합원들과 대치했다. 용역 뒤에는 경찰들이 방패를 들고 섰다.

파업대오는 이렇다 할 투쟁을 하지 못한 채 물러났다. 당시 한 조합원은 언론과의 인터뷰에서 "쇠파이프를 들고 있었지만 옛 동료들을 보니 차마 휘두르진 못하겠더라. 쇠파이프를 눕혀서 밀다가 되레 뺏기기도 했다. 아직 식구라는 개념이 남아있어서 그런 것 같다"고

했다. 동원된 조합원들도 줄담배로 심경을 달래긴 마찬가지였다. 일부는 파업 대오를 향해 거칠게 항의하기도 했지만, 대부분은 씁쓸함을 감추지 못했다.

용역이 가장 앞에 서고, 대의원, 이전에 노조 간부를 했던 자들이 적극적으로 행동했다. 대의원대회에서 파업에 참여하지 않거나 6월 8일 이전에 이탈한 대의원, 간부에 대해 제명 처리하였다. 이들에게는 안에서 농성하고 있는 조합원들이 함께 일하게 되는 게 부담스러웠고, 지도부가 건재하게 된다면 어떤 조치를 당하게 될지 모를 일이었다. 자신이 살기 위해서는 노조를 무릎 꿇게 해야 했다.

> 알죠. 입장 바꿔 생각하면 우리도 마찬가지예요. 우리가 바깥에 있었으면 마찬가진데. 저희가 그러는 거예요. 회사가 부르면 당연히 와야지, 회사도 체크를 하는데~ 와야죠! 와서 앞에 나서지만 말아 달라는 얘기죠. 앞에는 용역애들 세워놓고 관리직 애들 세워놓던 뒤에만 빠져 계시면 우리가 그분들한테 악한 감정은 없잖아요. 근데 이제 몇몇 사람들이 앞에 나서서 또 진두지휘를 하더라구. 노동조합 물 먹었다는 양반들이. 그 양반들이 더 사람들을 세뇌를 시키고 그래서 몇몇 사람들이 앞장서서 그렇게 한 것 같아요. (구술자 K)

> 대의원들은 조합원들과 달리 고민이 더 심했던 거 같아요. 많은 대의원들이 사측의 회유와 협박을 당했겠죠. 일반 조합원들보다 대의원 통한 협박이 강했기 때문에 6월 8일 이전에 이탈한 대의원들이 심했던 거였고 그래서 대대에서 이탈한 대의원들에 대한 제명 안들이 통과된 건데, 오히려 그렇게 제명됐던 대의원들이 사측 관제데모 때 보면, 그 사람들은 자기 생존이 걸린 문제잖아요, 노동조합의 완

전한 승리로 끝나면. 그러니까 사측 선봉대 역할을 하고.
(구술자 L)

용역과 구사대가 공장에 진입해 본관에 진을 쳤다.

26일 5시 30분경 사측은 본관 건물을 장악했다. 용역들은 지게차로 정문 쪽 컨테이너를 밀어버렸고, 천막을 철거했다. "승리했습니다. 본관, 저희가 탈환했습니다. 이제 우리가 작업장을 차지합시다." 관리자들은 박수와 함성을 질렀다. 본관을 점거한 사측은 "적어도 일요일까진 버텨야 한다"는 입장을 고수했다. 이날 오전 사측이 내놓은 '최종안'에 대해 일요일까지 답을 받아내겠다는 것이다. 구사대들은 정문 앞, 본관 앞에 은박지와 스티로폼을 깔아놓고 눌러앉았다.

본관과 도장공장 대치선을 중심으로 전선이 팽팽하게 형성되었다. 27일 새벽까지 파업대오는 300명이 넘는 용역들과 산발적인 전투를 벌였다. 오전 10시부터 구사대들은 본관과 남문, 조립3 · 4팀 등에서 소규모로 진입을 하려 했다. 동시에 용역깡패들은 쇠파이프, 소화기, 방패, 헬멧 등으로 중무장하고 도장2팀과 조립3팀을 잇는 컨테이너를 돌파하려 했다. 공장 안으로 진입하는 용역깡패, 구사대와 파업대오 사이에 치열한 전투가 벌어졌다. 이날 공장 안에서 화염병이 처음으로 등장했다.

27일 오전 도장공장 옆 '승리광장'에서 열린 결의대회에서 한상균 지부장은 "사측은 어제 기자회견을 끝내고 불과 세 시간도 지나지 않

팽팽한 대치 틈틈이 휴식을…

아 공권력, 용역과 구체적인 작전으로 헬기까지 동원해 공장에 들어왔다"고 분노했다. 한 지부장은 "그동안 우리가 너무 순진했다"며 "이 시간 이후 우리 투쟁을 가로 막는 어떤 것도 용서치 않겠다"고 했다. "5일 안에 본관을 탈환하자"고 했다. 지부는 파업대오의 사기를 회복하기 위해 본관 탈환 투쟁을 하기로 했다.

오후 3시 용역깡패, 구사대 그리고 경찰의 3중 입체작전이 펼쳐지자 이에 대항하여 파업대오는 반격을 시작했다. "타격!" 신호와 함께 대오는 본관 앞으로 밀고 내려왔다. 지게차를 선두로 한 타격대는 본관 앞과 옆의 야적장에 사측이 쳐놓은 천막을 밀어냈다. 지게차가 뒤로 빠지기 시작하자 용역들이 반격을 시작했다. 지게차를 엄호하기로 했던 파업대오가 용역과 구사대에 밀려 퇴각하면서 지게차 두 대가 고립되었다. 조합원들은 쇠파이프를 무자비하게 휘둘러대는 용역깡패에 맞서 싸웠으나 이미 대오가 흐트러져 역부족이었다. 이 과정에서 부상자가 많이 발생했다.

고립된 지게차 운전을 한 조합원은 용역깡패가 휘두른 쇠파이프에 후두부를 맞아 병원으로 이송되었고, 한 조합원은 용역깡패가 집어던진 소화기에 맞아 이 13개가 부러지고 잇몸이 함몰되기도 했다. 이날 환자를 지부 구급차에 싣고 병원으로 후송하려 하였으나 용역깡패와 구사대가 이를 가로막고 구급차 운전자와 지부 간부를 강제로 끌어내려 집단 폭행했다. 부상당한 조합원은 15분간 실랑이 끝에 겨우 병원으로 후송되었다. 운전자는 병원에 1주일간 입원치료를 받았으며, 지부 간부는 용역깡패에 의해 경찰에 인계되었다.

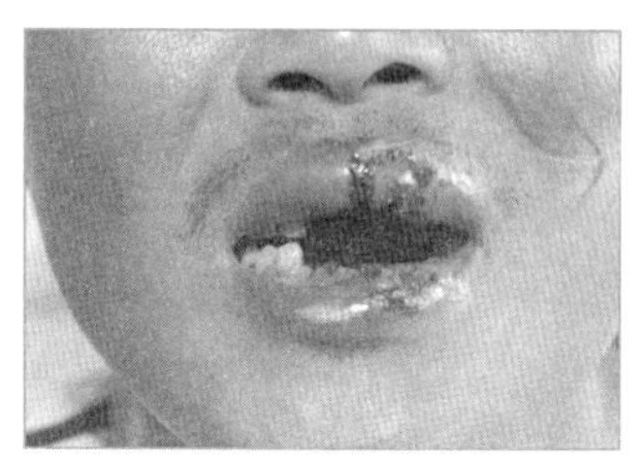
용역깡패가 휘두른 소화기에 부상당한 조합원

27일 오후 10시 구사대가 갑자기 철수했다. 긴급기자회견을 자청한 법정관리인은 "쌍용차 전 임직원은 더 이상 우리 스스로만의 힘으로는 일터를 지켜낼 수 없다는 판단에 따라 공장을 떠나고자 한다"고 했다. "경찰의 존재 이유 자체를 부정하는 처사"라는 표현까지 써가며 경찰이 철저하게 대응하지 못한 것에 대해 강한 불만을 제기했다.

사측이 갑자기 철수한 것은 파업대오를 물리적으로 굴복시킬 수 없다는 자체 판단과 함께 격화된 내부 대립 때문인 것으로 보인다. 사측이 압도적 인원을 동원하여 본관을 점령하기는 했지만 대오를 지속시키기 위해서는 물리력을 보유해야만 했다. 파업대오가 사측의 예상보다 탄탄했고, 지부장은 "오늘 철수하지 않으면 내일 본관 타격투쟁에 들어간다"고 사측에 최후통첩을 했던 것이다. 이 외에도 본관 점거를 계속할 것인지 여부를 두고 법정관리인 박영태와 이유일 간에 의견이 갈리고 싸움이 일어나기도 했다. 또한 경찰이 적극적으로 돕지 않았다는 것도 하나의 요인

침탈에 맞서 가족들도 함께 투쟁했다.

으로 작용했다. 어쨌든 사측은 공장 진입과 충돌을 통해 노사 간에 해결할 수 없으며 경찰이 개입해야함을 몸으로 보여주는 데 성공했고 이후 경찰병력이 주둔하는 빌미를 만들어 주었다.

파업대오는 28일 오후 3시간 동안 사측이 철수하면서 버린 온갖 쓰레기와 오물을 청소했다. 투석에 필요한 자재덩이, 철수하면서 버리고 간 쇠파이프가 곳곳에 널려 있었다. 본관 건물이 완전히 산산조각이 나 있었다. '이런 놈들이 회사를 사랑했을까.'

용역과 구사대가 물러갔지만 '혹시 뒤통수를 맞지 않을까' 긴장과 초조 속에서 밤을 지샜다. 밤새도록 지부장이 직접 지휘하면서 바리케이드를 새로 쌓았고 재침탈을 막기 위한 대비책을 세웠다. 불안, 초조, 긴장감으로 움츠렸던 순간들이 지나갔다. 다음날 아침까지 주룩주룩 비가 내렸다.

32시간의 충돌 과정에서 90여 명이 부상을 당했고, 23명이 연행되었으며, 2명이 구속되었다.

파산 시나리오

6월 28일 쌍용자동차지부와 '일방적 정리해고 반대, 자동차 산업의 올바른 회생을 위한 범국민대책위'는 평택공장에서 기자회견을 열고 회사가 '파산 시나리오'까지 짜면서 노조를 파괴하려 했다고 비판했다. 지부가 입수한 사측 임원의 수첩에 적힌 내용에 따르면 사측은 "파산시점이 언제냐"를 판단하면서 "CASE별 자료작성"까지 준비하고 있었다. 그리고 '파산 시나리오'를 작성해 직원들 교육을 계획하고 있었다. 사측은 그동안 "옥쇄파업이 계속되면 파산할 수밖에 없다"며 노조를 압박해왔다. 그러나 파산 시나리오를 준비해 놓고 그 책임을 노조에 떠넘기려 했던 것이다.

노조로의 책임전가는 여기서 그치지 않았다. 사측은 또 "2,600명으로 대표 노조 결성, 비대위 구성"이라는 계획을 세우고 있었다. 금속노조 쌍용자동차지부를 인정하지 않고 어용노조를 세우겠다는 것이다. 아울러 "970명 타협-X", "노사협의는 없다. MY way" 등의 기록은 노조와 대화하지 않고 정리해고를 밀어 붙이겠다는 것이다. 사측은 또 관리자들과 비해고 조합원들의 교육과 집회참석을 일일이 점검하면서 출근 관제데모에 참석하기를 독려해 왔다. 이들은 공장 진입작전 관련한 직원들의 역할을 작성했고, 직원들에게 미니 사이즈로 제작·배포했다. 이외에도 사측과 경찰이 공장 진입을 공모한 것도 기록되어 있다. 그동안 경찰은 "노-노 충돌을 막기 위해 배치된 것"이라고 밝혔으나 메모에 따르면 "사복경찰 배치", "검찰청-16일 진입 대책이 있느냐"는 등 경찰은 물론, 검찰까지 공모해 공장 진입 계획이 수립되었던 것이다.

경찰은 충돌의 공범이었다.

상처

6월 26일과 27일의 충돌로 조합원들은 깊은 상처를 입었다. 이 싸움의 이득은 고스란히 자본에게 돌아갔다. 그 전에는 비해고자들이 미안하다는 문자를 보내오거나 몇몇 짝을 지어 방문해 술 한잔 기울이기도 했다. 24일에도 후문과 4초소 중간에서 관제데모를 했는데, 여기 참여한 관리직 사원과 비해고 조합원들이 종이비행기를 접어 공장으로 날려보냈다. 그 속에는 회사의 지시에 의해 작성된 글도 있지만 내용이 없는 글이 절반을 차지하고, 함께하지 못한 미안함을 표현한 글들도 있었다.

"같이 못해서 정말 죄송합니다." "최선을 다하세요." "미안합니다." "끝나는 그날까지 몸 건강하세요." "힘 내세요." "우리가 살길은 옥쇄파업 뿐이다." "모두 잘 될 것입니다."

32시간 충돌은 조합원 모두에게 큰 상처였다.

지부도 24일 '노동조합을 믿고, 동지를 믿고, 승리의 대열에 함께 합시다!'라며 호소했다.

그러나 32시간 충돌 이후 서로 폭력을 휘두른 것에 대해 감정적 골이 생겼다. 안에 있는 조합원은 인간에 대한 회의까지 느끼기도 했다. 밖에 있던 조합원들은 물리적 충돌과 1박2일간 사측이 집중적으로 쏟아부은 선전에 그동안 갖고 있던 미안한 마음을 떨어내고 있었다. "재들이 죽어야 우리가 산다"는 관리자들의 말. 이 모든 것이 회사가 종용한 것임을 알면서도 함께 일

했던 동료에 대한 배신감이 일었다. 쌍용자동차 자체가 싫어졌다고 말하는 조합원이 많았다.

> 사실 그 이전까지만 해도 밖에 있는 사람들하고 같이 전화통화도 하고, 결합하지 못해서 미안하다고 하고 소주 사가지고 후문에서 같이 먹기도 하고. 먹을 거 넣어주기도 하고. 조합원들이 다 그랬거든요, 문자 해서 'OO야 미안하다 같이 못해서' 제가 대의원이니까 조합원들이 저한테 전화오고 이런 관계들은 계속 유지하고 있었던 거죠. 26, 27일 누가 조장했든 충돌이 있었던 거잖아요. 일반 조합원들이야 회사에서 서라고 하니까 뒷줄에 섰던 거고 앞에는 용역과 관리자들이 섰고, 조합원들이야 어쩔 수 없이 그 자리에 인원체크 하고 안 나오면 결근이라고 하고 하니까 어쩔 수 없이 나왔다고 하지만 너희들이 우리들한테 지게차를 통해서 그런 폭력들을 할 수가 있느냐. 안에 있는 대오들은 어떻게 10년 20년 함께했던 사람들이 이 공장은 내 생명줄과 다름없는데 마치 나를 죽이러오는. 10년 20년 근무했던 동료가 어제 통화했던 동료가 그 자리에 있는 모습을 보니까. 그 사건 이후로 안에 있는 동지들도 이성을 상실한 동지들. 서로에 대한 적개심. 안에 있는 조합원들은 당시 있었던 누구, 누구, 누구 세우면서 십새끼 그러고, 밖에 있는 조합원들은 어떻게 너희들이 나에게. 사실 다치기도 많이 다쳤거든. 쇠파이프에 맞아 팔이 부러진 조합원 지게차 호위하고 가면서 어쨌든 우리 안 대오도 이성을 상실한 상태였기 때문에 그렇게 된 거죠. 관제데모 이후에 서로에 대한 적개심. 노노 갈등이 극에 달한 시점이죠. (구술자 L)

> 회사 다니고 싶지 않았죠. 내 동료가 같이 일하는 동료가 와서 옥쇄 풀고 그만두라는 얘기 하고 서로간에 피 봐가면

서 싸우고. 실제 피를 본 거니까. 회사에 정내미가 뚝 떨어지죠, 이런 회사를 다녀야 되나 싶고. 목구멍이 포도청이니까 다니지만 내심적으로 다니기 싫다는 얘기가 상당히 많이 나왔어요. (구술자 J)

옥쇄파업 돌입 이후 처음으로 눈에 띄는 숫자의 조합원이 농성장을 나갔다. 그 전에는 개별적으로 조금씩 변동이 있던 정도였다. 이 투쟁 이후 대략 50명 정도가 농성장을 나갔다. 더 이상은 버티기 힘들다고 나간 조합원도 있지만 한 부서에서는 해고자들이 비해고자들에게 "이제 나가라, 그동안 고생 많았다, 이제 나가도 된다"고 했다. "안 나갑니다." 서로 부둥켜안고 울기도 했다.

회사는 26일 기자회견을 통해 일종의 '최후통첩'을 하면서 파업대오에게 결단을 내릴 것을 압박했으며, 27일 농성을 해제하기 직전 기자회견에서도 '파산' 등의 협박으로 파업대오를 흔들고자 했다. 그러나 파업대오는 사측의 압박에 크게 동요하지 않았다. '최종안'은 기대에 못 미치는 안이었으며, 파산 협박은 너무나 많이 들어본 것이라 영향이 적었던 것이다.

한편, 파업대오는 이 투쟁을 경험하면서 공장 사수가 사활이 걸린 문제임을 다시 확인했다. 옥쇄파업 들어오면서부터 공장을 사수하는 것이 승리의 발판이라 생각하고 있었으나 사측과 직접 충돌을 겪고 난 이후 그 생각이 더욱 강해졌다.

32시간 전투를 통해 파업대오는 본관을 중심으로 한 1차 저지선이 돌파 당해도 2차 거점 사수 투쟁을 중심으로 한 무장이 강력하게 되어 있음을 확인했다. 사측은 사회적 물의를 일으키면서까지 용역을 대거 투입했지만 사실상 전투에서 패한 것이다. 파업대오는 이후 경찰병력이 투입된다 해도 쉽게 돌파당하지 않을 것이라는 자신감을 갖게 되었다.

조합원들은 전술에 대한 아이디어를 더욱 적극적으로 제기했다. 6월 30일 평가 시간에는 "후퇴 시 일사불란한 대오를 유지해야 한다, 치고 빠지는 단계를 명확하게 해야 한다, 명령체계가 정확하지 않았다, 지원 인력 운영을 정확하게 하자, 조편성을 다시 해 취약한 라인 쪽을 보강하자, 지형지물을 숙지하자, 물안경 같은 것을 구비해 줬으면 한다, 컨테이너를 이중 삼중 쌓고 연결해야 한다, 전투가 땅에서 벌어진다면 옥상에서는 호루라기, 함성이라도 질러 힘을 주자, 파리도 못 잡는 동지가 있다는데 겁이 많은 조합원을 위해 공포심 극복 방안을 마련하자" 등의 의견이 나왔다. 특히 거점 이동, 퇴각 등의 방어적 훈련에서 공격적 훈련으로 전환해야 한다는 제기를 했다. 전투물품도 스스로 고안해 내고 직접 만들어갔다. 한 번 실전 경험은 파업대오의 결집과 전투력을 한층 높여 놓았고, 파업대오는 공장 사수와 투쟁 승리에 대한 자신감을 갖게 되었다.

굴뚝농성의 힘

굴뚝농성 26일차인 6월 7일 오후 8시 19분경 비정규직지회 유제선 교선부장은 서맹섭 부지회장으로부터 "지금 이 시간부터 단식투쟁, 생명줄 제거. 정리해고 철회 아니면 죽을 각오하고 싸우다"라는 문자를 받았다. 교선부장이 바로 굴뚝 아래로 뛰어갔으나 이미 밧줄은 위에서 끊어져 바닥에 떨어져 있었다. 밤 8시 30분경부터는 이 소식을 전해들은 동료들과 가족들이 굴뚝 밑에서 "힘내라"고 외치며 약식집회를 열었다. 한편, 쌍용자동차지부 쟁대위는 굴뚝 농성자의 단식 중단을 결정했다.

굴뚝 농성자들은 회사를 압박하기 위해 굴뚝에서 할 수 있는 일은 단식이라는 데 합의하고 쟁대위와 협의 없이 단식을 결정하였다. 6월 5일 노사정 간담회가 아무런 성과 없이 끝나고 난 뒤 사측에서 관제 데모를 조직해 평택공장에 진입한다는 소식이 전해졌기에 이를 막아보겠다는 것이었다. 그런데 그 파장은 파업대오 내부에서 일었다. 소식을 접한 조합원들이 울면서 전화를 했다. 지부장도 전화를 해 줄을 연결하라고 했고 간곡한 편지를 써 보내기

굴뚝은 흐트러진 마음을 다잡는 곳이었다. 굴뚝 아래에서 삭발하는 조합원

도 했다. 굴뚝 농성자들은 논의를 통해 쟁대위 지침에 따르기로 했다. 굴뚝으로 이어지는 생명줄은 하루 만에 다시 연결되었다.

장대비가 내리는 날 조합원들은 굴뚝에서 농성을 하고 있는 동지들을 생각하며 밤잠을 설쳤다. 촛불문화제 때 굴뚝 농성자들이 전화로 상황을 전하고 결의를 밝힐 때 조합원들은 눈물을 흘렸다. 굴뚝 농성자들은 바람을 타고 날아오는 최루가스, 바로 머리 위에서 날고 있는 헬기 소리에 힘들어하다가도 밑에서 최루액을 온몸으로 맞으면서도 싸우고 있는 동지들을 보면서 힘을 얻었다.

> 최루액이 굴뚝으로 엄청나게 오니까. 바람으로 인해서 굴뚝으로 많이 날라왔고 굴뚝에 또 물도 없었지. 어떻게 지나갔는지를 모르겠어요. 헬기 소리 때문에. 아우 진짜 강한 바람이 불어도 견뎠고 비바람 비가 와도 견뎠고 비닐이 날라갈 정도까지 그래도 견뎠는데 헬기가 바로 머리 위에 있는 거예요, 비닐하고 천막으로 쳤는데 내 머리위에 바로 헬기가 있는 거야, 소음이 장난이 아니더라고. 그 헬기가 한 대가 아니라 다섯 대 여섯 대 마지막에 특공대 소방헬기까지, 아후. 그런 어려움이 있었지만 우리보다는 밑에 있는 동지들이 최루액을 통째로 뿌리는데도 그걸 맞으면서도 싸우더라고요. 그걸 보니까 우리는 아무것도 아니다, 굴뚝은 별 거 아니다 밑에 있는 동지들 진짜 잘 싸우고 있다. (구술자 I)

연대대오의 투쟁 의지도 굴뚝 농성자들에게 전달되었다. 굴뚝에서는 공장 밖 모습이 한눈에 들어오므로 연대대오가 얼마나 모였는지 경찰병력과의 싸움이 어떻게 진행되는지 볼 수 있었다. 굴뚝 농성자들은 연대대오가 강고한 투쟁으로 경찰병력을 뚫고 공장 진입을 시도했으면 하는 바람, 때로는 힘없이 밀려가는 모습을 보면서 느끼는 아쉬움 등 만감이 교차했다.

> 연대동지들 저 멀리서 소리 지르면 손도 보인다고 하더라고요. 망원경으로 다 봤어요. 빨간 손수건을 흔들어 주니까 함성을 질러 주시더라고요. 그 힘으로 버티고. 전화번호는 모르는데 제일 좋았던 게 80일날 문자가 70개가 들어왔어요. 똑같은 문자가 두 사람한테 그대로 다 들어온 거예요. 밑에서도 집회를 했어요, 헬기가 방해를 했지, 80일이었지 그때. 전혀 소리가 안 들리더라고. 하지만 저녁 문화제 때 연대 동지들이 문자를 보내가지고 힘내라, 승리가 코앞에 왔다, 힘을 많이 받았죠. (구술자 I)

굴뚝 농성자들의 건강 상태는 그리 좋지 않았다. 김을래 부지부장은 지병으로 당뇨가 있었고 처음 굴뚝에 올라오던 날 다리가 찢어져 꿰매기도 한 상태였다. 그런데 차츰 위가 안 좋아져 가다가 급기야 식사를 하기에도 어려운 상황이 되었고 차츰 건강이 악화되어 가기만 했다. 6월 30일 굴뚝농성 49일차 김을래 부지부장은 굴뚝에서 내려왔다. 당뇨와 협심증으로 병원에 입원하였고, 치료를 마친 후 서울 상황실 책임자로 활동하게 된다.

> 안 먹고 이러다 보니까 이제 위가 더 안 좋아지고. 이러면서 안 먹는 횟수가 조금씩, 조금씩 늘어나다가 막판엔가 심장 쪽에 계속 따끔거리고 압박이 온다고. 정말로 아파가지고 막 뭐라고, 식은땀 흘리고 이런 상황까지 오더라구요. 그래서 서맹섭 부지회장하고 얘기를 해서 아무래도 안 되겠다 내려가셔야 될 거 같다. 그래서 비상조치를 했죠. 그때 의사 분하고 통화를 좀 했던 거 같아요. 하면서 의사 분도 조금 위험할 수도 있겠다. 딴 데면 몰라도 심장이기 때

문에 이게 갑자기 안 좋아질 수도 있으니까. …(중략)… 의사가 올라왔어요. 사다리차로 해서 중간까지, 중간에서 계단 타고 올라와서 밤에 치료를 해주시고 그러고 내려가셨고. 하여튼 그래서 부지부장님은 좀 내려가는 게 맞다 판단을 했고 부지부장님은 좀 안 내려간다 했는데. 사실 저희가 힘들더라구요. 아프니까 계속 신경 쓰이고 그러다 보니까 밥 먹는 것도 미안해지고, 같이 있으니까. 그래서 제가 마지막으로 얘기를 많이 했죠. 솔직히 형님 때문에 힘듭니다, 내려가십쇼, 이 투쟁 승리하려면 서로 짐이 되면 안 되지 않습니까. 이런 얘기를 했던 거 같아요. 그래서 내려가시라고 계속 권고를 했고 그러고선 끝내는 내려가시기로 결정해서 내려가셨죠. (구술자 B)

김봉민 부지회장 역시 당뇨가 있었다. 약을 챙겨 올라오긴 했지만 굴뚝이 좁아 운동을 하기는 어려워 몸에 무리가 왔다. 경찰과 용역깡패들이 의약품 반입을 막아 나중에는 약마저 끊겼다. 그런데 문제는 건강했던 서맹섭 부지회장에게 먼저 찾아왔다. 굴뚝 농성 한 달 지난 즈음 명치끝이 조금 아프다가 점점 통증이 극심해졌다. 마지막 30일은 아파서 제대로 먹지도 못했다. 김 부지회장은 서 부지회장에게 내려가라고 설득했지만 끝까지 버티겠다는 고집을 꺾지 못했다. 농성이 끝난 후 경찰은 병원에서 제대로 된 진찰을 받도록 허용하지 않았다. 나중에 담당 의사는 진찰 후에 큰일 날 뻔했다면서 어떻

게 이 상태가 될 때까지 방치했냐고 경찰에게 화를 내기도 했는데 병명은 식도염이었다.

굴뚝 농성자들의 결의는 죽기를 각오한 것이었고 그 의지는 파업대오의 결의와 일치된 것이었다.

> 각종 집회 보고대회 때, 금속 집회 때 고공에 있는 동지들의 선동, 결의들이 확인되고, 고공농성이 길어지면서 조합원들은 마치 쌍차 투쟁이 세 명의 고공농성으로 상징화되면서, 생존을 위해서 죽기를 각오하고 올라갔고 정리해고 철회되지 않는 이상 정말 살아 내려오지 않겠다는 결의가 조합원들에게 전달이 되면서 우리 투쟁 또한 죽기를 각오한 옥쇄파업인 거고 우리가 정리해고 철회되지 않는 이상 살아서 옥쇄를 풀지 않겠다는 조합원들의 결의와 일치된 거죠. (구술자 L)

우리의 투쟁은 정당하다

여론 싸움

사측과의 여론 싸움은 물리전 만큼이나 치열했다. 여론에서 우위를 점하는 것은 쌍용자동차지부의 투쟁을 정치쟁점화하고 파업에 참여하지 않은 조합원들을 중립화시키는 데 영향을 미쳤다.

지부에서는 여론을 환기시키기 위해 상하이 자본의 '먹튀' 행각을 집중 선전했다. 이는 지상파 방송을 통해 전국민에게 알려졌다. 6월 5일 KBS 추적60분, 18일 MBC 뉴스후, 19일 MBC 스페셜 등에서 쌍용자동차 관련 방영을 했고, 해외매각의 문제점에 대한 전 국민적 공감대가 확산되어 갔다.

'일방적 정리해고 반대, 자동차산업의 올바른 회생을 위한 범국민 대책위원회' 가 한길리서치연구소에 의뢰한 국민여론조사 결과도 투쟁에 대해 호의적이었다. 여론조사는 6월 15~16일에 이루어졌다. 이 여론조사는 2009년 6월 현재 만19세 이상 성인 남녀 1,000명을 대상으로 전화면접을 통해 이루어졌다. 면접조사는 인구 비례에 따라 성 · 연령 · 지역별로 표본을 무작위로 추출하였으며, 95% 신뢰수준에 ±3.1%P 오차 범위를 갖는다.

여론조사에 의하면 쌍용차 문제와 관련해 정부의 책임이 가장 크다는 응답이 40.1%, 다음은 상하이차 19.9%, 채권단의 책임을 지적한 응답도 9.4%였다. 노동조합에 책임이 있다는 응답은 13.2%였다.

쌍용차를 중국 상하이차에 매각한 것이 잘못된 결정이라는 의견이 61.2%, 상하이차가 쌍용차를 매각하여 투자는 하지 않고 기술을 빼가게 만든 정부의 책임이 크다는 의견이 무려 70.0%에 이른다. 회사가 어려운데 파업을 하는 노동자의 책임이 크다는 의견은 17.6%였다.

사측의 일인시위

정리해고 등 인력감축에 대한 반대 63.1%, 찬성 31.1%로 인력 구조조정에 대해 반대했다.

또한 쌍용차 문제를 해결하는 방법으로 공적자금을 투입해 공기업화 하는 방안에 대해서는 찬성 45.3%, 반대 42.6%로 공기업화 찬성 의견이 약간 높게 나타났다.

경찰병력 투입에 대해서도 압도적 다수인 79%가 반대하는 것으로 나타났다. 여론

조사 결과 국민들의 88.8%가 쌍용차 파업에 대해 알고 있거나 들어봤다고 답했다.

사측은 여론이 자신들에게 불리하게 돌아가자, 6월 26~27일 충돌을 부각시키며 '노조의 폭력성'을 대대적으로 선전했다. 그리고 비해고자들에게 파산 이데올로기를 주입시키면서 결속을 다졌다. 사측은 일인시위, 지하철 선전, 인터넷에서 아르바이트생을 동원한 여론전 등에도 주력했다.

지부는 7월 6일 설치한 서울 상황실을 중심으로 민주노총과 함께 사이버대응팀을 만들어 사측의 여론전에 대응했다. 특히 인터넷 포털을 둘러싼 사측과 지부의 공방이 치열했다. 쌍용자동차 경영문제의 책임 소재, 조합원간의 충돌, 용역과 경찰의 살인적 진압, 물 · 가스 · 전기 차단, 음식물과 의료품 반입 금지 등 다양한 문제를 둘러싸고 사측과 지부측 입장이 엎치락뒤치락 했다. 지부의 노력으로 '아고라 일전'을 통해 사측과 경찰이 파업대오의 최소한의 인권마저 짓밟고 있으며 각종 신종무기를 써가며 폭력을 휘두르고 있다는 사실이 널리 알려졌다.

연대단위

세계경제 공황 속에 터져 나온 쌍용자동차지부의 투쟁은 노동운동진영과 시민사회단체의 공동투쟁을 불러왔다. 쌍용자동차 한 사업장에 국한된 투쟁이 아니라는 판단 아래 쌍차공투본이 만들어져 준비기부터 공동으로 투쟁을 준비해왔다. 이들은 평택공장 정문 앞에 천막을 치고 살다시피 하면서 파업 조직화와 노동운동진영의 결합을 위한 노력을 기울여왔다.

6월 3일에는 '쌍용자동차 정리해고 반대, 서민경제 살리기 범경기도민 대책위원회'(경기도민대책위)가 결성되었다. 이미 4월부터 활동을 해오던 자동차범대위도 이날 출범 기자회견을 열었다. 경기도민대책위에는 경기지역의 종교, 시민사회, 여성, 정당 등 각계각층의 141개 단체와 개인 인사 5명, 보건의료 지원단 3명 등이 결합했다. 또한 인권 · 법률 지원단으로 4개 법무법인 소속 변호사들과 3명의 노무사, 인권활동가가 함께했다. 이들은 출범 기자회견문에서 "평택과 경기도에서 쌍용자동차의 정상화는 지역 서민경제 살리기와 직결되는 문제이므로 정부여당과 함께하고 있는 김문수 경기도지사는 사태해결에 적극적으로 나서야 한다"고 요구했다.

많은 단체들이 결합하면서 투쟁이 확산되는 기미를 보이자 사측은 이를 단절하기 위해 '외부세력' 이데올로기를 들이민다. 6월 3일 이유일과 박영태는 기자간담회에서 "외부 좌파 노동 세력이 주도한 극단적 행위로 공장 내 주요 핵심시설이 파괴될 우려가 있어 강력하고 신속한 대응이 필요하다"며 "법적 해고 확정 효력일인 8일 이후 공권력이 투입될 것"이라고 설명했다. 아울러 외부세력은 "쌍용자동차 공동투쟁본부에 소속된 단체들"이라고 못을 박았다.

연대의 힘은 옥쇄파업의 한 축이었다.

쌍차공투본은 민주노총 경기도본부와 쌍용자동차지부의 제안으로 만들어진 연대투쟁체이다. 결합한 단체들은 쌍용자동차 문제가 한 사업장의 문제로 끝나는 것이 아니라 전국적으로 벌어지고 있는 노동자 구조조정, 정리해고를 상징적으로 대표하는 투쟁이며, 경제위기를 노동자에게 책임 전가하는 정권과 자본에 맞선 투쟁이 필요함을 호소해 왔다. 이에 사측은 투쟁이 지역적 연대를 넘어 전국적 연대로 확산되는 것을 막기 위한 언론플레이를 벌인 것이다.

쌍차공투본은 이를 넘어서기 위한 활동을 더욱 활발하게 전개했다. 쌍차공투본은 지부의 방침과 조합원의 의사에 기초한 활동 원칙을 실천 속에 녹여냈다. 공투본 소속 조직들은 파견자를 프로그램집행팀에 보내 지부 집행단위와 직접 결합해 사업을 함으로써 조합원과 지원단위의 관계를 만들어 갔다. 쌍용자동차지부의 상집 간부들이 옥쇄파업 기간 동안의 프로그램, 교육, 집회 등을 모두 기획하고 집행하기에는 손이 부족한 부분이 많았는데 이를 보조하는 역할을 했다. 또한 보수언론 대응 및 여론 확산과 관련하여 선전전, 일인시위, 언론 기고를 조직하기도 했다. 내용적으로는 쌍용자동차 사태 해결을 위해서는 정부가 나서야 한다는 점을 명확히 하며 이를 촉구했다. 사측 법정관리인은 정리해고 철회 및 정부의 공적자금 투입과 관련해서 아무런 권한이 없다는 점에서 노사교섭 혹은 지자체, 노동부가 중재역할을 하는 노사정교섭은 사태 해결에 결정적 역할을 할 수 없으며, 노정교섭이 쌍용자동차 문제 해결에 있어 기본 전제라고 판단해 이를 제기한 것이다. 6월 19일 쌍차공투본 주최로 '쌍용자동차 정리해고 철회를 위한 노정교섭 촉구! 공적자금 투입 촉구를 위한 기자회견'을 열었고, 6월 27일에는 '쌍용자동차 정리해고 철회! 노정교섭-공적자금 투입 촉구 결의대회'를 민주노총 경기도본부, 경기도민대책위, 쌍차공투본, 쌍차평택시민대책위 주최로 열기도 했다. 경찰이 평택공장을 봉쇄한 이후 공장 내 투쟁에 결합하지 못하게 되자 쌍차공투본은 연대투쟁 조직에 주력했다. 서울 시민 사회단체, 정당, 민주노총 서울본부 등은 서울지역대책위를 구성해 구로 정비지회 앞에서 주1회 집회를 열었고, 서울지역에서 쌍용자동차 투쟁을 조직하는 역할을 했다.

갖은 탄압과 '외부세력' 이라는 분열에 굴하지 않고 연대단위는 지부의 옥쇄파업을 엄호하는 역할을 했고, 경찰의 폭력에 항의하고 물, 음식물, 의료품 반입 등을 요구하면서 지지 연대투쟁을 적극 벌였다.

봉쇄

6월 30일 저녁부터 경찰은 평택공장을 전면 봉쇄했다. 경찰 50개 중대가 24시간 공장 안팎을 감시했다. 공장에서 나가는 사람의 신분증 검사는 말할 것도 없고 가족의 출입도 제한하였다. 투쟁기금을 전달하러 온 노동자들을 연행하는 등 연대단위를 철저히 차단했다. 파업대오를 고립시켜 그들만의 투쟁으로, 노사의 문제로 만들고자 했다.

경찰은 투쟁하는 노동자를 가두었다.

이미 6월 중순 이후 진행되기 시작한 경찰병력을 동원한 '외부세력' 차단은 내부에 결합한 연대단위의 활동을 위협하기 위한 것이기도 했지만 쌍용자동차 투쟁이 반이명박 정치투쟁과 결합할 가능성을 차단하기 위한 것이었다. 이명박 정부가 가장 두려워한 것은 쌍용자동차 노동자들의 투쟁과 높은 지지 여론이 임시국회에서 논의되는 미디어법과 비정규직 관련 법, 최저임금법, 금산분리 완화 등 정치적 쟁점과 결합하면서 투쟁이 확산되는 것이었기 때문이다. 인터넷 차단 등의 조치도 이와 동일한 목적에서 감행된 것이다. 여기에 편승해 사측은 7월 1일 펌프 모터를 파괴하여 공장에 물 공급을 차단해 지부가 나서 긴급 복구를 하기도 했다.

경찰병력 배치가 본격화되면서 파업대오의 고립감과 심리적 위축감이 커졌다. 파업대오는 용역 및 구사대와의 싸움에서 승리하여 자신감이 형성되었지만 한편으로는 두려움이 생기기도 했다. 중무장한 경찰병력 침탈은 용역들의 침탈과는 또 다른 차원이기 때문이다.

6월 19일 금속노조는 총파업과 20일 집회를 개최했다. 쌍용자동차지부의 강고한 투쟁이 금속노조 파업에 일정한 영향을 미쳤다. 금속노조는 올해 중앙교섭쟁취 목표를 포기하기까지 해 누구도 금속노조의 총파업이 가능할 것이라 예측하지 못하던 상황이었다. 금속노조의 총파업은 위력적이지는 못했지만 구조조정이 전방위적으로 실시되고 있는 국면에서 쌍용자동차 투쟁 엄호를 중심으로 한 정치적 파업 성격을 띠고 전개되었다는 점에서 의미를 갖는 것이었다. 또한 6월 22일 진행된 민주노총의 총파업은 언론노조 중심으로 이루어지기는 했으나 쌍용자동차 투쟁과의 연대 가능성을 보여준 것이기도 했다.

이렇게 만들어진 흐름을 어떻게 확장하는가가 경찰 봉쇄를 뚫고 투쟁을 이어가는 데 관건이었다. 지부는 국회 일정이 7월 25일까지인 상황에서 비정규, 미디어법 등과 쌍용자동차 문제를 연결하는 것은 놓칠 수 없는 고리라고 판단했다. 전국적인 쟁점이 살아있을 때 쌍용자동차 문제를 연동해 전선을 이어 나가자는 것이다. 봉쇄로 인한 고립감을 극복하기 위해서도 밖에서의 전선을 만들어내는 것이 필요했다. 금속노조와 민주노총이 총파업을 포함한 총력투쟁을 통해 쌍용자동차 투쟁을 엄호할 수 있도록 만들어야 했다. 때문에 지부는 "완강한 공장 점거와 쌍용자동차 문제의 정치적 쟁점화를 통한 대정부 투쟁 확산"을 기조로 정했다. 이를 통해 노정교섭 국면을 열고자 했다.

내용면에서는 공적자금 투입 제기를 전면화하였고, 해외매각 문제와 그 책임소재, 4대강 사업 예산과 쌍용자동차 회생비용을 비교하면서 여론을 형성해갔다.

이를 위해 7월 6일 지부는 서울 민주노총에 상황실을 설치하였다. 서울상황실은 여론 형성 역할을 담당하고 동시에 봉쇄된 평택공장의 투쟁을 전국적 연대투쟁으로 확산시켜내는 역할을 맡았다. 또한 법률대응, 국제 연대 조직화에도 힘을 쏟았다. 상황실에는 총괄책임 김을래 부지부장, 실무책임 이영호 상황실장을 중심으로 조합원 15명 가량이 결합했다. 이들은 각 언론에 대한 대응과 쌍용차 투쟁 쟁점화, 인터넷 여론 대응, 쌍용차 투쟁 지지 호소 및 투쟁기금 모금 등의 사업을 전국에서 금속노조 및 연대단위와 함께 펼쳐 나갔다.

연대투쟁

6월 29일 금속노조는 4시간 부분파업을 하고 오후에 3,000여 명이 결집한 가운데 '정리해고 분쇄, 노정교섭 촉구, 총고용 보장 쌍용자동차 투쟁 승리를 위한 총파업 결의대회'를 열었다. 한상균 지부장은 금속 노동자들에게 "공장에 파괴자들이 쳐들어왔으나 밀리면 안 된다는 조합원의 결의로 막아내고 살기

평택공장으로 달려온 금속노조 조합원들(2009.6.29)

위한 투쟁을 전개했습니다", "이가 13개, 쇄골, 정강이가 아작나고 부상을 당했지만 '지부장, 저는 병원에 가지 않습니다'라는 조합원의 결의를 봤습니다"라며 조합원들의 절박함과 투쟁의지를 알렸다. 비해고 조합원과 연대대오는 회사의 파산 이데올로기 공세에 흔들리지 말아달라고 당부했다. 아울러 "정부는 20만 일자리를 버리지 말고, 기간산업 매각 통한 국가 경제 운운하지 말고 노동자 생존권을 보장

하는 데 나서야 합니다. 공권력의 섣부른 판단이 있다면 어떤 초유의 사태가 전개될지 예단할 수 없습니다"라며 경고했다. 끝으로 금속 노동자들에게 연대를 부탁했다. "밀물처럼 왔다가 떠나간 공장이 너무 허전하고 밤이 깁니다. 쌍차 투쟁을 정당한 투쟁으로 받아준다면 대오가 200명만 함께 해준다면 우리는 이 공장을 반드시 지켜내겠다는 약속을 드리겠습니다." "단결과 연대로 정리해고 박살내자!"

7월 1일 금속노조는 전국적으로 3만여 명이 참여하는 파업을 벌였다. 경주시에서는 경주지부와 포항지부 2,000여 명, 창원시에서는 경남지부 3,000여 명, 부산시에서는 부양지부 1,300여 명, 구미시에서는 구미지부 700여 명, 대구시에서는 대구지부 2,700여 명이 거점별로 결의대회를 열고 쌍용차 투쟁에 힘을 실었다. 수도권과 충청권 4,000여 명의 조합원들은 쌍용차 평택공장으로 집결해 '임금교섭 쟁취! 정리해고 분쇄! 공적자금 투입, 쌍용차 회생! 노정교섭 촉구! 금속노동자 결의대회'를 열었다. 경찰은 5,000여 명의 병력을 배치해 공장 출입을 원천봉쇄하였기에 대회는 공장 밖에서 진행되었다. 금속노조 정갑득 위원장은 "단체행동권과 교섭권을 가진 위원장을 외부세력이라고 못 들어가게 한다는 것은 대화로 해결할 의지가 없다는 것"이라며 정부와 경찰의 행태를 비판했다. 한상균 지부장은 도장공장 옥상에 올라가 무선마이크로 공장 밖 대회장 스피커를 연결해 투쟁사를 했다. "올 테면 오라, 우리가 처절하게 투쟁하면 동지들이 함께해 줄 것을 믿기에 두렵지 않다"고 힘주어 말했다.

7월 4일에는 민주노총도 7,000여 명이 모인 가운데 '쌍용자동차 문제 정부해결 촉구! MB악법 저지! 전국노동자대회'를 여의도 산업은행 앞에서 열었다.

7월 8일 금속노조는 쌍용차 사태 해결을 위한 정부의 책임 있는 개입을 촉구하며 청와대 앞 지도부 릴레이 단식 농성에 돌입했다. 금속노조는 "정부 · 정치권이 쌍용차를 방치하는 것이 여론이 바뀌기를 기다려 공권력을 투입하고 정리해고를 강행하기 위한 것이 아니냐는 의구심이 든다"며 "이제라도 정부는 정리해고를 철회하고 공적자금을 투입해야 한다"고 강조했다. 금속노조 지부별로 돌아가면서 이날부터 17일까지 매일 오전 9시부터 6시까지 청와대 앞 분수대 앞에서 단식 농성을 진행했다.

투쟁이 거세질수록 자본과 정권의 공세도 거세졌다.

7월 1일 경기지방경찰청은 평택경찰서에 특별수사본부를 설치하고 체포영장이 발부된 15명에 대해 검거에 나섰다. 3일에는 쌍용자동차 사측이 금속노조 정갑득 위원장 등 쌍용자동차지부의 파업투쟁을 지지하는 단체 소속 62명에 대해 건조물 침입과 업무방해 등 혐의로 평택경찰서에 고소했다.

7월 5일 지부는 가족상봉의 날 행사를 진행했지만 경찰은 이를 허용하지

7월 1일 금속노동자 결의대회는 공장 밖에서 열렸다.

누가 가족을 갈라놓았는가.(2009.7.5. 가족상봉의 날)

않았다. 가족들은 담벼락을 사이에 두고 만났다. 철조망 사이로 손을 마주잡고 아버지와 자식이 대화를 했고, 가족들은 준비해온 음식을 담을 넘겨 건네주기도 했다. 오후에는 인도주의실천의사협의회(인의협)가 진료를 하려했으나 경찰은 이마저도 막았다.

경찰 침탈과 이에 맞선 투쟁

경찰 침탈

침탈

그간 노사간의 문제라고 입장표명을 안 한 채 쌍용자동차 자본과 용역 뒤에 있던 정부가 앞으로 나섰다. 6월 26~27일 용역을 앞세운 사측의 공장 진입 과정에서의 충돌, 7월 7일 '공권력 투입 촉구대회'와 임직원, 협력사 직원, 가족 등 4만 5,000여 명의 서명이 담긴 '공권력 투입 촉구 탄원서' 전달 등으로 이제 경찰병력이 나서야 할 시기라는 것이 공식화되어 정부의 부담이 줄어들었던 것이다. 여기에 노무현 대통령 '장례정국'이 7월 10일 49제를 계기로 일정한 소강상태로 접어든 것이 영향을 미쳤다.

7월 9일 경기도 경찰청장이 쌍용자동차지부를 방문하여 "공권력

사측의 공권력 투입촉구대회 그리고 경찰 침탈

투입은 고려하지 않고 있다"며 "대화로 풀어갈 것"을 주문했다. 그러나 그 말이 끝나기 바쁘게 경찰이 평택공장을 침탈했다.

7월 11일 토요일 오전 9시 20분경부터 경기지방경찰청이 14개 중대를 투입, 쌍용자동차 정문 앞 컨테이너 등을 치우기 시작했다. 경찰은 헬기를 동원해 공장 상공을 돌며 긴장감을 조성했다. 파업대오는 각자 위치로, 육신의 피로감이 몰려오는데도 모두가 하나같이 움직였다. 경찰은 정문, 후문, 4초소 등에서 농성조합원들과 대치했다. 이 과정에서 정문 경비실에 있던 쌍용자동차 조합원 2명이 연행되어 평택경찰서로 이송되었다.

오후 1시 50분 후문에 경찰병력이 증가되면서 200여 명의 경찰들이 공장 내로 진입했다. 사측 구사대들도 공장으로 모였고, 정문 경비실에 40여 명이 대기했다. 팽팽한 대치선이 만들어졌다.

이날 쌍용차 사태 해결을 촉구하며 976인 하루 단식이 마로니에 공원에서 진행되었다. 단식농성을 끝낸 가대위와 학생들, 연대대오 150여 명은 오후 7시 20분경부터 평택공장 정문 맞은편 인도에 모여 우비를 입고 촛불문화제를 진행했다. "우리 오늘 여기서 같이 깔개를 깔고 비닐을 덮고 밤새도록 이곳을 지키자"고 다짐했다.

촛불문화제에 참여한 한 노동자는 "우리 동지들이 쌍용차 노동자들이 50일 넘게 저 공장 안에서 목숨을 걸고 옥쇄파업을 하고 있는

데, 산별노조를 부르짖고 연대투쟁을 부르짖었던 금속노조는 아직도 투쟁 지침을 마련하지 않고 있다"고 비판했다. 이어 "지침이 아닌 마음이 움직여 온 동지들과 한 명 두 명이라도 이곳에서 투쟁을 계속하도록 하자"고 했다.

976인 하루 단식(2009.7.11)

굴뚝에서 60일째 농성중인 비정규직 지회 서맹섭 부지회장은 전화를 걸어 "비가 내려서 이곳 굴뚝 농성자들은 추위와 바람에 싸우고 있지만, 승리가 얼마 남지 않았다. 승리하는 날 내려가서 가대위 분들과 연대 동지들과 함께 막걸리 한 잔 하겠다"고 통화를 했다.

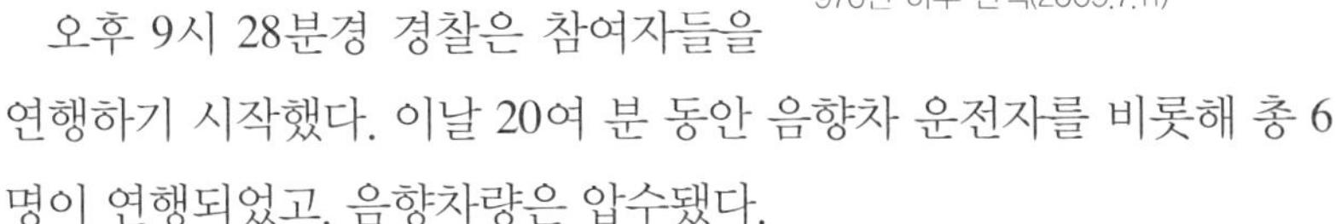

오후 9시 28분경 경찰은 참여자들을 연행하기 시작했다. 이날 20여 분 동안 음향차 운전자를 비롯해 총 6명이 연행되었고, 음향차량은 압수됐다.

투쟁하는 노동자의 인권

7월 11일, 사측은 경찰과 함께 공장에 진입하여 외부인의 출입을 막았으며, 대오를 압박하기 위해 단수와 가스 공급 중단을 요청했다. 급기야 응급환자 치료도 막기 시작했다. 7월 12일 인의협 의료진은 점거농성 중인 노조원들의 건강상태를 진료하기 위해 쌍용차 평택공장을 방문했다. 하지만 이들은 정문에서부터 사측 직

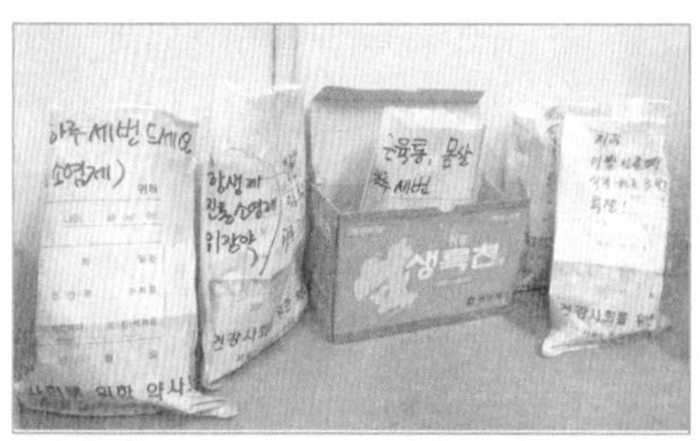

원들에 막혀 2시간이나 실랑이를 벌였고 결국 18명 중 13명만이 정문을 통과했다. 진료 희망자 숫자가 200명이 넘었다. 급한 봉합 수술이 필요한 환자에게 응급진료를 했지만 이후 꿰맨 상처에 항생제를 처방하지 못해 상처가 곪기도 했다. 중이염에 시달리고 있는 조합원은 물론 녹내장 약을 지속적으로 복용하지 않아 시신경 손상이 우려되는 조합원이 있었고, 당뇨나 고혈압 등 만성 질환자 역시 약이 끊기면서 고통을 호소했다.

인권단체들의 항의가 심해지자 7월 20일 낮 12시, 쌍용차 공장 정문 앞에서 사측은 기자회견을 열고 의료진 출입과 관련한 입장을 밝혔다. 최상진 기획재무본부 본부장은 "일부에서 공장을 불법 점거하고 있는 노동자들에게는 식량 등을 제공해야 한다고 하는데, 범법자들에게 인도주의를 이야기하는 건 온당하지 않다"고 말했다. 이날부터 물, 가스 공급이 중단되었고 다음 날에는 소화전마저 차단되었다. 이미 16일부터 음식물 반입이 중단되었고, 의료품 반입도 일절 중단된 상태였다.

22일에는 인의협, 인권단체연석회가 의료품과 식수 반입을 촉구하는 기자회견을 여는 도중 경찰이 의사들을 연행하기도 했다. 그날 오후에는 심각한 환자가 발생해 진료를 하러 들어가려는 의사를 "아무리 위독한 환자가 있어도 의사는 절대 들어갈 수 없다"고 하며 출입을 차단했다. 더구나 국가인권위 직원과 경기경찰청이 사측에게 의사가 들어갈 수 있도록 해달라고 요구했으나 사측은 이조차도 묵살, 결국 구급차와 의사를 들여보내는데 4시간 이상 걸려 심각한 환자에 대한 조치가 늦어지기도 했다.

인권단체, 의료단체, 국가인권위원회에서 최소한의 인권 보장을 위해 물과 음식물, 의료품 반입을 허용해야 한다고 했지만 사측과 경찰은 이를 철저히 차단했다. 생필품 보급을 끊음으로써 투쟁대오를 말려 죽이려고 작정했다.

금속노조와 민주노총

옥쇄파업을 시작하면서 간부들은 금속노조와 민주노총이 쌍용자동차 투쟁에 얼마나 연대할 것인지 고민을 했다. 금속노조는 내부 재편을 위한 지역지부, 기업지부 논쟁이 예정되어 있었고, 산별노조였지만 실천 활동은 기업의 울타리를 넘지 못하고 있었던 점, 그동안 금속노조가 단위노조 투쟁에 연대해 왔던 실천력을 바탕으로 볼 때 연대의 확산을 전적으로 기대하기는 어려울 것으로 판단했다. 민주노총 또한 지도력에 한계가 있다고 판단했다.

완성차 노조를 중심으로 한 연대투쟁도 기대하기 어려운 상황이었다. 6월 16일 현대자동차지부 윤해모 지부장이 사퇴하고, 25일에 열린 대의원대회에서 쌍용자동차지부 연대파업 안건이 부결되면서 완성차 노조의 연대투쟁이 불가능해졌다.

이러한 어려운 조건을 감안하더라도 쌍용자동차지부에게 조직적 연대는 절실한 것이었다. 때문에 쌍용자동차지부는 내부 투쟁대오를 굳건히 하면서 한축으로 금속노조 사업장 순회, 민주노총 각종 집회에 결합하면서 노동자들의 지지와 연대를 호소해왔던 것이다. 경찰 봉쇄 이후에는 금속노조와 민주노총의 투쟁이 더욱 절실했다. 지부는 그 분기점이 될 금속노조 임시대의원대회에서 총파업을 결정토록 하기 위해 분주히 움직였다.

금속노조 대의원대회를 참관하며 총파업을 호소했다. (2009.7.13)

7월 13일 금속노조 제24차 임시대의원대회에서 57명의 대의원 서명으로 '쌍용차 정리해고 지지투쟁 승리를 위한 대책(안)'이 현장 발의되었다. 그 내용은 중앙교섭 및 임단협 8월 휴가 이후 연기, 주 1회 이상 파업 및 전면파업, 임원선거 연기 등이다. 여러 수정동의안이 제출되었으나 모두 부결되었다. 이후 정갑득 위원장은 현장발의안에 "중앙교섭과 임단협 타결투쟁을 포함할 것과 세부적인 투쟁계획과 선거일정은 중앙집행위원회에 위임할 것"을 추가해 동의를 물었고, 만장일치로 처리됐다. 쌍용자동차 조합원들과 가대위 회원들이 참관하며 즉각적 투쟁을 호소하기도 했으나 모호한 결정에 실망감을 감추지 못했다. 이어 14일 금속노조 중앙집행위원회에서는 16일 확대간부 이상 파업과 평택 집결 투쟁, 22일 4시간 파업 등을 결정했다.

이에 따라 16일 금속노조는 확대간부 파업을 벌이고 평택시청에서

3,000여 명의 조합원이 모인 가운데 '정리해고 분쇄! 공권력투입 중단! 공적자금 투입! 노정교섭 촉구! 금속노동자 결의대회'를 개최했다. 결의대회를 마친 조합원들은 오후 5시경 의료진 출입과 생필품 전달을 위해 쌍용자동차 평택공장 진입로에 도착했다. 그러나 경찰은 전경버스와 병력으로 저지선을 쳤다. 경찰차벽 뒤 정문 앞에는 사측 직원들이 "본 공장은 직장폐쇄로 모든 물품의 반입이 금지됩니다.(식료품 포함)"이란 푯말을 세워놓았다. 이날부터 경찰은 음식물 반입을 전면 차단한 것이다. 금속노조 조합원들이 모이자마자 경찰은 정문 앞 삼거리 도로에 차벽을 설치하고 방패와 곤봉을 이용해 무더기로 연행하기 시작했다. 집회대오는 경찰의 강제 연행에 항의하며 바닥에 앉아 연좌농성을 벌였지만 경찰은 앉아있는 조합원조차 연행했다. 한 차례 큰 충돌이 있고 난 후 금속노조 조합원들은 쌍용차 진입로에서 평택시내 방향 100여m 지점에 재집결했다. 경찰이 다가오자 금속노조 조합원들은 옆 동료와 팔짱을 끼며 그 자리에 주저앉았다. 경찰은 참가자들을 강제로 떼어내며 마구잡이 연행을 시작했다. 여기에서 또 수십 명의 연행자가 발생했다. 공장 입구에서 한참 벗어났지만 경찰은 조합원들 뒤를 일정한 거리를 두고 계속 좇았다. 경찰은 쉬고 있는 조합원들을 옆을 갑자기 치고 들어가 연행하거나 골목까지 좇아가 연행하기도 했다. 결국 경찰의 무차별연행은 평택시내에 거의 도착해서야 끝났다. 이날 연행자는 82명이었다.

경찰은 가족들도 무참히 짓밟았다.(2009.7.16)

금속노동자의 연대투쟁을 폭력으로 탄압하는 경찰 (2009.7.16)

17일에는 금속노조 비정규 투쟁본부 노동자 100여 명이 평택역 광장에서 '쌍용차 정리해고 철회! 분사 · 외주화를 통한 비정규직화 중단! 정규직-비정규직 총고용보장! 금속비정규노동자 결의대회'를 열었다. 참가자들은 "사측은 쌍용차를 분사화, 외주화 등을 통해 정규직이 없는 비정규직 공장을 만들려고 한다"며 "이를 저지 하지 않는다면 현대, 기아, GM대우 등 다른 사업장도 기아차 모닝을 생산하는 동희오토처럼 비정규직만 확산될 것"이라고 했다.

한편, 경찰은 7월 12일 양동규 금속노조 경기지부장을 자택에서 연행했고, 다음날에는 정갑득 위원장을 포함해 노동사회단체 43명에게 출석 요구서를 보냈다.

금속노조는 7월 들어 평택에서 대규모 노동자대회를 개최하여 회사와 정부를 압박하는 역할을 했다. 그러나 조합원들에게 금속노조와 민주노총의 투쟁은 위력이 미약했고, 형식적인 것으로까지 보이기도 했다.

투쟁 초기, 집회 때마다 정갑득 위원장이 단상에 올라와 "죽기를 각오하고 투쟁하자"고 했고, "경찰병력이 투입되면 총파업 하겠다"고 했지만 경찰 봉쇄 이후 이렇다 할 투쟁을 만들지 못하고 있었다. 조합원들은 안과 밖에서 동시에 밀어붙여 경찰병력과 대응하는 전술이 필요하다고 요구했다. 경찰병력이 공장을 조여올 때면 "금속은 언제 오나", "민주노총이 오늘은 몇 명이나 모일까" 기대했다. 그러나 아무런 준비도 없이 모였다 흩어지는 대오를 보며 실망했다.

일인시위를 하고 있는 금속노조 위원장 (2009.7.8)

> 연대들 와 가지고 막 투쟁인사 해주고 그럴 때 느낀 게 아~ 이거구나! 나 혼자 싸우는 게 아니고 우리만 싸우는 게 아니고 연대의 힘이 있구나! 초반, 중반까지 그렇게 생각했어요. 그래서 회사 통제가 되면서 연대가 못 들어와도 바깥에서 해주고 그랬을 때도 그런 생각을 했는데, 나중에 공권력 막 들어오고 그랬을 때, 그때 아~ 연대도 힘이 없구나! 상급단체도 힘이 없구나! 근데 지부장도 얘기한 게 뭐냐면, 우리가 이렇게 버텼다가 도장반에 들어 왔을 때 바깥에서 알아서 다 해줄 것이다. 바깥에서 액션을 다 취해 주고 교섭권도 차후 우리가 이렇게 있지만 상급단체도 교섭권도 갖고 있기 때문에, 금속노조 산하에 있기 때문에 해줄 것이다. 안심을 시켜주고 우리도 그렇게 믿고 여태까지 끌고 오다가 나중에는~ 모든 게 안 되는 거예요. 그리고 정갑득 위원장도 와 가지고 처음에는 막 힘 있는 소리 하다가 중간서부터 말이 틀려지는 거예요. 자기도 여태까지 올 줄은 몰랐다. 한 달 반 딱 되니까. 촛불집회 때 와 가지고 연설하는 게 자기도 힘들다. 그런데 당신들 얼마나 힘들겠냐! 나 솔직히 말해서 한 달, 한 달 반이면 끝날 줄 알았다. 그거 들었을 때. 우리도 지치고 힘든데 그런 소리를 해버리니까 거기서부터 딱 상급단체고 뭐고 필요 없다. 다시 처음 생각으로 간 거예요.

이건 우리만의 싸움이다! 솔직히 물 하나 넣어 주는 것도 힘들었던 거 알아요. 저희도 방송 다 보고 있기 때문에. 그런데 마지막에 가장 절실했던 게 아무나 뚫고 왔으면 하는 거. 저희들도 준비하고 있었거든요. 안으로 치고 들어오면 우리들도 안에서 반격하면서 같이 통로 만들면서 쪽수라도 많이 들어와 버리면 된다. 여기 있는 사람들은 다 힘든 사람들인데, 새로운 사람들이 밖에서 들어오면 얼마나 힘 받을까! 그런 생각을 했었는데, 그게 이루어지진 않고 그러다 보니까. 실망을 많이 했죠. (구술자 C)

솔직히 욕했어요, 현대도. 너무한 거 아니냐, 이거 못 막으면 현대 기아도 구조조정 들어가는데, GM대우도 지금 얘기 나오잖아요. 쌍용 무너지면 현대 기아 힘없이 무너질 거다, 자본이 노리고 있는 거 아닙니까. 이런 문제를 알고 있으면서도 연대 과정에서 많이 힘들었죠. 오히려 밖에 있는 대학생들, 시민들이 많이 와서 연대를 많이 해줬지, 실제 노동운동 했던 사람들이 자기가 구조조정 뻔히 당할 거 알면서도 뭉치지 못했고, 또 뭉치려고 했지만 그 조직 작업을 많이 하지 못했고. 그런 부분이 상당히 아쉽고요. 정갑득, 임성규 위원장 오면 뭐하냐고요, 오면. 와서 정문 앞에 들어오지도 못하고 연행해가고, 또 며칠 있다 집회 열어서 연행해 가고, 그게 무슨 필요가 있어요, 안 한 거나 마찬가지다. 그럴 바에는 다른 방법을 찾아서 알릴 수 있는 부분을 했어야 하는데 그것도 안 됐지. 또 조직도 안 됐지. 그래서 많이 힘들어하지 않았나 하는 생각이 들어요. 오히려 밖에서도 조직적으로 뭉쳐서 안으로 들어왔으면 어차피 그 중에 다치는 사람도 있을 거고 연행될 사람도 있을 거고 하지만 밀어붙였다고 하면 안에서도 싸우고 밖에서도 싸우고 그럼 우리가 승리하지 않았을까. 그 부분이 제일 아쉽더라고. 노동자들이 다리에서 쫙~ 오는데 눈물나더라고요 진짜, 근데 물대포 쏘니까 싹~ 도망가는 거예요, 진짜 답답하더라고요. 또 오다가 물대포 쏘고 헬기에서 최루액 쏘니까 쫙~ 뒤로 빠지고. 여 뭐더러 왔을까, 몇 십 명 연행해 가는데 뭐더러 왔을까. 오질 말고 다른 데서 차라리 점거 해버렸으면, 도로 점거 고속도로 막았으면 아님 철도를 막았으면 더 이슈화가 됐을 거 아니에요, 어차피 연행될 거면. 정갑득 위원장도 전에 대의원대회 때 말 할 때 그때도 느꼈지만 별로 의지가 없었다, 안 보였다. 특히 정규직 위주로만 싸웠지 아직까지 비정규직에 대해서는 안 나오더라고요. 그런 부분도 아쉽고요. (구술자 I)

민주노총 기자회견(2009.7.21)

연대투쟁을 조직하는 것이 쉬운 일은 아니다. 농성장에서 조합원들도 “입장 바꿔 생각하면 우리도 적극적으로 안 했다, 다른 사업장이 이렇게 투쟁한다고 우리가 목숨 걸고 가서 싸워줄 수 있겠는가”라며 이야기를 나누기도 했다. 어려움을 이해하면서도 실망감이 컸던 것은 지도부가 와서 직접 이야기했던 약속, 각종 회의에서 결정된 것들이 지켜지지 않았기 때문이다. 지도부가 의지를 가지고 현장 조합원을 조직하지도 않았고, 경찰병력에 대응할 준비도 하지 않았다는 점이다. 금속노조가 산별노조로서 “우리는 외부세력이 아닌, 쌍용차 문제의 당사자!”라고 선언했지만 투쟁과정 속에서 그런 모습을 보기는 어려웠다.

안에서 완강하게 싸우고 있었을 때 밖에 대오에서는 힘을 배치하고 총파업, 연대파업, 노동자대회 그런 거 잡아서 안팎으로 박아주고, 더 나은 위치에 가게끔 할 계기가 있을 거라고 바람이라든지 그렇게 해야된다고 생각했는데, 큰 집회를 한다고 하면서 정문까지 못 오는 걸 보면서 현시기 조직된 노동자들의 한계, 연대대오의 쪽수가 상당히 미흡하다는 걸 느끼고. 안에서는 공장을 사수하기 위한 타이트한 투쟁력을 배치하는 데 비해 밖에서는 준비되지 않은 집회를 배치하고 그냥 가는 모습. 지도부의 투쟁의지, 쌍용차 투쟁이 전국적 파급력이 높았음에도 불구하고 담보되지 않은 투쟁을 배치했을 때, 전략 전술을 짰을 때 어쨌든 교섭을 하든 투쟁 승리를 위한 발판을 마련하든 완강한 싸움이 있어야 승리에 대한 담보가 되는데 그런 것들이 미약했죠. …(중략)… 하루아침에 총파업이 이루어지지도 않을 뿐더러 현장에서의 투쟁력이 담보되어서 오고, 그걸 안고 지도부가 결단을 내려서 대의원대회나 총회에 부쳐서 이 지원과 연대 확산을 해주고 현장서부터 계속 퍼뜨려서 가줘야 되는데, 현장 안에서 금속 대오가 확대간부 이상 파업을 두 번 정도 한 거 같은데, 그때 왔을 때 지도부들의 쌍용자동차 투쟁을 바라보는 총파업 결단, 결의를 밝히지 못하는 입장들, 그리고 이후에도 일정부분 금속에서의 관공서와의 대화국면 열고 하는 부분에서 부정적인 것, 찬물을 끼얹는 것도 있으면서 현장에서 조직되지 않은 사람들에 의한 진입투쟁은 어렵다, 상당히 안타깝게 봤어요. 피흘리는 사람은 피흘리고. 밖에서도 마찬가지더라고. 요즘 나와서 사람들하고 얘기해 보면 수차례 집회를 갔는데 오는 사람만 오더라는 거예요. 전번 집회에서 깨지고 갔는데 그 사람이 또 오더라, 오는 사람은 항상 오고, 안 오는 사람은 어디 가도 안 온다. 지도부에 대한 실망감도 많이 있더라고요. 지도부 탓만 할 것도 아니지만. 투쟁을 전개해서 확산시키려고 하는 건지 어느 정도 진행되면 거기서 끊고 정리하고 그런 걸 원하는 건지 의구심 안 가질 수 없습니다. (구술자 H)

대오는 흔들림 없다

정신 무장

거점 이동, 퇴각 훈련, 모의 전투 등 경찰병력이 투입될 것에 대비한 훈련은 점거농성 초반부터 진행되었다. 점거 한 달이 지나고 사측이 침탈을 감행한 이후 긴장감이 더해졌다. 경찰병력에 의해 고립되고 잦은 전투가 벌어지면서 조합원들은 스스로 전투체계를 구축하고 정신무장을 했다. 현장 야전사령관 역할을 한 집행위원들도 전투 경험 속에서 점점 지휘력을 높여갔다.

> 관제데모 할 때만 해도 사실 오합지졸이었고요, 조합원들 자체가. 관제데모 이후 잦은 침탈이 있고 그러면서 조합원들 스스로 정신무장을 하고 마음가짐을 하더라고요. 누가 시켜서 한 것도 아니고 이 싸움 내가 하는 건데, 그냥 옥쇄에 가담만 해서는 되겠는가, 스스로 지켜내지 못하면 지는 건데, 회사에 뺏기면 지는 건데. 이러면서 스스로 정신무장이 되더라고요. (구술자 J)

> 같이 있던 사람들인데 진짜! 싸움도 못하고 순진한 마흔일곱, 여덟 먹은 형들인데 역할 분담을 해주잖아요. 그러면 형들이니까, 새총을 줘요. 그러면 멀리서 새총이나 쏴요? 새총 손도 안 댔어요. 헬기가 오면 우리가 막 헬기에다 쏘고 그랬거든요, 맞진 않지만. 뒤에 빠져 있구 그랬다구. 근데 한 50일 되니까는 사람이 이게 돌아 버리는 것 같아요.

자기가 가서 공구 챙겨다가 새총을 만들고 두건도 막 특이하게 만들고 도리깨라고 그러나, 그것도 무기도 만들고 새총도 다시 지가 해서 만들고 헬기만 지나가면 혼자 막 올라가서 막 쏘고, 50일 전까지는 꿈쩍도 안 했거든요. (구술자 K)

전투체계를 갖춘 것은 조합원들의 아이디어와 실천으로 이뤄졌다. 경찰이 던져대는 최루탄을 견디기 위해 마스크를 구해 쓰고, 방패와 방어용 무기도 스스로 만들었다. 새벽이면 떠들어대는 전투경찰의 고문으로 잠을 제대로 잘 수 없어 피곤이 쌓였다. 옥상이 철판으로 되어 있어 반사열로 발도 디딜 수 없을 정도로 뜨거웠다. 긴 팔 옷으로 무장하고 교대 근무를 서면 땀으로 속옷까지 다 젖었다. 그러면서도 밀리면 내가 죽는다는 각오로 투쟁했다. 집회 준비, 대오 유지를 위해 밤낮없이 뛰느라 심신이 지친 간부들의 역할을 조합원들이 메우기도 했다.

개발된 신무기가 대포였죠, 화염방사기 해가지고 파이프 길어가지고. 근데 그거는 거의 사용하지도 못했어요. 불발이 많더라고요. 회사 애들이 다 들어왔을 때 그 프레스 쪽에 들어왔을 때요. 밤에 가서 식당에서 쓰다 남은 콩기름 있지 않습니까? 밤에 내려가서 모르게 바닥에 뿌리고, 미끄럽게 할려고 뿌렸는데 그게 말라 버리드라고. 무기는 알아서 만들었어요. 페트병에다 신나만 넣었는데 화력이 좋드라고요. 근데 불을 붙이자마자 바로 던져야 하는데 그 사이에 불이 붙어버리더라고요, 위험하더라고요. 던져보다가 바닥에 불이 붙은 적이 있어서 소화기 갖다가 끄고. …(중략)… 저는 뺑카로 상대들하고 싸움을 했습니다. 되지도 않는 대포를 가지고 제가 메가폰으로 대포 1호기 발사! 그러면 옆에서 동지가 휠로 차를 때렸죠. 대포 소리 나게 하려고. 그렇게 하니까 발사! 그러면 피하더라고요, 회사 애들은. 한번에 1호기, 2호기, 3호기 발사 꽝! 하면 우왕좌왕 당황하고. 욕도 많이 했죠. 일본어로 욕을 좀 하면서 욕이 궁금하면 집에 가서 일본어로 찾아봐라, 니들은 옛날 일제시대 때 앞잡이 놈들하고 똑같은 놈들이다, 니가 살기 위해서 우리를 죽이려 그러냐, 우리는 함께 살자고 했는데. 니기만 살고 우린 죽으라는 건데 그거는 잘못된 생각이다. 그런 식으로 메가폰도 많이 잡고 우리 동지들 사기 안 떨어지게 하려고 재미있는 것들을 많이 했었어요. (구술자 Q)

나름대로 준비를 하죠. 방독면도 300개밖에 준비를 못했거든요. 마스크하고, 고글하고. 없는 사람들은 용접안경이 있어요. 안경 식으로 끼는데 안경만 껴도 들 하거든. 용접안경은 딱 붙잖아요, 일반 안경하고 다르게. 그걸 끼니까 눈이 들 맵고. 마스크는 회사에서 쓰는 거 있잖아요. 안전과. 마스크만 써도 들 매워요. 맨몸하곤 상황이 틀려요. 그래 안전과 가서 갖다가 지급하고. 안전과에는 마스크 정도는 있었죠, 안경이 문제였죠. 많지 않았으니까. (구술자 J)

저희는 항상 두건을 쓰고 한 옷 안 입고 계속 바꾸고 거의 긴팔을 입었어요, 최대한 많이 가리기 위해서. 그니까 작업복을 긴팔 입고 거기에 복면 쓰고 어쩔 때는 마스크까

> 지 끼고. 그러기 때문에 땀이 엄청 나잖아요. 근무를 네 시간 선 다음에 쉬고 또 네 시간 근무 들어가는데, 그렇게 24시간 계속 돌아가요. 그러다 보면 잠도 못 자잖아요. 그리고 헬기소리. 뭐 개네 방송 때리고 라이트 막 비춰 버리고, 밤에. 그리고 애들 막 소리 질러 버리고 낮에는 소리 또 안 질러요. 새벽 3시 55분인가, 아~ 3시에서 4시 사이에. 전경애들 소리 막 질르고, 그래서 잠을 못 자는 거예요. 헬기 막 왔다 갔다 소리 내고 유선방송 막 하고 그러다 보니까 이제 밤에는 잠을 못자지. 낮에는 햇빛에서 뙤약볕에 있지. 그러니까 땀이 막 배출 되는 거예요. 그러다 보니까 낮 근무 서고 나오면 작업복 긴팔까지 다 젖어요. 저희는 먹는 것도 말로 갈수록 진짜 주먹밥 하나! 진짜 말부터 내가 살려고 그냥 어거지로 막 집어넣는 거죠. 그리고 물! 먹는 거는 그거 밖에 없으니까. 그러니까 사람이 2주에 확 빠져 버린 거죠. 그 전까지도 괜찮았는데 마지막 2주부터 혁대가 앞으로 점점 오더라구, 구멍이. 나중에 끝나고 나서 집에 가서 몸무게를 재보니까 결혼하기 전 몸무게로, 배도 다 들어가고 (구술자 C)

조합원과 간부

집행부는 극한 상황 속에서 발생할 수도 있는 사고의 위험성을 염두에 두고 있었다. 특히 도장공장은 화재 등 위험성이 큰 곳이었다. 회사 기물을 파손한다면 사측의 악선전에 말릴 수도 있으므로 주의하도록 했다.

조합원들의 생각은 전투에서 이기는 것에 맞춰졌다. 몇 번의 전투 경험으로 현장에서 형성된 야전사령관을 중심으로 일사불란하게 움직인다면 가능해 보였다. 파괴력 있는 무기를 만들어야 했고 바리케이드도 튼튼한 것으로 쳐야 했다. 때로는 불을 붙여 용역과 경찰의 접근을 막아야 한다고 주장했다. 조합원들은 필요에 의해 이것저것 할 수 있는 일을 다 하려 했으나 집행부가 이를 제지시켰다고 했다.

전술훈련

주먹밥 먹으며 경계근무 서면서도 조합원들의 투쟁의지는 꺾이지 않았다.

몇몇 활동가들은 시간이 지남에 따라 대의원이나 상집 간부들보다 조합원들의 의식이 더 높아졌다고 말한다. 간부들은 교육 시간에 프로그램 진행을 위해 다른 일을 할 때가 많아 참여를 못할 경우가 많았기 때문이다. 많은 교육과 토론을 통해 조합원들은 투쟁의 3대 목표를 쟁취할 때까지 싸워야 한다고 확실한 입장을 갖게 되었다. 그러기 위해서는 무엇보다 전투에서 이기는 게 중요한 것이었다.

때로는 불만이 제기되기도 했지만 지도부에 대한 조합원들의 신뢰는 옥쇄파업을 가능하게 한 바탕이었다. 상집 간부들은 각 거점별로 담당을 정해 조합원이 찾을 때면 현장으로 달려갔다. 프로그램 준비

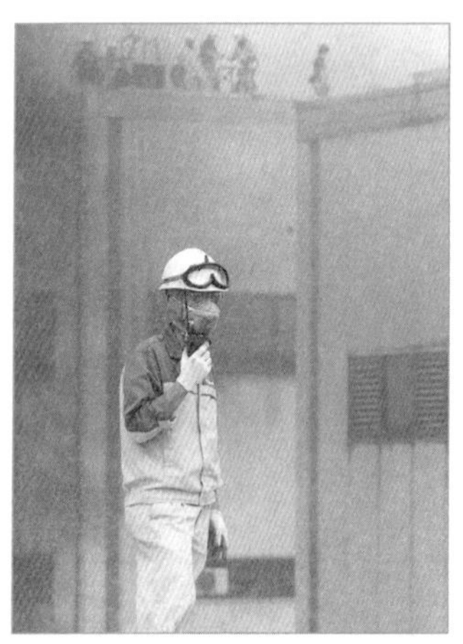
조합원들은 야전사령관이 되었다.

와 진행 등으로 몸이 만신창이가 되어도 투쟁의 선두에 섰다.

특히 조합원들은 지부장에 대한 신뢰가 컸다. 지부장은 조합원들과 함께 전술훈련을 받았고 비상이 걸리면 제일 먼저 쇠파이프를 들고 뛰어 나갔다. 전투가 벌어지면 지부장 이전에 조합원이라며 옥상에 올라가 돌을 던졌다. 잠을 못 자더라도 거점을 돌면서 야간 규찰을 서는 동지들을 격려했다. 눈과 귀를 열고 "현장에 답이 있다"며 간부들과 함께 조합원들을 만났다. 이러한 모습은 간부들에게는 헌신성을 갖게 했고, 조합원들에게는 지도부에 대한 신뢰를 갖게 했다.

> 지부장이 얼마나 대단한 사람이냐면, 개인적으로 존경하는데. 전술훈련 있으면 시커먼 사람이 화이바 쓰고 조합원들하고 똑같이 뛰어 다니고. 어느 역대 지부장이 그런 적, 그런 모습 처음 봤어요. 지휘관이 조끼 입고 서 있는 게 아니라 비상 사이렌 울리면 자기가 직접 화이바 쓰고 뛰어 다니고 이런 모습을 조합원들이 보는데 어떻게 따르지 않을 수 있겠습니까. 지부장이 타격 투쟁 있으면 선두에 서진 않지만 직접 타격대에 와가지고. (구술자 L)

> 지부장 말이 곧 법이죠. 잘 따랐죠. 진짜로 잘 따르고 개중에 안 따르는 사람들도 있고, 그렇지만 거의 90%이상은 진짜 잘 따랐다고 생각해요. 거기서 뭐 믿고 의지 할 데는, 지부장이고 노동조합이고. 그리고 우리가 들어오게 된 계

기도 노동조합을 믿고 들어왔기 때문에, 어떻게 하든간에 결과가 있지 않겠나 생각하고 끝까지 믿고 잘 따라 온 거죠. (구술자 K)

한 활동가는 노동운동의 위기 중 하나로 지도력의 위기를 꼽으면서, 지부장을 중심으로 한 지도력 형성으로 그동안의 쌍용자동차 노조에 대한 조합원의 불신을 극복해 갔다고 한다.

노동조합이 자판기 조합으로 전락하고 노동조합에 대한 불신이 극에 달해있던 쌍차만의 문제가 아니라 민주노총 금속에 대한 불신, 단위사업장에서 자기 위원장이 됐든 지부장이 됐든 지회장이 됐든 신뢰를 회복하지 못하고 있잖아요. 노동운동의 위기가 그런 지도부에 대한 불신이 가장 크다고 보는 건데, 한상균이라고 하는 사람에 대한 조합원들의 전폭적인 지지, 신뢰가 있었기에 가능하다고 보는 거죠. 정말 대단했거든요 한상균 지부장에 대한 조합원 신뢰는. (구술자 L)

궁하면 통한다

초기에는 일정에 지장을 주지 않는 범위 내에서 술을 마시고 담배를 피우는 게 가능했다. 그러나 경찰병력에 의해 공장이 봉쇄된 후 술과 담배 공급이 불가능했다. 특히 담배가 제일 큰 문제였다. 봉쇄된 이후 밖에서 특공대를 조직해 경찰의 경비망을 뚫고 담배 2,600갑을 공수하기도 했다.

금단현상으로 고생하는 조합원들이 많았다. 기운이 빠지고 의욕이

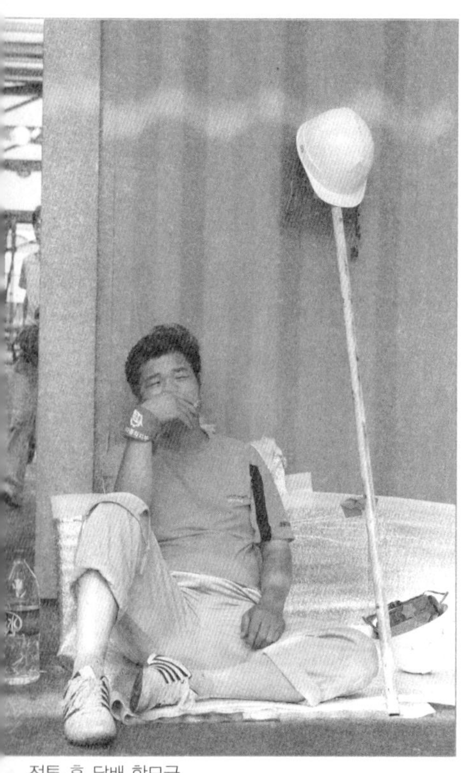
전투 후 담배 한모금

없어졌다가도 담배를 나눠주면 농성장에 다시 활기가 돌기도 했다. 이러한 상황을 이해하고 진료를 하러 들어오는 의사들이 파업대오의 '정신건강'을 위해 담배를 가져다주기도 했다. 조합원들은 담배를 물고 진정한 인도주의는 이런 거라고 생각했다. 조합원들은 민주노총의 투쟁이 힘을 발휘하지 못하는 것에 빗대어 민주노총이 헬기를 한 대 사서 담배와 물, 음식물 등을 공급해줬으면 좋겠다는 이야기도 했다. 상황이 아무리 안 좋아도 자구책을 마련해 위기를 극복하는 조합원이 있었다.

술 먹고 싶은 사람들은 참아야죠. 초창기에는 술 짱박아 놓은 거 없냐고 물어보더니 나중에는 뭐, 술 먹고 헤롱헤롱하는 사람이 없으니까. 술이 없구나 인제. 술 먹는 사람들이 안 보이니까 밤이고 낮이고. 담배는 처음엔 자연스럽게 폈죠, 자판기도 있고. 나중에는 담배가 없어서 공황상태가 많이 왔어요. 중간에 2,600갑인가 수송해가지고 일인당 세 갑씩 받았어요. 담배 안 피는 사람들 많은 부서는 세 갑 정도 되고, 전부 다 피는 조원들은 두 갑 반씩 돌아가고. 아, 나 놀랜 게. 담배가 공황상태가 되니까 짱박아 놓은 사람들도 있고. 그런 사람들 것 얻어 피다가 나중에는 얻어 피는 것도 미안한 게 되는 거지. 나중엔 담배 세 갑씩 쫙 푸니까

> 사람들 혈색이 변하는 거야. 그때까지는 힘들다, 물도 끊기고 뭐 담배도 없고 그러더니 담배 푸니까 '야, 갈 때까지 가보자.' 이런 분위기 있잖아요. 근데 담배 같은 경우는 여러 가지 방법이 있어요. 나중에는 작은 꽁초 하나면. 저 같은 경우는 배웠어요. 은박지를 빼가지고 파이프를 만들어요. 꽁초의 재를 여기다 털어 남은 재를. 그래갖고 몇 모금 딱 빨면 개운하더라고. 은박지를 파이프로 만들어서. 다 방법이 있어요. (구술자 J)

> 음식물 못 들어오면서 담배가 절실한 거예요, 조합원들이. 온갖 상상을 다 하는 거야. 민주노총에서 헬기 띄워서 병력은 아니더라도 담배하고 음식물 좀 떨어뜨리고 가라, 우리도 헬기 좀 어떻게 사서 하자 그러기도 하고. 나중에는 꽁초 모아서 옛날에 할아버지들 피듯이 종이에 말아서 이렇게 피시는 분들도 있었고. 그러다보니까 조합원 중에 한 분이 국장님한테 말했나봐요. 어떻게 담배 좀 안 되냐고. 그래서 제가 그랬죠. 아무리 그래도 그렇지 의사선생님한테 담배를 요청을 하느냐. 그런데 결국은 제가 요청을 했어요. 결국은 못 들어왔죠, 정문에서. 그게 어떻게 새나갔는지 정문에서. 맨 처음에는 조제약에다가 한 갑씩 넣어가지고 한번은 그렇게 해서 한 세네 갑을 받았어요. 나눠피고 했는데 그 다음번에는 배포가 세지신 거예요. 네 보루 가져오시려다가 정문에서 검색을 해버린 거예요. 그래가지고 걸렸죠. 아니 이게 의약품이냐고 그래가지고 굉장히 망신당했다고 그러시더라구요. (구술자 A)

담배가 없어 답답해 하면서도 조합원들은 서로에 대한 배려로 정을 쌓아갔다. 전투 끝나고 숙소로 와 한 대 남은 담배를 돌려 피우기도 했고 서로 양보하기도 했다.

> 그때는 신종플루도 없었으니까. 형 한번만 해요! 동생 자네도! 힘드니까 펴! 한가치 있는데 한모금 빨어! 한모금 빨고, 형님 빨고 하다가 자네가 펴! 동생이 더 힘드니까 자네가 피라고 그러면서. 군대 노래도 있지만, 담배 한가치도 나눠 핀다. 그거를 저는 이 쌍용차 77일 동안 한 모금, 한 모금 나눠 가면서 피워 봤어요. (구술자 C)

가장 큰 불편은 물과 화장실이었다. 생수를 아끼느라 공업용수를 끓여서 밥을 했다. 소화전 꼭지 하나에 여러 명이 비누를 칠한 채 달려들었고, 그 물로 다시 빨래를 하기도 했다. 또 에어컨 정수기 물을 활용하자는 기발한 아이디어도 나왔다. 샤워는 사치였지만 에어컨 물을 받아서 머리도 감고 공업용 티슈에 적셔 몸을 씻기도 했다. 조합원들은 이 방법을 '마른샤워'라고 불렀다. 천막으로 가린 간이 화

장실을 만들어 놓기도 했고, 소방호수 물을 밤새 받아 수세식 화장실을 사용하기도 했다. 또 한 가지 방법, 먹는 양을 반으로 줄이는 조합

원도 있었다.

투쟁 끝나고 나가면 가장 먼저 무엇을 하고 싶은지 묻는 기자들 질문에 조합원들은 샤워, 시원한 캔맥주, 담배 등이라고 답했다.

> 저는 하루 한번은 거짓말이고 3일에 두 번은 샤워 했던 거 같아요. 피트병 하나면 샤워 다 해요. 남들 그렇게 하라고 하면 안 하더라고, 찝찝하다고. 그것도 생수로 하면 욕먹죠. 생수로는 못하고 지하에 공업용수가 있어요. 그걸 끓여서 밥 해먹는데. 끓이기 전에 피트병 하나 받아요. 아니면 에어컨 나오는 물. 수동 에어컨은 물이 엄청 나오더라고, 하루에 드림통 하나 나오더라고. 에어컨 물 피티병에 담아와서 이빨 닦고 뭐하니까. 맨 머리에 비누를 비벼, 그럼 거품이 나잖아요. 머리 감을 때 물이 최고 많이 들어가요, 쪼금 쪼금 해서 헹구죠. 깨끗하게 헹구진 못해도. 헹구면 물이 반 정도 남아요. 이걸로 이빨 닦고. 도장반에서 쓰는 티슈가 있어요, 차 닦는 거. 그거 세장 겹쳐갖고 온몸을 싹 닦는 거예요. 그럼 개운하죠, 그거로만 닦아줘도. 나름대로 방법은 다 찾더라고. (구술자 J)

> 물이 끊기고 나서 생수로 머리를 감는 사람도 있긴 했어요. 근데 아껴 먹어야하는데 그럴 수 없죠. 그때 어떤 조합원이 정수기 통을 갖고 와서 에어컨 호수 해갖구 그 물을 받더라구. 아, 정말 기발한 생각이었어요. 그 에어컨 물도 서로 쓰려고, 거기다가 이름표를 붙여놔요. 그게 네 시간 받아야 반통 차거든요. 그거 갖다가 머리감고 중요 부분만 닦고, 양치는 생수 갖다가 하고 아님 조합에서 물을 끓여서 주면 그거 갖다가 하고. 그다음 화장실! 조합에서 간이화장실을 만들었어요. 해수욕장 같은데 가면 많이 있는데 두 칸

이야. 천막이 쳐져 있으면 사다리로 올라가면 두 개가 있잖아요. 한 사람이 올라가 볼 일 보고 있고, 내가 올라가서 볼 일 보고 일어나면 옆에 사람이 보이는 거예요. "안녕하세요?" 그러고. 또 한 가지는 1층에 화장실에 소방호수에서 물이 찔끔 찔끔 나오나 봐요. 그래서 사람들이 드럼통에다 받아놔. 그래서 수세식 화장실 앞에다 갖다 놔요, 그거를. 아침만 되도 그 물이 한 두 드럼 되거든요. 두 시간에서 세 시간 되면 그게 떨어지거든. 그러니까 안 마려운데도 그냥 빨리 가서 하고 싶은 거야. (구술자 K)

사측, 안에서 새는 물

어려운 조건 속에서도 대오를 유지한 파업대오의 강고함과 조직화 노력이 밖에 있는 비해고자들을 움직이게 했다. 파업대오에 결합하지는 못하지만 동료들의 투쟁을 지지하는 마음을 모아 기자회견을 조직했다.

7월 15일 오전 '쌍용차 정상화를 위한 살아남은 자들의 모임' 소속 50여 명이 평택공장 앞에서 노사 교섭을 요구하는 기자회견을 하려 했으나 사측 임직원 200여 명이 달려들어 "소수의견 아니냐", "기자회견 내용이 수긍이 가지 않는다"며 방해했다. 30분 넘게 실랑이를 벌였지만 기자회견을 시작하지 못하자 이들은 장소를 평택시청으로 옮겼다. "해결을 위한 노사 양쪽의 벼랑 끝 결단이 절실하다. 결단을 못 내리려면 차라리 파산절차를 밟으라. 지금 쌍용차 임직원과 협력사 가족들은 어차피 살아도 사는 게 아니다"라는 대목을 읽는 중에 사측 임직원 한명이 갑자기 뛰어들어 기자회견문을 낚아채 찢어버렸다. 결국 기자회견을 하지 못하고 기자회견문 배포로 대신했다. 이들은 기자회견문을 통해 "△노사 끝장교섭 촉구 △끝장교섭에서 원칙적으로 합의된다면 즉시 공장 가동을 위한 조치에 노사 모두 나설 것 △이러한 의지가 노사 모두에게 없다면 노사 공동으로 파산절차를 밟을 것 △정부는 공권력 투입보다 노사 중재와 대화로 해결하라"고 촉구했다.

비해고자 기자회견을 방해하는 사측 (2009.7.15)

희망퇴직자 기자회견(2009.7.15)

한편 이날 '쌍용자동차 희망퇴직자' 60여 명도 평택시청에서 기자회견을 열고 △정리해고 철회 △사측의 관제데모와 공장진입 중단 △희망퇴직자 체불임금 지급 △정부의 공적자금 투입 등을 요구했다.

40년을 쌍용차에 몸담은 희망퇴직자 노재현 씨는 언론 인터뷰를 통해 “후배들에게 양보한다는 자부심으로 희망퇴직을 했다”며 “퇴직 후 사측의 무조건 짜르고 보자는 행태에 분노를 금할 수 없다”고 성토했다. 노씨는 “해고자, 비해고자가 무슨 잘못을 했나. 정리해고는 이정도면 된다”며 “법정관리인과 경영진들이 먼저 사태의 책임을 지고 사퇴해야 한다”고 주장했다.

수면가스 진압계획

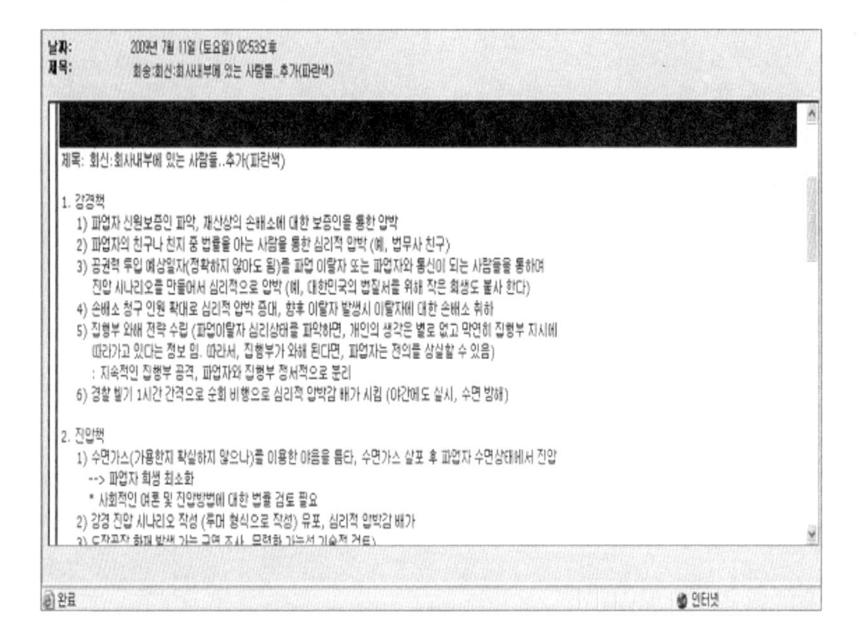

날짜: 2009년 7월 11일 (토요일) 02:53오후
제목: 회송:회신:회사내부에 있는 사람들..추가(파란색)

제목: 회신:회사내부에 있는 사람들..추가(파란색)

1. 강경책
   1) 파업자 신원보증인 파악, 재산상의 손배소에 대한 보증인을 통한 압박
   2) 파업자의 친구나 친지 중 법률을 아는 사람을 통한 심리적 압박 (예, 법무사 친구)
   3) 공권력 투입 예상일자(정확하지 않아도 됨)를 파업 이탈자 또는 파업자와 통신이 되는 사람들을 통하여 진압 시나리오를 만들어서 심리적으로 압박 (예, 대한민국의 법질서를 위해 작은 희생도 불사 한다)
   4) 손배소 청구 인원 확대로 심리적 압박 증대, 향후 이탈자 발생시 이탈자에 대한 손배소 취하
   5) 집행부 와해 전략 수립 (파업이탈자 심리상태를 파악하면, 개인의 생각은 별로 없고 막연히 집행부 지시에 따라가고 있다는 정보 임. 따라서, 집행부가 와해 된다면, 파업자는 전의를 상실할 수 있음)
   : 지속적인 집행부 공격, 파업자와 집행부 정서적으로 분리
   6) 경찰 헬기 1시간 간격으로 순회 비행으로 심리적 압박감 배가 시킴 (야간에도 실시, 수면 방해)

2. 진압책
   1) 수면가스(가용한지 확실하지 않으나)를 이용한 야음을 틈타, 수면가스 살포 후 파업자 수면상태에서 진압
   --> 파업자 희생 최소화
   * 사회적인 여론 및 진압방법에 대한 법률 검토 필요
   2) 강경 진압 시나리오 작성 (루머 형식으로 작성) 유포, 심리적 압박감 배가

완료 인터넷

- 수면가스 살포 후 파업자 수면상태에서 진압 ……… 집행부 와해 전략 수립
- 경찰 헬기 1시간 간격으로 순회 비행으로 심리적 압박감 배가시킴 (야간에도 실시, 수면 방해)
- 공권력 투입 예상일자(정확하지 않아도 됨)를 파업 이탈자 또는 파업자와 통신이 되는 사람들을 통하여 진압 시나리

오를 만들어서 심리적으로 압박수면가스 진압계획

7월 17일 경찰의 2차 진압대책회의가 열리고 경찰병력 투입이 임박했다는 기사가 언론을 통해 보도되었다. 이날 언론노조와 가대위는 비가 오는데도 국회 여의도 삼보일배를 진행했다.

저녁에 MBC뉴스데스크 집중취재에서는 '쌍용차 사측 가스살포 진압계획'이 보도되었다. 다음날 한겨레신문, 미디어충청 등에도 사측의 천인공노할 계획이 기사화되었다. 인터뷰에 응한 경찰들조차 "이라크 전쟁하는 것도 아니고…"라며 어이없어했다. 수면가스 살포를 통한 진압 계획을 논의하는 사측 메일의 제목은 '회신: 회사 내부에 있는 사람들'이었다.

쌍용자동차지부와 금속노조는 밤 11시경 즉각 성명서를 발표했다. "공장침탈계획에서부터 노조파괴문서 이번엔 수면가스 진압계획까지 사측이 구상하는 것은 쌍용차 정상화와는 거리가 먼 자신들만의 생존권을 위해 반인륜적 파렴치 행위를 사측의 조직적 관할 하에 진행된 것"이라며 수면가스 살포에 대해 비난했다. 아울러 "수면가스 살포 후 진압, 경찰 헬기 야간비행으로 수면 방해, 외부 탈출 후 체포 등의 행위는 경찰의 협력 · 협조 없이는 불가능한 수단들이다. 회사가 독립적으로 수면가스를 풀고 경찰 헬기를 띄우며 조합원들을 체포할 수 있는가? 사측이 이런 계획을 세웠다는 점은, 이미 사전에 경찰 측과 충분한 협의를 했다는 점을 보여주는 것이다"라며 경찰이 합동작전을 벌이고 있다고 했다.

7월 18일 오전 11시 지부는 '수면가스 진압계획'에 대한 전모를 담은 보도자료를 배포했다. 연합뉴스에서는 '음식물 차단 이틀째 나

날이 시들어가는 부식과 먹거리' 라는 기사로 최소한의 인권마저 보장되지 않고 있음을 보도했다.

이에 앞서 오전 10시 정장선 의원이 노조를 방문해 중재역할을 하려다 사측 관리자 통제에 막혀 5분여 만에 돌아섰다. 사측은 결국 대화와 교섭, 중재는 필요 없다는 것을 분명히 한 것이다.

사측은 가대위 천막을 치지 못하게 하려고 공장 주변 땅을 임대하기까지 했다. 가대위는 이날 오후 2시부터 평택역에서 경찰서까지 '쌍용차 사태 평화적 해결과 정리해고 반대' 를 위한 삼보일배를 했다.

민주노총은 7월 19일 수면가스 진압계획 중단과 경찰 침탈을 멈추라며 기지회견을 열었다. 민주노총 뿐 아니라 자동차범대위, 쌍차공투본, 인권단체연석회의, 쌍용자동차지부, 가대위 등도 함께했다.

중재

금속노조 중재안

6월 11일 미디어충청과의 인터뷰에서 금속노조 정갑득 위원장은 쌍용자동차 투쟁과 관련 "금속노조의 정치 사업에 연대투쟁을 결합시켜야 승리할 수 있다"며 "올바른 여론을 만들어줘야 한다. 우리가 그런 부분이 약하다. 보도자료를 내고 있지만 보수 언론과 맞선다는 것은 어려운 문제다. 특히 국회 환경노동위 등 노동과 관련해서 영향력을 낼 수 있는 사람을 만나야 한다"고 했다. 여론 형성과 정치권을 압박하는 일을 산별노조로서의 금속노조가 해야 할 역할로 강조한 것이다. 그리고 가장 중요한 것은 주체들이라면서 "지도부를 중심으로 흔들림 없이 투쟁할 것"을 당부했다.

금속노조는 교섭 국면을 열어보려고 다각적으로 노력을 했다. 그러나 6월 18일과 19일 이후 대화의 자리는 만들어지지 않았고, 정치인들이 개입하려 하였으나 정부는 묵묵부답으로 일관했다.

7월 19일 정갑득 위원장이 정문을 통해 들어왔다. 정 위원장은 집행위 회의에서 '무급휴가 안'에 대해 언급했고, 집행위원들은 반대 의견을 냈다. 저녁 집회에서 정갑득 위원장은 "금속노조 내 연대투쟁 조직화의 어려움, 그럼에도 밖에서 여러 움직임이 있다, 임원선거를 쌍용차 투쟁 마무리 후에 한다" 등을 이야기했다. 한 조합원은 그날 정 위원장의 발언을 듣고 "정갑득 위원장, 복잡할 것으로는 누구와 비교하겠는가. 하지만 이처럼 완강한 투쟁을 펼치는 대오와 함께 인생을 걸어볼 생각은 진정 없는 것인가라는 의문이 뇌리를 떠나지 않는다"라고 기록하고 있다.

다음날 금속노조의 중재안이 지부장, 집행위원, 조장들이 모인 간담회에서 논의되었다. 지부장은 논의 결과에 따르겠다고 했다. 쟁점이 되는 내용은 전체 무급휴직 3년과 관련된 것이었다.

몇몇 간부와 집행위원은 마지막 안일 수도 있다, 이 정도 선에서 받아야 한다는 의견을 냈다. 더 이상 부상자가 발생하지 않았으면 하는 생각에서였다. 그러나 대부분은 그 안을 받을 수 없다고 했다. 내용에 대한 현장 조합원들의 반발이 예상되는 것이었다. 금속노조의 물밑 접촉 안은 거부되었다.

7월 20날 가지고 들어온 안이 어떻게 보면 마지막 안일 수도 있었던 거고 저 개인적으로는 그 안을 받았으면 좋겠다고 얘기를 했던 사람인데. 왜냐면 이제 더 이상 안 다쳤으면 좋겠다. 부상자나 아니면 현 정부 아래서 더 좋은 안이 과연 나올 수 있을까라는 것 때문에. 사실 정갑득 위원장도 그걸 기대했던 거 같고. 이 정도에서 마무리 됐으면 했던 사람들이 있었는데 그 안에 파업대오가 이거 하려고 고작 이거 따낼려고 60일 동안 했냐, 더 해보자 라고 의견이 막 나오기 시작했던 거예요. 그러면서 금속의 역할과 한계가 거기까지였다라는 게 제가 느낀 한계. 금속 안에서의 모임들도 더 이상을 해줄 수 있는 게 없다 그렇게 되지 않았을까 내부적으로 그런 조심스러운 예상을 좀 했고. 그렇게 된 건 안에서 끊임없이 교육을 했어요. 계속해서 교육을 하면서 현장조합원들이 의식이 높아졌고. 또 연대단위들도 힘들거라고 생각했는데 의외로 안 대오가 튼튼하니까 이 정도로는 안 된다는 게 힘을 얻어가는 상태였고. 결국은 안에 있는 조합원들의 의식과 절실함이 더 높았던 거 같아요. 연대단위가 그걸 따라주지 못했던 괴리 때문에 7월 20일 이후로는 더 이상 연대나 지원 같은 게 힘들었던 거 같고. (구술자 P)

알고 있었죠, 정위원장이 들어온다는 거는 협의한다는 거잖아요. 그래 협의는 끝내라 이렇게 생각하고 있었죠. 근데 맨 처음에 나온 안은 말이 안 되더라고. 누굴 만났는지 모르지만, 무기한 무급휴직 아니예요. 근데 그 당시 분위기에서 그걸 따를 수가 없거든. 그때 분위기에서 노동조합이 따랐다가는 잘못되는 거예요. 노동조합이 초토화되는 거예요. 간담회를 열었는데 아니나 달라? 우리가 이거 받을라고 투쟁했냐! 나오잖아요. 저같은 경우도 이거 아니다 싶으면 빨리 끊고 각 거점 사수하든가 합시다. 빨리 끝내자고. 나중에 또 들어오더라고. 에피소드로 OOO가 그랬다던데 나가지는 못하고 이리 저리 돌아다니니까 나가서 협의할 데나 찾아보라고 일부러 내보냈다고 하더라고. 들어와서 있는데 할 것도 없고 그 당시만 해도 사람들이 좋은 표정으로 보지도 않았고 괜히 불미스런 일이 있을 수 있고 그러니까 내보낸 거예요. 딴 사람 들어오는 거는 다 막아도 정갑득 위원장 들어오는 건 안 막았잖아요, 회사에서. 마지막까지 협의테이블 뚫어보라는 차원인지 뭔지. (구술자 J)

경찰은 점점 더 공장안으로 진입했다.

조합원들은 현대자동차와 대우자동차의 정리해고 반대투쟁 사례를 통해 옥쇄파업 목표와 전술에 대한 고민을 하고 있었다. 초기에는 공장 사수를 통해 무급휴직 1년으로 투쟁을 마무리한 현대자동차지부는 승리한 것이라는 이야기가 나왔다고 한다. 그러나 두 달이 지난 투쟁 과정 속에서 조합원들은 3대 원칙 쟁취를 양보할 수 없다, 분사는 정리해고다라는 인식을 갖게 되었다. 때문에 집행위원들이 금속노조의 안을 받았다면 "노조 자체가 초토화 될" 정도였다는 것이다.

조합원들은 3대 원칙을 마지막까지 양보할 수 없다 이런 게 팽배했던 거죠. 그래서 조합원들이 어느 수준까지 올라왔냐, 처음엔 현대자동차의 36일 간의 투쟁을 통해서 1년 무급안이 된 거잖아요, 식당 아줌마들에 대한 정리해고가 있었지만. 하여간 대자와 현자를 비교하면서 대자는 패배

한 투쟁, 현자는 승리한 투쟁 이랬거든요. 어쨌든 우리가 완강하게 버티고 공장만 사수하고 있으면. 대자의 패배 원인은 공장을 빼앗겼기 때문에, 현자는 공장을 사수하고 있었기 때문에 승리한 것으로. 무급도 생각하고 있었는데. 막바지 정부 중재안이 7월 20일날 정부 중재안이 나오거든요, 이유일과도 이야기된 안으로 알고 있고. 그래서 그 안으로 쟁대위 회의를 했음에도 불구하고 100% 승리, 우리가 무급을 받아들이기 위해서 한 게 아니다, 3대 원칙의 승리 이게 담보되지 않으면 안 된다, 당시 지부장은 이런 안이 나와있다, 안만 던지고 빠진 상태였고, 몇몇 대의원대표 집행위원장들은 교섭을 해야되는 거 아니냐 했는데 그건 몇몇 소수의 의견이었고 다수의 의견이 교섭할 수 없다, 이 안 가지고는. 그게 집행위원장 개인 생각이 아니라 조합원들 생각이거든요. 조합원들 정서기 때문에 집행위원장들이 그렇게 발언을 한 거지. 이미 두 달 동안 조합원 의식이 그렇게 바뀌었다고 보는 거죠. 비정규직 문제든, 분사 문제든 또 다른 정리해고다라고 바라봤던 거였고 조합원이 그렇게 판단하였고 집행위원장 생각이 바뀌고 그랬다고 봅니다. (구술자 L)

살인의 공포

7월 20일 오전 9시 경기도경찰청장은 기자회견을 통해 "공권력 전진배치"를 이야기함과 동시에 본격적 침탈을 감행했다. 쟁대위 확대회의에서 정갑득 위원장이 전달한 중재안에 대해 논의하고 있던 바로 그 시각이었다. 오전 9시경, 34개 중대와 굴삭기, 크레인 등 동원할 수 있는 모든 장비를 동원해 침탈해 들어왔고 정문과 본관을 중심으로 전투가 시작되었다. 후문과 4초소 등에도 경찰이 진입했다. 사측은 용역깡패를 동원해 틈틈이 침탈을 노렸다. 파업대오의 저항은 거셌다. 옥상에서는 새총을 쏴 진입을 막았고, 지상에서는 선봉대가 쇠파이프로 전투를 벌였다. 폐타이어에 불을 놓아 진입을 차단했다. 사측은 정리해고 비대상자 2,000여 명을 출근시켜 본관 쪽으로 이동했다가 12시경 퇴근시켰다. 이때쯤 금속노조가 수도권과 충청권 확대간부를 2시까지 집결하도록 지시했고 민주노총도 함께하기로 했다는 이야기가 현장에 전해졌다. 그것만으로도 파업대오는 힘을 얻었다. 또한 정문에는 가대위 전체 동지들이 모여서 힘을 보태고 있으며, 함께하고 있다. 이날의 침탈은 2시경 소강상태로 접어들었다.

파업대오는 경찰과 용역의 침탈에 대비해 긴장을 늦추지 않고 있다.

한편, 오전 10시 사측은 방송차량을 이용하여 선무방송을 시작했다. 이 선무방송은 날마다 계속된 것이었는데 그 내용은 "금속노조의 정치파업은 불법이다. 집회에서 금속노조가 집회 시늉만 했지 쌍용차 사태에 대해 실질적 책임을 지지 않고 있다. 외부세력의 농간에 속지 말라. 조합원들 하루속히 그리운 집으로 돌아가라. 노조의 주장은 허황되어 결코 들어줄 수 없는 것이다. 지도부는 금속노조에서 생계비 및 생활비를 전적으로 지원 받고 있다" 등이었다.

이날 12시경 지부 이재진 정책부장의 아내가 자살했다는 소식이 전해졌다. 현장은 침통과 분노로 휩싸였다. 이재진 부장의 아내는 사측의 정리해고와 사태의 장기화로 고통스러워했다. 올해 2월에 친정아버지가, 4월에 시아버지가 돌아가시는 아픔도 겹쳤다. 특히 지부에서 확인한 바로는 사측에서 이재신 부장의 집에 찾아가 손배가압류, 고소고발 등을 언급하며 가족에게 "파업대오에서 나오지 않으면 구속, 손해배상 청구는 물론 해고된다. 얼른 나오게 하라"는 협박과 회유를 한 정황이 드러났다.

사고 발생 후 지부는 입장을 발표해 "해고는 살인이다! 더 이상 죽이지 마라! 사측의 정리해고 강행과 정부의 무책임함은 노동자와 그 가족의 목숨을 잇따라 앗아가고 있다. 사측은 가족에 대한 협박 등 파업파괴책동을 즉각 중단하고 정리해고를 철회하라"고 했다.

정리해고로 인한 희생자이자 무고한 죽음이었다. 4월 이후 쌍용차 비정규직 노동자 1명이 사망했고, 한 조합원의 아내는 스트레스로 아기를 유산하였다. 5월 27일 엄인섭 조합원이 신경성 스트레스로 인한 뇌출혈로 사망했고, 6월 11일에는 김영훈 조합원이 관제데모 동원, 구조조정 압박 스트레스 때문에 허혈성 심근경색으로 사망했다. 7월 2일에는 김고원 조합원이 번개탄을 피우고 차 안에서 사망했다. 사측의 강요로 희망퇴직 후 경제적 어려움을 이기지 못하고 자살한 것이다. 정리해고로 인한 죽음의 끝은 어디인가. 조합원들은 자본의 무자비함에 치를 떨었다.

> 지부장님도 한없이 울었어요. 해도 해도 너무 한다 그런 말도 했고, 어찌 가족까지 손을 댈 수가 있냐, 그건 잘못 된 것이 아니냐 하면서 한없이 눈물을 흘렸어요. 인간의 도를 넘어섰고, 사람이 아니라는 말도 해가면서. 조합원이 사망한 사건이나 가족, 특히 가족이 돌아가신 거에 대해서 너무나 가슴이… (구술자 F)

> 마지막에 노조 간부의 아내가 돌아가셨을 때 그때 공권력이 에워싸고 현장에 들어왔을 때 분노, 슬픈 감정이 복합

적으로 작용하더라고요. 한참 싸우고 있는데 노조 간부의 아내가 죽었다고. 내가 죽어서 열사가 되는 게 아니라 진짜 죽이고 싶은 마음이 생기더라고요. 내가 죽기 전에 저 사람들 몇몇은 죽여야 되는 거 아닌가 하는 생각이 들더라고요. 죽음에 대한 공포감도 많이 들었고, 분노가 컸죠. 사람을 수없이 몇 명을 죽이는 만행을 저질러 놓고도 뻔뻔하게 살아가는 모습을 보면서. (구술자 H)

자동차범대위는 3시 긴급 기자회견을 열고 "더 이상 죽이지 말라"고 경고했다. 그러나 저녁 10시까지 경찰병력의 공장 침탈은 계속되었다. 경찰은 프레스 안까지 진입해 호시탐탐 진압을 노렸다. 경찰들은 방패를 바닥에 갈거나 기압 소리를 질렀다. 사측과 용역깡패들은 밤새워 선무방송과 노래를 틀었다. 시도 때도 없이 '오! 필승 코리아'를 틀어대 파업대오의 분노를 자극했다.

국지전

헬기가 출연하면 하루가 시작되었다. 21일 오전 11시경 헬기가 나타났다. 잠시 후 하늘에서 봉지가 떨어졌다. 켁! 켁! 사방에서 눈이 맵다고 기침을 해댔다. 이번에는 최루액이 살포되었다.

최루액 봉투를 떨어뜨리는 경찰

경찰과 용역깡패 그리고 구사대가 후문, 공사장, 자재창고를 거쳐 프레스까지 진입해 들어왔다. 동시에 영상관 밑에 위치한 주유소를 통해서도 프레스로 진입했다. 일부는 차체1팀으로 들어와

망을 보며 복지동, 도장공장 진입을 준비했다. 프레스와 복지동은 200여m 거리고, 차체1팀과 복지동은 불과 20여m 거리다. 이곳에서 새벽까지 치열한 전투가 벌어졌다. 경찰은 오후 5시경 정문, 버스승차장, TRE동, 프레스 진입을 동시에 시도했다. 특히 프레스, TRE동에서는 격렬한 전투가 벌어졌고 남문, 영신 및 조립3 · 4팀 대치선에서도 싸움이 계속되었다. 검은 연기가 공장 전체를 뒤엎고, 헬기는 빙빙 돌면서 최루액을 뿌리고 선무방송은 쉬지 않고 계속되었다.

22일 새벽 3시 괴한 20여 명이 평택 공장 앞 공터 가대위 천막을 습격해 천막 안에 있던 기자 한 명과 시민 한 명을 끌어내고 천막을 부수기 시작했다. 주변에 경찰이 있었지만 손 놓고 있었다. 천막 근처에서 밤샘농성 중이던 민주노총 조합원들과 취재기자들은 실랑이 끝에 폭행을 가하는 괴한 중 3명을 붙잡아 경찰에 인계하려 했지만 이 중 2명은 달아났고 1명만 경찰에 인계했다. 신분을 조사한 결과 쌍용자동차기술연구소 책임연구원임이 밝혀졌다. 사측은 가대위의 활동과 민주노총 등의 집회를 방해하기 위해 가대위 천막이 설치된 공장 앞 공터의 지주를 설득, 공터를 임대를 해버린 것으로 알려졌다. 사측은 전날 가대위에게 "이 땅은 이제 회사 땅이니 천막을 철수하고 나가라"고 말했다.

옥상 위

오후 1시가 넘어 헬기가 뜨고 경찰과

용역들은 곳곳을 통해 지속적으로 침탈을 노렸다. 용역들은 TRE 건물에서 새총을 난사했다. 경찰은 헬기를 동원해 다량의 최루액을 살포했다. 최루액이 스트로폼에 닿자 바로 녹아버렸다. 경찰은 살인 무기를 노동자에게 퍼부었다.

살수차. 옥상위에 최루액이 강물처럼 흘렀다.

TRE 쪽을 중심으로 공방이 계속되는 가운데 공장 곳곳에 검은 천이 내걸렸다. 이재진 부장 부인 장례식은 침울한 가운데 진행되었다.

오후 6시경 금속노조 노동자들이 4시간 파업을 벌이고 평택역에서 집회를 마친 뒤 평택공장으로 왔다. 단수, 소화전 차단, 음식물 차단, 의료진 출입 차단 등 경찰의 살인진압에 항의하기 위한 것이었다. 경찰이 연대대오의 공장 진입을 막자 파업대오는 이에 항의하며 정문과 후문에서 경찰과 격렬하게 대치했다. 이날 금속노조는 밖에서 안으로 밀고 들어오기로 약속을 한 상태였다. 파업대오는 경찰의 봉쇄를 뚫고 금속노조 조합원을 맞이할 수 있다는 자신감을 갖고 있었다.

파업대오는 정문을 향해 나가 진을 치고 있는 경찰을 밖으로 밀어냈다. 경찰이 정문에서 경비실까지 15미터가량 밀리자 노동자들을 향해 최루가스를 분사하며 테이저건을 쐈다. 당시 현장을 목격한 조합원들은 "4~5명이 한조로 움직이는 진압복 차림의 경찰이었고 앞의 한 명이 최루가스를 쏘고 뒷편에 있던 경찰이 총모양의 물체를 발사했다"고 했다. 얼굴과 어깨, 다리 등에 테이저건을 맞은 조합원들은 복지동으로 옮겨졌다. 응급진료를 위해 출입해야 하는 엠블런스와 의료진을 사측과 경찰이 가로막아 부상자 치료를 하지 못하고 있었다. 7시경 국가인권위원회에서 쌍용자동차 현장 방문을 위해 정문에 도착했으나 사측과 경찰은 이마저도 막무가내로 가로막았다. 경찰이 테이저건으로 추정되는 무기를 사용했다는 게 언론에 등장하자 사측과 경찰은 의사 한 명의 출입을 겨우 허용했다. 위급 환자 치료를 위해 들어가는데도 사측 총무팀장 이승진이 주도해 몸수색을 하는 등 모욕감을 느끼게 했다.

이날 공장 정문 돌파는 이뤄지지 않았고, 금속노조는 다음 집회를 기약하고 해산했다. 한편, 파업대오는 경찰의 방석기 3개를 빼앗았다. 방석기 칸막이를 쇠파이프로 쳐도 깨지지 않았다. "이런 곳에 새총이 먹힐 수 없지." 그 중 하나를 TRE동 옥상으로 옮겼다.

대화를 안 할거면 차라리 다! 죽여라!

날이 밝았다. 경찰이 이곳저곳을 쑤시고 들어온 게 4일째다. 인간의 한계를 실험하는 듯했다.

7월 23일 오전 10시부터 경찰은 부품공장과 조립3 · 4라인을 확보하기 위해 경찰 300여 명과 용역 100여 명과 함께 지게차로 공장 주변에 쌓아놓은 작업용 선반, 타이어 등을 치우면서 진입을 시도했다. 이를 발견한 조합원들이 옥상에서 새총을 쏘고 타이어에 불을 지르며 저항하자 경찰과 용역은 후퇴했다. 다시 오전 11시경 용역들이 TRE공장 옥상에 투입돼 도장공장 옥상으로 새총을 쏘며 조합원들과 대치했고, 11시 30분에는 경찰헬기 2대가 도장공장 옥상에 최루액을 분사하고, 최루액 봉투를 투하했다. 경찰은 살수차를 동원해 조립3 · 4팀 옥상위를 향해 최루액을 폭포수처럼 뿜어대며 조합원들을 압박했다. 조립3 · 4팀 옥상에는 최루액이 강물처럼 흘렀다. 오후 4시부터 5시 30분 사이엔 도장공장으로 헬기 · 살수차 · 새총 공격이 동시에 쏟아지기도 했다. 오후에 프레스, 영상관 바리케이드가 돌파당했다. 파업대오는 저지선을 좁혀 차체2팀과 남문을 잇는 바리케이드를 설치했다. 싸움은 오후 6시가 넘어까지 계속되었다.

이날 정오경 조합원들은 도장공장 외벽에 검은색 페인트로 "대화를 안 할려면 차라리 다! 죽여라"는 문구를 써놓고 노사 혹은 노정 대화를 재차 강조하는 한편, 결사항전의 의지를 다졌다. 같은 시각 정문 앞에서 경찰들은 파업대오의 '무기'를 전시했다. 테이저건 사용에 대한 비난 여론이 일자 이를 무마하기 위한 기자회견도 같이 했다.

한편, 이날 오전 8시 30분경 정비지회 윤충열 조합원은 서울 독립문 옆 6층 높이의 고가도로 난간에 올라가 "정부는 쌍용자동차 평택공장에 공권력 투입을 멈추고 공적자금을 투입하라"며 고공 시위를 했다. 난간에 '공권력 투입반대', '쌍용차 정리해고 철회', '해고는 살인이다', '정리해고 stop!'이라고 적힌 현수막 4개를 내걸고 '쌍용차 사태의 원인은 상하이자본과 이명박 정부입니다. 정부는 노동조합과의 대화에 즉각 나서라'라는 제목의 보도자료를 뿌렸다. 윤충열 조합원은 경찰에 연행되었다. 공장 밖에서도 투쟁을 확산하기 위한 조합원들의 활동이 이어졌다.

서대문 독립문 옆 고가도로 고공시위(2009.7.23)

노사정 대화

지부가 옥쇄파업에 들어가기 전 금속노조는 권영길 의원을 통해 대정부 교섭을 끌어내는 창구 역할을 요청한 바 있고, 권영길 의원은 오랜 시간 여러 의원을 만나 중재단의 필요성을 설득했다. 그 결과 송명호 평택시장을 중심으로 평택지역 국회의원인 정장선, 유원철 등 다양한 견해를 대변할 수 있는 틀이 짜여 중재 시도가 있어왔다.

잠시 단잠…

7월 24일 오전 10시 평택시 청소년문화센터에 쌍용차 사태 해결에 대해 논의하기 위해 노사정이 모였다. 노조 대표로 정갑득 금속노조 위원장, 사측 대표로 류재완 인사노무담당 상무가 참석했다. 오기로 했던 법정관리인 박영태는 나오지 않았다. 원유철 한나라당 의원, 정장선 민주당 의원, 권영길 민주노동당 의원, 송명호 평택시장이 함께했다.

7월 10일 송명호 시장이 농성장을 방문하여 세 가지를 주문하면서 자신이 중재 역할을 하겠다고 했다. 첫째, 회사는 구조조정을 노조는 옥쇄파업을 동시에 중단하고 대화에 나서야 한다. 둘째, 이후 한 달 동안 집중 교섭기간을 정하여 노사 교섭을 해야 한다. 셋째, 대화, 평화, 대타협의 원칙을 견지해야 한다는 것이었다. 이에 대해 지부는 세 번째 조건을 받아서 노사가 서로 큰 테두리 안에서 대타협을 해야만 첫 번째와 두 번째 역시 가능하다는 입장을 전달한 바 있다. 이후 시장은 13~14일 회사 관리인을 만나 중재해 보겠다고 했지만 중재는 이뤄지지 않고 있었다. 사측은 6월 26일 최종안이라고 제시한 것에서 입장이 변하지 않았던 것이다.

금속노조의 노력으로 6월 19일 노사 대화가 열린 뒤 36일 만에 대화의 자리가 만들어졌다. 금속노조는 '총고용보장 철회'가 담긴 정책보고서를 제출했다. 정갑득 위원장은 "이미 1,800여 명이 희망 퇴직해 총고용 보장은 무너졌다. 순환휴직을 포함해 모든 안을 열고 이야기할 자세가 돼 있다"고 말했다. 류재완 상무는 "대화를 하려면 자금지원을 해 사태를 해결할 사람이 와야지 이런 식의 정치적 요식행위는 도움이 안 된다"고 말하면서 옥쇄파업 철회와 함께 일부라도 정리해고를 받아들여야 한다는 입장을 밝혔다. 25일 다시 논의하기로 했고, 이때는 한상균 지부장도 참여하기로 되어 있었다.

25일 송명호 평택시장과 원유철 한나라당 의원, 정장선 민주당 의원, 권영길 민주노동당 의원의 중재로 열기로 한 노사 당사자 교섭은 열리지 않았다. 밤새도록 "안 나온다"는 얘기가 들리더니 사측이 교섭 1시간 전에 일방적으로 불참을 선언한 것이다. 사측은 이날 보도자료를 통해 교섭 결렬의 외적 이유로 '폭력행위'를 들었지만 실제 이유는 지부가 '무급순환휴직'을 받아들일 수 없다는 입장을 가진 데 있었다고 밝혔다.

지부도 이날 긴급 보도 자료를 통해 "쌍용자동차 사태 해결을 위한 긴급 노사정 대책회의는 무려 6시간 가까이 진행되었다. 사측이 대화와 교섭 불참 사유로 지적한 노조책임 및 민주노총 집회 건이 충분히 논의되었으며, 그것을 바탕으로 25일 대화와 교섭이 가능하게 되었다는 것을 의미한다"면서 "그러고도 사측은 대화와 교섭에 불참선언을 하고 말았다. 이처럼 무책임한 사측의 말 바꾸기 때문에 지금껏 노사 신뢰의 근간이 무너진 것"이라고 비난했다. 쌍용자동차지부 이창근 기획부장은 사측이 '무급순환휴직'을 지부측이 제안했다고 거짓 주장한 것에 대해 "협상을 유리한 쪽으로 몰아가려는 의도가 있다"고 비난했다.

노사정 대화가 열리면서 조합원들은 투쟁이 마무리되기를 기대했다. 지도부가 파업대오 인원 점검을 하자 일부에서는 마무리 되어 가는 것으로 여기기도 했다. 몇몇 조합원은 박영태가 나오지 않았다는 것은 사측이 대화 의사가 전혀 없는 것이라고 이야기하기도 했다.

대화를 통해 평행선이 좁혀지지는 않았다. 정부와 사측이 꼼짝 않는 상황에서 정치권의 중재는 힘을 가지지 못했다. 조합원들은 정치인들이 파업 대오를 위한 것이 아니라 각 당의 정치적 목적으로 나서는 것 아니냐는 이야기를 했다. 또 민주노동당과 진보신당의 정치적 쟁점을 만들기 위한 노력은 실질적 힘을 갖지 못한다고도 했다.

정갑득 위원장이 정치권을 통한 협상 국면을 만들어 가는 것에 대해 한상균 지부장은 7월 26일 미디어충청과의 인터뷰에서 "15만 금속노조 수장으로서 정갑득 위원장이 이 문제에 나서고 있지만 정치인과 마찬가지로 중재자의 모습을 보일 것이 아니라 책임 있는 금속노조의 역할을 해야 한다. 주체적으로 투쟁을 조직하는 게 산별노조의 역할이다. 공장을 사수하고 있는 사람들 눈에는 정 위원장이 중재자 역할만 하는 것으로 보인다"고 조합원들의 의견을 대변했다.

> 국회의원들이 한두 명씩 오고, 시장 오면서 막 그러니까. 분위기가 사니까 야~ 끝날려나 보다! 한 달 반 됐으니까 끝나나 보다! 그런 생각을 했는데, 그 이후에 행해진 게 아무것도 없기 때문에 저희가 실망을 엄청! 많이 느꼈어요. 그러면서 야, 이거 너무한 거 아니냐! 그래서 언론도 안 믿고 아무것도 뭐. …(중략)… 애들 보면 와 가지고 의원들 오고, 오면~ 재네들 또 표하나 얻어 갈려고. 나중에~ 저 사람들도

국민이기 때문에 짤르건 뭐하건 나중에 투표할 때 투표는 할 테니까. 무슨 당, 무슨 당 또 갈리니까. 그거 표 때문에 얼굴 이렇게 보이는 거지. 쌍용자동차를 해결하기 위해서 온 건 아니라고 느꼈거든요. 저희 같은 경우. (구술자 C)

[정치권 중재 관련] 내부에서 요청한 건 없었죠. 근데 거기에 대한 희망들, 기대들이 컸던 건 사실이죠. 답이 안 보였기 때문에, 이렇게 시간은 자꾸 지나가는데 사측의 태도는 완강했고 정부 태도는 너무나 완강하다 보니까 뭔가 돌파구가 필요했는데 돌파구 역할을 평택시장이든 국회의원이든 했던 거였고. 거기에 대한 희망과 기대를 가졌죠. 추미애도 오고 국회의원도 오고 그랬잖아요. 나중에는 조합원들이 스스로 알게 된 거지, 아무리 중재단들 해봐야 자기 인기성이고. 헛된 기대 품지 말자 이렇게 된 거죠. (구술자 L)

노사정 대화가 진행되던 날 오후 12시 10분경 쌍용자동차 가대위 회원 7명은 여의도 한나라당사를 점거해 박희태 대표와의 면담을 요구했다. 대표실에 들어서자마자 "쌍용차 문제 해결에 한나라당이 나서라", "정리해고 철회하라"고 쓰인 현수막을 펼치고, 같은 내용이 담긴 종이 수백장을 창밖으로 뿌렸다. 한나라당 관계자와 경찰 30여 명은 곧바로 따라 들어와 가족들이 들고 있던 현수막을 빼앗고, 몇몇 가족의 사지를 들고 밖으로 내보내려는 등 강제해산을 시도했다. 가족들이 "공장안에 있는 사람들 물이라도 넣어주고, 들어오지도 못하는 의료진들이라도 투입될 수 있도록, 죽어가는 사람들을 살려달라고 요구하러 왔다"고 울부짖으며 저항했다. 가족들이 대표와 면담을 요구한 지 1시간 30여 분이 지나서야 박 대표를 대신해 당 관계자 5명이 모습을 드러냈다. 가족들은 "공권력 투입 철수, 정리해고 철회,

가족들은 먹을 물을 넣어달라고 호소했다. 그러나 경찰은 파업대오 죽이는 물만 들이부었다.

공적자금 투입 등이 이뤄질 수 있도록 한나라당이 나서 달라"고 요구했다. "우선 음식과 물, 가스, 의료진 투입이 차단된 문제라도 시급히 해결될 수 있도록 집권여당이 대책을 강구해달라"고 하소연했다. 엄현택 환노위 수석전문위원은 "사실은 노사문제에 정당이 감 놔라, 배 놔라 할 수 없는 것이 기본적인 입장"이라 했다. 가족들은 한나라당 관계자들과 면담을 마치고 2시간 만에 당사를 나왔다.

대화와 침탈 사이

7월 24일 노사정 대화가 진행되고 있던 시각에도 공장에는 헬기가 떠 최루액을 뿌려댔다. 오후가 되면서 진입 작전이 본격화되었다. 2시 40분경 경찰은 시설점검을 명분으로 후문 4초소에서부터 차체1·2공장 방향, TRE공장 방향과 프레스공장 쪽 영신초소 등 세 군데에서 동시에 도장공장 쪽을 향해 진입해 들어왔다.

차체1공장에는 경찰특공대가, 차체2공장에는 경찰을 비롯해 용역 380명과 사측 직원 등이 함께 진입했다. 조합원들은 복지동 옥상에서 차체1·2공장 옥상 쪽으로 새총을 쏘면서 경찰과 용역의 복지동 진출을 차단했다. 조합원 일부는 차체2공장 옥상으로 이동, 경찰 등과 대치했다.

이날 경찰은 헬기 3대를 동원해 조합원들이 있는 복지동 옥상과 차체2공장 등에 최루액 봉투를 무차별 투척해, 경찰과 용역의 진입을 도왔다. 조합원들은 비닐을 벗겨 머리 위에 쓰면서 쏟아지는 최루액을 피했다. 지상에서는 차체1 · 2공장 사이로 살수차가 들어와 최루액을 옥상 위로 뿜어댔다. 조합원들은 이를 저지하기 위해 화염병을 던지기도 했다.

경찰은 도장공장을 향해 사방에서 치고 들어왔다.

경찰 등은 한때 프레스 공장을 중심으로 영신초소 통로 쪽으로 지게차와 중장비 등을 동원해 차체 바리케이드를 돌파하고 차체2공장 300미터전방까지 진출했다. 조합원들은 진입로마다 쌓아놓은 폐타이어를 불태우며 경찰과 용역의 진출을 막아냈다.

4초소에 위치한 TRE동과 조립3 · 4팀 옥상에서도 충돌은 계속됐다. 용역과 사측 직원들은 대형 새총으로 너트, 와셔, 볼트 등을 쏘며 조합원들을 공격했다. 용역이 쏜 주먹만한 볼트가 우박처럼 곳곳에 떨어졌다. 조합원들은 새총을 쏘면서 저항했다. 용역들이 쏘는 새총의 위력은 상상을 초월했다. 너트 크기(32mm)와 무게도 상당할 뿐 아니라 사격 솜씨가 좋아 목표물을 거의 정확하게 맞췄다. 며칠간의 싸움으로 용역이 쏜 새총에 맞아 많은 조합원들이 부상을 입었다. 도장공장, 조립3 · 4팀 옥상에 있던 조합원들은 용역들의 공격에 대해 이렇게 말한다.

새총이 아니다. 살상용 무기다.

공기총을 만들어가지고 볼트가 엄지손가락 만해가지고 너트에다 볼트를 다 체결해가지고 무게가 상당히 나가고 그거 맞으면 팔이 뿌러지고 쇄골이 나가고 그럴 수 있는 그런 무기. 우리보다 사정거리가 상당히 많이 나가서 본관에서 쏘면 도장2공장을 넘어가 조립3 · 4팀 옥상까지 떨어질 수 있는 정도로 그렇게 화력이 좋았죠. 사격 솜씨도 엄청 좋아가지고 목표물의 좌우 1미터를 안 벗어났어요. 우리는 대충 쏘면 핑~ 날라가고 공중으로 가고 옆으로 가고 그러는데 걔네들은 목표물이 있으면 그 1미터를 안 벗어났어요. 그래 뭐 움직일 수가 없어, 움직일 수가. 방어 장구는 그 베니아 합판, 그 다음에 옥상 환풍구 뜯어서 막고 뭐 그런 식이었습니다. (구술자 D)

사실 저희들도 새총을 제작을 했지만서도 그 이후에 사측에서 새총을 만들어서 했을 때 그 성능 면에서 비교가 안 됐습니다. 저희들은 그냥 장난감이면 그건 진짜 총이었어요. 한 200메타, 250메타 되는 거리에서 쏘면 그게 직선으

> 로 날아왔어요. 그래서 조합원들이 농담하기로 근무서는 게 아니라 그냥 새총 피하러 다닌다, 옥상에 올라가서. 그런 말도 했었고, 상당히 무서웠어요. 새총이. (구술자 O)

경찰은 오직 파업대오 진압만을 목표로 하고 있었다. 도장공장으로 가는 길목 중 돌파하기 쉬운 곳이 어디인지 전투력을 시험해 보는 것 같았다. 한편으로는 25일 열기로 한 노사 대화에서 우위를 점하기 위한 것이기도 했다. 지부에서는 "사측이 내일 교섭을 앞두고 우위를 점하기 위해 마지막 시도를 하는 것 같다. 파업대오를 고립시켜 자신감을 결여시키려는 것 같다"고 말했다.

쌍용자동차지부는 이날 오후 긴급 보도자료를 통해 "공장점거 파업 노동자들은 격앙될 대로 격앙됐다"며 "사측이 끝끝내 대화와 교섭을 거부하고 공장점거 파업하는 노동자들에게 백기투항을 원한다면 850개 관을 준비하는 편이 훨씬 수월할 것"이라고 경고했다. 이어 "살인진압을 즉각 중단하고 대화와 교섭에 실질적으로 임하라"고 촉구했다.

마루타

경찰은 쌍용자동차지부 투쟁을 진압하면서 신종무기를 시험해보고 새로운 진압방법 연습을 해보는 것 같았다.

7월 22일 저녁 6시 20분경 경찰이 공장으로 밀고 들어오다가 저항하는 파업대오에게 밀리자 최루액을 분사하면서 테이저건과 비슷한 신종무기로 화살총을 발사했다. 한 조합원이 왼쪽 뺨에 관통상을 입었고, 2명의 조합원은 다리와 허벅지 부분을 맞았다. 탄의 길이는 4센티미터가량, 지름은 0.5센티미터 정도였다. 탄의 끝부분은 낚시 바

늘처럼 생겨서 쉽게 뺄 수 없었다.

테이저건은 일종의 전기충격 총으로 화살촉처럼 생긴 탄이 몸에 박히면서 순간적으로 5만 볼트의 고압 전류가 흘러 맞은 사람의 신체 근육을 일시적으로 마비시키는 무기이다. 화살총에 맞은 노동자는 "얼굴에 전기가 오는 것처럼 찌릿찌릿하다. 안에 뭐가 펴져서 걸린 것 같다"고 말했다.

경찰장비관리규칙 제3절 대테러장비 항목에 전자충격기가 기재되어 있으나 집회 시위 관리 장비에는 속하지 않는다. 동규칙 제3절 76조 4항에 전극침이 발사되는 전자충격기의 경우 안면을 향해 발사해서는 안 된다는 안전수칙을 준수할 것을 명시하고 있고, 제101조의 2에서는 전자충격기는 사람의 생명 · 신체에 위해를 가할 우려가 있는 장비로 특별한 관리를 요한다고 명시하고 있다. 명백한 과잉 폭력진압이다. 2006년 시위진압 장비 도입 논란을 불렀던 테이저건과 비슷하지만, 전류를 흐르게 하는 전선줄이 없어 신종장비 논란도 일었다.

또한 21일부터 헬기 3대를 동원해 평택공장에 무차별적으로 최루

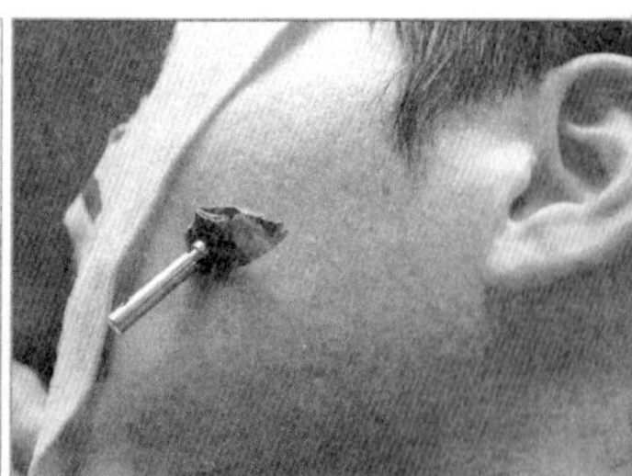

경찰은 파업하는 노동자에게 테러진압용 무기를 동원했다.

액과 최루가스를 뿌렸다. 조합원들은 호흡이 곤란하고 피부가 따갑다고 고통을 호소했다. 한 조합원은 경찰이 바로 앞에다 최루액 봉지를 떨어뜨렸고 그것이 터지면서 최루액이 튀어 눈도 못 뜨고 굴러다

넜다고 했다. 동지들과 함께 엄청난 양의 물로 눈과 얼굴을 씻어냈지만 시간이 지나면서 물집이 잡혀 화상연고를 발랐다고 했다. 바지에도 최루액이 튀었는데, 피부에 화상증상이 나타나거나 녹아내렸고, 껍질이 벗겨졌다고도 말했다.

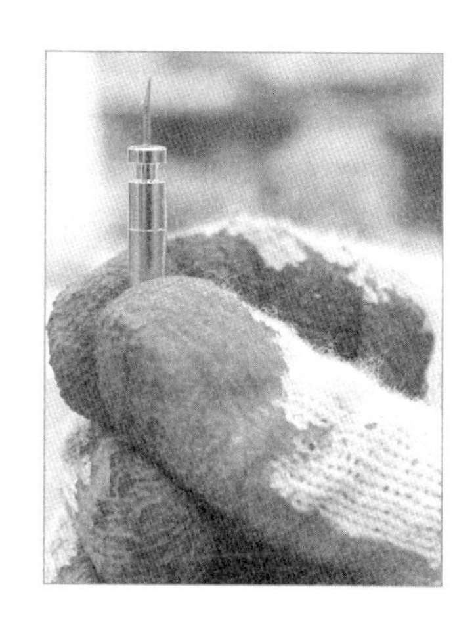

조합원들은 "사람 앞에 최루액을 떨어뜨린다는 것은 사람을 죽이는 일이다. 바로 눈앞에다 던진다는 것은 살인행위다. 사람이 있는 천막에다 던지기도 했다. 우리도 같은 국민이다. 이런 위험한 약품을 던진다는 게, 인간도 아니다. 어떻게 그렇게 독한 약을 쓸 수 있냐"며 분노했다. 파업 중인 조합원들은 최루액, 최루가스를 맞아도 사측의 단수 조치로 씻을 수도 없었다. 식수로 응급조치를 하는 게 전부였다. 의료진 출입도 통제해 치료조차 받을 수 없었다.

산성제품을 섞은 최루액 살포에 대한 비난 여론이 거세지자 경찰은 24일 평택 공설운동장에서 최루액 시연 브리핑을 진행했다. 최루액에 젖은 스티로폼이 녹아들었다. 그러자 오후에 조현오 경기지방경찰청장은 평택 경찰서에서 기자회견을 갖고 "스티로폼에 최루액을 수차례 뿌리다보니 화학반응을 일으킨 것"이라고 변명했다. 그리고 "이미 인체에 안전하다는 결과를 받은 만큼 노조원들의 폭력행위를 막기 위해 앞으로도 계속 사용할 것"이라고 했다.

이 외에도 농성조합원의 얼굴을 찍기 위해 전문 채증 요원을 헬기에 태워 촬영하기도 했고, 심지어 헬기에 부착된 초고성능 방송용 렌즈를 동원하기도 했다.

물 전달 실패

7월 25일 오후 3시 민주노총, 정당, 시민사회단체 회원 등 1만여 명은 평택역 앞에서 '쌍용자동차 문제 정부해결 촉구 전국노동자 · 범국민대회'를 개최했다.

7월 25일 전국노동자 · 범국민대회 후 행진대오와 그들을 향해 깃발을 흔드는 파업대오

민주노총 임성규 위원장은 대회사를 통해 "민주노총 위원장 임성규 이름을 걸고 오늘 어떠한 과정을 치르더라도 꼭 동지들에게 물과 음식을 전달해 주겠다"는 의지를 밝혔다. 금속노조 정갑득 위원장은 "국가권력, 공권력에 의해 잔인하게 자행하는 집단살인을 당장 멈춰야 한다"며 "더 이상 짓밟힐 수 없으며 처절한 저항으로 이 싸움을 승리하자"고 했다. 용산참사 유가족들도 대회에 참가해 쌍용차 가족들에게 힘을 줬다. 故 이성수 열사의 부인 권명숙 씨는 "이명박 정권이 쌍용차에서 제2의 용산참사 예행연습을 하고 있다"고 비난하고 "쌍용차 가족 여러분은 용기를 잃지 말고 힘내서 승리할 때까지 싸우셔야 한다. 우리도 끝까지 연대하겠

다"고 약속했다.

민주노총은 약 1시간의 결의대회를 마친 후 배강욱 민주노총 부위원장과 우병국 금속노조 부위원장은 물과 음식을 실은 차량을 타고 쌍용차 공장으로 먼저 출발했고, 그 뒤를 따라 참가자들이 행진을 시작했다.

한편, 민주노총 결의대회 참가자들이 공장으로 행진을 한다는 소식에 경찰들은 미리 전경버스로 공장 입구를 막아놓는 등 정문 앞 삼거리 일대를 중심으로 주변 지역에 117개 중대, 1만 2,500명을 배치했다. 평택역에서부터 쌍용차 공장까지 4.6킬로미터 거리에 경찰 버스 100여 대가 긴 차벽을 이루었다. 사측 직원 1,500여 명도 6개조로 나눠 공장 안 울타리 주변에 배치됐다. 일부는 피켓 등을 들고 "외부세력 물러가라"는 구호를 외치며 공장 정문을 지켰다. 공장 앞에서 의료지원단이 의약품 반입을 시도하고 있지만 사측은 이들의 진입을 막았다.

오후 6시 15분경 평택역에서 결의대회를 마친 참가자들은 법원 사거리를 거쳐 쌍용차 평택공장 앞 다리까지 행진했다. 참가자들은 다리 옆 도로에서 보도블록을 걷어내 투석전을 준비했다. 경찰은 헬기를 이용해 최루액 봉투를 참가자들을 향해 연달아 떨어뜨렸다. 최루액이 공중에서 떨어지면서 모여 있던 대열이 흐트러지기 시작했고, 6시 43분경 경찰들이 기다렸다

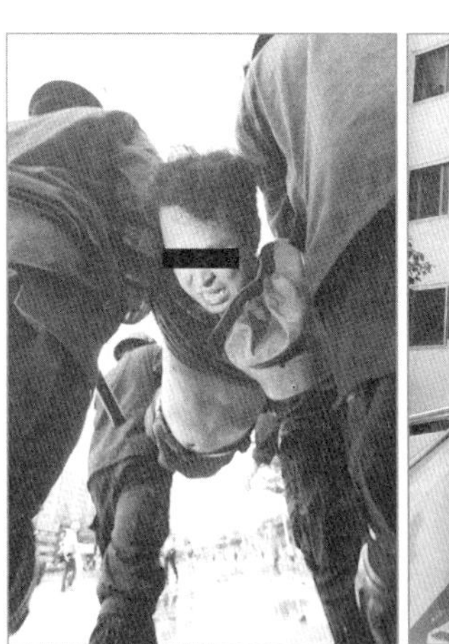

연대투쟁을 막으려는 경찰의 탄압은 필사적이었다.(2009.7.25)

는 듯 해산작전에 나섰다. 일부 참가자들은 보도블럭을 던지며 저항했지만, 속수무책으로 밀려났다. 경찰들은 흩어진 참가자들을 연행하기 위해 수백명씩 아파트 단지 안까지 진입하기도 했다.

오후 8시경 법원사거리 앞까지 밀려났던 참가자들은 연좌농성에 돌입했다가 오후 9시경부터 다시 쌍용차 평택공장 방향으로 이동했다. 민주노총 선봉대 100여 명이 죽봉과 쇠파이프를 들고 '파업가'를 부르며 선두에 서고, 3,000여 명의 참가자들은 "해고는 살인이다 구조조정 분쇄하자", "정리해고 철회하고 공적자금 투입하라" 등의 구호를 외치며 뒤를 따랐다. 밤 10시경 SK주유소 근처까지 행진한 대오는 오는 29일 노동자대회를 기약하며 해산했다.

한편, 물과 음식을 싣고 쌍용자동차 공장으로 향했던 차량은 경찰에 막혀 끝내 공장 안으로 들어가지 못하고 되돌아갔다.

밖에서 진압작전을 벌이는 동안 공장안 노동자들은 초조하고 답답한 마음으로 하루를 보냈다. 헬기의 위치로 투쟁대오가 어디까지 밀렸는지 보면서 한숨을 쉬었다. 전투가 벌어졌던 곳곳에서 쪽잠을 자기도 했다. 그런데 밤 9시 40분경부터 경찰 6개 중대 1,200여 명이 4초소와 후문 사이로 진입했다. 4초소 200명, TRE공장 700명, 후문에 300명씩 각각 배치됐다. 지게차 2대는 TRE공장에 경찰병력과 함께 배치됐고, 또 다른 지게차 2대는 연구동 앞 주행도로 쪽으로 이동했다. 용역버스 4대도 후문으로 들어와 공장 안에 배치됐다. 경찰은 TRE공장 쪽에 서치라이트를 설치하고 C-200신축건물 옥상과 TRE와 C-200사잇길, TRE공장과 연구동 앞 주행로에서 조립3 · 4팀 옥상을 비추기도 했다. 다시 긴장감이 돌았다. 조합원들은 조립3 · 4팀으로 이동해 만약의 사태에 대비했다.

옥상 위 아빠와 공장 밖 가족들의 대화

11시경부터 철수를 시작했다. 조합원들은 "작전배치 훈련을 한 게 아니냐"며 긴장감을 늦추지 않았다.

교섭

마지막 교섭

살인적인 진압과 극단적인 봉쇄, 압박으로 인해 파업대오는 많이 지쳐있었다. 5일 내내 전면전과 국지전이 계속되면서 부상자가 계속 늘어났다. 의료진조차 출입이 막힌 상황에서 치료를 받을 수도 없는 상황이었다. 가족들은 전화를 걸어 그만하면 됐다고 이제 나오라고 했다. 금속노조의 중재도, 노사정 대화도 사측의 입장이 변한 게 없다는 것만 확인했을 뿐이었다. 파괴력 있는 연대투쟁을 기대하는 것은 가능성이 더욱 적어 보였다. 조합원들은 점점 전망이 보이지 않는다는 생각에 가장 힘들어했다.

이미 7월 13일 쌍용자동차 협력업체들을 포함한 채권단 모임인 '쌍용차협동회 채권단'은 충남 천안 남서울대 컨벤션센터에서 250

여 곳의 회원사가 참석한 가운데 쌍용차가 7월 말까지 정상화되지 않을 경우 법원에 파산 절차를 밟아줄 것을 요청하겠다는 입장을 밝힌 바 있다. "어차피 7월까지 정상조업을 하지 못하면 쌍용차나 협력업체나 망하는 것은 마찬가지"라며 "회생안 제출 시점인 9월까지 기다려도 결과가 같다면 차라리 빨리 정리해 회생채권이라도 건져야 한다는 생각"이라는 것이다.

법정관리인도 7월 말까지 구조조정을 완료해야 회생의 길로 갈 수 있다고 선언했다.

이러한 움직임을 통해 볼 때 사측은 8월 초 대치국면을 종료하려는 것이었다. 쟁대위는 앞으로 있을 수 있는 경우의 수를 놓고 논의했다. 첫째, 무력진압 적어도 도장공장을 제외한 전 공장을 접수하고 도장공장 고사작전, 둘째, 경찰병력와 용역의 물리적 작전이 쉽지 않다고 판단될 경우 교섭 전술을 최대한 활용하여 농성단을 뒤흔드는 심리전, 셋째, 파업대오가 도장공장을 끝까지 사수한다면 시간과의 싸움이 되고 파산을 현실화시키면서 그 책임을 노조에 돌릴 가능성도 있다고 보았다. 노사문제조차 해결하지 못한 채 파산에 이르게 했다는 비난을 받을 수는 있지만 정부 입장에서는 파산이 그리 불리한 것만도 아니었다. 쌍용자동차 구조조정을 통해 노동유연화, 정리해고 관철을 완결함으로써 이후 신자유주의 구조조정이 더욱 탄력을 받을 수 있다는 점, 상하이차 지분 소각에 준하는 이득을 얻음으로써 자산매각을 용이하게 할 수 있다는 점, 노조를 파괴함으로써 이후 노동조합운동에 대한 정권의 기본방향을 수립할 수 있다는 점 등이다.

이런 상황에서 쟁대위는 현재의 대치 상태를 지키는 것을 최선의 전술로 놓되, 전선에서 밀려 도장공장으로 후퇴하게 된다 해도 회사는 파산을 막기 위해 협상을 제기하게 될 것이라 보고, 교섭이 열릴 경우 그 경로와 마지노선에 대해 검토하였다. 금속노조와 중재단이 사측과 대화한 결과, 회사는 지부와 직접 교섭하기를 원하고 있는 상황이었다. 교섭 시기와 관련해서는 금속노조 총파업이 예정되어 있는 7월 29일 전후가 적절하다고 보았다. 교섭안과 관련해서는 이미 금속노조와 정치권의 중재 속에서 드러난 회사의 무급휴직 안, 금속노조와 정치권이 제안함으로써 마지노선처럼 드러난 무급순환휴직 안, 정비 분사 문제까지 고려한 최종안을 준비하기로 했다. 최악의 경우인 파산 가능성에 대해서도 조합원들에게 각인시키기로 했다. 파산이 될 경우 법적으로 고용승계와 노조승계의 의무가 없으므로 이를 내건 투쟁은 질기게 이어져야 하기 때문이다.

쟁대위는 상황을 종합해 볼 때 대치상태를 유지하든 교섭국면이 열리든 금속노조의 총파업과 진격투쟁이 앞으로 투쟁의 진로를 결정한다는 데 의견을 모았다.

7월 27일 아침 도장공장 앞 승리 삼거리에서 700여 명의 조합원들이 모여 '총파업 투쟁 승리를 위한 전 조합원 결의대회' 를 열었다. 한상균 지부장은 "파산을 염두해 두지 않는다면 사측에서 마지막 쓸 수 있는 카드는 어느 것도 존재하지 않는다"고 하면서 "진정으로 회사를 살리기 위해서 노력한다면 정말 가슴을 활짝 열고 대화할 수 있다"고 했다. 그리고 "옥상에서 수백 톤의 최루액을 온 몸으로 맞으면서, 주먹만한 쇳덩어리를 맞으면서

7월 27일 지부는 교섭을 요청했다.

공권력에 저항하는 동지들의 투쟁이 없었다면 우리들의 희망은 이미 꺼졌을 것"이라며 "조합원 동지들 다시 한번 믿고 흐트러진 마음을 추스르자"고 조합원들을 격려했다.

오전 11시경에는 쌍용자동차 도장공장 옥상에서 기자회견을 열고 "쌍용자동차지부는 지금부터 전면에 나서 정부와 사측과 만나 대화와 교섭에 임할 것을 천명한다"고 밝혔다. 노사는 쌍용차 한상균 지부장과 사측의 법정관리인이 협상에 임한다는 데 합의했다. 지부장은 공장 본관 뒤편에 있는 '단결의 광장'을 '평화의 구역'으로 설정해 협상 테이블을 마련하겠다고 밝혔다. 단, 지부장은 협상장에서의 경찰병력의 후퇴를 요구했다. 지부는 또한 노사가 대화를 통해 파산이라는 최악의 상황을 피해야 한다면서도 "현 사태의 장기화로 인한 파산의 모든 원인과 책임은 사측과 정부에 있음을 밝힌다"고 말했다. 지부는 마지막으로 "우리는 현 사태를 풀기 위하여 평화적 해결, 대화를 통한 대타협의 원칙을 갖고 최선의 노력을 다하고 있다"며 "그럼에도 불구하고 살인진압이 강행된다면 마지막 일각까지 결사항전할 것이라는 최후의 결의를 밝힌다"고 했다.

한 조합원은 현장에 배포된 기자회견문을 읽으면서 느낀 점을 이렇게 기록했다. "가슴이, 읽는 순간 미어진다. 눈물이 주르룩 흐른다. 처절한 우리의 입장을 읽는다는 것이. 나도 모르게 울컥 울컥 흐른다."

민주노총 조합원들에게 퍼부어진 물대포(2009.7.29)

7월 29일 오후 3시 금속노조 확대간부 2,400여 명 등 민주노총 소속 조합원 3,000여 명이 다시 평택에 모였다. 경찰은 집회를 불허했다. 법원 삼거리에서 열린 집회에서 민주노총 위원장은 "오늘은 기필코 최소한의 의약품과 물을 공장 안에 전달할 때까지 투쟁하자"고 대회사를 했다. 이어 가대위 대표가 발언하는 도중 헬기 한 대가 저공비행으로 집회 장소에 흙바람을 일으켰다. 헬기에서 최루액 봉투가 떨어졌다. 대오는 집회를 중간에 그만두고 평택공장으로 향했다. 생수를 실은 차와 물병을 든 대오는 한 시간 넘게 행진을 했다. 물대포 두 대를 앞세우고 중무장한 기동대들이 공격을 시작했다. 이날 무려 28명이 연행됐다. 대오는 평택경찰서 앞으로 행진했고 평택역에 모여 정리집회 후 해산했다. 이날 민주노총은 물조차 전달하지 못했다.

끝장교섭

30일 오전, 9시에 열릴 쌍용차 노사 교섭을 앞두고 노사 양측이 각각 보도자료를 배포했다. 지부는 대화 과정에 경찰과 용역에 의한 침탈이 또 벌어진다면 '평화적 해결'이라는 전 국민적 요구와 바람에 찬물을 끼얹는 행위라고 강조했다. 지부는 정리해고 철회라는 원칙하에 비상인력운영 방안을 찾고, 노동자 살리기를 통해 현 사태를 돌파할 수 있는 구체적이고 다양한 방안들을 폭넓게 논의할 것이라고 입장을 밝혔다. 동시에 물과 음식물 반입중단, 단수 및 가스공급 중

교섭내용을 보고하는 지부장. 조합원들은 무급휴직을 절대 받을 수 없다고 했다.

단, 의약품 및 의료진 출입통제, 밤낮의 선무방송, 용역동원 등의 '비인도적인 행동'을 멈출 것을 요구했다.

반면 사측은 노조가 '총고용 보장, 구조조정 철회'라는 강경한 입장에서 한 발 물러서서 노사 대표자 협의를 제안했고, 사측은 쌍용차 사태 해결을 위해 결단을 내렸다고 말했다. 사측이 26일 보도자료를 통해 배포한 '해고근로자 처우 문제'가 노조와 심도 있게 논의될 것이라고 전망하며, 노사 당사자 간 자율적 의지에 따라 협의가 진행될 수 있도록 정치인, 민주노총, 시민단체를 포함한 관계자들의 적극적인 협조가 필요하다고 말했다.

7월 30일 42일 만에 노사 간의 협상이 재개되었다. 이날 쌍용자동차 평택공장에 의료진이 들어왔다. 하지만 사측은 10여 명의 의료진 중 단 2명만 공장 출입을 허용했다. 오후 4시경 쌍용자동차 복지동 1층에 위치한 의무실에서는 45명의 조합원이 치료를 받았다.

쌍용자동차 평택공장 안으로 물과 의료품이 끊긴 지 11일째, 쌍용차 가족들이 천주교 정진석 추기경을 만나 인도적 지원을 해달라고 요청했다. 가대위 이정아 대표를 비롯한 회원 10여 명은 30일 오전 10시 20분경 서울 명동 서울대교구청 주교관에서 정 추기경을 만나 "쌍용차 평택공장 내 노조원들에게 물과 음식, 의약품 등이 전해지도록 도와달라"고 호소했다.

이날부터 민주노총 지도부와 자동차범대위 · 경기도민대책위 소속 단체 대표단은 쌍용자동차 문제의 평화적 해결과 식수, 의약품 등 인도적 차원의 물품 반입 보장을 촉구하는 무기한 농성투쟁에 돌입했다. 금속노조와 쌍용차공투본 등 연대단위는 휴가를 반납하고 순환 농성을 했다.

교섭결렬

7월 29일 쌍용자동차지부는 대타협을 위한 공식적 교섭을 제안하였으며 사측이 이를 수용하였다. 이에 따라 30일 9시 대표교섭과 실무교섭을 동시에 시작하였다. 교섭은 밤낮을 가리지 않고 진행되었으며 수차례의 정회를 거듭하였고 교섭 과정에서 결렬의 위기를 반복하면서도 지속되었다.

장시간의 협상에도 불구하고 노사 간 상호입장만 되풀이되다가 의견 차가 좁혀지기 시작했다. 7월 31일 오후 7시 30분에 속개된 교섭에서 상하이차 대주주변경과 회사회생을 위한 노사의 역할, 민형사상의 책임에 관한 사항들에 대한 실무협상에서 의견접근들이 이어졌으며 당일 저녁 9시 30분에 재개된 대표자간의 인력구조정 관련 사항에 대해서도 의견접근들이 이루어지기 시작했다. 지부는 교섭 중간 보고대회를 열어 조합원들에게 경과를 설명했다. 조합원들은 무급휴직 등을 절대로 받아드릴 수 없다는 의지를 표명했다.

조합원들은 교섭에 대한 기대가 컸던만큼 실망도 컸다.

8월 1일 새벽에는 큰 쟁점 중의 하나인 분사에 대한 의견접근을 비롯하여 영업파견의 구체적인 조건들에 대한 합의는 물론 휴직에 대해서도 8개월간 무급휴직 후 순환휴직으로 전환하기로 하는 등 협상장은 타결이 눈앞에 이르는 듯했다.

그러나 1일 새벽에 사측이 인력구조조정에 대한 총괄정리를 위한 비상인력운영의 배분율 6:4를 고집하면서 교섭장 분위기는 완전히 뒤집혔다. 이미 언론보도에 떠돌던 6:4의 배분비율이라는 것은 6월 8일자 정리해고자 중 60%는 회사를 떠나고 40%는 고용관계를 유지하는 방식으로 처리하자는 내용이라는 것이 구체적으로 드러났으며 사측은 이 주장을 굽히지 않았다. 타결가능성이 높은 상황에서 심각한 의견차이가 드러났고 대타결의 정신은 위기에 처하게 되었다.

장시간의 정회 끝에 8월 1일 오전 7시경 속개된 교섭단 전체 회의 속에서 사측은 6:4의 배분비율 수용여부를 강요하면서 협상은 결정적인 위기에 처하게 되었다. 지부는 "대타결에 대한 국민적 약속을 저버리는 것은 있을 수 없으며 쌍용차를 살려야 한다는 무거운 책무 앞에서 교섭을 중단하는 것은 있을 수 없기 때문에 시간을 두고 실무협상을 진행하자"고 제안하였다.

그러나 8월 1일 오후 3시부터 한밤중까지 진행된 실무교섭에서도 특별한 진전을 보지 못하였으며 2일 새벽 4시에 교섭을 재개하기로 약속하고 정회하였다.

정회 당시 노사간 의견 접근 내용과 미합의 쟁점 사항은 다음과 같다.

<table>
<tr><th>의제</th><th colspan="2">합의내용</th><th>미합의 쟁점</th></tr>
<tr><td>전문</td><td colspan="2">부품사, 지역 시민, 국민들에게 그간의 반성과 거듭나는 의지를 표명하는 것으로 접근</td><td></td></tr>
<tr><td>상하이차 지분</td><td colspan="2">회사는 현 상하이차의 지분에 대하여 감자 등을 통해 대폭적으로 지분을 축소하여 대주주를 변경할 것을 약속한다.</td><td></td></tr>
<tr><td rowspan="5">인력구조조정</td><td>영업파견</td><td>영업직군 신설, 100명 이내
1년간 정착지원금 월 55만원</td><td></td></tr>
<tr><td>비정규직</td><td>비정규직 지회조합원 사내하청 고용보장 별도합의</td><td></td></tr>
<tr><td>분사</td><td>정비직영분사 철회, 정비 외부 부품 분사 합의, 공장내 일부 부서 분사동의, 일부 대상 업무 분사철회합의</td><td></td></tr>
<tr><td>휴직</td><td>8개월 무급휴직 후 순환휴직 원칙. 주간연속2교대제 등 실질방안 실시합의</td><td></td></tr>
<tr><td>비상인력운영
총괄 배분</td><td></td><td>사측 6:4의 배분율 주장
노조 합의 내용에 따라 점거농성 중인 조합원 대상 영업파견 및 휴직 주장</td></tr>
<tr><td>회사회생
노사역할</td><td colspan="2">노조는 회사의 경영정상화를 위하여 회생계획안에 의거한 임금(기본급 동결, 상여금 삭감 등) 및 복지후생의 중지에 원칙적으로 동의. 복지후생 부분에서 의료비와 학자금을 제외하는 것으로 대표자간 의견 접근</td><td></td></tr>
<tr><td>민형사상 책임</td><td colspan="2">“노사는 회사의 회생을 위한 이해관계자의 의지와 국민적 지지를 확보하고 조기 정상화를 위하여 평화적인 노사관계 정착을 위해 총력을 기울이며, 회사는 갈등치유를 통한 회생의지를 모으기 위한 조치로 이번 파업과 관련하여 손배가압류 및 민형사상 고소고발을 취하하고 인사상의 불이익을 주지 않으며, 회사의 조기 회생을 위한 운영자금 투입을 위해 적극 노력한다”는 내용으로 접근</td><td>사측에서 최종 합의 시 대표자를 포함하여 다시 점검할 것을 주장함.</td></tr>
</table>

안팎의 기대를 모으며 진행된 교섭은 사측의 일방적 선언으로 결국 결렬되었다.

사측은 평택공장 앞에서 기자회견을 열고 “노조가 현실성 없이 총고용 보장 요구를 하고 있다”며 교섭 결렬을 선언한다고 했다. 사측은 “무급휴직 290명, 영업직 전직 100명, 분사 253명, 희망퇴직 331명 등 구조조정에 따른 실업문제를 최소화하기 위한 다양한 조치를 적극 추진하겠다는 입장을 밝혔지만 노조는 사실상 단 한 명의 구조조정도 받아들이지 않겠다는 입장만을 고수하고 있다”고 주장했다.

쌍용자동차지부는 이번 교섭에 대해 “대타결의 정신을 위장하여 교섭에 대한 기대감을 높인 후 일방적 주장으로 파업대오를 흔든 것”이라고 했다. “노조는 양보를 해 8개월 무급휴직 후 순환휴직 원칙 등 많은 부분 합의에 도달했지만 사측이 6:4 배분 비율을 고수해 교섭이 결렬됐다”고 밝혔다. 지부는 “이미 2,646명의 구조조정 대상자 중 정규직 비정규직 포함 2,000여 명이 실직되어 사측은 70% 이상의 구조조정 목표를 달성했으며 노조는 임금 복지 분사 일부 수용까지 밝혔음에도 불구하고 최후까지 남은 700여 명의 투쟁하는 조합원들에게도 항복과 굴종을 강요하고 있다”며 사측의 교섭결렬 선언에 반발했다.

지부는 3일 오전까지 사측이 최종답변을 줄 것을 요구했다. 그러나 사측은 40% 구제안이 최종안이라 못 박았다. 사측은 정부가 경찰을 투입하지 않으면 쌍용차 점거 농성자가 있는 도장공장으로 직접 들어갈 것이라 밝혔다. 사측은 교섭결렬의 원인을 지부에게 전가하면서 도장공장 진압의 정당성을 확보한 것이다.

> 끝장교섭 할 때는 평화선언이라고 해서 경찰에서도 들어오지도 않고 우리도 공격을 안 하기로 했기 때문에 근무는 했지만 많이 좀 헤이해졌다고 해야하나 풀어져 있었던 상황이었어요. 원체 지쳐있었기 때문에 한 여름 두 달을 거기서 난거기 때문에 먹는 것도 입는 것도 아니고 가족을 제대로 본 것도 아니기 때문에 하긴 했지만 그 전처럼 좀 타이

트하게 치밀하게 하진 못했어요. 끝장교섭이 결렬되고 그리고 곧바로 하루 만인가요 이틀만인가 그때 4일 5일날 공격이 들어온거죠? 진짜 전쟁다운 전쟁으로 재네들이. 끝장교섭 전에도 조금씩은 계속해서 괴롭힘을 당했어요. 옥상으로 올라오든 뭐 도로로 들어오든 계속해서 했는데 그렇기 때문에 더 지쳤던거죠. 끊임없이 괴롭히기 때문에. 진짜 전쟁은 그 전부터 계속 된 거예요 끊임없이 괴롭혔어요. 최루탄을 계속해서 던지고. 결국 끝장교섭이라는 걸 택한 건데 결렬이 됐죠. 더 맹렬하게 들어오고 끝장교섭 결렬되고 이탈자들이 좀 많이 생겼죠. (구술자 P)

이탈

중간 중간 고비를 넘길 때마다 이탈자가 생기기도 했다. 조합원들이 가장 견디기 힘든 것은 가족들의 전화였다. 회사에서는 가족들에게 일일이 전화해 만나기도 하고, 심지어 고향에 계신 부모님에게도 연락을 했다. 6월 26~27일 충돌 당시 사진을 대문에 붙여 놓고, 경찰병력의 진압 사진을 보여주며 다칠 수 있으니 나오게 하라고 종용하기도 했다. 노부모가 올라와 정문 앞에 드러눕기도 했다.

조합원들은 싸움의 끝이 어디일지 앞이 안 보여 답답했다. 경찰의 폭력으로 다칠 수 있다는 두려움도 갖게 되었다. 이런 상황에서 3년 무급을 쓰면 이제라도 받아주겠다는 사측의 회유는 투쟁의지를 약하게 만들었다. 자고나면 삼삼오오 빈자리가 생겼다.

가족을 만나는 방법, 영상통화

앞이 안 보인다. 대화도 안 하고 그렇다고 뭐 중재를 해도 통하지도 않고 그러니까 그게 제일 힘들고, 그 나음에 이제 갇혀 있으니까 가족하고 보고 싶고 두 번째 씻는 거, 자는 거 그런 거죠. (구술자 K)

마지막에는 토론은 못했고, 자기 스스로 판단해서 회사에서 계속적으로, 처음에는 없던 3년 무급을 만들어가지고 니 빨리 나와라 3년 무급 써주면 회사가 받아줄게 이런 회유, 협박. 그 다음에 창원에 있는 집사람들 방문해가지고 찔러보면 되겠다는 애들 골라가 집사람들 회유해서 내려오게 해라, 빨리. 회사 있음 죽는다, 혼난다 이런 회유 협박 많이 해가지고 좀 내려가고. 계속적으로 지인들 통한다든지 노무과 애들이 평상시 좀 친분이 있다는 애들 저기 해가지고 나와라, 나와라 하고. 그렇고 뭐 웬만큼 싸웠는데도 답이 없으니까 조합원 스스로 좀 많이 무너지기 시작했죠. 처음에 130명, 창원공장에 최대로 마지막에 남아있는 사람들이 한 72명밖에 없었으니까 반절, 50%가 희망퇴직이나 3년 무급 쓰러 다 나갔죠. (구술자 D)

무엇보다 교섭결렬은 파업대오 내부에 커다란 충격을 던졌다. 조합원들은 마지막일 것이라 생각하고 기대했던 만큼 실망도 컸다. 교섭이 결렬된 후 100여 명이 농성장을 나갔다.

사측은 노사교섭을 통해 사태의 해결을 바라는 것이 아니라 이후 진압을 위한 명분을 쌓으려는 것이었다. 민주노동당 홍희덕 의원이 밝힌 대로 교섭 중에 이미 경찰과 사측이 합동 진압을 준비하고 있었다는 것에서 사측의 의도는 드러났다. 이를 입증하듯이 8월 2일 경찰은 야간비행을 시작했고, 8월 3일 오전 10시부터 용역, 직원, 경찰의 합동작전으로 차체1팀에 지게차를 동원하여 바리케이드를 철거하려고 하고, 프레스와 변전소 쪽, 후문과 정문 쪽에서 입체적인 진입시도를 하기 시작했다.

대오를 다시 추스르고 침탈에 대비하는 데도 어려움을 겪었다. 조합원들은 여기서 접을 수는 없다, 끝까지 가보자는 정신으로 버텼다.

그 시기 조합원들이 많이 지쳐있었거든요. 주먹밥에 연연하고 먹는 거, 씻는 거. 기본적인 의식주가 해결되지 않으니까 많이 지쳐 있었고 끝장교섭에 대한 기대가 있었죠. 결렬되면서 현장에 충격이었던 거 같고 그래서 100명 가까이 이탈하고. (구술자 L)

지부장이 교섭이 결렬되었음을 보고했다.(2009.8.2)

기대가 많았던 거 같아요. 마무리 짓고 결과 따라서 얘기해야 되는 거, 실망 같은 게 있었던 거 같고요, 결렬되었을 때 또 싸움을 모아내서 사람들 의지를 다지면서 가는 데 힘들었던 거 같아요, 많이 흔들리고. 그때 당시에 이탈자도 많이 있던 거고요. (구술자 H)

정신적인 거죠. 먹는 거를 못 먹어서 힘들었던 거는 아니고. 주먹밥 나오고, 쌀 식당에 비축되어 있어서 주먹밥 나오고, 물도 나름대로 공업용수 끓여 먹고. 많이는 못 먹고 씻지 못하고 그래도. 정신적인 거죠. 나중에는 이 싸움을 이길 수 있을까 하는 거고. 하루에도 몇 번 헬기가 떠가지고 최루액을 뿌려대고. 여기저기서 침탈할라고 쑤시고 들어오고, 그러다보니까 다칠 수도 있고 생명에 지장이 있을 수도 있다 그런 생각들. 집에서도 전화가 많이 오잖아요,

나와라, 회사 다닐 데가 쌍용밖에 없냐. 나와라 이런 경우도 많고. 힘들어 하는 거죠. 마루타였으니까요. 경찰이 해볼 건 다 해봤잖아요. 테이건 총도 쏴보고. 헬기에서 최루액도 뿌리고 살수차에 넣어서 쏘고. 나중엔 도장반에서 헬기에서 내리는 것도 해보고. 이것저것 다 해봤잖아요. 최루액도 농도가 너무 심했어요. (구술자 J)

더 이상 버티는 데 한계를 느끼고 농성장을 나가는 조합원들을 바라보며 남은 동지들은 '고생했다' 는 생각을 했다. 서로 할 수 있는 모든 것을 다했다는 생각.

처음부터 결합했든 중간에 왔든 상관없이 파업 참여했던 사람들이 나중에 이탈자가 생길 때 드는 생각이 그 사람들 속에서는 최선을 다했겠구나 하는 생각이 들더라고요. 해도 해도 길어지고 자기의 한계가 가족과의 관계속이라든지 자기의 옥쇄파업의 결의라든지 의지가 할 수 있을 만큼 했는데 거기에 대한 성과가 안 드러나니까 도저히 견딜 수 없겠구나, 스스로도 했어요. 가방 메고 걸쳐가지고 등을 보이는 모습을 보일 때 그리고 정문으로 걸어갈 때 두 명, 한두 명씩 개인적으로 이동할 때 보니까 열심히 했다라는 생각밖에 안 들더라고요. 더 같이 있었으면 좋았을 텐데 오죽하면 저 사람들이 저렇게 가겠냐 하는 생각이 들고 안에서 있는 사람들도 하루에도 몇 번씩 자기 생각들이 헷갈려 했거든요 얼마나 더 해야될지 얼마나 더 가야되는 건지. 그리고 나중에 경찰 투입되고 탄압할 때 완강하게 싸우기도 했지만 한편으로는 두려움도. 이러다가 정말 큰 피해당하는 거 아닌가 싶어서 위축되는 것도 있고. (구술자 H)

결전

도장공장

사측은 교섭결렬 선언 뒤 2일 오후 12시 30분경 도장공장에 전기 공급을 중단했다. 물, 음식, 의료진을 허용하라는 국가인권위원회의 구제요청도 "노조원들이 언제든 밖으로 나올 수 있다"며 거부했다.

7월 21일 도장공장 소화전 차단에 이어 단전 조치는 도장공장의 위험성을 누구보다 잘 알고 있는 사측이 어떠한 위험이 발생해도 상관하지 않겠다는 뜻을 보인 것이다.

도장공장에 어둠이 깔렸다. 지부는 임시방편으로 자가 발전기를 돌려 단전으로 인한 피해를 줄이기 위해 노력했다.

9월 15일로 예정된 회생계획안 제출을 위해 노조가 무조건 파업을 풀어야 한다고 주장하던 회사가 단전조치를 취한 것을 볼 때 사측은 공장가동에 대한 진정성이 없는 것이다. 단전조치로 인해 도장공장

자본은 파업대오 진압을 위해 도장공장을 버렸다. 어둠이 깔리고 전운이 감돌았다.

의 기계가 멈춰 도료가 굳어버리면 모든 배관통과 설비를 재설치 해야 하고 공장 재가동 시기가 적어도 한 달 이상 늦어지게 된다. 회사의 계산대로 하더라도 한 달 간 피해손실액은 1,300억 원이고 보수설

비 및 기타 도장공장 재가동을 위한 비용이 100억 원 정도가 소요된다. 자본은 노동자 투쟁대오를 파괴하고 민주노조를 박살낼 수 있다면 어떤 손해나 희생도 감수할 수 있다는 것이다.

도장공장은 여러 면에서 중요한 거점이었다. 설비 관련 막대한 손해를 초래할 수 있다는 점 뿐 아니라 도처에 위험요소가 깔려있기 때문이다. 경찰병력 투입을 지연시킬 수 있던 것도 지부가 도장공장을 거점으로 잡고 있었기 때문이었다.

이는 한편으로는 조합원들에게도 위험 요소가 되었다. 조합원들은 극한 상황에서 자칫 잘못하여 불이라도 난다면 공장이 폭발할 수도 있다는 두려움을 갖고 있었다. "밤마다 꿈을 꾸는데 누가 도장공장에 불을 지르는 악몽을 꾼다"는 조합원이 있었던 것처럼 단전 조치 이후 그 불안감은 더해졌다. 단전으로 인해 가족과의 유일한 대화 수단이었던 핸드폰도 사용할 수 없게 되었다.

사측이 도장공장을 포기한 것을 신호로 경찰병력은 살인적인 진압을 또 다시 시작했다.

전투

전경 및 경찰특공대, 용역, 사측 직원이 4일 오전 7시 20분부터 도장공장 진압을 위한 준비를 했다. 지게차, 포크레인, 매트리스, 사다리 등을 진입로에 배치했다.

사측은 오전에 직원들에게 출근 지침을 내렸다. 마스크를 착용한 채 빗자루 등을 든 사측 직원 2,000여 명이 청소를 하겠다며 정문으로 몰려왔다. 농성중인 가족들을 위협하며 천막을 철거하려 했다.

경찰은 도장공장을 향해 곳곳에서 동시에 치고 들어왔다. 경찰은 차체2팀의 옥상으로 사다리차를 올렸다 내렸다 하며 진입했다. 지상에서는 프레스와 차체2팀 사이 길목에서 경찰, 용역, 직원이 지게차 한 대로 바리케이드를 치우며 진입을 시도했다. 사측직원, 용역, 경찰특공대 20여 명은 주행장에서 도장2팀과 조립4팀 사이 길목으로의 진입을 시도했다.

교섭결렬을 신호로 경찰은 침탈을 시작했다.

오전 9시 10분, 정문 안쪽 경찰병력이 방석기를 밀며 도장공장 쪽으로 전진했다. 정문 밖에서는 지게차를 계속 증강하고 있었고 소방차를 비롯한 지게차가 공장 안으로 줄줄이 들어왔다. TRE동과 조립3 · 4팀 옥상에서는 용역, 사측 직원과 노동자들이 새총공방을 벌였다. 경찰은 지상에서 TRE동 건물과 나란히 서 도장공장으로 진입을 시도했다.

차체2팀 옥상에서 경찰이 헬기로 최루액을 들이붓고 전투경찰과 특공대가 사다리를 올리며 세 번에 걸쳐 복지동 옥상으로의 진입을 시도했다. 옥상에 진압경찰과 특공대 100여 명이 올라와 30미터가량 떨어진 복지동 옥상과의 거리를 좁혔다. 복지동 옥상은 도장2팀 옥상

살수차, 사다리차, 헬기 저공비행. 경찰은 모든 장비를 동원했다.
(2009.8.4)

과 바로 연결된다. 조합원들은 사다리를 밀치고, 돌을 던지며 격렬히 저항해 결국 진입을 막아냈다.

차체1팀 옥상에도 격렬한 충돌이 벌어졌다. 조합원들의 저항에 밀려 용역이 도망가면서 차체1팀 사무실과 조합원들이 지키고 있었던 천막에 불을 지르고 갔다. 한때 소방차가 불을 끄기도 했으나 불이 제대로 진압되지 않아 조합원들이 나서서 불을 끄기도 했다.

TRE동 옥상에서도 고공사다리를 올려 경찰과 특공대가 조립3 · 4팀 옥상으로 진입하려고 했다. 조합원들과 새총공방이 벌어졌다. TRE동 하늘에서 수송헬기와 소방헬기가 맴돌며 경찰과 특공대의 진입시도를 도왔지만 역시 진입에 실패했다.

정문 맞은편에 위치한 부품도장 옥상에서 경찰은 고공사다리를 댔지만 진입하지 못했다. 구사대와 용역들은 지상과 본관 옥상에서 새총공격을 했다. 경찰은 소방헬기, 최루액을 뿌리는 헬기, 수송헬기 등 다양한 헬기를 동원했다. 저공비행을 하며 옥상위에 설치한 거점과 보호시설을 파괴하고 최루액과 물을 살포하며 공장진입을 시도했다. 오후 1시 30분경부터 경찰, 용역, 사측 직원이 도장공장 진입을 실패하고 일단 퇴거했다. 그러나 용역과 사측 직원 일부는 본관 옥상, TRE동 옥상, 차체자재 옥상에 남았다.

경찰병력의 무자비한 진입으로 많은 부상자가 발생했으며, 공장 일부에 화재가 나는 등 생산시설이 파손되었다. 경찰병력을 막았다는 자신감을 갖는 조합원들도 있었지만 더 이상 견딜 수 없다며 이탈하는 조합원도 있었다.

한편, 이날 쌍용자동차 협력업체 600여 곳으로 구성된 협동회 채권단의 20여 명의 대표 회원사 사장이 모여 긴급비상회의를 열고 5

일 파산신청에 대한 입장을 최종 확인했다. 최병훈 쌍용자동차협동회 채권단 사무총장은 4일 오전 MBC라디오 '손석희의 시선집중'에 출연해 "내일(5일) 오후 4시에 파산신청을 냄과 동시에 조기파산 신청 방법에 대한 것은 사측과 법원에 긴밀히 협조해서 파산을 조기에 유도하겠다"고 밝혔다. 그는 "쌍용차의 담보권은 산업은행이 갖고 있는 2,500억 원밖에 없지만 토지나 건물, 기타 기계의 자산가액이 1조 원이 넘는다"며 "우량 자산만을 취사선택해서 새로운 경영진에게 넘긴다면 충분히 경쟁력 있는 주인이 나타날 것으로 믿는다"고 말했다.

조립3 · 4팀 옥상

8월 5일 새벽 4시 30분경 병력이 증강되고 살수차가 진입하기 시작했다. 5시 30분경 차체2팀 옥상으로 경찰과 구사대가 새총을 소지한 채 옥상으로 진입했다. 관리자들은 합판으로 방어막을 형성하고 경찰 그물망을 이용해 조합원들에게 새총을 발사했다.

6시 10분경 경찰헬기가 평택공장 상공을 비행하면서 옥상을 감시했고 프레스에 경찰병력이 증강되면서 경찰과 구사대가 합동으로 진입을 시도했다. TRE동 앞 조립3 · 4팀 쪽에 컨테이너 박스 3개와 크레인 2대가 대기했다.

6시 20분경 차체2팀 옥상에 경찰이

사다리를 들고 전진했고 경찰 양측면에서는 구사대가 새총을 쏘며 경찰을 엄호했다. 경찰과 구사대가 대놓고 합동작전을 편 것이다.

7시 10분경 조립3 · 4팀 쪽에서 특공대가 대형 크레인으로 경찰 방석기를 이용하여 진입을 시도했다. 컨테이너 박스 세 개를 크레인에 매달아 옥상 위를 휘저으며 설치된 보호장구를 쓸어버렸다. 특공대 레펠 헬기가 네 대 비행하면서 조합원들에게 최루액을 들이부었다. 레펠 줄을 옥상에 닿을 정도로 내려 저공비행을 했다. 최루탄 봉지도 군데군데 떨어뜨렸다. 조합원들이 저항하지 못하도록 TRE동 옥상에서 용역깡패와 구사대가 새총을 쏘아댔다. 조합원들은 새총 공격을 피하면서 컨테이너 박스가 움직이지 못하도록 환풍구에 매놓는 등 경찰특공대의 진입을 막기 위한 방안을 찾아내기도 했다.

7시 40분경 대형 크레인에 경찰특공대를 실은 컨테이너 박스를 매달아 조립3 · 4팀 옥상으로 진입을 준비했다. 경찰특공대 100여 명, 경찰병력 1,000여 명 배치되었다. 경찰은 서쪽 차체2공장에도 병력을 300여 명으로 증강했고 사다리를 준비했다. 특공대가 컨테이너 박스를 타고 옥상으로 올라왔다. 용산참사 현장을 보는 것 같았다. 특공대는 컨테이너 박스에서 저항하는 노동자를 향해 물과 고무총을 쏘아댔고, 위에서는 헬기가 계속 저공비행을 하며 최루액을 쏟아부었다. 그러다가 컨테이너 박스가 옥상에 상륙했다. 특공대가 새까맣게 몰려왔다. 옥상 한쪽이 뚫리자 각자 자리에서 맡은 곳을 방어하던 조합원들도 도망치기 시작했다. 특공대는 넘어져 쓰러진 조합원을 방패로 찍고 곤봉으로 죽도록 패 끌고 갔다. 퇴각하다가 조합원 2명이 추락했다. 그날 옥상에 있던 조합원들은 전쟁터가 따로 없었다고 말했다.

그때 고무총에 맞아서 쓰러지는 동지들, 그리고 연구동 쪽에서도 계속 새총도 발사를 했습니다. 그 새총 피해야 되죠. 그 물 쏘아대는 거 물 피해야 되죠. 그 고무총 피해야 되죠. 분위기 자체가 너무 위협적이었고 조합원들 생각들이 아, 더 이상은 좀 힘들겠다 · 그런 생각들을 많이 했었고. 어쨌든 조합원들이 할 수 있는 부분은 어쨌든 고무총 쏘면 고무총 피하고, 새총 날라오면 새총 피하고, 그냥 거기서 서있는 그 정도밖에 대응이 없었고. 어느 순간 컨테이너 박스 하나가 상륙을 했어요. 상륙을 한 순간에 조합원들이 뭐 싸워볼 그런 생각도 없었고. 다들 뭐 걸음아 내 살려라 하듯이 일부 뭐 저쪽에서 막 뛰어 나오니까 전체적인 분위기가 그냥 도망가는 분위기로 해서 그렇게 뭐 한 순간에 그렇게 무너졌죠. 무너져서 그렇게 도망치다가 일부 조합원들 한 서너 명이 잡혀가지고 엄청나게 맞았죠.

맞고, 많이 다치고 그러고 퇴각하면서도 밑에 또 추락한 동지들 한 두 명 있었는데 그 동지들도 굉장히 많이 다쳤었고. 그 일이 있고 난 후부터는 완전 뭐 사기가 완전 다 떨어졌죠. 떨어졌고 아, 이제 끝이구나 그런 생각들을 조합원들 많이 했었죠. (구술자 O)

조립3 · 4팀 옥상은 가로 250미터 세로 150미터 이상 되는 넓이였다. 80여 명이 교대로 지킨다는 것 자체가 불가능했다. 4일의 전투 이후 부상을 당해 그나마 인원이 줄어들었다. 눈이 찢어지고, 다리가 찢어지는 부상자가 수십 명이었다. 볼트에 맞은 것은 부상 축에도 들지 않았다. 다른 부서에서 지원을 나오긴 했으나 역부족이었다. 이틀째 교대도 못하고 풀가동되었다. 조합원들은 조립3 · 4팀 옥상이 요새인지 알고 있었지만 결국 장비에 밀려 옥상을 내주고 말았다.

장비죠. 크레인~. 저희들도 용산 참사 때 크레인으로 공장 뚫고 들어온 거에 대해서 저희들도 알고 있고, 그거에 대한 방어책도 다 세워놓고 다 했는데, 그 장비전으로 해가지고 들어오고 분산 시키면서 저희 또 섹터가 너무 컸어요. 조립3팀이 워낙 컸어요. 원래 80명으로 다 못 지키는 데예요. …(중략)… 옥상 내놓고 후퇴를 하면서 그 승리삼거리. 도장반 안쪽에 그쪽에 모여 있다가 최종적으로 도장저 3팀하고 도장2팀으로 통하는 거기 있는데, 그쪽에서 사람들이 지키고 더 이상 못 올라오게. 거기서 딱 멈춘 거죠. 스텁 한 거죠. 그러면서 인제 교섭을, 교섭 아닌 교섭을 또 다시 하게 된 거죠. 근데 원래는 3팀만 솔직히 조립3팀 옥상만 끝까지 사수했더라도 그 마지막 날! 전날, 마지막 총공세할 때 대타협 하기 전에 그것만 사수 했어도 저희가 좋은 위치에 아마 협상 해가지고 좋게 끝났을 거예요. 근데 그거를 저희도 다 알죠. 내주면 안 된다고. 근데도 불구하고 워낙 쪽수도 안됐거니와 저기는 장비전하고 엄청나게 들어 왔어요. 막 소방서 몇 대, 세네 대 막 들어오고, 그 기중기 큰 거 막 세네 대 내리 들어오고 거기다 하물며 첫날에는, 뭐야~ 이삿짐센타 쭉~ 사람 올리게 거기서 그것까지 동원해서 들어 왔어요. 엄청나게 들어온 거죠. 마지막날 총공세 할 때는. (구술자 C)

화재, 퇴각명령

조립3 · 4팀 옥상이 특공대에게 넘어갔다는 소식이 무전을 통해 알려졌다. 퇴각과 동시에 자재하차장에 불이 났다. 불은 쉽게 꺼지지 않고 번져가고 있었다. 자재하차장과 도장1공장은 불과 5미터 거리였다. 조립3 · 4팀 옥상으로 지원을 나갔다가 쫓겨 도장1팀으로 돌아온 조합원들은 새총을 쏘며 전투경찰이 안으로 들어오는 것을 막고 있었다. 그때 퇴각명령이 내려졌다. 집행부는 자재하차장에서 난 불이 도장1공장으로 옮겨 붙을 것을 우려하여 도장1공장 전체의 퇴각을 명령했다.

당시 현장에 있던 조합원들은 큰 불이 아니었다고 했다. 현장지휘관들은 설사 3 · 4팀 옥상이 적에게 넘어갔다 해도 도장1공장을 중심으로 한 저지선을 유지할 수 있다고 판단해 그 자리에서 전선을 재정비하려고 했다. 그런데 집행부에서 전체 퇴각명령을 내린 것은 선부른 결정이었다고 평가했다.

이틀을 들어온 거 아니예요. 그 때 첫날에 막아 내면서 부싱자가 너무 많았어요. 그러니깐 저희가 그날, 다음날 새벽 4시에 거길(조립3 · 4팀 옥상) 지원을 나간 거예요. 저희 (도장)1팀에 몇몇 사람 빼놓고 거기를 지원 나갔는데, 나가고 나서 막 뚫리고 도망왔는데 빨리 짐 빼라고. 도장1팀에 가서 그때 보니까 저쪽에 불이 났더라구. 근데 그게 좀 난 억울한 게. 그리고 나서 우리가 거점. 도장1팀 거점으로 왔거든요. 저희가 3층이예요. 바로 앞에가 3 · 4팀 지붕이고 옥상이구. 그러니까 거기서 새총을 쏘면 되요. 그럼 얘네들도 앞까지 못 온다구. 뭐 거리가 사오십미터 밖에 안 되니까. 그리고 막 쏘고 있었거든. 아~ 근데 철수하라고 무전기에서 막 나오는 거야. 그리고 자재하차장에 불 났다고. 불도 미비하게 난거드라고. 지부장이 나중에 얘기 하는 게 바람의 방향 그런 걸 봐서 철수를 하라고 그랬다고. 철수만 안 했어도 그렇게까지 우리가 밀리지 않았거든요. 거기서만, 1팀에서만 대응 사격해주고 그랬으면 안 밀렸거든. (구술자 K)

전투과정에서 자신감이 생기게 된 거죠. 크고 작은 전투에서 승리하고 밀리지 않고 도장반 중심으로 사수하고 있었기 때문에. 사실 5일날 마지막 전투도 패배하지 않을 수 있었거든요. 지나간 이야기니까 조합원들이 다 지나간 이야긴데 얘기해서 뭐해 이러고 묻어서 그렇지 지휘관의 잘못된 선택 하나가 도장1공장을 내주게 된. 거점별로 투쟁을 하고 전투가 벌어졌던 거잖아요, 정문, 3.4팀 옥상. 한군데가 뚫렸을 때 재정비하고 다시 싸웠으면 되는건데 전체가 다 퇴각하는 바람에. 집행위원장들은 그 자리에서 재정비하고 전선을 치려고 했는데 상집에서 퇴각하라고 하니까. 1공장 옆에서 불이 났거든요, 그게 진화가 안 되고 그 건물에서 불이 붙을까봐 도장반 전체를 퇴각시킨. 그러면서 전체 전선이 와르르 무너진거죠. (구술자 L)

화재가 발생했지만 소화기로 진화되지 않자 수석부지부장이 불을 꺼야 한다고 사측에 급하게 연락했다. 사측은 꼼짝도 하지 않다가 소화전을 연결했다. 조합원들이 소화기, 소화전을 동원해 불을 끄기 시작했다. 공장 전체가 화마에 휩싸일 수도 있는 긴박한 상황에서도 구사대들은 불 끄고 있는 조합원들을 향해 볼트를 날렸다.

불이 붙었는데 제가 굴뚝에서도 불 끄자, 전경들한테도, 불 끄자 했는데도 안 움직이더라구요. 오히려 우리가 가서 불을 껐어요. 그쪽 도장반 쪽에. 불 끄는데도 관리직 애들이 새총을 쏘니까요. 쏘지마라, 불 끄고 있다 하는데도 계속 쏘고 있고. 그거 보면서 굉장히 안타까웠죠. (구술자 B)

도장1공장을 내줌으로써 전투력은 급격하게 무너졌다. 전선이 밀린 것도 문제였지만 퇴각하면서 도장1공장에 있던 비상식량을 모두 뺏긴 것이다. 도장2공장에 비축해놓은 라면, 물과 도장1공장에 비축해 놓은 식수만 사수할 수 있다면 한 달 정도는 버틸 수 있었다는 것이다.

> 3 · 4팀 옥상이 뚫렸다 하더라도 제2의 전선이 있었는데 바로 퇴각해버리고 제2공장으로 퇴각해 버리고. 퇴각하니까 언론에서는 마치 수퍼마켓 창고에 라면 박스 있고 그랬다고 하는데 사실 이틀치 채 안 돼요, 라면을 끓이려면 식수가 필요한 거니까. 그런데 도장1공장에 있던 모든 식량을 뺏겨 버린 거죠. 도장1공장 비상식량이 있고 식당 비상식량이 있는데 한꺼번에 뚫려버리면서 비상식량을 다 뺏긴 거죠. 거기만 사수했다면 식당은 사실 한달치 분량의 식수가 있었거든요. 식당을 사수하고 있었다면 기본적으로 다른 전선들은 아무 이상이 없었기 때문에 충분히 한달 이상 버틸 수 있었죠. (구술자 L)

그동안 전선을 잘 방어하다가 급격하게 퇴각할 수밖에 없었던 것은 전술상의 대비를 철저히 하지 못한 것이라는 점도 평가로 제기된다. 8월 4일 특공대가 곳곳에서 진입을 시도했지만 조합원들은 잘 막아냈다. 그러나 부상자가 150명이 넘게 발생했고, 몸은 지칠 대로 지쳐있던 상황이었다. 특히 조립3 · 4팀 옥상에 있던 조합원들의 불만이 높았다. 다음날 다시 진압이 시작될 것을 예상하여 한정된 인원으로 가장 효과적인 방어를 할 수 있는 전술을 짰어야 한다는 것이다. 전선을 좁혀 포기할 곳은 포기하고 꼭 막아야 할 곳만 막았다면 쉽게 무너지지 않았을 텐데 4일 전투의 승리감에 도취해 있어 이를 준비하지 못하였다고 스스로 평가했다. 조립3 · 4팀 옥상이 무너지고 도장1공장 옆 건물에 화재가 발생하면서 우왕좌왕하였고, 결국 순식간에 밀리고 만 것이다.

8월 4일날 일차적으로 특공대들이 들어오려고 했는데 맛보기만 보인 거죠, 맛보기만 살짝 보여서 막아냈어요. 거기에 약간 도취되었어요. 거기서 도취되지 말고 좀 냉철하게 판단해서 포기할 곳은 포기하고 정말 막아야 될 곳만 막아서 저희 전선을 만들었어야 되는데, 다시 상대팀을 막기 위해서 인원을 최대한 배치를 했거든요. 허를 주고 실을 택한다고 맛보기만 살짝 4일날 보여주고 승리에 빠지게 해서 그거를 또 다시 막을 수 있을 것처럼 해서 만들어 놓고 5일날은 실제 엄청난 양과 엄청난 인원을 갔다가 투입을 했는데 정말 무참하게 깨진거죠. (구술자 P)

그 여파가 왜 그랬냐면 우리가 76일 동안, 76일 동안 너무 잘 막아낸 거예요. 사실 우리가 얘기했을 때 최고의 거점은 도장반으로 들어가고 도장반에서도 투쟁한다고 계획이. 그래서 도장반에도 먹을 거 쌓아놓은 거 아니에요, 많이 싸놓지는 않았지만. 근데 사람들이 너무 잘 버티고 잘 막았잖아요 그동안. 잦은 침탈 잘 막아내고 옥상에서도 막아내고 하다못해 육지에서 싸우면서도 밀리질 않으니. 그랬을 거 아니예요, 50~60명이 나가서 정문 앞에 몇 백 명씩 있는데 밀어내고 철망까지 뺏어오고. 기자가, 비디오 기자

가 찍어갖고 와서는 나 최근 몇 년동안 노동자들이 이렇게 통쾌하게 싸우는 거 처음 봤다. 그 사람 기자가 카메라에 담아와서 우리한테 보여주면서 그러더라구요. 이렇게 싸우는 거 첨봤다. 진짜 멋있었다. 그러면서 보여주는데 내가 봐도 잘 싸우더라고요. 몇 백 명이 밀려다니는 거 보면, 몇 십 명한테 도망쳐서 밀려다니는 거 보면. 잘 싸우더라고요. 그렇게 잘 싸우다가 우리 생각엔 맨 처음엔 도장반 거점으로 생각을 했는데 나중엔 도장반 거점이 아니라 통째로 지켜야 되겠다는 생각이 드는 거예요 이젠. 다 막아내니까. "야, 이거 별거 아니네 공권력. 끝까지 우리 구역을 사수하자" 이렇게 된 거예요, 내심적으로. 조합에서는 그게 아니었는데 내심적으로 정신무장이 돼버린 거예요. 싸워서 막아내자. 그런데 갑자기 도장2팀 안으로 밀려가니까 사람들이 거기서 패배의식을 많이 느끼는 거죠. 아, 뺏겼다는 패배의식, 뚫렸다는 패배의식. (구술자 J)

결단

지부장을 믿고

조립3팀과 도장2팀으로 통하는 바리케이드를 사이에 두고 전투가 일시 멈췄다.

5일 저녁, 도장2공장 4층에 조합원들이 모여 앉았다. 지부장이 교섭을 요청해 보겠다는 이야기를 꺼냈다. 일부에서는 그래도 한번 끝까지 가보자는 이야기가 나왔지만 안타까움의 표현이었지 적극적 문제제기는 아니었다. '지금 무너지면 지는 겁니다, 나갈 사람 나가고 남아서 끝까지 갑시다.' 속으로는 이야기하고 싶었지만 조합원들의 상태가 그런 이야기를 할 수 있는 분위기가 아니었다. 한 조합원은 다들 배터리가 방전되었다고 했다.

> 일부 조합원들은 그래도 한번 해보자라고 하는 말을 했어요. 그 분위기가 계속 가라앉는데다가 극한 상황까지 갈 수 있다라는 판단이 들 정도로 그 안에 분위기는 좀 험악했다고 해야되나 좀 정리가 안 되는 분위기였어요. 왜냐면 공격은 공격대로 당하고 뭐라 그러지 이탈자는 계속해서 발생하고 부상자는 계속 있고 여전히 객관적인 여건은 안 좋고. 헌데도 한상균 지부장이 교섭을 요청해보겠다 했을 때 크게 반발을 하거나 그러진 않았어요. 왜냐면 그때까지 계속해서 어찌됐던 정리해고 당한 조합원들과 안에 있는 파업 조합원들을 그 끝없이 독려하고 끝없이 격려해서 잘 끌

고 왔던 분이고 가장 앞서서 했던 분이기 때문에 조합원들에 대한 지부장에 대한 신뢰가 상당히 높았던 시기였기에 때문에. (구술자 P)

논의 했죠, 모아놓고. 도장반 4층에 약간 넓은 데가 있어요. 대충 구겨 앉더라고. 바깥에 얘기로는 더 싸우자는 등 파벌이 심해가지고 강성파들에 의한 저기라고 하는데 그건 아니었고. 지부장 끝까지 믿어보자, 지부장 판단에 맡기자 그랬거든요. 끝까지 가봅시다, 불질러봅시다 이런 얘기 하면 거기서 그냥 저기 되는 분위기였으니까. 마지막 협의를 바라고 있는 사람들의 마음이니까 지부장 믿고 한번 가보자 그랬죠. 우리가 예수도 믿고 불교도 믿는데 이 상황에서 지부장 못 믿으면 누굴 믿냐 이런 발언 하시는 분도 있고. 울면서 협상했어요, 지부장 같은 경우는. (구술자 J)

한편, 특공대가 농성장을 진압하는 장면이 방송에 보도되면서 가족들은 걱정이 되어 전화를 하거나 공장으로 달려왔다. 아이들은 놀라 "아빠, 회사지? 얼른 나와" 울면서 전화를 했다. 사측에서는 7일에 도장공장을 치겠다는 협박을 해댔다. 특공대 투입 소식이 전해지면서 가대위와 연대대오가 모였고, 경찰에 항의하며 뛰어다녔지만 경찰이 휘두르는 폭력 앞에 힘을 쓸 수가 없었다. 모두들 만신창이가 된 채 내동댕이쳐졌다.

4일과 5일 사이 100명이 넘는 조합원이 농성장을 나갔다. 남은 470여 명 중에도 반 이상이 짐을 싸두고 있었다. 조합원들은 교섭 자리를 만들어보겠다는 지부장의 호소를 믿고 더 참아보자고 했다. 교섭 결과와 상관없이 하루만 더 동지들과 있겠다는 조합원이 많았다.

창원 같은 경우 대의원, 간부도 도망갔습니다. 8월 5일날. 짐 싸가지고 튀었어요. 대의원들 조합 간부들, 8월 6일날 협의 안 되면 조합원들이 과연 몇 명이 남아있을지는 상상에 맡겨도 불을 보듯이 뻔하지 않을까 생각합니다. (구술자 D)

4일날 당하고 나서, 이거 너무 불공평하다! 전술을 짤려면 제대로 짜라! 너무 사람들이 많이 다치고 눈에 보이지 않냐! 저기 쉬고 있는 사람들 저 뭐냐! 그러면서 내부에 갈등이 엄청난 거죠. 그러니까 위원장이 처음에는 아마 교섭이 일어날 것 같습니다! 하루만 참아 주십시오! 제 얼굴을 보면서, 그러면서 악수를 다 해가면서 어깨도 다독여주고 그러면서, 그럼 우리가 하루만 더 참겠습니다! 그렇게 참고. 5일날, 큰 전투가 있어 가지고 뚫리고 나서 도장반 다 들어 왔을 때도 분위기가 또 안 좋아 진거죠. 교섭이 안 됐으니까. 그리고 나서 사람들이 엄청나게 가방을 쌌고. 저도 가방은 다 싸놓고 있었어요. 이건 아니겠다! 생각을 해 가지고. 급하게 8시 정도에 전체 조합원 다같이 도장반2팀으로 모여 가지고 지부장님이 얘기를 한 거죠. 제가 아는 형님도 나간다! 나간다! 했는데, 그 얘기나 듣고 나가자! 그 얘길 사람들끼리 했어요. 거기서 안 좋았던 게 엄청 나왔죠. 지부장이 진짜 진심어린 말로 눈물을 머금거리면서… 저 사람이 울고 있구나! 마음속으로 엄청. 그러면서도 여기서 진짜 인원이 더 빠져 나가면, 적은 인원이 빠져 버리면 아무것도 안되니까. 하루만 더 참아 주십시오! 참은 김에 참아 주십시오! 그래서 그걸 믿고서 또 하루 참고, 그래서 마지막 날까지 참았던 거죠. 그 지부장이 진실된 말을 했고, 저 사람이 진짜 이 많은 사람들 중에서도 저 나이 먹구선 진짜 눈물 글썽이는 게 보이는데 저 사람도 진심으로 저렇게 얘기 하는 거니까, 저 같은 경우는 그렇게 판단했어요. 나는 참겠다! 하루 더 있겠다! 판단 한거죠. (구술자 C)

일단 전투능력을 상실했다고 본 거고, 우리가 모든 무기를 버리고 온 거잖아요 퇴각하면서. 파이프도 부족했고 새총도 없었고. 조합원 사기가 회복 불가능 상태로 떨어져 있었기 때문에, 그리고 내일이면 8월 6일이면 공공연하게 나가겠다, 이런 것들을 보면서 지부장이 결단할 수밖에 없었고 식량, 더 이상 버틸 수 없는 문제, 조합원 사기에 대한 문제, 투쟁물품 무기가 없었던 거 이러면서 지부장이 마지막 교섭 하겠다, 교섭권한 위임해 달라고 했을 때 조합원들이 하루만 더 버텨 주겠다, 그 당시 조합원들 정서는 교섭 결과를 떠나서 교섭이 되든 교섭이 안 되든 여기까지만 같이 있어 주겠다는 거였고. (구술자 L)

일방적 교섭

8월 6일 오전 9시 40분 지부는 사측에 대화를 요청했다. 박영태 법정관리인과 한상균 지부장은 본관과 도장공장 사이 컨테이너에서 만나 교섭을 시작했다. 12시부터 시작된 논의는 1시 40분이 되어 끝났다.

오후 2시경 보고대회를 열었다. 한상균 지부장은 “70억 원만 있으면 고용보장이 되는데도 노동자들이 상처를 입었고 메우지 못했다, 자본이 여기까지 온 것은 전체 노동자들에 대한 정리해고를 위한 것이다”라고 했다. 그러면서 “이를 막아야 하지만 전면적으로 (저지)하지 못했다, 조합원들이 고민에 찬 결정을 해달라”고 말했다. 또한 “22년 노조 역사상 초유의 사태를 맞아 쌍용차를 살리기 위해서 최선을 다했다, 그러나 사측은 경찰을 매수하고 노동자간 갈등을 조장했다”

면서 "다행히 (매각)주체들이 빨리 정해질 것으로 보인다"고 설명하기도 했다.

보고대회에서는 52 : 48이라는 인력 비율이 적용되는 대상이 애초의 정리해고 대상 976명 전부인지 이후 희망퇴직을 신청한 조합원들을 제외하고 남아있는 대오를 의미하는지를 놓고 질의응답이 이루어졌다.

교섭 결과 보고

6일 오후 3시 30분경 조합원들은 52(희망퇴직) : 48(무급휴직)합의안을 가결시켰고 8시 조인식을 했다. 2일까지 남아있던 대오 약 640명을 대상으로 자발적 선택에 따라 무급휴직, 영업직 전직, 분사, 희망퇴직 등을 실시하고 그 비율은 무급휴직 · 영업직 48%, 희망퇴직 · 분사 52%를 기준으로 시행하기로 했다. 노사는 무급휴직자에 대해서는 1년 경과 후 생산물량에 따라 순환근무가 이뤄질 수 있도록 주간연속2교대제를 실시하고, 영업전직을 위해서는 전직 지원금 월 55만 원을 1년간 지급하되 대리점 영업사원에 준하는 근로조건으로 근무하도록 했다. 또한 이번에 무급휴직, 영업직 전직, 희망퇴직을 한 경우, 경영상태가 호전되어 신규 인력소요가 발생하면 공평하게 복귀 또는 채용하도록 했다. 무급휴직자와 희망퇴직자에 대해서는 정부 및 지역사회, 협력업체와 긴밀히 협조해 취업 알선, 직업훈련, 생계안정 조치를 추진하기로 했다. 민형사상 책임에 대해서는, 형사상 책임의 경우 최대한 선처하도록 노력하고 민사상 책임은 회생계획 인가가 이뤄지는 경우 묻지 않기로 했다.

쌍용자동차의 회생을 위한 노사합의서

노사는 파산위기에 처한 회사의 회생을 위하여 추진된 고용조정 과정에서 지역사회, 채권단, 관계기관, 협력업체 및 국민 여러분께 끼친 수많은 심려에 대하여 깊은 사과의 말씀을 드리며, 노사는 그 동안의 극단적 갈등이 아닌 대타협의 정신을 발휘함으로써 협력사 가족의 생존과 지역경제, 더 나아가 국민경제를 위해 혼신의 노력을 다하는 것만이 내외적 우려에 대한 진정한 보답임을 확신하며, 내적 갈등과 외적 우려를 슬기롭게 극복하고 '거듭나는 쌍용자동차'의 회생을 위해 총력을 다 할 것을 결의하며 다음과 같이 합의한다.

– 다 음 –

1. 회사는 현 상하이차의 지분에 대하여 감자 등을 통해 대폭적으로 지분을 축소하여 대주주를 변경할 것을 약속한다.
2. 회사는 금번 6.8자 정리해고자중 현 농성조합원을 대상으로 자발적인 선택에 따라 무급휴직, 영업직 전직, 분사, 희망퇴직 등 비상인력운영을 실시한다. 단, 인력규모조절이 불가피한 경우 회사는 당사자와 충분한 협의를 거쳐 결정하고 그 비율은 무급휴직/영업전직(48%), 희망퇴직/분사(52%)를 기준으로 한다.
   가. 무급휴직자에 대해서는 1년 경과 후 생산물량에 따라 순환근무가 이루어질 수 있도록 하며, 실질적 방안으로 주간연속2교대를 실시한다.
   나. 회사는 영업직 전직을 위하여 영업직군을 신설하여 직무교육을 이수하고 기존 영업소에 우선 배치 후 직판영업으로 전환하여 영업소 딜러에 준하는 근로조건으로 근무토록 한다. 단, 전직 지원금(월 55만 원)을 1년간 지급한다.
   다. 금번 인력조정 과정에서 무급휴직, 영업직 전직, 희망퇴직을 한 경우 향후 경영상태가 호전되어 신규 인력

소요가 발생하는 경우 공평하게 복귀 또는 채용한다.

라. 무급휴직자와 희망퇴직자에 대해서는 정부, 지역사회 및 협력업체 등과 긴밀한 협조를 통하여 취업알선, 직업훈련, 생계안정 등 필요한 조치를 적극적으로 추진한다.

3. 노조는 회사의 경영정상화를 위하여 회생계획안에 의거한 임금(기본급 동결, 상여금 삭감 등) 및 복지후생의 중지(교육비 제외)에 원칙적으로 동의한다.
4. 회사는 6.8일 퇴직자 중 일반 조합원에 대한 민 · 형사상 책임에 대하여 그 동안의 갈등을 치유하고 회생의지를 모으기 위하여 형사상 고소고발은 취하하며, 민사상 책임은 회생계획의 인가가 이루어지는 경우 취하한다.
5. 노사는 회사의 회생을 위한 이해관계자의 의지와 국민적 지지를 확보하고 조기 경영정상화를 위하여 '평화적 노사관계'를 위해 총력을 기울이며, 회사의 조기 회생을 위한 운영자금 투입을 위해 적극 노력한다.

2009. 8. 6

전국금속노동조합 쌍용자동차지부 　　쌍용자동차 주식회사
지부장 　한상균 　　　　　　　공동관리인 　이유일
박영태

회사의 분사계획 추진과 관련한 노사합의서

회사는 기업회생을 위한 경쟁력 제고를 위해 추진된 분사계획을 원칙적으로 추진하되, 직영 정비사업소 및 관련 부품마케팅 일부에 대한 분사계획은 철회한다.

2009. 8. 6

전국금속노동조합 쌍용자동차지부 　　쌍용자동차 주식회사
지부장 　한상균 　　　　　　　공동관리인 　이유일
박영태

확 약 서

회사는 사내하도급업체의 인력에 대해서는 현재의 공정을 유지하고 기고용 계약이 해지된 일부 인원에 대하여 회사 내 업체에 취업을 알선한다.

2009. 8. 6

전국금속노동조합 쌍용자동차지부		쌍용자동차 주식회사	
지부장	한상균	공동관리인	이유일
			박영태

공장에서의 마지막 집회

교섭 결과에 대한 조합원들의 반응은 두 가지로 나뉘었다. 지부장을 찾아가 힘들더라도 끝까지 싸워보자고 의견을 이야기하는 모습과 더 이상 나올 게 없다는 생각과 버틸 힘이 없어 문제제기를 하지 않는 모습이었다. 임원, 상집간부들 내에서도 의견이 갈렸고 대다수가 더 이상 투쟁을 지속할 수 없다는 의견을 냈다. 이러한 상황 속에서 지부장은 소수의 결사항전보다는 동지들과 함께 투쟁을 마무리하는 것으로 결정했다.

77일간의 투쟁이 일방적 교섭으로 마무리되었지만 조합원들은 지도부를 원망하지 않았다. 지도부가 '지도부'로 군림하지 않고 조합원으로서 점거농성장 곳곳을 뛰어다니며 함께했음을 알기 때문이다. 쌍용자동차노조 역사상 그 어떤 지도부보다 조합원의 의사를 대변했고, 투쟁을 피하지 않았으며, 조합원과의 일체감을 형성한 지도부였다. 지도력이 부족해서라고 생각하지도 않았다. 정부와의 싸움에서 이길 수 없을 거라는 것을 경찰병력의 진압 과정 속에서 알았다. 가장 중요하게는 파업의 주체는 지도부가 아니라 바로 나였기 때문에 누구를 탓하지 않았다. 지도부가 대신하고 모든 걸 결정하는 체계였다면 그 책임도 지도부에게 돌렸을지 모른다. 그러나 수많은 토론과 훈련 속에서 서로 격려하며 77일 동안 포기하지 않고 이끌어 왔던 주체는 바로 나 자신이었다.

> 그렇게 안 좋지 않았어요. 48:52 아니에요. 예를 들면 예전 같으면 그런 안 가지고 왔으면 죽일 놈 살릴 놈 여태까지 싸웠는데 그랬을 거 아니에요. 그런 것도 없고 조용했어요. 조용했고, 이 사안 갖고 보고를 하면서 이따 저녁에 조인식을 하겠습니다, 얘기도 없고. 반발도 없고 조용하더라고. 48:52 어떻게 되는 거냐 질문하는 정도. (구술자 J)

> 저희가 너무 체력을 소진했기 때문에 누가 나서서 그 다음에 싸우고 그런 것도 솔직히 두려웠어요. 내가 일어설 힘도 없었기 때문에 더 이상 뭐 던지고 뭐 할 힘도 없기 때문에, 내 몸 하나 자체도 가누기 힘들었던 상황이기 때문에. 더 좋은 게 나올 거란 생각은 안 했어요. 다들~. 그냥 현상유지에 대타협만 지키고 이제 거기서 이제 그걸 반대하는 사람도 있었는데도 불구하고, 그 사람들을 위해서 우리가 다시 설 수는 없으니까. 그 대타협만 이루어지고 그 정도만 하면 어느 정도 됐구나! (구술자 C)

> 솔직히 저 같은 경우에는 패배를 인정했습니다. 그 당시에는. 그래서 어쨌든 협상에서 좋은 결과가 나왔으면 좋겠다라고 생각을 했는데 큰 기대는 안 했지만서도, 무급, 전

8월 5일 공장 밖에서도 폭력이 난무했다.

체적으로 무급 쪽으로 결과가 나왔다면 정말 좋겠다라는 그런 생각들을 사실 저는 하고 있었구요. 그 이후에 결과에 대해서는 좀 아쉬운 점이 있었지만 전체적인 조합원들 분위기는 아 어쨌든 이제 파업을 끝내고 집에 갈수가 있겠다라는 그런 생각들을 가지고 있어가지고 합의 끝나고 조합원들 또 한 편으로 아쉬움도 있지만서도 한편으로 얼굴에 활기가 넘쳤습니다. 그 당시에. (구술자 O)

협의의 큰 내용보다는 야, 이제 집에 가는구나. 야~ 이제 집에 가는구나 그 생각이 더 많았어요. 집에 갈 수 있겠구나. 갈 수 있겠구나. 이제 사람들이 집에 가게 되다 보니까 인자 그 와중에 협의가 더 좋았으면 좋았을 걸 하는 미련이 남는 거죠, 아마 집에를 못가는 상황이었으면은 협의고 뭐고 필요 없을 거예요. 협의 없다, 그냥 집에만 갈 수 있게 해 달라, 이렇게 했겠지만은 집에를 오게 되니까 이제 협의가 조금 더 보완했음 좋지 않았나. 한상균 지부장님도 실수하신 게 그만큼 당하셨는데도 회사를 믿고 구두 협의를 했다는 거. 그게 큰, 제일 큰 실수고 지금까지 파업했던 77일 동안 파업했던 사람들이 이렇게 피눈물 흘리는 것도 구두 협의를 회사 믿고 했다는 거, 그게 좀 제일 피눈물 나는 게. (구술자 D)

눈물

경찰은 현장에 있던 조합원 468명을 TRE동으로 모아 조사 분류했다. 사측 관리자들이 칸막이 뒤편에서 구속 대상자와 아닌 자를 일일이 확인해 주었다. 조합원들은 한 명씩 조사를 받으러 나가면서 투쟁 구호를 외쳤다.

5시경 지부는 마지막 결의대회를 열었다. 조합원들은 구속과 체포가 예정된 동지를 위로했다. 한상균 지부장은 눈물로 집회를 마감했다. "동지들과 이 싸움 한 것을 내 평생의 감동으로 기억하겠습니다. 동지들, 힘냅시다!" MBC 헬기가 상공을 날았다. 조합원들은 헬기를 향해 손을 흔들었다. 집회를 하는 내내 조합원들은 흐르는 눈물을 멈출 수 없었다. 교섭 결과가 불만족스러워서가 아니었다. 공장에서 나가게 되었다는 시원함, 사측에 대한 분노, 부당함에 대해 저항했는데도 이기지 못한 억울함 등 만감이 교차했다.

조합원들은 지부장을 비롯한 임원들과 뜨거운 포옹을 하고 공장을 나섰다. 조합원들은 분노와 서러움을 삭이면서 투쟁 과정에서 최선을 다한 지도부와 인사를 했다. 한 치도 흐트러짐 없이 스스로 책임지려는 모습으로 주인이 되어 싸웠던 조합원들에게 간부들은 깊은 신뢰를 보냈다.

정리 집회를 마친 뒤 96명이 평택경찰서로 이송되었다. 한상균 지부장을 비롯해 체포영장이 발부된 조합원 25명, 경찰관 폭행 등으로 조사를 받아야 한다는 조합원 64명, '외부세력' 7명 등 총 96명으로, 평택경찰서 등 도내 7개 경찰서에 분산돼 조사받았다. 실무협의를 위해 연행하지 않기로 했던 지부 간부 7명도 노조 사무실에서 경찰에 의해 연행되었다.

8시 30분경부터 시원하게 비가 내렸다. 식수가 끊긴 농성장에서

땡볕의 더위와 싸워가면서 조합원들이 그토록 고대하던 비였다. 그제서야 비가 내렸다.

약식집회할 때 배낭 메고 다 나와서 약식집회 하거든요. 좋아하죠. 일단 사람들은 좋아하죠. 시원섭섭 이런 거. 그러면서 이제 서로 집회 끝나고 그 때 MBC 헬기가 떴거든요. 그 김득중 조직실장이 MBC 헬기에 대고 손 한번 흔들어 주세요! 그래서 저희가 흔들어 주고. [한참 말을 끊고] 되게 억울했죠. 나오면서… [감정이 북받쳐 올라 눈물] (구술자 K)

마지막 집회하면서 지부장을 한 번씩 안고 울면서 나가고. 억울하다 이거지. 마지막까지 분위기는 좋았어요. 나올 때까지. 서로 누굴 죽이겠다, 잘못된 안을 갖고 온 이런 저런 분위기가 아니라. 스스로 패배를 인정하고 스스로 나갈 길을 정하지 않았느냐, 그런 마음이었던 거 같애. 제 생각도 그랬거든요. 집회하는 과정에서 서로 부둥켜안고 울고 있고 억울해서. 나가야 되는구나. 한편으론 시원하기도 하고. 그동안 못 먹고 못 씻고 삐쩍 말라갖고. 저같은 경우도 5-6키로 빠졌더라구요. 사람들이 약식집회 30-40분 했나, 모여갖고 어깨동무 하고 이런저런 노래하면서 이 투쟁 끝나지 않은 거라고 다짐하고, 엠비씨 헬기가 유일하게 방송 많이 해줬잖아요, 나중에는 방송이 감췄지만. 헬기가 뜨니까 손을 흔들어주고. 다 따라줬다는 건 인정한다는 거 아니에요 (구술자 J)

밤 9시경부터 조합원들은 전경버스를 나눠 타고 평택 시내 곳곳으로 흩어졌다. 가족들이 미리 나와서 기다리고 있었다. 가족들은 무사히 돌아온 것만으로도 감사하다고 했다.

한 조합원은 버스에서 내려 집으로 가는 길에 맥주 한 캔, 담배 한 갑을 샀다. 그리고 가족 친지들에게 전화를 걸었다. 무사하다고.

> 제가 전경버스 타고 나왔을 때, 이제 중간에 내려 가지고 걸어서 이제 편의점 가서 캔맥주 긴거 하나를 사 가지고 담배 하나를 사 갖고 담배 피면서 짐보따리 가지고 혼자 걸어 갔어요. 집까지. 걸어가는 와중에 중간 중간 어머니, 식구들, 처갓집 전화 걸어서 저 무사히 잘 나왔습니다! 걱정하지 마십시요! 라는 얘기를 하고, 맥주를 먹고 가면서 들어가서 와이프 보는 순간, 애들은 다 자니까. 그때가 새벽 열두시가 다 됐으니까. 눈물이 나더라구. 와이프 얼굴을 눈을 못 마주 쳤어요. 미안해서~ (구술자 C)

한편, 굴뚝에서 농성을 하던 동지들도 이제 땅으로 내려와야 했다. 아쉬움에 더 버티고 싶었지만 지부의 방침은 이미 정해졌다. 마무리 집회에 참석하라는 것이었다. 그러나 서맹섭 부지회장은 며칠째 아무것도 먹을 수 없어 기력이 소진되어 걸어서 내려가기 힘든 상황이었다. 소방대원이 올라와 헬기를 불러 타고 가야 한다고 했다. 그런데 그 헬기는 후문에 내려 두 사람을 바로 경찰 호송차에 실었다. 김봉민 정비지회 부지회장은 창문을 열고 아내에게 이렇게 말했다. "걱정하지 마. 비 맞지 말고 비 피해서 서 있어. 걱정 마." 굴뚝 농성자들은 48시간 조사를 받았다. 김봉민 부지회장은 풀려났고 서맹섭 부지회장은 병원에 입원했다.

마무리 집회를 같이 참석해서 마무리 집회를 하고 그러고 끝낼 생각을 하고 있고 그렇게 지침을 받았는데. 어, 갑자기 그 소방대원들이 오더니 헬기를 불러야 된다고 그러더라구요. 나는 그냥 내려갈란다, 그랬더니 헬기가 오니까 헬기를 타고 가래요. 그래서 나 집회 가야된다. 근데 집회를 간대요. 그래서 헬기타고 그쪽 집회장소로 간다고. 어, 그러냐, 그래서 헬기를 탔죠. 짐 다 놓고. 짐 다 놓고 헬기를 타고. 그래서 내려왔는데 저쪽 후문 쪽으로 이렇게 내려가더라구요. 저는 몰랐죠. 그 후문 쪽인지. 내리라고 해서 내렸더니 경찰들이 이제 와서 해서 막 사람들이 굉장히 많아요. 그래가지고 우리 집회하는데도 좀 보호해주려고 그러나 보다 했더니 아니더라구요. 그러더니 고압적으로 이름을 얘기 해요. 쭉 얘기했더니 맞냐고 그래 맞다 그랬더니, 막 둘이서 잡더니 호송차에 태우더라구요. 뭐냐? 집회 가는 거 아니냐? 그랬더니 아니래요. 그래 이제 전화를 했죠. 어 왜 집회 장소 안 오냐? 호송차에 태웠다. 막 이제 그게 안 된 거죠. 제대로. 약속이 됐는지, 아니면 약속을 파기했는진 모르겠지만. 그래서 집회를 참석 못하고 호송차에서 대기를 하고 있는 상황이었죠. 그렇게 돼서 한 두 시간 가까이 호송차에 있었죠. 있다가 이제 집회 끝나고 다 호송차에 타고 평택경찰서로 가구요. (구술자 B)

지부는 파업 투쟁을 마무리하며 담화문을 발표했다. 담화문은 "금속노조 쌍용자동차지부는 점거 파업농성 77일차, 굴뚝 고공농성 86일차, 공권력 전면투입 18일차를 맞이하고 있는 지금, 화약고라고 불리는 도장공장의 '대형 참사'를 막기 위해 비장한 각오로 마지막 노사교섭을 제안하였습니다. 쌍용자동차지부는 벼랑 끝에 서 있었습니다. 그래서 더 이상의 희생을 줄이고 대형 참사를 막아야 한다는 절박한 심정으로 결단 하였습니다. 그리고 노사 간에 최종합의를 이루었습니다. 그러나 사람을 자르는 정리해고, '죽음의 행렬'을 끝내 막지 못했습니다. 이점 전국의 동지들에게 면목이 없습니다. 죄송하다는 말씀을 드립니다"로 시작된다. 그리고 "그렇게 간절히 기다리던 비가 지금 오네요"로 마무리했다. 이 담화문은 6일 오후 10시경 홈페이지에 올려졌다.

아쉬움

조합원들은 옥쇄파업을 승리로 끝내고 일상으로 돌아가고 싶은 마음이 굴뚝같았다. 그러나 투쟁을 끝내고 돌아왔다는 기쁨도 잠깐, 경제적 문제와 후유증에 시달렸다. 선풍기 돌아가는 소리가 헬기 소리로 들렸고, 밤마다 악몽을 꾸기도 했다. 시도 때도 없이 경찰서에 불려다녀야 했다. 점점 마지막 순간에 대한 아쉬움에 안타까웠다.

당시는 구두로 합의한 사항에 대해 이후 실무교섭이 잘 될 거라고, 전국민에게 알린 대타협이었기에 사측이 상식을 저버리지는 못할 것이라고 생각

죽음을 각오하고 싸웠지만 아쉬움이 남는다.

했다. 그러나 자본에게 상식은 없었다.

> 지킬 거라고 생각 했어요. 왜냐면 우리도 좀 저항이 있었기 때문에 이 정도 보여주면 걔네들도 무슨 생각이 있고, 아, 진짜 이정도 했겠구나! 할 거라고 생각은 했죠. 왜! 대타협이니까. 왜! 우리들 둘만이 얘기한 게 아니고 대타협 속에서 방송이 대타협 해 가지고 나왔습니다. 전 국민이 다 보고 있는 거니까. 전 국민이 보는 앞에서 하는 건데, 전 국민이 보고 있는데 그래도 이 정보화 시대에 광주사태도 아니구, 정보화시대에 다 오픈 되가지고 다 대타협적으로 나왔다. 그건 안 지킬 사람이 어딨어! 솔직히 기본적으로, 기본적인 상식 갖고 있는 사람이면 근데 상식이 없더라구. (구술자 C)

조합원들은 가장 큰 아쉬움으로 마지막 실무교섭을 마무리할 수 있도록 "이틀 정도만 더 버텼다면" 하는 이야기를 했다. 다들 지쳐 있었다는 걸 알지만 정말 마지막까지 사력을 다했던가.

> 돌이켜 생각해보면 그렇게 이탈 하더라도 정말 백 명이라도 버텼더라면 하는 아쉬움은 있죠. 새로운 국면들이 전개될 수 있었을 텐데 하는 아쉬움이 있는 거죠. 오히려 식량 문제도 해결될 수 있었고, 도장반 출입 문제야 필요 없었던 거기 때문에. …(중략)… 끝까지 투쟁해야 되는 거 아니냐고 주장은 했지만 강하게 제기했던 사람도 없고, 그 대오를 조직하려 했던 사람도 없고. 이미 다 지쳐 있었죠. (누군가 강하게 '가자' 했으면) 남아 있었을 거라고 봐요. 100명에서 50명은 남아있었을 거라고. (구술자 L)

제 개인적인 생각이지만 막판까지 그러니까 죽, 진짜 죽는다. 이 판단까지는 안 했던 거 같아요. 어찌됐던 간에 회사를 보존시키고 우리의 어떤 요구사항을 관철시키려고 했던 거지, 회사도 망하고 우리도 죽자 이거는 아니었기 때문에 저는 그거는 존중은 해요. 정말 지도부에서 너 죽고, 나도 죽는다라고 했으면 큰 불상사가 일어났을 거라고 봐요. 그렇기 때문에 막판까지 그 전술은 안 쓴 거 같구요. 근데도 특공대들 올라오고 이럴 땐 굉장히 안타깝죠. 마지막에 그 회사를 보존하기 위한 그 노력들은 끝까지 있었던 거 아니냐. (구술자 B)

후회 없다

아쉬움이 남기는 했지만 투쟁에 참여했던 것에 대해 조합원들은 모두 후회 없다고 했다. 나 자신이 살기 위해 옥쇄파업을 전개했던 것이고 그 결과가 어떻든 최선을 다했기에 후회 없다는 것이다. 살면서 이런 경험을 언제 또 해보겠는가.

제가 느낀 거는 아, 인생 살면서 제가 힘들게 살은 건 아니구, 온실 속의 화초같이 살았는데 아, 인생의 한 획을 그었구나! 내 인생에. 그리고 남자로서 한번쯤은 해 볼만 했었다! 그리고 후회는 안 해요. 77일 있었던 거에 대해서 후회는 안 해요. 절대 후회는 안 해. 난 진짜 열심히 했었다! 근데 주위에서 사람들이 영웅 취급을 해요. 산하 단체나 얘기들으면 영웅적으로 투쟁을 했습니다! 이기고 나서 영웅 취급을 해야지. 지고 나서 영웅취급 절대 없거든요. 냉정하거든요. 그거에 대해서 사람들을 부추기는데 저희 당사자들은 그렇게 생각 안 해요. 내 자신이 살기 위해서 들어갔고, 남들 보여주기 위해서 들어간 건 절대 아니다. (구술자 C)

얻은 건 소중한 경험이죠. 노동조합운동의 역사의 중심에 있었다고 생각하니까. 대우차 투쟁이나 현대차 투쟁 있을 때 길거리에서 꽃병은 몇 번 던져봤지만 변두리에서 지켜봤던 거였고 내가 이 역사적 투쟁의 중심부에서 심장부에서 그리고 집행위원장을 하면서 모든 쟁대위 회의에서 결정에 직접 관여하고 직접 전투에 결합하고 이런 이 역사적 투쟁의 중심부에 내가 투쟁을 함께했다 그게 크죠. 앞으로 운동을 할지 안 할지 모르지만 노동자로 살지 어떤 삶을 살지 모르지만 잊지 못할 거 같아요. (구술자 L)

77일은 끝났지만 투쟁은 끝나지 않았다는 말도 했다. 이 투쟁은 합의서 한 장으로 마무리될 수 없는 것이기 때문이다. 이후 실망감, 상처를 극복하고 당당하게 노동자로서 살아가는 모습을 만들어야 싸움이 끝나는 것이고 진정 승리하는 것이라 말한다. 고생한 결과를 끝까지 되찾자고 했다.

77일 동안 있다 나오신 분들 중에서 몇 명은 희망퇴직 쓰시고 한 분들도 있는데 저는 그 얘기를 하고 싶어요. 억울해서 77일 들어갔지만 그것도 억울하지만, 큰 뜻은 억울하지만 속뜻은 복직을 위해서 하는 거라구. 그럼 포기하지 마시고 저도 어떻게 될지 모르겠지만 그래도 일단은 복직투쟁을 위해서 끝까지 같이 했으면 좋겠다. 77일을 왜 들어갔냐! 난 그 얘기를 하고 싶어요. 그 고생을 했는데. 근데 진짜 군대도 수색대 갔다 왔거든요. 고생도 조금 했는데, 군대 한 열 번 갔다온 것 보다 더 힘들었거든요. 솔직히. 그렇게 고생했는데 고생한 만큼의 결과물은 2년이 걸리든 3년이 걸리든 좀 참고 하셨으면 좋겠어요. 그 얘기는 하고 싶어요. (구술자 K)

끝날 때쯤에 얘기한 게 생각나는데 마지막 발언할 기회가 있었죠. 임원들이 단상 올라갔을 때 조합원들을 바라봤을 때 여기까지 옥쇄 77일까지 올 거라고 생각도 못했지만 이 많은 인원이 파업현장에서 함께 지냈던 일들, 그 사람들이 살아가는 데 당당한 노동자의 모습으로 살아갈 것을 생각하니까 뿌듯했고요. 저는 주먹밥 먹으면서 계속 하라고 했으면 했을 거 같아요, 최후에 1인이 남는 싸움을 했더라도 했을 거 같아요. 자본과 정권에 맞서서 쌍차 투쟁이 인간의 한계를 뛰어 넘을 수 있는 투쟁을 .전개하고 싶었고요. 뿌듯합니다 사실은. 그때 마지막 집회하면서 그 조합원들은 실망감부터 자기 이후 전망도 안 보이는 모습들도 보이는 사람들도 있었지만 열심히 했다는 최선을 다했다는 모습이 많이 비쳐서 다행이라고 생각하고 이후가 문제겠죠. 그 사람들 상처, 마음 속에 동력을 불어넣어야 될 거 같고. 33년 내가 살면서 노동운동의 경험, 현장 간부로선 처음 해봤던 경험, 다시 오지 않을 77일이지 않나 싶어요 이렇게 만들려고 해도 어렵겠다. 최선을 다하는 모습을 이후에도 남겨야겠죠. (구술자 H)

시간이 흐른 뒤 77일간의 투쟁은 무엇으로 남을까. 함께 살면서 배려하고 때로는 다투기도 하고, 서로의 처지를 알게 되고, 대화하면서 삶과 사회에 대한 생각을 확장해갔던 동지. “쌍용은 지더라도 파업

참여했던 동지나 사람은" 남을 것이다.

파업대오에 함께했던 동지들과의 기억, 추억. 이후 십년이 될지 이십년이 될지 몇년이 될지 모르겠지만 투쟁 현장에서의 그때 얘기들을 많이 할 거 같아요. 같이 살다시피 했던 동지들과의 이야기. 사람 관계. 개인적인 사람들인데 알면서 수년에 거쳐 알았던 사람도 있는가하면 전혀 몰랐던 사람과의 관계 속에서 인연을 맺고 이후에도 그 사람들은 함께 노동자로서 살아가지 않을까 하는 생각이 들어요. 창원동지인데요, 창원에 활동가나 노조 간부도 아니고 평조합원인데 옥쇄파업에 처음부터 결합해서 올라와서 저의 이름을 알고 발언이나 투쟁하는 모습을 보고 다가왔던 기억이 나요. 김OO 동지인데 창원의 비정규직 얘기를 하면서 평택은 노조도 있고 힘차게 투쟁하는 모습을 보니까 의지도 되고 좋다 함께 끝까지 남아서 싸우고 이후에도 만났으면 좋겠다 해서 파업 기간에 그 주변 사람들과 수차례 만나서 얘기도 하고 그랬는데 서로 고마워 하더라고. 저는 그 동지가 와서 비정규직 자기 옆에서 일했는데 짤려가는 비정규직이 있던 거에 대해서 관심을 가지고 얘기하던 거와, 내가 갖고 있던 생각 얘기하면서 사람으로서 77일간의 동지로서 만남들이 있었는데 이후에도 그게 남을 거 같아요. 그 동지가 얼마 전에 평택에 왔었어요. 쌍용이란 데를 바라보고 싶지도 않았지만 먼 길을 왔고. 쌍용은 지더라도 파업 참여했던 동지나 사람은 남겠다는 생각이 들어요. (구술자 H)

약속을 이행하라

역공

보수언론들은 일제히 노조 죽이기로 입을 모았다. 동아일보는 "파업은 끝났지만 정부와 사측은 폭력행위를 주도하거나 적극 가담한 노조원에 대해서는 엄중한 책임을 물어야 할 것이다. 심각한 불법을 저질러도 나중에 협상만 타결되면 문제를 삼지 않는 잘못된 관행이 되풀이되어서는 안 된다"며 "정부는 법을 무시하고 억지와 폭력에 의존하는 시대착오적 파업이 더는 통하지 않음을 분명히 보여줄 필요가 있다"고 처벌을 촉구하기도 했다. 조선일보도 "쌍용자동차가 살아남기 위한 마지막 희망은 새로운 대주주를 구하는 것"이라며 "그러려면 무엇보다 쌍용차를 이 지경으로 몰아간 노조에 대해 법과 원칙에 따라 철저히 그 책임을 묻는 과정을 거쳐야 한다"고 했다.

언론을 통한 이데올로기 공세뿐 아니라 경찰이 적극 나서 사법처리, 강압수사 등을 진행했다. 쌍용자동차지부 투쟁으로 노동조합 단

일사건 최대 규모인 86명이 구속되었고, 2010년 1월 14일 현재까지도 24명이 구속되어 있다.

경찰은 8월 7일 민주노총과 금속노조, 사회단체 및 그 간부들 60명을 상대로 5억 4,800만 원 손해배상 청구 소송을 냈다. 이후 경찰은 20억 원으로 청구 취지를 확대하였다. 이미 경찰은 6월 22일 쌍용자동차지부 간부, 조합원 191명을 상대로 50억 원을 청구한 바 있고, 7월 13일 민주노총, 금속노조, 사회단체 62명을 상대로 50억 원을 청구한 바 있다.

사측은 정리해고 대상이 아닌데 파업에 참여했던 94명을 대기발령 상태로 두었다가 징계위원회를 열어 34명을 추가 해고했고, 60명을 정직 등 징계했다.

경찰과 용역깡패의 폭력으로 골절 등 중상자를 포함하여 70여 명이 병원 입원 또는 통원치료를 하고 있다. 파업 기간 동안 81.9%의 조합원이 평균 1,400만 원의 빚이 증가했고, 자살충동 등 심각한 정신적 고통을 호소하고 있다. 집행부에서 조합원과 가족대책위를 대상으로 집단치유프로그램을 진행하고 있으나 생계 등의 문제로 참여하지 못하는 경우도 있다.

실무교섭

8월 13일부터 한상균 지부장은 옥중에서 단식을 했다. 한 지부장은 실무교섭을 통한 노사합의 원만한 이행, 노조 무력화 시도 중단, 비해고자에 대한 불이익 철회 등을 요구했다. 실무교섭을 강제하고자 했던 것이다.

노사 실무협의는 8월 18일 오후 2시 30분경 평택시청 1층 소회의실에서 개최됐다.

실무협의에 노조측은 김선영 수석부지부장, 장영규 대협실장, 박강렬 정비지회 광주분회장, 박장희 창원지회 대의원 등 4명이, 사측은 류재완 인사노무담당 상무, 고재용 노사기획팀장, 김동한 노사협력팀 부장 등 3명이 참석했다.

노사는 정리해고 규모에 대한 논의를 하기로 했으나, 파업에 참여했던 비해고 조합원에 대한 대기발령 조치를 놓고 설전을 벌였다. 지부는 파업에 참여한 비해고 조합원에 대한 인사상 불이익을 철회하고 지부 간부들에게 노조 사무실 출입을 허용하라고 요구했다. 사측은 "서로간의 감정의 골이 깊다. 당분간 들어오지 않는 편이 낫지 않느냐"며 거부했다.

2차 실무협의는 19일 오후 2시 40분께 평택시청 1층 소회의실에서 열렸다. 이날 협의에서는 정리해고 대상자 분류를 8월 1일 농성참여자인 685명 기준으로 정하기로 했다. 합의결과에 따라 685명 중 48%에 해당하는 329명은 무급휴직과 영업전직을 통한 고용을 유지하게 되며, 52%에 해당하는 356명은 희망퇴직과 분사를 통해 정리해고 된다. 정리해고 대상 인원 가운데 8월 1일부터 6일 사이에 공장농성장을 빠져나간 41명의 조합원은 무급휴직을, 79명은 희망퇴직을 이미 사측에 제출한 상태였다. 따라서 다음 실무협의에서는 이 인원을 제외한 565명의 처리문제를 놓고 논의하기로 했다. 노동조합 출입 허용 등 노조 활동 정상화와 관련해 사측은 "합법적인 활동에 대해 막을 수는 없지만 불상사가 우려되므로 시일을 달라"고만 했다. 파업에 참여한 비해고 조합원에 대한 인사상 불이익에 대한 부분에서도 사측은 징계 방침을 분명히 하겠다는 입장이었다.

20일 오후 3시경 평택시청 1층 소회의실에서 열린 3차 노사 실무협의에서는 사측이 6일 협의 내용을 번복해 난항을 겪었다. 사측은 현장복귀 시 농성자를 우선한다는 합의 내용을 무시하고 농성참여 유무에 관계없이 동등하게 적용하겠다고 주장한 것이다. 결국 3차 실무협의에서는 명단을 일일이 확인하는 과정에 누락된 1명이 추가되어 분류대상자가 686명으로 늘어났을 뿐 그 외의 사항에 대해서는 노사간 평행선을 그으며 맞섰다.

24일 오후 3시 30분께부터 진행된 4차 실무협의는 밤 9시경까지 진행되었으나 끝내 결렬됐다. 그동안의 실무협의를 통한 유일한 합의안은 2차 실무협의에서 8월 1일자 기준 파업 농성자 686명에 대해 48:52로 정리해고자를 분류하기로 한 것 뿐이었다.

약속 위반

8월 6일 이후 평택역 앞에 현수막이 걸렸다. “화합의 엔진소리, 시민이 함께 합니다”, “쌍용차 노사 대타협, 평택경제 청신호!”, “쌍용자동차 노사 모두 고생하셨습니다.”

그러나 화합, 대타협이라는 문구는 사측에 의해 무참히 짓밟히고 있다. 8월 6일 노사합의 시 약속이 지켜지지 않았다.

첫째, 간부 7명이 남아 후속 실무협상 등을 진행하기로 하였으나 그날 저녁 경찰이 전원 연행하여 노조업무가 상당기간 중단되었다. 또한 간부들의 노조 사무실 출입문제에 관련하여 사측이 출입을 허용하지 않아 업무가 중단되었다가 간부 중 비해고자만 출입을 허용하였다. 그것도 사측과 결탁한 수구세력들의 민주노총 탈퇴가 마무리 된 후인 10월 중순 이후에나 노조 출입이 가능하게 되었다.

둘째, 민형사상 면책관련 합의가 있었다. 사측은 일반조합원에 대한 형사 건은 일부 취하하였다. 그러나 합의 시 "회생계획안 인가 시 취하"하기로 한 문구에 근거하여 민사상 문제를 취하하지 않고 있는 상황이다. 또한 간부들에 대한 민형사상 면책에 대해서는 법정관리인과 지부장이 합의했으나 이에 대해서는 어떤 조치도 이행하지 않고 있다. 셋째, 대타협의 정신에 기초하여 후속 실무작업을 진행하기로 했으나 실무협상 시 사측은 일방적인 기준에 따라서 무급휴직자와 희망퇴직자를 구분하여 통보하였다. 이로 인해 실무협상은 결렬되었다. 넷째, 정비 분사와 관련하여 분사계획을 취소하기로 합의한 바 있으나 최근 사측은 정비소 자체를 외주화 하는 계획을 추진함으로써 합의를 위반하고 있다. 또한 비정규직 관련 19명의 조합원에 대하여 재취업을 보장하기로 하였으나 현재 19명 전원 재취업이 이뤄지지 않아 비지회가 투쟁을 진행하고 있는 상황이다.

여기에 더해 경찰의 강압, 협박 수사는 극에 달했다. 경찰의 협박, 파업 후유증으로 각종 질환에 시달리던 조합원 두 명이 자살을 시도하였다.

8월 20일 오후 6시경 파업에 참여했던 한 조합원이 자택에서 우울증 치료제 다량을 복용, 자살을 시도했다. 가족들에 따르면 "파업 참가 뒤 우울증 치료를 받았고, 세 차례에 걸친 경찰 수사에 상당한 심리적 압박감을 받았다"고 했다. 또한 이 조합원이 쓴 유서가 공개되면서 경기지방경찰청의 강압적 수사가 원인임이 드러났다.

다음은 8월 21일 금속노조가 공개한 그 조합원의 유서 전문이다.

내 생각을 적어봅니다.
머리가 멍하고 심장이 두근거려 아무 것도 할 수가 없습니다. 선풍기 덜덜대는 소리도 헬기 소리같이 들리고 에어컨 소리도 헬기 소리처럼 들립니다. 밥맛도 모르고 잠도 새벽에 2~3번 정도 깨고 무얼 해야 할지도 모릅니다.
C 형사는 수시로 전화해서 '△△ 형한테 말 해 봤냐, 우리 3명이 만나 얘기를 할까, X 달린 남자끼리 얘기 한 번 하자.' 동료들 팔아먹은 놈이 형사랑 3명이 술을 마실 수 있겠습니까. 죽고 싶은 심정입니다. 죽으려고 합니다. 그것만이 동지들에게 보답하는 길이라 생각합니다.
지금도 C 형사한테 전화가 옵니다. 심장이 또 뛰기 시작합니다.
□□□와 마지막 통화를 했다. 사랑한다는 말을 했다. ◇◇◇이 ◎◎◎이도 사랑한다는 말을 하고 통화를 했다. 이젠 더 이상 조사 받으러 안 가도 되는구나. 내 담당형사가 C 형사만 아니었더라도 이렇게 하진 않았을 텐데.
사랑하는 동지들에게.
내가 동지를 팔아먹은 나쁜 놈입니다. 죄송하고 미안합니다. 내 담당 형사는 경기경찰청 C 형사. C 형사는 죽일 놈이다. 나 역시 죽일 놈이다. C 형사를 믿은 내가 바보였다. 살려준다는 말에 복직시켜준다는 말에 '너 만큼은 내가 빼줄 수 있다, 너희가 무슨 잘못이 있냐, 위에서 시킨 놈이 잘못이지 그러니 말을 하면 빼주겠다, 증인들 서면 네 이름은 안 나온다.' 가정을 살려야 한다는 생각에 내가 동료를 팔아먹은 죽일 놈입니다. —을 팔아먹었습니다.
보지도 않은 것을 보았다고 진술을 한 것입니다. 대포 쏘는 걸 보지도 않은 내가 보았다는 거짓 진술을 한 것입니다. 내 작은 생각이 이렇게 큰 불화를 일으킬 줄은 시간이 지나 알게 되었습니다. —야 정말 미안하다.
내 진술서에 3명의 진술은 거짓 진술입니다.
C 형사는 '건너 집기' 수사로 '또 불어라, 넌 지금 30% 밖

에 안 불었다' 그러면서 '네가 더 말을 하지 않으면 이제 와서 너를 도와줄 수 없다.' 이런 X 새끼가 어디 있습니까. 나 역시도 죽일 놈인데 C 형사도 죽일 놈입니다.
조사실에서는 가만히 있다가 화장실이나 담배 필 때마다 '더 불어라, 그래야 도와준다. 너 살아야 되지 않냐. 시원하게 불어라.' 오후 3시에 들어가서 나올 때는 담배 20가치를 다 피웠으니 20번 정도는 회유, 협박을 하는 놈입니다.
또 이번에는 나보고 '** 형을 설득시켜 불게 하라. **도 살아야 되지 않냐. &&이가 대포를 만들었다. 말해도 구속은 안 시킨다. 만들라고 시킨 놈을 잡으려고 한다. **이 형 &&를 설득시켜라. 술 한잔하며 이야기를 해봐라.' 대포 쏘는 거, 만드는 거를 보지도 못한 나보고 **이 형, &&를 설득시키라는 C 형사는 아주 쓰레기 같은 놈입니다.
내가 동지들한테 할 수 있는 길이 이길 뿐이라 생각합니다. 죄송합니다. 사랑합니다.

09년 8월 20일 오후 3시

조직 정비

지부는 8월 24일 09-02차 임시대의원대회를 민주노총 평택안성지부 사무실에서 속개했다. 금속노조 차원에서 진행되는 구속자 석방을 위한 탄원서 서명운동 계획과 경찰의 강압수사로 인한 조합원 자살 시도 및 관련 기자회견 사업을 보고하였다. 또한 부상자 현황 및 치료비, 실무협의 진행경과, 조합사무실 출입문제 등 현안문제를 보고했다. 이어 안건으로 정리해고자특별위원회 구성 건이 상정되어 대의원 만장일치로 통과되었다. 구속자 생계비 지원 건은 지부 규정 제63조 1항에 근거해 평균임금의 100%를 지급하기로 결정하였고, 구속자 영치금을 월 10만 원씩 지급하기로 결정했다.

임시대의원대회는 25일에도 속개되었다. 한상균 지부장은 옥중에서 박금석 조합원을 직무대행으로 지명하였고, 대의원들은 이를 추인하는 절차를 밟았다. 또한 사측의 출입저지로 정상적인 조합활동이 어려워지고 선거일정도 함께할 수 없음을 감안해 금속노조에 사고지부 처리를 요청키로 했다. 다만 출입이 보장돼 조합활동이 정상화되면 선관위 모집 공고 후 조속히 지부 선거를 치르기로 의견을 모았다. 마지막으로 "현재 노동조합은 모든 기능이 정지되어 있다"며 상급단체와 결별하기 위한 총회 개최를 호소하는 유인물을 뿌린 조운상 조합원에 대한 징계안건 논의가 있었고 이는 차기 대

의원대회에서 처리하기로 했으나 이후 대의원대회를 개최하지 못했다.

사측은 9월 중순부터 조합원 개별 면담을 시작했다. 옥쇄파업 마지막까지 있던 조합원들이 무급휴직을 신청하였으므로 그 중에 희망퇴직자를 선별하겠다는 것이다. 사측은 이 과정에서 조합원들에게 '진술서' 를 작성하게 해 반발을 샀다. 그 양식에는 농성 결합 이유, 삶의 변화, 농성에서의 역할 등을 적게 되어 있었다. 사측이 '진술서' 에 버금가는 서류 작성을 요구하자 조합원들은 이에 대해 반발했고, 정특위는 면담에는 응하되 '진술서' 는 작성하지 말 것을 지침으로 내렸다.

> 저희가 무급휴직을 다 했어요. 근데 너무 많기 때문에 면담을 해야 되겠대요. 그러면서 웃긴 게 뭐냐면, 진술서 같은 거 양식 있다고 써오래요. 제가 다운받아 봤어요. 도대체 뭔 내용을 쓰라는 건가! 자기 삶이 여태 하고나서 바뀐 삶이 무엇이냐! 이 새끼들! 장난치나! 그리고 왜 들어갔냐! 그걸 서두에 쓰라는 거구. 그리고 젤 밑에 눈에 띄는 게 뭐냐면 들어가서 도대체 직책이 뭐였냐! 뭐~ 무슨 행동을 했습니까? 그러면 뭐야~ 그걸 만약 썼으면 정보가. 내 그래서 이번에 가서 대놓고 한판 싸울라구. 니네가 경찰이냐! 니네 면담 한다는 게 조서 양식 꾸미는 거랑 뭐가 다르냐, 경찰서에 넘겨주고 대충 한 번 쑤셔 보십시오, 조사 한번 해보시죠. 니네 그 용도로 쓸거냐! 니네 정당하게 하려면 내 고과 있지 않냐, 내 근태관리 한 거 있지 않냐! 그걸로 인원 추슬러야 되는 거 아니냐! 그리고 당신도 알겠지만, 네 밑에서 일한 사람 잘 했냐, 안 했냐 네가 알 거 아니냐! 그걸 갖구선 면담을 하는 거지 이 양식을 왜 써내냐! (구술자 C)

사측은 민주노총과 금속노조를 탈퇴하지 않으면 쌍용차가 망한다면서 탈퇴를 조직했으며 박영태는 지식경제부 장관, 협력사 관계자들과의 간담회에서 "민주노총 탈퇴를 추진하겠다"고 약속했다. 급기야 9월 8일 사측의 압박에 따라 금속노조 쌍용자동차지부 집행부를 무시한 채 탈퇴 총회를 했고, 이후 위원장 선거를 거쳐 10월 21일 탈퇴노조의 집행부 업무를 시작했다. 쌍용자동차지부는 탈퇴 총회의 절차상의 문제 등을 이유로 법적소송을 제기했다. 선거관리위원 4명의 임기가 남아있는데도 소집권자가 자의적으로 11명을 임명하고 이들이 선거를 진행했으며, 공장 밖에 있는 조합원들에게는 투표권도 주지 않고 실시했다. 지부는 법원으로부터 선거관리위원회의 구성의 불법성으로 인해 선거를 중단하라는 결정을 받아 냈으나 사측과 탈퇴파들은 이를 무시하고 선거 등을 진행한 것이다. 11월 2일 사측은 탈퇴 결의한 탈퇴노조의 위원장 당선자와 노사민정협약식을 치르면서 무쟁의 선언 등을 진행했다.

쌍용자동차지부의 파업 참가 조합원들을 정리해고특별위원회로 구성하여 지속적인 정리해고 무효화투쟁을 진행할 것이며, 희망퇴직자 및 정리해고자를 중심으로 하되 파업투쟁에 참여 했던 조합원을 비롯한 지지 조합원을 중심으로 쌍용자동차지부를 유지하면서, 탈퇴하여 설립한 노조를 재조직하는 전략적 계획들을 추진하고 있다. 비지회 또한 10월 1일 복귀 약속 이행을 위한 투쟁을 진행하고 있다. 쌍용자동차 하청업체는 업체 직원 외에 단기계약직, 아르바이트 및 이주노동자까지 고용하며 노동강도를 높이고 있는 상황이다. 이에 맞서 비지회는 지부 정리해고특별위원회와 긴밀한 관계를 맺으며 조직 재정비와 투쟁을 이어가고 있다.

정특위 활동의 주체인 조합원들은 앞으로 복직 투쟁을 위해 적극 투쟁할 것을 결의했다. 77일간의 옥쇄파업을 억울하게 마무리하지 않기 위해서는 원직복직을 이뤄내야 한다는 것이다.

> 저희 원직복직 해가지고 힘들게 싸웠던 사람들 다 원직복직 되가지고 다시 옛날 상태로, 형님 아우 하는 상태로 갔으면 좋겠습니다. 솔직한 심정으로 지금은 차 내놓을라구! 좋은 차인지는 알겠는데도 불구하고 정이 떨어지니까. 쌍용차만 보면 정이 떨어지니까. 쌍용자동차 공장 옆에도 몇 번 지나가고 그랬는데, 보기도 싫은 거예요. 내가 저길 십몇 년을 계속 이 길을 다녔는데도 불구하고, 짤리고 나서 갈려니까 다 새로운 거예요. 길이~ 와~ 마음이 진짜! 그 정문을 지나갈 때는 어떻게 막 추스르지를 못하겠어요. 우리도 먹고 살아야 되니까. 자식도 있기 때문에 먹고 살아야 되기 때문에, 전면적으로 나가서 복직 투쟁은 못하지만, 몇몇 동지들이 있어도 저희가 지원사격 해주고, 중요할 때 우리가 이렇게 모일 때 다 모여 주고 그런 걸 하면서 끝까지 복직투쟁 하겠다는 거죠. (구술자 C)

투쟁의 의미와 성과

- 투쟁의 의미
- 주요 논쟁 지점
- 투쟁의 성과
- 한계와 과제

투쟁의 의미

쌍용자동차지부의 투쟁은 정리해고 철폐와 민주노조 사수 투쟁으로 귀결되었다. 그러나 근본적으로는 세계경제 공황기 자본의 위기를 노동자에게 전가하는 전형적인 자본의 위기극복 방식에 대한 투쟁이다. 핵심쟁점은 정리해고로 나타났지만 자본의 입장에서는 정리해고 뿐 아니라, 복지의 축소, 희망퇴직, 임금의 삭감, 분사, 노동시간의 연장, 노동강도 강화 등이 모두 노동의 몫을 강탈하여 자본의 위기를 극복하는 방식인 것이다. 또한 쌍용자동차의 투쟁은 세계경제 공황이 자동차산업 전체에 미치는 영향에 있어, 쌍용자동차의 사례를 자본의 모범 사례로 만들어야 하는 목적을 가진 자본과 정권과의 한판 승부인 것이다. 애초부터 쉬운 싸움은 아니었고, 자구안(양보안)의 논란도 바로 정세인식의 차이에서 발생했던 문제였으나, 투쟁이 진행되면서 간부들과 조합원들도 문제의 본질을 파악하게 되었다. 대부분의 연대단위도 쌍용자동차지부의 투쟁이 단지 쌍용자동차만의 투쟁이 아님을 인식하고 적극적인 연대와 공동투쟁을 했던 것이다.

쌍용자동차지부는 쌍용자동차 위기의 근본원인을 상하이차의 투자불이행과 기술유출로 규명하여 상하이차의 문제를 사회적으로 부각시켰으며, 위기 극복의 대안으로 공적자금 투입, 공기업화 등을 요구하였다. 이는 쌍용자동차의 문제에 매각 당사자였던 국가의 책임이 있음을 분명히 한 것이다. 투쟁의 초기 여론화 작업은 성공적이었다고 평가할 수 있다. 그러나 사측의 정리해고 신고, 노사문제로 축소하려는 시도, 언론의 정리해고 숫자를 부각하는 쟁점 왜곡 등으로 결국은 정리해고를 받아들일 것이냐, 말 것이냐의 문제와 민주노조의 사수 투쟁으로 귀결된 것이다. 상하이차의 입장에서는 기술이전을 위한 시간 확보와 일정 부분의 인수비용이라도 건져볼까 하는 것이 최대의 관심이었겠지만, 이 땅의 자본과 정권은 자본의 위기극복 방안인 구조조정의 관철과 민주노조의 파괴, 활동가들의 거세를 위해 연대하였다. 특히 쌍용자동차의 인수기업으로 유력하게 소문이 돌았고, 2009년초 김문수 경기도지사의 제안으로 다시 부각되었던 삼성을 위해서는 민주노조의 파괴가 필수적인 것이었다.

쌍용자동차지부의 정리해고 철폐 입장은 "해고는 살인이다"로 정리되었다. 이 의미는 정리해고는 타협이나 협상의 대상이 아니라는 것이다. 해고는 곧 살인으로 해서는 안 되는 행위인 것이다. 실제로 투쟁 과정에서 여섯 분이 돌아가셨다. 조합원 당사자뿐 아니라 아직 세상을 구경도 못한 생명이 죽어갔고, 간부의 부인이 자살하였다. 자본의 살인 행위는 조합원뿐 아니라 가족들의 목숨도 요구하는 것이다. 자본의 정리해고는 일정 부분의 노동자와 가족들을 죽음으로 몰아서라도 자신들의 이익을 회복하려는 것이다. 쌍용자동차지부의 투쟁은 살인을 막는 것으로 목숨을 건 투쟁이었다.

자본과 정권의 입장에서 보면 완성차 중 쌍용자동차가 선정된 것은 2004년 매각과 비슷한 이유일 것이다. 완성차 사업체 중 규모가 상대적으로 작아 경제에 미치는 영향과 사회적 파급력이 적다는 점이다. 또한 2006년 노동조합이 옥쇄파업을 했으나 전환배치를 내 주었고, 상하이차 인수 이후 비정규직 중심의 구조조정을 합의해 주었기 때문에 이번에도 저항해 보았자 자본의 의도대로 될 것이라는 자신감이 있었을 것이다. 확실한 승리를 통해 대규모 완성차 노조에도 관철시켜 내겠다는 의도를 가지고 있었다. 물론 쌍용자동차의 경영위기가 의도대로 만들어진 것으로 보는 것은 아니다. 상하이차의 약속 불이행과 경영진의 잘못, 그리고 세계적인 경제공황의 여파로 만들어진 쌍용차 경영위기를 정권과 자본은 자신들의 목적을 관철시키는 대상으로 선정한 것이다.

쌍용자동차지부의 2009년도 투쟁은 IMF이후 쌍용그룹에서 대우그룹으로, 대우에서 분리되어 기업개선작업(워크아웃)에 들어갔으며 공적자금 투입, 상하이차로의 매각, 반복되는 경영위기, 세계경제 공황의 여파 등 일련의 사건들의 총체적 결정판이라 할 것이다. 초기 한상균 집행부나 조합원이 원했던 투쟁은 정리해고를 저지하는 투쟁이 아니라 상하이차로 하여금 투자 약속을 이행하게 하고, 안 하면 쌍용자동차에서 쫓아내는 총파업 투쟁이었다. 지난 4년간 사측과 상하이차를 상대로 종이쪼가리에 불과한 합의안만 만들었던 과거 집행부와는 달리 공세적인 투쟁을 계획했지만, 회사의 경영상황 악화의 정도나 상하이차의 기술이전 정도 등을 볼 때 초기 요구를 건 총파업은 시기적으로 늦은 상황이었다.

상하이치가 5,909억 원 인수자금을 분명하게 자신들의 돈으로 납부하고, 10억불 이상의 투자, 4,000억 투자, 매년 3,000억 투자 약속에서 한 가지라도 이행하였다면 쌍용자동차는 구조조정 정리해고가 아니라 신규 인력을 채용해야 했을 것이다. 쌍용자동차의 노동자들이 억울해 하는 것은 바로 상하이차의 거짓말과 범죄 행위인 기술유출로 발생된 모든 문제를 노동자들에게 전가하며 희생과 양보만이 회생방안이라며 몰아친다는 것이다. 노동조합은 이러한 문제들을 알리고자 중국대사관 항의방문, 기자회견 등 다양한 방법들을 동원했지만, 중국의 눈치를 봐야하는 이명박 정권과 자본이 조장하는 여론으로 언론의 관심에서 조차도 밀려나 투쟁의 본질을 앞세우지 못했다.

사측의 복지 중단, 휴업조치, 사장 명의의 가정통신문 발송, 특별노사협의를 통한 협박, 사측의 현장 설명회 개최, 강제적인 결의문 서명 등의 선공으로 노동조합은 수세적인 요구의 투쟁을 전개하게 되었고, 최대 주주인 상하이차가 법정관리를 신청해 쌍용자동차 전 직원들을 불안한 상태에 놓이게 하였다. 2009년 1월 5~6일 실시한 쟁의행위찬반투표조차도 투쟁이 상하이차에 대한 부분이 아니고 노사분규로 비쳐질 것을 우려하여 개표를 보류하기도 했으나, 상하이차의 법정관리 신청으로 투쟁의 방향은 정리해고 반대로 귀결되었다.

상하이차와 경영진의 의도대로 현장 조합원들은 회사의 회생 여부가 최대의 관심이 되었다. 2009년 2월 6일 법정관리인이 선임된 이후에는 노사가 휴업에 관련하여 협의를 진행하고 지부 차원의 기업회생을 위한 대외적인 노력들을 전개하였으나 휴업협상은 결렬되었고, 사측은 3월 9~10일 비정규직 35명에게 해고를 통보하였다. 지부는 기자회견을 통해 양보안을 발표하였으나 사측은 2,646명 인력감축안을 발표하고 인력감축 및 임금축소 방안을 지부에 통보하였다. 이어 사측은 관리직에 대한 희망퇴직을 모집하였고, 지부는 쟁의행위찬반투표를 실시(4월 13~14일)하고, 사측이 정리해고 명단을 6월 2일 통보하자 6월 8일 기자회견을 통해 정리해고 철회를 요구하고, 이제까지의 양보안을 모두 거두어들였다.

지부의 입장에서는 쌍용자동차 위기의 본질이 상하이차의 투자약속 불이행에 있음을 분명히 하고 쌍용자동차 회생을 위해서는 자금수혈이 필요하므로 공적자금 투여 요구 등의 노력을 하며 '함께 살자' 는 슬로건 아래 정리해고 없이 다함께 사는 방안들을 제시하는 노력을 보였다. 그러나 사측이 지부의 안을 철저히 무시하고 반드시 정리해고를 관철시키려는 태도로 일관한 상황이었다.

쌍용자동차지부는 "정리해고 철회, 분사 철회, 비정규직을 포함한 총고용 보장"을 요구로 투쟁을 전개하게 되었고, 핵심은 정리해고 철회 문제로 일관되게 전개되었다. 투쟁에 참여한 조합원들은 노동조합의 총고용 보장 - '함께 살자' 가 정리해고 없이 같이 살 수 있는 대안임을 동의하고 투쟁에 함께하였으나, 투쟁이 장기화되면서 정리해고의 철폐가 자신들의 요구로 자리 잡게 되었다. 민주노조 사수는 정리해고 철폐 투쟁에 가려 드러나지는 않았으나, 8월 6일 합의 이후 진행된 소집권자 지명 요구, 투쟁 불참자 중심의 금속노조 탈퇴, 선거관리위원회 구성, 집행부 선거 등은 사측의 목적이 무엇이었는지를 분명하게 보여주고 있다.

주요 논쟁 지점

요구안

쌍용자동차지부의 요구를 한마디로 표현하면 총고용보장이다. 지부가 4월 7일 기자회견을 통해 발표한 요구안을 보면 상하이차 지분 51.33%소각, 5+5근무 및 3조2교대 포함 일자리 나누기로 총고용유지, 비정규 고용안정기금 지부 12억 출연, 개발자금 및 운영자금 인건비 담보로 1,000억 대출, 산업은행 우선회생 긴급자금투입요구 등이었다. 총고용보장에 대해 이견이 있을 수는 없겠지만, 어떤 총고용보장이냐가 문제일 것이다. 임금삭감과 노동강도의 강화가 쟁점인데, 내부적으로도 상당한 논란이 있었던 자구안은 투쟁기간 내내 문제점으로 지적되었다.

이 자구안을 내냐, 마냐 논쟁이 있었어요. 고용특위하고 자문단에서 얘기했는데 저는 자구안을 내면 안 된다는 주장을 했었고. 왜 안 되냐면은 얘들이 목표를 정해 버렸는데 어떤 양보안을 내더라도 이것이 우리 내부만 흔들릴 뿐이지 결코 도움이 안 된다 그랬던 거고, 저하고 좀 다른 생각을 갖고 있으신 분들은 현장의 조직 결속력을 다지고, 또 하나는 일정량을 던져야 한다. 뭐 이런 얘기가 있었는데 그래서 그것 때문에 마찰이 한번 심하게 있었어요. …(중략)… 그러는데 발표를 했어요. 그런 이후에 이제 그것이 모든 언론과 정부기관에서 이미 확정이 돼서 이거는 그냥 기본 베이스로 깔고 갔던 거죠. 많은 분이 우려했던 일이 우리에게 현실적으로 나타나기 시작했죠. (구술자 M)

논란의 핵심은 이러한 양보안이 이번 투쟁에 있어 맞는 요구였으며, 투쟁을 지속하는데 일관된 요구로 정착되었는가의 문제일 것이다. 요구의 수위를 결정하는데 있어 중요한 부분은 첫째, 왜 싸우는가가 명확해야 하고 관철하고자 하는 의지가 분명히 담겨 있어야 하는 것이다. 둘째, 투쟁의 주체들이 동의하고 단결할 수 있는 내용이어야 한다.

쌍용차지부 내부에서는 양보론과 원칙론이 맞서 결국 내부단결과 우호적인 여론전을 이유로 자구안을 제출하게 된다. 실제 노동조합 내부에서는 조합원뿐 아니라 현장 활동가, 대의원, 상집간부까지도 일정부분의 양보안을 제출하면 정리해고만은 막을 수 있다는 의견이 대다수였다. 당시의 상황을 종합해 보면 양보론과 원칙론에서 양보론이 현장내부의 우위를 점하고 있었다.

자구안 제출을 주장하는 동지들은 내부결속과 여론전환용 두 가지 측면을 근거로 제시했다. 현장에서의 압박과 싸늘한 여론의 시선을 돌파하기 위해 필요하다는 주장이었다. 한편, 양보론에 회의적인 동지들은 양보는 또 다른 양보를 낳을 수밖에 없다는 점과 정부와 자본은 노동유연화의 핵심인 인력구조조정을 단행할 것이라고 확신하면서 양보론에 반대하였다.

옥쇄파업 돌입 이후 6월 1일, 사측의 직장폐쇄에 항의하는 기자회견에서 기존의 자구안에 무급휴직까지 포함하는 양보안이 제출된다. 애초 기자회견의 방향은 옥쇄파업 10일이 되어가는데도 무대응인 정부에 노정교섭을 제안하고 사회적으로 환기시키는 것이었다. 그러나 지부장이 수정을 지시했음에도 금속노조 담당국장이 무급휴직 제안을 넣어서 작성한 기자회견문 초안이 회견장에서 발표되었다. 금속노조나 쌍용자동차지부 등 어떤 공식단위에서도 논의 되지 않았던 '쌍용차 모델' 이라는 것이 문서화되어 각 언론사의 보도자료에 첨부되어 뿌려지는 해프닝이 벌어졌다. 6월 1일 기자회견에 대한 해프닝으로 인해 현장에서는 엄청난 혼란이 있었고, 지도부에 대한 신뢰의 문제가 제기되었다.

> 그게 어떻게 나왔냐는 과정이 중요해요. 그날 쌍차공투본에서 회사가 직장폐쇄를 강행해서 어떤 기자회견이라도 해야 되지 않겠느냐! 이런 의견이 있었고, 그러면 기자 요청을 누가 잡느냐! 그래서 공투본에서 했는데 누구한테 책임지라고 얘기는 안 한 거예요. …(중략)… 새벽 6시에 이제 지부장한테 보고한 건데 지부장이 문제되는 뭐 무급휴직 다 빼라! 다 빼라고 지시를 했는데 안 뺀 거죠. 그냥 지부장이 다 뺀 줄 알고 읽다 보니까 어처구니가 없다고 하더라고요. 6월 1일날 발표한 '쌍차 모델' 같은 경우에는 내부에서는 전혀 논쟁이나 논의가 안 된 상태에서 금속하고 관계에서 그냥 된 거였죠. (구술자 M)

과정상의 혼란 속에 발표된 지부의 양보안은 현재의 경영위기 상황을 그대로 인정하고, 현 체제 속에서 해결책을 강구하는 것이었다. 투쟁의 주체인 조합원들에게 노동조합이 무조건의 반대 투쟁이 아니라 대안을 갖고 투쟁하고 있고, 실현 가능하다는 인식을 심어 주는 데에는 성공 했을지 모른다. 그러나 실제 조합원들도 실현 가능성에 대해서 의구심을 느꼈고 투쟁 조직화에 도움이 되는 것은 아니었다. 다만 "노조도 이렇게 양보했는데" 라는 명분 외에는 없었다. 이미 한 번 나온 노조의 양보안은 언론과 자본, 정권에 의해 기정사실로 되고 그 이상의 양보안이 안 나오면 노조는 버티기만 한다고 비난하는 것이 자본과 정권, 언론이 만들어 내는 전술임을 간과했던 것이다. 투쟁 초기의 요구로는 아쉬운 부분이 있다.

> 그거는 저희가 뭐 아시겠지만 총고용을 하겠다는 것이 허무맹랑한 스토리만은 아니었던 것이 충분히 우리도 정말 어려운 시기라고 한다면 노동자 입장에서 충분히 양보할 수 있겠다, 그 양보를 통해서 총고용도 유지가 될 수 있겠다라는 생각을 했었고 거기에 대해서 저희 간부들도 충분히 가능한 얘기다, 허무맹랑한 그런 얘기만은 아닐 것이다라는 입장들이었구요. 그래서 그게 총고용이라는 타이틀을 걸고 가는데 있어서는 의견이 분분한 부분은 아니었고 다만 조합원들은 그 부분에 대해서 총고용하면 좋겠지만, 말만 그런 거지, 총고용이 말이나 되냐 그런 정도의 인식이었죠. (구술자 A)

현장에서는 내막을 모르는 조합원들이 지도부의 의지가 어디에 있는지에 대한 의구심을 표현하였다. 이에 지부장이 무급휴직 제안은 지부의 의견이 아니라는 것을 설명하고, 6월 8일 전면 폐기를 선언하면서 대중적인 의구심을 풀어나갔다. 그리고 "공적자금 투입과 공기업화, 상하이 지분 소각, 정리해고와 분사계획 철회하고 비정규직 포함 총고용 보장"을 요구하였다.

그러나 이후 정치권 중재, 금속노조의 중재안 등에서 지속적으로 나왔던 무급휴직안은 내부를 끊임없이 교란시키면서 투쟁을 정리시키기 위한 방안으로 작용하였다. 아무리 양보안을 던진다고 해도 쌍용자동차를 대상으로 자신들의 목적을 관철시키고자 하는 정권이 수용할 리가 없었다. 7월 말 중재단과의 면담자리에서 "정리해고의 문제는 비용의 문제가 아니었다"라고 한 박영태의 말처럼 총자본과 총노동의 대리전이 분명한 상황에서는 무급휴직안에 대한 쟁점은 교란요인이었을 뿐이다. 또한 투쟁하는 조합원들의 의지와 목표가 함께 반영되고 결의되어야 할 요구가 변화하는 과정에 있어서도 절차 민주주의조차 지켜지지 않았다. 조합원들은 정리해고 철폐를 목표로 목숨 걸고 투쟁하며 투쟁과정을 통해 단련되어 갔지만 일부 간부들과 금속노조 등은 양보교섭의 불가피론으로 혼선을 초래하고 투쟁전선을 교란시켰다. 사측은 애초부터 계획한 일정과 내용에 따라 구조조정을 진행했으며 노동조합의 요구와 대안은 검토조차 않고 무시하였다.

> 쭉 하다 보니깐 사월정도 되니까 회사에서 다시 8+8로 가야된다. 얘기를 하더라구여. 좀 물량이 늘었다고 왜 그때 6+6이나, 5+5를 안 받았냐! 했더니 그거는 노동조합 안에 대해서 받으면 이게 노동조합 안으로 끌려갈 것 같아서 일부러 안 받은 거죠. 그랬던 거예요. (구술자 M)

노동조합이 애초에 분명한 방향을 잡았다면 중간에 폐기하고 수정하는 오류는 없었을 것이다. 자본과의 교섭꺼리가 아닌 노동자의 관점에서 투쟁의 목표와 그에 걸맞는 요구를 걸고 전선을 분명하게 했어야 했다.

정리해고 명단 논란

6월 2일 개별 우편 통보로 전달된 정리해고통보서의 명단이 사전에 있었느냐의 논란이 있었다. 사측은 5월 8일 노동부에 정리해고 신고와 동시에 현장직에 대한 희망퇴직을 공고한다. 희망퇴직 마감일인 5월 18일 이전부터 사측은 정리해고 명단이라며 현장에 흘리기 시작하였다. 이는 관리자들을 통해 급속도로 확산되었고, 현장조직 중 보수적인 집단의 지도부는 사측과의 접촉을 통해 자신의 조직원들에게 명단에 있다며 희망퇴직을 강요하였다. 현장은 대혼란이었고, 지도부에도 상당한 타격을 주었다. 정리해고의 문제는 생존의 문제였기 때문이다. 실제로 명단이 유포되기 전에 5월 14~15일까지 희망퇴직자가 200명이 안 되었는데 명단 유포 후 희망퇴직자가 급속하게 늘어 5월 20일 659명이었다.

정리해고 명단이 있었는가의 문제는 명단의 진위 여부를 떠나 그 존재만으로도 실제 조직력에 영향을 미쳤다는 점에서 검토될 필요가 있다. 또한 명단이 희망퇴직 선택 여부에 결정적인 영향을 끼쳤기에 중요한 부분이다. 사측은 5월 14~15일부터 집중적으로 명단을 흘리며 희망퇴직으로 몰아가고 있는데 노동조합 집행부는 조합원들에게 명단의 진위여부에 집중하지 말라, 희망퇴직 하시 말라고 설득하는 것 외에는 다른 방안을 찾지 못한 채 속수무책이었다. 희망퇴직자들이 늘어나고 옥쇄파업에 돌입해서도 사측의 명단유포와 희망퇴직 유도는 계속되었다.

현장을 혼란스럽게 하고 지도부에 타격을 준 정리해고 명단이 실제로 존재했는가? 많은 사람들은 없었다고 하나, 소수는 분명히 존재했다고 주장하고 있다.

> 이게 분명한 원칙과 기준에 의해서 정해진 명단이 있다고 한다면 그게 뭐 노무팀이 되었던 인사팀이 됐던 문서 팩스가 됐던 뭐가 됐던 그게 내려와서 팀별로 가지고 있어야 되는데 그게 아니라는 거죠. 자기가 A4용지에다 기사원 누구누구 쭉 쓰고 이 사람들한테 전화해서 희망퇴직을 유도를 했던 거죠. (구술자 A)

> 5월 한 15일부터 회사에 노무관리가 되는 사람들한테는 일정부분 명단이 알려졌던 것 같아요. 근데 이게 왜 중요하냐면 5월 15, 14일까지는 희망퇴직을 하신 분들이 200명이 안 됐어요. 근데 갑자기 그 명단이 대상자들이 누구다 누구다 이렇게 막 하면서 어떤 현상이 일어났냐면 일부 현장 제조직 의장들이 그나마 이제 같이 생활을 했고 모임을 했던 의장들이 자기랑 같이 했던 팀원들한테 넌 대상자니까 나가는 게 나을 것 같다. 하는 식으로 유포를 많이 했어요. 그러면서 이제 갑자기 그 다음 주 18, 19, 20일이 되면서 기하급수적으로 희망퇴직 인원이 증가했고. 그때 또 직장들한테도 유포가 됐고 실제로 나눠준 게 아니라 팀장들한테 가서 명단을 눈으로만 보고 와서, 월요일이 이제 18일인데 조합원들한테 너 대상자다 그렇게 해서 18, 19일 날 또 많이

늘었죠. 그렇게 해서 사실 그때쯤에 원래 대상자들이 나오면 안 되니까 알려지면 안 되는 건데 알게 모르게 그런 비정상적으로 해서 개인들한테 조금씩 알려지기 시작한 거죠. 그래서 어쩔 수없이 계속 그렇게 늘어가고 나니까 옥쇄를 결정하고 옥쇄를 들어가게 된 거죠. 저는 사실 팀장한테 요구해서 봤어요 저희는 그 명단과 나중에 통보된 인원이 똑같았어요. 다른 팀 같은 경우는 중간에 바뀌기도 하고 아닌 사람이 살기도 하고 그랬다고 하는데 저희 팀은 똑같았어요. 그래서 누구는 유령이다 아니다 서로 논쟁이 많은데 제가 5월 18일인가 19일날 본 명단과 실제로 노란봉투가 날아간 명단이 같기 때문에… 그런 얘기도 있어요. 실제론 없는 건데 나중에 껴 맞춘 거 일수도 있다. 근데 결국 제가 본 거는 그렇게 나왔기 때문에 뭐 저 개인적으론 있었다고 생각을 해요. 그 전에 나왔다. (구술자 P)

정확히 표현하면 사측이 유포한 명단은 근로기준법상의 법적요건인 "합리적이고 공정한 해고의 기준"을 갖추지 못한 명단이었다. 아니 어느 자본과 경영자이든 합리적이고 공정한 정리해고 기준을 만들 수는 없을 것이다. 그들이 노동을 어떻게 판단하여 기준을 만들 수 있겠는가? 해고 자체가 살인행위이기에 절대 합리적인 기준이 만들어 질 수는 없다. 쌍용자동차의 경우도 일선 관리자들이 임의로 만든 명단인 것이다. 한국 사회 정리해고 투쟁이 붙은 곳마다 대상자 선정의 기준이 문제가 되었듯이 사람을 자르는 기준이 객관적일 수는 없는 것이다.

근로기준법 24조(경영상 이유에 의한 해고의 제한) ② 제1항의 경우에 사용자는 해고를 피하기 위한 노력을 다하여야 하며, 합리적이고 공정한 해고의 기준을 정하고 이에 따라 그

대상사를 선성하여야 한다. 이 경우 남녀의 성을 이유로 차별
하여서는 아니 된다.

명단을 흘려 사측이 노린 것은 크게 두 가지였다. 사측은 정리해고 대상자가 누구든 상관없이 숫자만 맞추면 그만이었다. 때문에 일선 관리자가 자신의 손에 피를 묻히면서 사측의 편에 서서 칼을 휘두르도록 강요한 것이다. 투쟁에 참여하지 않은 조합원들을 구사대로 줄 세우듯이 일선 관리자부터 확실하게 선을 긋고 전선을 치기 위한 것이다. 조합원들은 평상시 현장에서 일하던 관리자로 생각했지만 그들은 이미 생존을 위해 사용자에게 충성을 맹세하는 입장이 되어 있었던 것이다. 또한 사측은 희망퇴직이 예상보다 적고 쌍용자동차지부 투쟁이 힘을 받을 것으로 보이자, 바로 정리해고 명단을 흘려 최대한 대오를 흔들고 투쟁의 힘을 약화시키려 했던 것이다. 때문에 정리해고 명단과 관련해 그 유무나 진위여부보다 사측의 의도를 파악하는 일이 요구되었다는 점에서 사측이 명단을 흘렸을 때 발생할 수 있는 현장의 동요에 대비하기 위한 집행부의 판단력이 부족했던 것이다.

옥쇄파업 돌입시기

집행부는 12월 5일 당선되자마자 급변하는 상황에 대응하기에 급급하였다. 초기 1월 5~6일 진행한 쟁의행위 찬반투표 결과를 사측에 공을 넘긴다는 명분아래 개표하지 않았으나 그 결과는 1월 9일 상하

이차의 법정관리 신청으로 돌아왔다. 이후 개표한 결과는 76%에 달하는 찬성이었다. 조합원들의 투쟁에 대한 의지는 분명하게 확인되었다. 그러나 집행부는 파업에 돌입하지 않는다. 집행부는 쌍용자동차 구조조정안이 4월 8일 발표되자, 다시 쟁의행위 찬반투표를 진행한다. 조합원 86%의 압도적인 찬성으로 가결되었다. 1차 때보다 더 높은 찬성률이었다.

이 시기 옥쇄파업 돌입시기를 두고 현장에서는 논란이 많았다. 4월경 일부 대의원들이 당장 파업에 돌입하자는 의견을 제출했다. 이들은 명단이 발표되면 투쟁할 수 없다는 이유로 집행부의 미온적인 파업전술을 지적하면서 공세를 강화한다. 물론 옥쇄파업 시기에 대해 다양한 의견이 있을 수 있으나 이들 의견 그룹 중에는 2기 지도부 구속 이후 비상대책위를 구성하여 권력을 잡고 사측과 적당히 타협하려는 의도를 가진 사람들도 있었다. 그러나 비상대책위 위원장을 갖고 서로 첨예하게 대립하면서 비상대책위 논의는 무산되었다. 이들은 옥쇄파업에 결합하지도 않았고 77일 투쟁 이후 민주노총 탈퇴를 주도한다.

2,646명이라는 발표를 회사가 차츰차츰 하면서 결국 발표가 됐는데 인원도 너무 많은데다가 회사가 여기까지 오게 된 근본적인 이유가 잘못된 매각과 경영 부실 그리고 기술 약탈 해 가는데 전혀 대응없이 어떻게 보면 종노릇을 하는 경영진들에 의해서 그 결과가 왔다는 건 다 알고 있었어요 그 상황에서 현 집행부가 만들어진 거고 여러 가지 추진하는 데 있어서 임원 내부 집행부 내부에서는 크게 이견이 없었고. 단지 어떤 게 있었냐면 4월에 대대가 몇 번 열렸는데 사실 그때까지만 해도 파업을 하거나 쉽게 총파업을 할

수 없는 상황이었고 여러 가지 뭐 전술적으로 필요한 부분이 있었는데 대의원대회에서 옥쇄를 빨리하자 라고 하는 그런 의견들이 참 많았어요. 일부 현장 제조직 몇 개가 모여서 왜 이렇게 옥쇄 빨리 안 들어 가냐, 옥쇄 빨리 들어가자 뭐 그런 의견들은 4월달에 많이 나왔죠. 현 집행부하고 대립적인 관계에 있는 현장 제조직이었는데 실제로 옥쇄 들어갈 때 그 사람들은 안 들어 왔어요. (구술자 P)

조합원들의 동력을 확인한 집행부는 4월 24일 4시간 부분파업을 강행하고 과천 정부종합청사에서 집회를 개최한다. 5월 8일 사측이 현장직의 희망퇴직을 시작했음에도 집행부는 아직 전면파업 시점이 아니라고 판단하고 5월 13일 새벽 4시 30분 굴뚝 고공 농성에 돌입한다. 이후 사측의 정리해고 명단 유포로 현장이 혼란에 빠지자 집행부는 전면파업 돌입시기를 고민하게 된다.

현장이 너무 혼란스러웠어요. 그때… 왜냐면 회사는 끊임없이 교란을 하고 갈라치기를 하는데 우리는 이게 대응이 잘 안 되는 거예요. 대응하고 싶어도. 조합원들의 심리상태는 굉장히 불안해. 왜냐면 현장에서 계속 명단이 계속 흘리고 있고, 그 와중에 희망자를 받고 있고 어차피 정리해고를 당할 바에야 좀 몇 프로 더 받고 희망퇴직을 해라. 이런 여론이 있었고 수구세력들이 계속 그걸 흘리면서 왜 안 싸우고 있냐. 투쟁을 회피하는 거 아니냐! 그런 식으로 교란했고. 회사는 희망퇴직과 6월 2일에 나왔지만 실제로 그 명단을 계속 지속적으로 흘려서 현장이 난리였고 이 흐름을 돌파할 수 있는 건 현재 빨리 들어 갈 수밖에 없겠다. 그런 판단이 있었어요. (구술자 M)

5월 18일로 희망퇴직 접수가 끝나도록 공고되었으나 사측은 희망퇴직 접수 연장을 선언했다. 5월 20일까지 1차 659명이 희망퇴직했다. 쌍용자동차지부는 5월 21일 총파업을 선언하고 조합원을 귀가시킨 후, 5월 22일 평택공장으로 모여 옥쇄파업에 돌입한다. 사측은 정리해고 명단 사전 유출로 조합원을 산 자와 죽은 자로 분리해내고, 그냥 죽느니 희망퇴직이라도 하라는 전술로 파업대오를 흔들었다.

전면파업의 시기에 대해 내부적으로 논란이 되고 현장의 불순한 세력이 조기 파업을 통해 집행부를 정리하고자 하는 의도가 드러나 쉽게 선택할 수 있었던 것은 아니었지만, 희망퇴직 공고 시(5월 8일) 아니면 정리해고 명단의 유출(5월 14~15일) 이전에 전면파업에 돌입했어야 2차에 걸쳐 확인된 조합원들의 총파업 결의를 온전히 조직할 수 있었을 것으로 보인다. 최소한 많은 조합원들이 갈등하던 5월 18일이었다면 조금 더 낫지 않았을까 하는 아쉬움이 있다.

> 저희가 생각했을 때 하루, 이틀 빨리 들어갔으면 하는 생각이 들어요. 조금 더 일찍 들어갔으면 그 정도까지 상황은 아니었을 거예요. 명단을 오픈하기 전, 산 자 죽은 자 대충 갈라졌을 때. 명단을 확실히 한 거는 일주일 전 이후에 그런 거고. 차장이 개인면담을 했어요. 야! 넌 고과가 안 좋으니까 희망퇴직 쪽으로 좀 생각하는 게 낫지 않냐! 그리고 너는 근태가 안 좋으니까 이거는 십중팔구. 옆에 있는 사람하고 둘 중 하나를 딱 놓고 보면, 얘는 조퇴가 없고, 열 개가 넘어가는데 십년치건데 그럼 네가 잘리겠냐! 얘가 잘리겠냐! 그럼 생각을 해봐라! 몇 개월 더 줄 때 알아서 물러서라! 그런 식으로 하기 시작했어요. 그걸 공개적으로 일주일 사이에 너무 혹독하게 휘몰았거든요. 조합에서 이틀 정도만 빨리 그거를 해가지고, 산자 죽은자 갈리기 전에 그냥

> 파업대오로 그냥 묶어놔 버렸으면 그냥 같이 의지하고 갔을지도 몰라요. 더 많은 파업대오가 인원들이 뭉쳤을 수도 있었다는 생각을 해요. (구술자 C)

쌍용자동차의 사례뿐 아니라 한국의 정리해고 사업장의 투쟁은 명단이 발표되고 나면 정리해고 대상자만의 투쟁이 되는 게 일반적 현상이다. 그나마 다행인 것은 5월 22일 총파업 돌입 이후 최대 인원이었던 1,500여 명 중에 산 자가 100여 명 함께하고 있었다는 점이다.

결과론적이지만 전면파업 돌입 시기 선택이 공격적이지 못하고 현장의 요구와 사측의 공세에 대한 대응으로 정해졌던 부분이 아쉬움으로 남는다. 공세적인 총파업 투쟁을 했다면 조직력도 더욱 강고하게 유지하고 이후 노 · 사 간의 공방에서도 좀 더 우위를 점할 수 있었을 것이다.

쌍용자동차지부는 5월 21일 옥쇄파업을 선언하고, 준비를 해서 22일 집결하라고 하였다. 지부장 이하 간부들이 조합원들을 믿고 집으로 보냈다고 하지만 관리자들의 회유와 협박을 개인으로 감당했어야 하는 조합원의 입장에서 보면 대단히 어려운 시간을 보냈을 것이다. 결과적으로는 관리자들이 작업할 수 있는 시간을 줌으로써 초기 옥쇄파업에 돌입하는 조합원의 수가 현격하게 줄어드는 원인이 되었다.

조합원 징계(제명)

투쟁에 참여한 조합원들의 입장에서 가장 분노하게 되는 것은 같은 처지에 있으면서도 함께하지 않는 조합원에 대한 문제일 것이다.

어느 사업장이나 파업에 불참하는 조합원들은 이유가 많다. 더구나 그런 이유들은 투쟁에 참여한 조합원들로서는 도저히 받아들일 수 없는 이유이다. 6월 2일 정리해고 명단이 공식적으로 통보되기 이전에는 살아남기 위해 투쟁에 동참하지 않은 사람들도 상당히 있기 때문이다. 배신이었다. 아울러 옥쇄파업을 빨리 안 들어간다고 비난하던 보수세력들은 파업에도 참여하지 않았다. 대의원 중에서도 상당수가 참여하지 않았다. 예상보다 높은 참여율과 조합원들의 열기 속에서 파업불참자에 대한 처리 문제가 중요한 문제로 등장하였다. 집행부의 특단의 조치가 없다면 파업대오에 참여하지 않겠다는 극단적인 이야기까지 나왔다.

노동조합의 규율을 잡기 위해 파업불참자에 대한 징계가 필요하다는 조합원들의 요구에 집행부는 파업 파괴자도 아닌 단순 불참 조합원에 대한 징계를 두고 고민하게 된다. 단순 파업불참자는 적대적 대상이 아니라 설득해서 참여시켜야 하는 대상이기 때문이다. 과반수가 넘는 조합원이 징계의 대상이었다. 또한 파업 초기에 불참자와 선을 긋고 그들을 버리는 것이 이후 투쟁에 유리한 것인가의 문제였다. 초기 파업참여 조합원들의 감정적인 발로에서 출발한 파업불참자 징계는 실제적으로 금속노조에 징계를 요청하지 않아 징계가 이루어지지 않았다. 대의원에 대해서는 금속노조에 요청하여 제명절차를 밟았지만, 조합원에 대해서는 그렇게 하기가 어려웠다. 결국 유야무야 되고 말았다. 그러나 이미 대의원대회 결정이 있었기에 조합원 중에는 징계가 내려진 것으로 생각하는 사람들이 많았다.

결정은 났는데 실제로 그거를 금속에 올리진 않은 거죠.
금속에 올려서 징계위원회 열어야 되는데 그저 그 단계까지는 안 간 거예요 결정 나서 그 대의원과 똑같이 한다라고 참가 안 한 조합원들한테 그렇게 했는데 실제로 대의원들은 그렇게 해서 제명당한 대의원들이 있고 아니면 자기가 사퇴한 대의원도 있고 대의원 중에 희망퇴직을 한 대의원들도 있고 그렇게 해서 했던 거고 조합원들은 실제로 금속에 올리지 않았기 때문에 그 징계를 결의는 했지만 실제로 징계를 했다고는 볼 수가 없는 거죠. 그것도 안에 있는 조합원들 응집력을 더 모아내기 위한 하나의 방법이었고 그런 방법론으로 택한 거지, 실제로 조합원들을 징계한다는 선택은 쉽지 않았어요. 왜냐면 그러면 다 제명시켜버리면 이 안에 있는 사람만 조합원이 되고 밖에는 조합원이 아니면 나중에 다시 조합을 꾸려갈 때 그건 뭐 엄청나게 큰 파장을 가져올 텐데. (구술자 P)

파업불참자에 대한 징계는 파업대오의 응집력을 모아내고 내부의 규율을 강화하기 위한 것이라는 근거가 존재했지만, 파업참여자와 파업불참자 간의 감정적인 골을 깊게 하고, 노동자로서의 동질성을 극히 약하게 하는 문제를 발생시켰다. 급기야는 파업불참자들이 사측으로 줄서며 점차 초기의 미안함보다는 파업대오에 대한 적대감으로 자신을 합리화시키는 기제로 작용하였다.

왜 빨리 제명 안 하냐고… 조합원들이. 그러니까 분위기가 안 됐고, 일부 나중에 했죠. 전술적으로 제명하는 거는 회사의도에 말려 먹히는 거기 때문에 안 된다. 이런 얘기도 있었는데 그건 소수였어요. 대세는 그냥 다 제명하는 걸로… 결의한 이후에 흐지부지 지나간 거고 그 이후에 몇 가지 노력한 게 있었어요. 그때 밖에 해고자 중에 참여 안 한 조합원이 있잖아요. 그 조합원들이 딱 들어오면 이제 집으로 못가는 거예요. 집으로 가면 왕따 당하니까 선봉대에 가입하거나 다른 하나는 밖에 있는 사람들끼리 별도로 조직해요. 별도로 조직해서 안에 들어오지 않더라도 밖의 우호적인 여론이 나게 하는 거지. 이 동지들을 통해서… 나중에 기자회견 하고 그러잖아요. 이런 형태로 발전하고. 노력을 했어요. 그런 얘기까지 했던 것 같아요. 솔직하게 얘기해보자 만약에 내가 죽은 자가 아니고 산 자였으면 안 들어 올 수도 있다. 이렇게 얘기하고 또 바뀌면 마찬가지다. 그래서 우리 충분히 같이 이해를 해야 된다. 이런 공감대가 있었죠, 나중에는. (구술자 M)

결과적으로 어떻게 되었든지 파업불참자에 대한 징계, 그것도 가장 강한 제명처리의 문제는 좀 더 신중했어야 하며 집행부가 방침을 갖고 조합원들을 설득해야 했다. 특히 옥쇄파업에 있어 점거 조합원들이 고립되는 상황에서 불참조합원들과의 문제는 대단히 중요하기 때문이다. 파업의 일정기간까지는 불참 조합원들을 동참시키려는 노력이 필요했다. 이런 노력이 이후 토론 과정에서 일부 제기되기도 했지만, 초기의 징계 결의는 이후 관계를 풀어내기 어려운 조건으로 작용하였다. 오히려 징계 이전에 구사대로 나선 조합원이나, 파업대오를 파괴하는 데 앞장섰던 악질들을 분류하여 경중에 따라 적정한 징계를 내리는 것이 노동조합의 규율을 위해서는 필요한 조치였을 것이다. 이러한 징계의 시기를 결정하는 것이 쉽지는 않다. 보통 파업 마무리 시기에 이후 조직 문제를 위해 징계하는 것이 가장 좋다. 이번 쌍용자동차지부 투쟁과 같은 경우 외부와 차단되는 시점 정도에 파업참여 조합원만의 총회가 가능하도록 정권에서 제명까지 경중에 따른 징계가 이루어졌어야 했다. 결과적으로 징계문제는 초기 엄청난 논란만 가져오고 실질적으로는 아무런 조치가 없었던 해프닝으로 끝나고 말았다.

옥쇄파업(공장 점거) 전술

옥쇄파업은 이 투쟁을 77일간 지속하게 해준 기반이었다. 이명박이 연이은 전직 대통령의 운명, 용산 참사에 대한 부담감 등으로 경찰병력 투입을 주저한 것도 있겠지만 완성차 공장의 요새인 도장공장 강제진압을 쉽게 결단할 수는 없었을 것이다. 물론 혹자에 따라서는 신나와 도료를 어떻게 쓰냐에 따라 도장공장이 위험할 수도 안전할 수도 있다고 증언하고 있다. 그러나 비전문가들에게 언론에 비친 도장공장은 공포의 대상이었으며, 블랙박스였다.

위험도에 대해서는 이견이 존재하지만 천연의 요새라는 점에서는 모두 동의하는 사항인 것 같다. 일단 들어오면 이동 공간들이 복잡하게 되어있어 처음 들어오는 사람은 미로에 빠진 느낌이라는 것이다. 이는 경찰병력이 함부로 할 수 없는 조건으로 작용해 옥쇄파업이 장기화 될 수 있게 했다. 이것이 다른 사업장의 점거파업과는 다른 조건이었다.

> 도장공장이 실질적으로 무조건 위험하진 않아요. 위험물질이 있긴 해요. 왜냐면 페인트 공장이기 때문에 휘발성 있는 신나나 도료가 있긴 한데 그 자체로 위험한 건 아니고 그걸 어떻게 활용하냐에 따라서 이제 위험할 수가 있고 안 할 수가 있는 거지. 또 하나 문제가 뭐냐 하면 나머지 공장

조립이나 차체 같은 경우는 단층이에요. 바닥 1층에 그냥 설비들이 깔리고 거기서 일을 하는데 도장공장 특성상 1층에는 일하는 라인이 좀 있고 보통 사람들이 일하는 공간이고 2층에 올라가면 페인트를 뿌려서 굳게 하는 그 가스가 들어가서 화로가 있는 공간이 있고 그 윗 공간으로 올라가면 작업하는 바디들이 이동하는 공간들이 있고 나눠져 있는데 복잡해요. 복잡하고 불이 안 들어 가면 계단도 여러 군데 있을 뿐더러 처음 온 사람은 길도 잘 못 찾고, 그 정도로 이제 미로 같은 형식으로 돼 있고 하니까 거기서 무슨 충돌이 일어났다던가 그러면 쉽지 않죠. 넓지도 않고 좁은 공간도 많고 하니까 쉽지가 않아요. 그리고 혹 잘못 되서 화재가 났다 그러면 우왕좌왕하면서 정말 제2의 용산보다도 더 할 수 있는 위력이 있는 거죠. 그 자체가 위험한 게 아니라 어차피 가스는 끊었으니까 도료와 신나들을 이용해서 뭔가 일이 벌어지고 불이 나거나 하면 어떻게 보면 퇴로가 거의 없는 상태가 돼 버리는 거죠. 만약에 도장공장에 불이 난다면 이제 신나 저장소라는 미싱룸이라는 곳에서 신나를 저장하고 폐신나가 저장된 곳도 있는데 신나에 의해서 이제 폭발이 일어나죠. 거기 있는 양이 정말 폭파한다면 위력은 어마어마했을 텐데 실제로 도장1공장은, 1공장과 2공장이 있는데, 1공장은 제가 알기로는 신나를 빼냈고 그 전에 빼냈고 도장2공장에서 신나를 빼낼 때 조합에서 이제 저지 한 거고 그런 것도 있었어요. 전술적으로 다른 공장보다 위험하지만 그 자체로 뭐 무조건 위험하다고 할 수 있는 건 아니라는 잘못되면 인제 효과, 효과라고 얘기하면 안 되죠 정말 극한 위험에 빠질 수 있는 곳이 도장공장이에요. (구술자 P)

요새화되어 있는 도장공장은 배수의 진을 칠 수 있는 조건을 가지고 있었다. 이는 적은 인원으로도 효과를 극대화 할 수 있는 조건이다. 사회적인 파괴력의 효과만큼 투쟁하는 노동자에게도 위험은 따르지만 "해고는 살인이다"는 기조에 걸맞는 전술이다. 다만 봉쇄, 고립 시의 대책에 대한 문제가 제기될 수 있다. 출입구를 모두 장악당하고 고립되면 제일 일차적인 문제는 보급의 문제이다. 전쟁에 있어 필수적인 보급 문제는 전체 대오의 사기와 건강, 생활에 직결되는 문제가 발생하기 때문이다.

일각에서는 사업장 안에서 고립된 투쟁을 선택하면서 대정부, 사회투쟁의 동력이 급격히 떨어졌다고 비판하는 주장도 있다. 그러나 이러한 생각은 자본과 자본주의 사회 속성에 대한 이해의 부족에서 나오는 주장이다. 노동자 투쟁에 있어 자본과 정권의 관심사는 자신들의 생산과 물류(상품의 유통)에 어느 만큼의 영향을 미치느냐에 달려 있으며, 그것이 한 사업장에서 벌어진다 해도 완강하다면 그 파급력에 대해 관심을 갖게 되는 것이다. 파업에 참여한 1,000여 조합원을 흩어서 선전전을 진행한다면 얼마 정도의 효과가 있을까? 평택이라는 지역에 치우쳐 있었지만 77일 점거파업은 언론의 관심이 집중되었고, 완강한 투쟁이 전개되자 여론도 우호적으로 바뀐 것이 현실이었다.

고립과 봉쇄에 대한 대책을 어떻게 해결할 것인가라는 고민의 해결책과 경찰, 용역, 구사대의 폭력에 자구적인 무기는 무엇이 적절한가의 문제만 해결한다면 한국사회에서 공장점거 투쟁인 옥쇄파업은 대단히 유의미한 전술이라 할 것이다.

::::8월 6일 합의 문제

77일 투쟁을 패배감과 무기력증으로 마감하게 한 교섭이었다. 총자본과 총노동의 대리전 형태의 투쟁인 경우 노동이 승리한 투쟁이 아닌 한 사측은 합의사항을 잘 지키지 않는다. 왜냐면 합의 이후에 경찰과 사법부의 빛나는 보복이 늘 준비되어 있기 때문이다. 적들은 합의 당사자들을 연행, 구속하고 노동조합이 조합원과 함께 재정비할 여유를 주지 않는다. 사측은 이 기회를 틈타 형식적인 몇 가지는 지키는 척 하나, 노조 파괴를 진행하고 노동자 길들이기에 돌입하게 된다.

특히 7월 30일부터 8월 2일까지 진행한 '끝장교섭'이 사측의 결렬로 끝났기에 노동조합이 내부적 힘으로 경찰과 용역을 물리치거나, 한동안의 소강상태가 진행되어 사측이 시간에 쫓기거나 하지 않는다면 정상적인 교섭은 어려운 상황이었다. 아주 굴욕적인 교섭이 될 것은 자명한 사실이었다. 또한 조합원들은 텔레비전에 경찰 간부나 정부 책임자들이 나와서 말하는 자율교섭과 최대 선처의 약속을 믿었다는 것이다. 전 국민 앞에서 하는 이야기니 당연히 지킬 것이라는 순진한 생각이 얼마나 허망한 것인가를 8월 6일 합의 직후 모두 깨닫게 되었다. 신분 확인의 문제, 체포영장 발부자에 대한 문제 등 어느 것 하나 지켜지지 않았다.

> 지킬 거라고 생각 했어요. 왜! 대타협이니까. 둘만이 얘기한 게 아니고 방송에 대타협 해 가지고 나왔습니다. 전 국민이 다 보고 있는 거니까. 전 국민이 보는 앞에서 한 건데, 그래도 이 정보화 시대에 옛날 광주 때도 아니고, 다 오픈된 대타협이었다. 그걸 안 지킬 사람이 어딨어! 솔직히 기

본적인 상식 갖고 있는 사람이면 근데 상식이 없더라구…
(구술자 C)

조합원들이 이야기했듯이 함께 투쟁했던 동지들끼리도 갈등해야 하는 48(무급 휴직, 영업 전직)대 52(희망퇴직, 분사)는 받지 말았어야 했다. 그 기준도 불분명하고, 함께했던 비정규직 동지들에 대해서는 "기고용 계약이 해지된 일부 인원에 대하여 회사 내 취업을 알선한다"고 정리하고 있다.

무엇이 문제였을까? 이렇게 합의하면 안 된다고 생각하면서도 할 수밖에 없었던 조건이 무엇이었나? 끝장교섭이 끝난 후, 8월 4~5일 전투를 거치면서 파업대오는 550여 명으로 줄어든다. 그 이유는 전투에 대한 공포와 협상 결렬 때문이기도 했지만 쌍용자동차에 대한 애착이 없어졌다는 것이다. 투쟁이 끝난 후 조합원들이 차부터 팔고 싶었다는 데서 잘 알 수 있다. 집행부 내에서는 민주노총과 금속노조의 총파업투쟁과 공장진입투쟁 결단이 없는 한 더 이상의 투쟁은 어렵다는 의견이 공식적으로 올라왔다. 식수와 비상식량도 이틀치 정도밖에 남아 있지 않았다. 이러한 상황에서 한상균 지부장은 "조합원 모두를 철수시키고 최후 결사대 10명 이내로 버틸 생각도 했으나, 마지막까지 함께 싸운 동지들과 비참한 결과라도 함께해야 한다고 생각했다"고 회상하고 있다.

좋은 결과가 되지 못할 것을 알면서도 교섭에 임할 수밖에 없었던 조건은 첫째, 부상자가 중상자를 포함하여 150여 명이 넘는다는 점이었다. 물과 전기, 식품 그리고 의약품마저 끊긴 상태에서 중상자들의 부상이 심각하다는 판단이었다. 둘째, 투쟁에 대한 전망이 없다는 것이다. 정권과 자본은 일사불란하게 교섭과 살인진압을 병행하면서 내부를 교란시켰다. 민주노총과 금속노조의 무기력함은 고립된 쌍용자동차 조합원들에게 경찰과 용역깡패, 구사대보다 더 큰 문제였다. 셋째, 내부적으로 대형 참사가 일어날 수 있다는 판단이었다. 77일간의 투쟁기간 중 조합원들에 의한 시설 파괴는 전무하였다. 오히려 용역깡패와 경찰은 부쉈지만 조합원들은 부수지 않았고, 간부들은 돌발 사태가 없도록 최선을 다하였다. 그러나 이제 쌍용자동차에 대한 불신과 분노만 가득찬 조합원들을 간부들이 제어하기 어려웠고, 극단적인 발언과 화재가 발생하였다.

> 이제 무박 사일의 끝장교섭이 결렬됐잖아요. 회사의 일방적인 결렬로… 회사의 협상 전술이라고 봤는데, 우리가 말렸어요. 이미 무박 사일 계속하면서 저희 꺼를 다 오픈한 거예요. 회사가 다 알고 있는 거예요. 청와대 애들은 공권력으로 진압하려고 의도되어 있고 하니까 여기서 어떻게든 싸우지 않고 일정 부분 승기를 잡으면 그 이후에 어떤 자본에서도 이질감도 크지 않기 때문에 그래서 그렇게 했고. 마지막에는 교섭을 요청할 수밖에 없는 이유가 몇 가지 있는데 가장 중요한 거는 안에 있는 동지들이 많이 지쳤고. 큰 틀은 그거예요, 전망이 안 보이는 거예요. 언제까지 갈 수 있느냐! 왜! 이제 극한 상황까지 많이 갔잖아요. 주먹밥을 열흘 이상 먹었는데 그 다음에 화장실도 제대로 못간 거잖아요. 씻을 수가 있나. 사실 인간이 버틸 수 있는 게 한두 명도 아니고 600명 이상이 보름 이상 버텨왔는데, 그게 이제 최후에 달했고 전망의 불투명이 하나 있는 거였고 그래서 지부장은 본인이 결단할 시기가 왔다는 판단을 하게 된 거예요. 그래서 협상을 하게 된 거죠. 젤 아쉬운 건 제가 봐서는 협상 결과가 48대 52든, 50대 50이든 이 판단은 누가

보더라도 동의할 수 없는 거였어요. 저는 그래서 장렬히 전사해라. 합의하지 말아라. 합의할 필요 없다. 차라리 합의 안 하는 게 더 크다. 저는 그런 얘기를 사실 했었어요. 지부장한테… 장렬히 전사하라고 몇 번을 주문했던 거죠. 계속… 그리고 8월 15일까지 버텨라. 버티면 우리가 무조건 이긴다. 그런데 그걸 돌파를 못한 거죠. 근데 이제 교섭결과가 아쉬운 게 아니예요. 사실… 아쉬운 게 아니라… 이 투쟁을 교란시키는 세력들이 처음부터 끝까지 지부장한테 직언하지 않고 올곧은 애기를 하지 않고 다른 애기를 해서 투쟁의 평가가, 정말 77일 동안 목숨 걸고 그렇게 싸웠고 여섯 명이나 목숨을 잃었고, 그랬는데도 불구하고 합의 했다는 게 그게 아쉬운 거죠. 그때 객관적인 조건이 굉장히 안 좋았던 건 사실이예요. 그걸 저도 부정하진 않는데 우선은 부상자가 많다는 거, 150명이 넘으니까, 그렇고 장기간 어떤 전투로 하루는 2시간 밖에 못 자니깐요. 주먹밥 먹으면서, 근데 전망이 안 보이니까… 그래서 정말 극단적으로, 갈 수 있는 불날 수 있는 부분이고. 이런 전체적인 걸 고려했더라도 협상을 하면 안 된다고 봐요 그래도 지부장한테 얘기했던 거는 내 보내라! 150명 그리고 100명 50명이 남아도 싸워라! 도장엔 못 들어가니까. 그래도 안 되면 당당히 나와라 그렇게 며칠 버티다가 그것도 안 되면 그때는 손들고 나와라 당당하게 나와라. 그런 게 바로 장렬히 전사하는 거다. 그렇게 주문을 했던 거죠. (구술자 M)

2002년 발전노조 38일 파업의 끝에 민주노총과 공공연맹 주도의 합의가 전력대란이 아닌 민주노총 임원들의 총사퇴로 이어진 노동대란이 되었던 역사적 사실이 있었음에도 굴욕적일 수밖에 없는 합의를 선택하였다. 결과는 역시였다. 마지막 거점인 도장공장도 있었고,

이미 조합원들의 수가 중요한 시기는 아니었기에 '비타협 항전'으로 저항했다면 새로운 국면을 맞이할 수도 있지 않았을까.

> 결렬로 선언하고 나갈 조합원들은 나가고, 정말 100명이든 50명이 됐든, 임원들만 됐든, 결사항전에 대한 것들은 보여줘야 되는 건데. 그거 하기 위해서 굴뚝도 난 끝까지 가겠다. 그렇게 제안도 하고 했는데, 아니면 굴뚝만이라도 남겨 놔라 했는데 저도 개인적으로 그게 아쉽더라구요. 그러면서 합의가 되면서 끝났는데. 그러니까 한상균 집행부 이렇게 보면 투쟁에 대한 것들은 가지고 가는데 그 협상에 대한 전술은 사실 순진한 거죠. 어떻게 보면. 한상균 지부장님도 대의원만 했지 간부는 사실 안 해 봤거든요. 거기 있는 어떤 간부들, 주축의 간부들이 거의 그랬어요. 현장에서 정말 모범적으로 활동하셨던 분들이거든요. 제가 현직 집행부 쭉 오면서 가장 민주적이고 가장 열심히 했던 집행부 중에 하나인데 근데 어떻게 보면 모르니까. 애만 쓰고 효과는 없는. 어쨌든 투쟁을 잘 이끌어 왔는데 마지막 협상에 대한 전술은 좀 부족했다, 그런 생각이 들어요. (구술자 B)

한상균 지부장이 옥중 편지를 통해 밝힌 대로 조합원에 대한 애정과 끝까지 투쟁한 조합원들에게 결과를 줘야 한다는 생각 때문에 어쩔 수 없이 교섭을 선택했더라도 그 방식은 문제가 있었다. 아무리 다급한 상황일지라도 독대 방식의 교섭은 결국 세부안에 대한 불이행의 빌미가 되었다. 세부적인 안의 실무적인 작업과 이후 본교섭이 이루어졌다면 합의 이행에 따른 혼란을 최소화할 수 있지 않았을까 하는 아쉬움이 있다.

⁙투쟁의 승패 여부

끝까지 투쟁했던 조합원들에게 "이번 투쟁은 승리했습니까?" 하고 물으면 대부분이 이렇게 표현한다. "개인적으로는 승리했는데 조직은 패배했다.", "76일간 승리했는데 단 하루 패배했다.", "목표를 달성하지 못했으니까 패배한 것이다.", "성공하지는 못했지만 진 것도 아니다.", "많은 것을 남긴 투쟁이었다." 전자는 평조합원들이 갖고 있는 생각들이었고, 뒤로 올수록 간부들의 생각이다. 문제는 정리해고 철폐를 위해 목숨을 바쳐 투쟁했던 조합원들이 갖고 있는 패배감의 해소가 가장 중요하다. 많은 난관과 회유, 협박 가운데 투쟁을 성사시킨 것만으로도 조합원들은 절반의 승리를 쟁취한 것이다. 노동자의 투쟁은 결과의 문제가 아닐 것이다. 우리가 어떻게 투쟁했으며, 무엇을 위해 투쟁했는가가 승패를 가늠하는 것이다.

어떤 영상자료에서 한 조합원이 이야기한다. "우린 이기러 왔어요." 그 동지의 한마디는 정리해고 철회 없이는 한치도 물러설 수 없고 죽은 자로는 결코 공장을 나가지 않겠다는 결연한 의지였다. 그 의지와 77일간의 실천 투쟁이 쌍용자동차 투쟁의 주역들인 조합원들의 승리인 것이다. 자본과 정권에 맞서 특공대까지 투입되는 상황에서도 당당히 투쟁한 쌍용자동차지부 동지들의 투쟁은 승리한 투쟁이다.

> 투쟁에 제 개인적으로는 성공했어요. 저는 77일을 버티다 나왔으니까 제 개인적으로는 성공을 했습니다. 그 안에서처럼 각오로 산다 그러면 어디 가선들 살 수 있는… 그런 거 있잖아요. 왜 군대 제대하고 나면 뭐든지 다 할 수 있을 거 같잖아요. 제대하는 순간에는. 지나가고 나면 까먹긴 하

> 지만 군대를 다시 한번 갔다 온 기분인데 아마 그 안에 끝까지 있었던 분들은 다 개인적으로는 저는 승리를 했다라고 생각이 들고. 좀 어려운 상황, 너무나 어려운 상황이 계속해서 이어졌기 때문에 진짜 막 양말도 1주일씩 신고 속옷도 막 그렇게 입어야 될 상황이고 땀 그렇게 나는데도 불구하고 이겨 낸 승리를 했지만, 그게 노동조합이란 큰 틀에서 봤을 땐 결과적으로 승리는 아니다. 진 싸움이다라는 것과 졌다고 해서 완벽하게 진 게 아니라 이게 어쨌든 역사에서 평가를 받을 거잖아요. (구술자 P)

정리해고 철회를 요구했고, '해고는 살인' 임을 분명히 하고 목숨 바쳐 투쟁했지만 정리해고를 철회시켰는가, 못했는가로 승패를 판정한다면 같은 논리로 저들의 기준에 의한 산 자는 승리이고, 죽은 자는 패배란 말인가. 우리는 저들의 정리해고 명단을 법적 요건도 갖추지 못한 너절하고 가치 없는 것으로 규정했기에 그 명단에 들어간 것이 부끄러운 것이 아니라 억울해 하고 분노했던 것이다. 상하이차와 사측이 자신들의 잘못을 노동자에게 전가하는 정리해고에 당당해 맞서 싸우며, 불법적인 공권력과 용역깡패, 구사대의 폭력에 항거한 노동자들이 진정한 승자이다.

48대 52는 패배이고, 90대 10은 승리인가? 아니다. 비율로써 승패를 저울질하는 것은 자본의 논리이다. 함께 투쟁한 동지들 중 단 한 명의 동지라도 정리해고 된다면 그것은 어찌 보아야 하는가? 정리해고는 비율로 논의할 문제가 아니다. 비율문제로 대응하거나 평가하는 것은 양보교섭을 통해 저들의 구미를 맞추고 투쟁을 접으려는 관료들의 행태일 뿐이다.

저들의 논리에 끌려 협상안을 합의하게 된 결과는 무척 아쉽지만 투쟁 과정은 2000년대 들어 보기 드문 것이었다. 자본과 정권에게 정리해고가 쉽지 않음을 분명하게 보여 주었다. "400억 인건비를 줄이기 위해 사람을 자르면 3,200억의 생산 손실"(민주당 홍영표 의원 국회 대정부 질문 중)을 감수해야 함을 보여 주었다. 노동운동진영에게는 지난 10년간을 반성하게 하고 우리가 앞으로 어떻게 투쟁해야 하는지를 밝혀 준 투쟁이었다.

쌍용자동차지부 노동자들이 그렇게도 원했던 정리해고 철회를 쟁취하려면 무엇이 필요했나? 그것은 노동자들의 연대투쟁이다. 특히 하나의 조직이었던 금속노조의 투쟁은 실망스럽기까지 하였다. 연대의 수준은 여러 가지이다. 돈을 걷어줄 수도 있고, 집회를 할 수도 있고, 총파업을 할 수도 있고, 함께 무장하고 싸울 수도 있다. 옥쇄파업 초기에는 집회에 참석하는 것만으로도 서로 힘이 될 수 있었지만, 공장이 봉쇄되고 구사대와 용역, 경찰의 폭력으로 고립되고 치열한 전투가 시작되었을 때에는 고립된 동지들에게 보급로를 터주고 전선을 확대시키는 연대가 필요하였다. 금속노조가 진정한 산별노조로서 쌍용차지부의 투쟁을 받아 안았다면 이를 책임졌어야 하며, 만약 감당할 수 없었다면 금속노조 지도부가 솔직하게 할 수 있는 연대를 설명하고 조합원들과 함께하는 모습을 보여줘야 했다. 민주노총도 마찬가지일 것이다. 책임질 수 없는 조건부 총파업은 결국 조합원들에게 패배감을 안겨 주었다. 또한 대정부 투쟁으로의 전선 확대를 실패하고 쌍용자동차지부 투쟁을 사업장내의 투쟁으로, 노사 간 합의로 정리하게 한 것은 민주노총의 책임이 크다. 민주노총이 대정부 투쟁을 선언하고 전 조직의 총력투쟁을 조직했어야 했다.

연대에 대한 기대가 사그라진 가운데 집중교섭의 결렬(그것도 사측이), 8월 4, 5일 공포의 전투는 조합원들의 사기를 저하시키기에 충분하였고, 더 이상의 희망을 볼 수 없게 하였다.

77일간 쌍용자동차지부 조합원들은 당당히 투쟁하였다. 자신들의 요구를 갖고 투쟁한 쌍용자동차지부 조합원들에게 영웅적인 투쟁이라는 칭호를 붙이고 싶지는 않다. 남을 위해 투쟁한 것은 아니지 않는가? 그럼에도 전체 노동자들의 귀감이 된 것은 이 투쟁의 성과는 이 땅 노동자들이 함께 나누어 가질 것이기 때문이다.

8월 6일 이후 사측은 민주노조 말살과 조합원 개인의 자존심을 꺾는 무급자 선별 작업 등을 진행했으며 파업참여자를 징계했다. 조합원들은 현실적인 생계난 등으로 힘든 나날을 보내고 있으며, 초법적 사법으로 어이없지만, 이는 우리의 투쟁이 자본과 정권에게 얼마나 위협적이었나를 반증하는 것이기도 하다. 하루 빨리 패배감을 버리고 투쟁의 전열을 가다듬고 나가는 것이 완벽한 승리를 거머쥐는 길일 것이다.

투쟁의 성과

먹튀자본-해외매각에 대한 경종을 울린 투쟁이었다

쌍용자동차지부 투쟁의 성과 중 가장 큰 부분은 상하이차 인수 이후 쌍용자동차의 경영 상황이나 상하이차가 쌍용차 인수 이후 진행한 기술 유출에 대한 문제를 사회화시켰다는 점이다. 정부의 입장에서는 외교적인 문제와 자신들이 경제회생의 방법으로 제시한 외자유치의 결론이 어떻게 귀결되는 것인가의 문제가 여실히 드러나는 것이었기에 함부로 나설 수 없었다. 때문에 사회적인 관심을 정리해고와 노사간의 분쟁으로 몰아가며 초기에는 마치 경찰이 중립을 지키는 것처럼 보이도록 노력하였다.

외국의 먹튀자본들이 한국사회에 미친 패악은 쉽게 찾아볼 수 있다. 오리온전기의 경우 투기자본에 의한 기술과 자본유출, 회사청산과 정리해고 후 문을 닫았고, 메리츠증권(호주계 파마펀드가 대주주)

의 경우 2003년 순이익은 3억 원에 불과했으나 배당금은 50억 원을 지급했다. (주)만도는 76%의 지분을 가지고 있던 JP모건이 2003년 말 회사 자본금의 33.5%를 액면가(1만 원)의 3배에 가까운 2만 9,200원에 유상 감자하는 방식으로 577억 원을 회수했다.

쌍용자동차지부는 양보안 제안 등 요구안에 대한 혼선을 계속 가져왔지만, 초기부터 일관되게 상하이차 지분 소각을 주장했다. 쌍용자동차에 대한 상하이차의 최대 주주 지분은 아직까지도 유지되고 있으나 쌍용자동차지부의 완강한 투쟁으로 상하이차가 쌍용자동차를 인수한 후 기업의 정상화를 위한 경영행위보다는 기술을 빼내 중국으로 가져가고, 쌍용자동차 노동자들의 일방적인 희생만을 강요한 것을 이제 전 국민이 알 수 있게 되었다.

쌍용자동차지부의 고소로 기술유출에 대한 수사를 했던 검찰은 작년 말 이미 결론을 내고 해당 임원을 기소할 계획이었으나 중국과의 외교 마찰을 우려하고 정부 눈치를 보며 수사 결과를 발표하지 않다가 최근에야 그 결과를 발표하였다. 검찰도 자본과 정권의 하수인임을 보여준 것이다. 또한 뒤늦게나마 쌍용자동차지부 투쟁의 정당성을 입증해 주었다.

> 쌍용차 기술유출 수사발표 왜 늦춰 졌나 : 회사상황과 외교문제 등 종합적 반영한 듯.
> 지난 2006년 8월 상하이차가 쌍용차의 기술을 유출했다는 쌍용차노조의 고발에 따라 수사에 착수한 검찰은 이미 지난해 말께 사건에 대한 결론을 내리고서도 발표 시기를 계속 늦춰왔다. 이는 당시 쌍용차의 대내외적 상황과 외교적인 민감성, 외국인 대상 수사의 어려움 등이 종합적으로 고려됐기 때문으로 분석된다. 수사에 깊이 관여한 검찰 관계자들에 따르면 검찰은 지난해 말 수사를 사실상 종결짓고 중국 상하이

> 차 임원 1명을 포함해 관련자를 기소하겠다는 방침을 세웠지만 당시 쌍용차를 둘러싼 주변 상황은 상당히 급박했다. …(중략)… 이런 상황에서 검찰이 상하이차의 '기술 빼가기'를 공식화한다면 쌍용차의 생사여탈권을 쥐고 있는 상하이차로서도 한국 정부를 상대로 한 구제자금 지원과 쌍용차의 구조조정에 대한 요구는 명분을 잃을 것이 뻔했다. 또한 쌍용차 노조와 한국 정부는 상하이차와 협상 테이블에서 유리한 고지를 차지할 수 있었을 것이다. 하지만 상하이차가 중국 3대 자동차 생산 기업이자 국영기업이란 점을 감안하면 검찰의 수사결과 발표로 인한 외교적 마찰 또한 충분히 예상됐던 부분이다. 우리나라의 교역에서 중국이 차지하는 비중을 감안할 때 검찰로서도 판단이 쉽지 않았으리라는 점이 이해되는 대목이다. …(중략)… 검찰 관계자는 "당시에 결과를 발표할 수 있을 정도로 수사가 마무리됐지만 정부 관계 기관의 '조언'을 무시할 수는 없었다"며 "그처럼 예민한 시기에는 어떤 수사결과를 내놨더라도 어느 한쪽이 상처를 입었을 것"이라고 털어놨다. (연합뉴스, 2009.11.11.)

정권은 범죄 사실조차 은폐하면서 중국의 눈치를 보며 한국 자본들의 정리해고 의도를 관철시키려고 했다. 이러한 조건 속에서 쌍용자동차지부 노동자들은 투쟁을 통해 상하이자본의 부도덕성과 자본의 하수인이 된 정권의 문제를 사회적으로 각인시켰다.

기업의 해외매각을 통해 들어오는 자금이 한국사회에 투자되는 것이 아니라 해당 기업의 담보와 채무로 떠안는 방식으로 추진되어 기업의 회생에는 도움을 주지 못하고, 공적자금 손해분은 고스란히 전국민이 떠안게 되어있다. 해외매각된 기업이 회생된다 할지라도 이익금으로 매각대금을 납부하고 해외자본의 투자분 회수 등으로 기업 자체가 거덜나는 것은 자명한 사실이다. 특히 쌍용자동차와 같이 신차 출시에 2~3년의 시간과 3,000억 가량의 투자가 소요되는 완성차의 경우에는 단기적인 이익에 급급한 해외자본에게는 맡길 수 없음을 보여주었다. 또한 이러한 문제의 책임은 매각의 책임자이며, 이제까지 관리감독을 소홀히 한 정부에게 있음을 분명히 하였다.

원하청 연대투쟁의 모범을 보였다

쌍용자동차 노동자들의 투쟁은 지난 4년간 비정규직을 방패막이로 구조조정에 대응했으며 2008년 10월 정일권 집행부가 사측과 했던 '비정규직 구조조정과 정규직의 전환배치 합의'는 근본적으로 잘못된 것이라는 반성에서 시작되었다. 이전까지의 상황은 어느 대공장사업장에서나 발생되는 비정규직노동자와 정규직노동자 간의 갈등과 반목이 지속되었지만, 이번 투쟁을 통해 노동자는 하나라는 모범을 보여 주었다. 이것이 정리해고라는 칼날 앞에 정규직, 비정규직의 구분이 아무런 의미가 없다는 동질감에서 출발한다 할지라도 그러한 의식을 가질 수 있었다는 것이 이 투쟁의 성과라 할 것이다. 이번 투쟁에서 함께 한 굴뚝농성의 상징성, 상호 배려와 헌신성 등은 자본의 분리와 반목, 이간질을 노동자 스스로 극복할 수 있음을 보여주었다. 다만 아쉬움이 있다면 비정규직은 결국 비정규직으로 합의되었다는 점이다.

그리고 원하청 연대투쟁이라는 의미를 살리려면 부품업체를 포함한 쌍용차 생산 원하청 관계에서 조직화가 좀 더 이루어져야 했다. 투쟁이 장기화되면서 부품업체의 도산 문제로 쌍용자동차지부가 공격받는 상황이 나타나기도 했지만 옥쇄파업 돌입 이전에 좀 더 고민 했어야 할 부분이었다.

그러함에도 정리해고 철폐 투쟁에서 정규직, 비정규직이 연대하여 하나로 투쟁한 것은 원하청 노동자들의 연대 투쟁으로 모범적이었다.

정리해고 철폐투쟁의 전형을 보여주었다

77일간의 옥쇄파업을 통해 쌍용자동차지부의 노동자들은 '해고는 살인이다' 라고 규정하고 정리해고는 협상의 대상이 아님을 분명히 하였다. '죽느냐?' '사느냐?' 의 문제로 귀결된 정리해고는 철폐의 대상이었고, 모두 살아야 한다는 절박함을 담고 있었다. 사측이 정리해고를 철회하지 않는다면 그것은 결사항전밖에 없음을 분명히 하였다.

IMF 이후 한국사회 노사관계에서 지속된 싸움의 원인은 구조조정이라는 이름으로 자행되는 정리해고 문제였다. 어떤 노동조합도 구조조정을 받아들이겠다는 곳은 없다. 다 반드시 구조조정만은 막겠다고 하지만, 용두사미. 심지어 노사 간에 희망퇴직 또는 명예퇴직을 합의하여 시행하는 곳도 있다. 본인들이 희망하여 나갔으니 구조조정이나 정리해고는 아니라는 주장이다. 이번 쌍용자동차 사태에서 보듯이 사측은 2,646명에 대해 지속적으로 희망퇴직 마감을 연장하며 숫자를 채우려고 한다. 정리해고에 대한 법적요건, 이후 재채용의 문제 등을 보면 사실 사측의 입장에서는 희망퇴직(위로금 몇 푼 주고 고용관계를 깨끗이 정리하는)이 더 좋은 방법일 것이다. 이런 점에서 쌍용자동차지부가 초기 희망퇴직 반대를 주장하며 싸운 것은 정리해고 투쟁의 기본을 잘 보여준 것이다. 다만 옥쇄파업 이전인 5월 14~15일 상황에서는 희망퇴직 저지를 위한 전술이 부족했지만 일관된 정리해고 철회 투쟁은 참여한 조합원들과 혼연일체가 된 투쟁이었다.

'정리해고 철회'가 가능하냐는 논란이 많았다. 금속노조와 자문단에서도 양보교섭과 대안제시를 줄기차게 이야기하며 정리해고 철회가 아닌 정리해고 최소화를 요구하였다. 쌍용자동차지부 내에서도 논란이 많았던 부분이다. 그러나 조합원들의 태도는 분명하였다. 함께 투쟁하는데 누구는 잘리고 누구는 산다는 것 자체를 생각할 수도 없는 것이다. 간부들이 흔들릴 때 조합원들은 왜 싸우고 있는지를 분명히 지적하였고, 왜 정리해고를 받을 수 없는가를 명확히 하였으며, 정리해고자들만 무급을 하겠다는 말도 안 되는 안에 거절의 뜻을 분명히 하였다.

> 금속에서 정갑득 위원장이 중재자 역할을 하고 왔다갔다 하면서 나온 것이 무급이 있었어요. 일차적으로 7월 29일날 그 전에도 있긴 있었어요.. 근데 그게 해고자들만 무급을 하겠다 이거였죠. 전체적인 측면에서 하는 게 아니라. 그러다보니까 안에서 대다수가 하는 말이 우리가 뭐 무급하려고 여기까지 온 거냐, 이 싸움을 하고 있는 거냐, 그게 아니지 않느냐, 분명치 않은 이 정리해고를 당한 거에 대해서 말하고 있는 거고, 그거를 철회하고자 싸우고 있는 건데 그것도 전체가 아닌 해고된 사람들만 무급을 한다는 게 말

이 되느냐 그래서 이게 실질적으로 안 됐었죠. 못하겠다. 아, 그래서 무급정도는 생각을 했었는데 개인적으로는 좀 아쉬운 부분이 있죠. 저도 그때 반대 입장이었고. 근데 되돌아보면 아쉽지만 어쩔 수 없는 판단이었다고 봐요. 실제로 뭐 무급 쓸 꺼 같으면 뭐 진작에 옥쇄파업도 안 하고 회사에서 쓰라고 할 때 쓰면 되는 건데… (구술자 A)

정리해고 철회가 어렵다는 것은 간부나 조합원이나 모두 인식하고 있었던 것이다. 그래서 그에 걸맞는 전술을 세웠고, 자본이 동원할 수 있는 용역깡패, 구사대, 경찰 등에 맞설 수 있는 힘을 준비했다. 요구에 상응하는 전투 준비는 무엇보다 중요하다. 말로는 혁명을 이야기하고, 결사항전을 하지만 아무런 준비도 없이 하는 투쟁은 결국 투항의 길로 갈 수밖에 없다. 쌍용자동차지부 동지들은 목숨을 건 투쟁을 준비하고 실천했던 것이다. 완성차 노동자가 모두 이야기했던 도장공장의 배수진을 아무도 실행하지는 못했지만, 최후의 보루로 상정하고 준비된 투쟁을 전개한 것이다. "이기러 왔다"는 한 조합원의 발언은 이 투쟁의 의미와 결의를 보여주는 말이다. 선택의 문제가 아니라 살기 위한 결사항전이다. 어떠한 악조건 속에서도 살기 위해서는 이겨야만 하는 투쟁이다. 애초에 협상의 여지는 없는 투쟁이었다. 이제 이 땅에서 정리해고 철회 투쟁을 하려면 어떤 준비를 해야 하는지 쌍용자동차지부 동지들이 전체 노동자들에게 실천적으로 보여준 투쟁이었다.

조합원들이 주체적으로 전술을 수립하는 투쟁의 공동체를 만들어 갔다. 쌍용자동차지부의 투쟁 모습을 보고 노동계뿐만 아니라 정부도 사측도 자본도 정치권도 모두 놀랐다고 한다. 예상치 못했다는 것이다. 적당히 하다가 끝나거나 지리멸렬할 것이라는 예측을 깨고 쌍용자동차지부는 자본과 정권의 간담을 서늘하게 하는 강고한 투쟁을 전개했다. 옥쇄파업 경험이 2006년도에 있었지만 프로그램이나 참여자들의 결의는 달랐다. 참여한 조합원들이 스스로 만들어 가는 투쟁이었다. 맡은 바 역할을 수행하는 데 최선의 방법이 무엇인가를 고민하고, 방안들을 내놓고 토론해서 결론을 만들어 갔다. 이러한 방식은 노동자 군대와 명령에 죽고 사는 부르주아 군대의 차이는 토론하고 노동자 전체가 주체가 되어 전략 · 전술을 만들어가는 것임을 보여주었다. 파업 참여 조합원들이 의사결정 과정부터 참여하여 능동적인 투쟁을 전개하였다.

훌륭한 전술가는 아니고 금속에서 몇 분정도 계셨는데, 그분이 하는 역할은 우리 조합원들이 해놓은 것들에 대해서 체크하는 정도 미진한 부분 지적해주는 정도. 준비를 하면서 조합원 스스로가 의견을 제시 했어요. 여기 막 이렇게 해놓으면 부족할 수가 있다, 만약에 저쪽에서 들어오면 어떻게 하고 이쪽에서 들어오면 어떻게 할 꺼냐 그런 의견들을 스스로가 냈고 또 받아 안고 그 스스로 의견을 제시하고 조합원들 스스로 또 준비를 해 나가고 그런 과정이었죠. 한데 그거에 대한 두려움을 갖고 있었던 거죠. 경찰... 구속도 많이 되고 그렇지만...경찰하고 맞닥뜨려 본 경험이 거의 없고 경찰서 한번 가보지 않은 조합원이 태반이에요. 그런 분들이에요...그런데 어쨌든 이게 경찰들이 언젠가는 진압하러 들어올 것이라는 분위기는 알고 있었어요. 왜냐면 훨씬 이전서 부터 경찰들이 주위 다 둘러싸고 배치를 하고 있었으니까 어 그러니까 그런 두려움 속에서 스스로가.. 스스로가 어느 부분이 취약하고 어느 부분을 어떻게 우리가 보강을 해야겠다 그런 의견제시를 굉장히 많이 해줬어요. 그게 오히려 어느 시점에 가서는 지부장님이 상집간부들이 조합원들에게 배워야 된다 그럴 정도로... 솔직히 말씀드리면 상집간부들은 뭐 그 이전서부터 집회니 뭐니 준비하고 정말 이렇게 하다 보니까 굉장히 피곤해져 있었어요 그러다 보니까 맑은 아이디어가 안 나왔는데 오히려 그런 것들이 조합원들 속에서 나온 거예요. (구술자 A)

그들은 보급이 차단되고, 물이 끊기고, 가스가 차단되고, 전기가 끊기면 자체적으로 사용량을 조절하여 비축분을 확보하고, 대체 수단들을 강구하여 불편했지만 투쟁할 수 있는 여건들을 만들어나갔다. 서로의 머리와 몸을 합쳐 적들의 공격에 맞섰던 것이다. 평상시에는 현장에서 해야 할 일 때문에 노동조합에 크게 기여하지는 못했지만 옥쇄파업에 돌입한 1,000여 조합원 모두가 노동조합의 전임자였던 것이다.

물, 가스, 전기 끊겨서 다른 분들이 걱정을 많이 하셨다고 사실… 그때마다 방법이 하나씩 생기더라구여. 보니까는 방법이… 하여튼 참 사람이 어떤 환경에서도 정말 적응할 수 있다는 것을 느꼈어요. 이제 물이 끊기면, 물을 끊긴다는 걸 다 예상하고 있었으니까 비가 그 다음에 왔었거든요. 빗물을 받아 놨던 거 쓰고, 에어컨에서 나오는 물 쓰고, 소화전의 물을 끌어다 먹고 쓰거나 그 다음에 그 전에 생수가 금속에서 꽤 많이 들어 왔었어요. 그거 다 하나도 안 쓰고 보관하고 있었고. 가스로 밥을 해먹었는데 가스 끊으니까 식당에서 밥을 못 하잖아요. 기존에 각 거점별로 있는 부탄가스로 밥을 해먹고 그것도 안 되니까 전기로, 전기밥솥으로… 나중에 전기까지 끊으니까 그때는 이후부터 주먹밥을 해먹었죠. 하루에 두끼, 세끼, 네끼 그렇게 쭉 먹고 그나마 도장공장은 도료가 돌아가는데 도료가 굳으면 노즐이 막히잖아요. 그게 하나가 200억이래. 1, 2팀이면 400억이잖아요. 그니까 그것 때문에 저희가 거기는 계속 돌렸어요. 발전기 해서. 자가발전해서. (구술자 M)

또한 조합원들은 자율에 의한 뛰어난 질서의식을 보여주었다. 초기 자유로운 출입이 보장될 때, 조합원들의 잦은 외출이 문제되었을 뿐 조합원의 조직화 방안에 대한 아이디어와 분임토의를 통한 의견개진, 평가 등 자율에 의한 집단적 힘을 유감없이 발휘했다. 조합원들 스스로 전술을 짜고 물품을 만들고 역동적으로 움직이던 조직, 바로 노동자 투쟁공동체의 모습을 보여주었다. 광주 시민군의 모습이 이러했을까? 시키면 시키는 대로 끌려 다니던 구사대의 모습과 너무나도 대비되는 멋진 노동자의 모습이었다.

투쟁을 통해 노동자 의식이 강화되는 모범을 보였다

지부 차원에서의 교육과 연대하러 온 동지들의 연설 등을 통해 교육된 것도 있지만, 많은 조합원들은 투쟁이 끝난 후 이 투쟁은 노사간에 해결될 수 있는 성격이 아니었음을 이야기하였다. 자신들의 정리해고 문제로 상하이차와 그 하수인 노릇을 하는 경영인을 적으로 놓고 투쟁을 시작했지만 차츰 주적은 그 이면에서 조정하고 있는 이명박 정권임을 분명히 알았다. 자신들의 이익을 위해 압력을 행사하며 정리해고를 관철시키라고 강요하는 자본에 대해 정확하게 파악하고 있었다.

바로 쌍용자동차지부의 투쟁이 정치투쟁이었으며 자본주의 모순을 노동자에게 전가시키려는 자본과 정권의 문제임을 투쟁을 통해 깨닫게 된 것이다. 그래서 투쟁이 대정부투쟁이어야 했음을 조합원들은 알고 있었다. 투쟁에 끝까지 참여했던 조합원 중 몇 분 동지들의 이번 투쟁과정에서 느낀 점을 보면 다음과 같다.

- 정권은 바뀌어도 자본의 힘은 영원하다.
- 지금까지와의 정리해고 투쟁과는 달리 이명박이 CEO정신이 투철해 더 악랄한 방법을 동원했던 것 같다.
- 같은 노동자로서 함께 연대하지 못한 채 싸운 것. 연대의 합심.
- 꼭 이겨서 나가려고 했다. 좀 아쉬웠다.
- 더 투쟁적이고, 좀 더 많은 준비들을 하였다면 하는 아쉬운 점들…
- 승리할 수 있다는 확실한 생각이 들었지만 투쟁의 기간이 길어질수록 자본에 밀린다는 느낌이 들었음.
- 큰 싸움은 뒤를 돌아보면 안 된다는 것, 일을 저지르고 보는 것만이 정답이라 생각함.
- 이 땅에선 힘없는 사람들은 살아가기가 힘들다는 것
- 파업은 정부와 자본을 향한 표현이라고 생각한다. 정리해고는 정부와 자본이 시행하는 것이지만 그들은 그 행위를 하기 위해서 같은 노동자를 이용한다. 결국은 이용당하는 노동자가 동료를 정리해고시키는 것이라 생각했다. 그래도 노동자로서 나의 소신을 가지고 힘찬 투쟁, 그리고 함께한 시간들이 나에게는 소중한 기억으로 남을 것이다.

다양한 생각들이지만 현실 사회를 정확히 보고 있으며, 투쟁의 본질을 잘 알고 있는 내용들이다. 무엇보다도 이 투쟁을 통해 자신의 문제를 사회적인 문제로 해석하고 이해할 수 있는 특히 노동자의 관점으로 바라보는 의식이 향상되었다는 점이다. 투쟁을 통해서 우리는 무엇을 남겨야 하는가? 노동자로서 각성되고 의식화된 사람인 것이다. 이 투쟁을 통해 자본주의 사회를 바로 볼 수 있는 1,000여 명의 동지를 남겼다면 엄청난 미래를 준비한 것이다.

가족대책위의 역할과 투쟁의 사례를 분명히 보여주었다

과거 다른 노동조합에서 가족들의 투쟁은 다양한 형태로 전개되었다. 쌍용자동차지부 가족대책위 투쟁은 옥쇄파업으로 자칫 고립될 수 있었던 쌍용자동차지부의 투쟁전선을 확대시키고 조합원들이 갈 수 없는 곳을 직접 타격하는 등 모범적이었다. 그 외에도 조합원들의 흔들릴 수 있는 마음을 다잡아주고 나 혼자만의 투쟁이 아니라 가족들과 함께 투쟁하고 있다는 의식을 일깨워 주었다.

초기, 가족들은 조합원들을 위로하고 힘을 북돋아 주면서 공장에서 함께 결의를 다지고 투쟁하였다. 사측과 경찰의 공세가 강화되자 천막과 공장을 벗어나 노동자들이 모이는 곳에 가서 문선과 연설을 통해 연대를 호소하고, 선전전, 정치권과 국회 항의방문, 삼보일배, 집회, 구사대와의 투쟁 등 조합원들의 옥쇄파업을 보완하는 전국단위 투쟁을 담당하였다.

일부 조합원들은 강성 투사가 되어가는 부인들에 대한 '두려움'과 안타까움을 갖기도 했지만 가족들이 지지하고 함께한다는 데서 엄청닌 힘을 받았다. 함께 투쟁하니 현 시기에 대한 이해도 같아졌고 극복 방법도 함께 풀어갈 수 있었다. 변해 가는 부인들을 보며 조합원들도 다시금 투쟁의 결의를 다지곤 하였다.

> 나는 가대위도 한가할 때 와서 하면 상관없는데 애기 둘이 있잖아요. 애들은 딴 데다 맡겨 놓고 자기 할 일도 안 하고 그렇게 하니까는… 근데 전화를 안 받는 거예요. 심리적인 게 약간씩 바뀌더라구. 나도. 그런데 가대위 영상 틀어 주면은 와이프가 꼭 있는 거야. 거기. 아, 그러니까 한편으론 좋으면서 승질이 막 나는 거예요. 난 항상 그러거든요. 애들은 잘 저기 하고 주말엔 나와서 니가 해라! 와이프 입장에선 또 그게 안 그런가 보더라구. 지금 나와서 뭐 얘기를 하는 거 보면은 그것 때문에 막 많이(강조) 싸웠어요. 안에 있으면서도 내가 일부러 전화 안 받고 너! 네 할 일 하고 해라! 자기 할 일도 잘 해놨드라구요. 나와서 보니깐. 그리고 와이프도 많이 다치고 막 그래 갖고…. 처음엔 신랑이 들어가 있으니까, 몇 번 왔었는데 그 가대위 아줌마들끼리 얘길 하다 보니까 또 그게 맞는 얘기고 또 와이프가 인권위원회 그런데도 많이 갔거든요. 혼자서~ 가고 막 그러다 보니까 와이프도 많이 변했드라구. 지금도. MBC만 보구. 그 다음에 컴퓨터도 와이프는 잘 못하는데 그 아프리카 방송 있잖아요. 그거를 깔아 놨드라구. 말투도 약간 과격해지고 뭐 정치적으로 얘기하면 한나라당 엄청 싫어해요. 감당이 안 돼... 너무 좀 과격하게 커갔구… 예상 밖이야! (구술자 K)

가대위는 평택, 정비, 창원으로 각각 조직되었지만 각 지역에서의 투쟁과 전체가 함께하는 투쟁을 병행하였다. 옥쇄파업 상황에서 소홀할 수 있는 대정부 타격투쟁을 전개하였으며, 정리해고가 개인의 문제가 아니라 가족 전체의 문제이며 사회적인 문제임을 부각시키는 역할을 했다. 쌍용자동차지부 가대위는 처음에는 노동조합의 가족 설명회로 모여졌지만 차츰 자발적으로 조직화와 투쟁을 전개했다. 너무나도 헌신적인 가족들의 투쟁은 쌍용자동차지부 투쟁의 큰 힘으로 작용했으며, 가대위 회원들도 투쟁 가운데 의식의 향상을 가져왔다. 안타까운 것은 어린 자녀들과 가대위 회원들이 아직도 공황장애 등의 정신질환에 시달리고 있다는 것이다.

> 파업이 들어가고 나서부터는 애들이 느끼는 그 변화에 대한 스트레스가 엄청났죠. 저희 애들뿐만이 아니고 가대위에 있던 다른 애들도 전부 다 그랬어요. 그러니까 매일 나와 가지고 열심히 했던 엄마들의 아이들일수록 그 스트레스는 더 엄청났죠. 아빠가 어느 날 갑자기 집에 안 들어오는 상황이, 아무런 설명도 없이 닥친 거잖아요. 그러니까 아빠의 부재에 대해서 얘네들이 굉장히 뭐라 말은 표현을 못하지만 어려서. 굉장히 그게 놀라웠는데 엄마도 달라지고. 엄마도 너무 바쁘고, 뭘 하는지. 보면은 또 엄마가 경찰들하고 삿대질 하면서 싸우는 모습도 보고. 엄마가 갑자기 막 욕을 하면서 소리를 지르고, 이상한 거죠 애들이. 그리고 애들이 대부분 집에서 음, 뭐라 해야 되나. 다른 집에 맡겨진 경우가 또 많았어요. 저희가 서울에 일을 보러 다니게 되면서 애들이 감당이 안 되니까 뭐 할머니 집, 외가댁이며, 친할머니 댁이며 아는 이모, 고모, 친구 집이며 다 맡기고 다녔거든요. 그러니까 애들이 거기에 대한 불안감. 엄마 옆에서 못자고 다른 집에서 이제 또 엄마가 오길 기다리고 그러니까 아휴, 애들이 스트레스가 말도 못해요. 진짜. 어른들은 말이라도 하면서 풀 수가 있는데 애들 상처를 어떻

> 세 해야 될지 지금도 솔직히, 저기 저 꼬맹이도 엄마에 대해서 지금 굉장히 불안해하고 있거든요. 그래서 지금도 어떻게 상담을 한 번 받으러 가야 되나 계속 생각만 하고 있어요. 가보지는 못하고. (구술자 N)

이후 노동자 투쟁에 있어 쌍용자동차 가대위의 역할과 활동은 모범 사례가 될 만한 투쟁이었다. 가족대책위 회원 중 과거 활동 경험이 있던 동지들이 있어 투쟁의 방향이나 내용을 채워 나가는 것은 어렵지 않았으나, 가장 어려웠던 것은 조합원(남편)들의 반대였다고 한다. 자신들은 투쟁하고 있으면서 가족의 투쟁은 반대하는 조합원들 때문에 가대위에서 노동조합 집행부에 "조합원 교육 좀 시키라"고 부탁할 정도였다고 한다. 조합원들의 가족에 대한 보호 의식과 잔존해 있는 가부장적 사고가 가대위 투쟁의 걸림돌이었다. 한상균 지부장은 가대위에 대해 "가대위가 투쟁의 반이었다! 금속 선봉대였다!"고 극찬을 아끼지 않았다.

한계와 과제

77일간의 옥쇄파업을 요구안 대비 성취도에 따라 계량적인 승패를 이야기 할 수는 없다. 역동적인 대중 투쟁에서 역사적인 과오나 흠집을 찾아낸다는 것 또한 말이 안 될 것이다. 왜냐면 노동자의 원칙적인 투쟁 그 자체가 아름답기 때문이다. 여기에서 지적하고자 하는 것은 결과론적인 부분일 수도 있으나 전술적 측면에서의 오류와 준비되지 못했거나 역량이 부족했던 한계를 짚어보자는 것이다.

조직과정의 문제

한상균 지부장과 집행부는 조합원에 대한 신뢰를 강조하고 있다. 이는 진정 신뢰하고 있음을 보여주는 것이기도 하지만 조합원 참여율에 대한 불안감의 다른 표현일 수도 있다. 선거 때부터 분명한 입장을 천명하고 투쟁을 준비했지만 사측의 선공에 당선되자마자 농성부터 시작하며 준비해 나가는 모습은 수세적일 수밖에 없었다. 2008년 12월 한상균 집행부 당선에서부터 옥쇄파업에 돌입하는 2009년 5월 22일까지 집행부가 줄기차게 고민했던 것은 조합원들의 참여율이었으며, 투쟁하는 것을 제외하고는 모든 힘을 조직화를 위한 교육, 조직 사업에 쏟았다. 쟁점이 되었던 양보안의 문제, 파업의 시기 고민 등도 모두 참여 조직화와 관련된 문제였다. 정리해고 비대상자가 100여 명 참여하여 투쟁의 의미를 한층 돋보이게 했지만, 결국 정리해고자 중심의 투쟁이었다는 것은 사실이다.

조직과정상의 문제를 살펴보면 네 가지를 들 수 있다. 첫째, 조직대상의 폭을 넓히는 노력이 부족했다. 원하청 연대투쟁이라고 하지만 그 대상은 사내하청이었으며, 참여 비정규직도 19명의 소수였다는 점이다. 실제로 원하청 연대투쟁이라 하면 협력업체를 포함한 전선을 치고 전략적으로 한두 업체라도 조직하는 노력을 보여줬어야 할 것이다. 둘째, 제명 결정으로 파업참여자와 파업불참자 간을 너무 빨리 갈라치기하여 노노갈등의 빌미를 주었다. 파업참여자에게 자긍심과 결의를 심어주는 것은 바람직하나 이 투쟁을 파업참여자만의 것으로 규정할 우려가 있는 파업불참 조합원 제명까지 결의한 것은 조합원을 가르는 결과를 가져왔다. 사측은 '산 자와 죽은 자' 로 노동조합은 '파업참여자와 파업불참자' 로 갈라 쳐 투쟁 이후까지 갈등의 요소로 남았고, 불참자들이 사측의 통제 하에 파업참여자를 공격하게 하고 자기합리화의 빌미를 제공하였다. 노동조합의 입장에서는 계속적으로 파업에 참여하도록 독려하고 묵시적 동조세력 또는 최소한 사측의 구사대로는 서지 못하도록 노력하는 것이 더 바람직했을 것이다. 셋째, 자구안 일명 양보안은 노조내의 협상파와 온건 세력을 껴안기 위한 노력일 수도 있으나 투쟁의 목표에 혼선을 주고 투쟁전술에도 영향을 미친다면, 그것은 지도부에 대한 신뢰에도 문제를 발생시킨다. 애초부터 투쟁의 목표와 요구가 분명하고 일관되게 제시되었어야 한다. 넷째, 전면파업 돌입 시기가 사측이 비공식 루트를 통해 명단을 유포한 이후로 잡히는 바람에 소위 '산 자와 죽은 자'로 구분되는 파업참여 양태를 보이게 되었다. 두 번에 걸친 찬반투표에서 나타났듯이 파업투쟁을 찬성한 70~80%의 조합원을 대상으로 한 조직화가 필요했다.

교섭에 대하여

노동조합의 자구안이 조직화와 여론에 좋은 영향을 미쳤다고 할지라도 쌍용자동차지부 요구안이 자구안 수준으로 인식되어 중재에 나선 사람들은 자구안에서 더 양보를 요구하는 문제가 발생했다. 사측의 정리해고 강행에 쌍용자동차지부에서 자구안과 '쌍용차 모델'을 모두 폐기했지만, 지부에서 문제 제기한 대로 처음에 1대 10의 격차를 갖고 있던 노사의 의견이 노조가 자구안으로 5을 제시하자, 1대 5에서 중간인 2.5로 하자는 안이 중재안으로 나오는 상황이었다. 사측은 노사 당사자 간 자율적 의지에 따라 협의가 진행될 수 있도록 정치권에서 도와줄 것을 요구하며 지부의 대정부교섭 노력을 노사간의 문제로 축소시키려고 하였고, 집행부가 이에 일정 정도 말려든 부분이 있다.

교섭은 조직력과 힘의 관계에서 좌우되는 것이므로 전술이 있어야 한다. 교섭안을 모두 보여준 상황에서는 힘의 관계에서 균형 또는 우위를 점하지 못하면 굴욕적인 교섭이 될 수밖에 없다. 장시간의 교섭에도 불구하고 상호 입장만 되풀이 하다가 교섭이 소강 상태가 되면 오히려 노조측 내부에서 민주노총, 금속노조를 비롯한 간부들이 청산을 포함한 파국에 대한 우려를 나타내 내부가 흔들리는 우를 범하기도 하였다.

7월 30일부터 진행된 '끝장교섭'은 사측에게 당한 교섭이었다. 진지하게 세부적인 안까지 논의하면서 노동조합이 밑장을 다 까자 사측은 합의문까지 작성해 놓고 결렬을 선언한다. 교섭에 대한 노동조합의 패를 다 보았으니 합의의 의미가 없다는 것이다. 부도덕하고 신의가 없는 사측을 너무 신사적으로 대한 것 아닌가? 사측은 노조가 정리해고 철회를 고수하며 양보가 없다고 비난까지 하였다. 이어진 용역깡패와 경찰 특공대의 파상적인 공세로 조합원들의 사기가 꺾이고 결국 협상을 구걸하게 된다. 장기 파업으로 많이 힘들고 부상자의 문제 등 어려움이 있었지만 전열을 가다듬고 부상자와 희망자들을 내 보낸 후 최후의 일전을 준비했다면, 지금보다는 나았을 것으로 판단된다. 도장공장내의 소수 고립에 대한 우려가 있었지만, 사측도 그리 시간이 많지는 않았기에 교섭국면이 한 번 더 열릴 수 있었을 것이다. 아니, 교섭이 안 열리고 투쟁이 끝난다고 해도 지금 조합원들이 겪고 있는 고통을 생각한다면 큰 차이는 없었을 것이다. 정리해고 관철과 민주노조의 파괴가 저들의 목적인데 합의문을 지킬 리가 없는 것 아닌가? 구두 약속은 진짜 공수표일 뿐이다.

연대투쟁에 대하여

대부분의 조합원들 그리고 간부들이 지적하는 것이 금속노조와 민주노총의 연대에 대해 실망감을 금치 못했다는 것이다. 투쟁이 막바지로 갈수록 금속노조의 연대총파업이 관건이 되고 그것만이 마지막 돌파구라고 전략단위 토론에서 결론 내려진다. 76일간 잘 싸우다가 막판에 어처구니없는 합의문이 작성된 것도 금속노조의 연대투쟁을 기대할 수 없게 되었기 때문이라고 주장하는 사람들도 있다. 쌍용자동차지부 노동자들의 정리해고 투쟁에 금속노조와 민주노총이 책임져야 하는 부분이 있는지 정확히 따져봐야 할 것이다.

조합원들의 기대는 '금속연맹'이 아니라 '금속노조'라는 점에 기반한다. 산별시대에 같은 조직인 쌍용자동차에서 벌어지고 있는 정리해고를 금속노조가 어떻게 대응하고 투쟁해 나갈 것인가를 묻고 있는 것이다. 쌍용자동차지부의 투쟁은 금속노조 산하 지부에서 절반의 노동자가 짤려 나가는 상황에 대응하는 투쟁이었다. 전국적인 단일 산별노조에 속한 사업장에서 절반의 노동자가 짤려 나가는데, 산별노조는 어떤 투쟁을 전개했어야 하는가? 사활을 걸었어야 한다. 그리고 민주노총 위원장과 금속노조 위원장이 조합원과 연대 단위의 동지들 앞에서 수차 약속했던 "공권력이 투입되면 즉각 총파업에 돌입하겠다"는 약속을 지켰어야 한다. '허장성세'와 '뻥'은 다른 것이다. 조합원들에게 벅찬 희망을 갖게 하였던 그 무수한 약속들은 지켜지지 않았다. 조합원들이 기대했던 연대는 공장이 봉쇄되었을 때 한 번쯤 안팎에서 합심하여 봉쇄를 뚫고 담배라도 한 대 나누는 것이었지 평택역에서 걸어와 정문 앞에서 돌아가는 동지들을 보고자 함은 아니었다. 심지어 "공권력 투입의 의미가 무엇인가?"라는 논란이 있다. 정문이냐, 도장공장 안이냐의 논란은 말장난에 불과한 것이다. 주체인 상급단체 집행부의 의지의 문제인 것이다. 어디까지인기의 문제를 논하는 것 자체가 경찰의 진입을 일정 부분 용납하겠다는 뜻을 내포한 것이다. 조합원들의 생각이 무엇인지 알고 이에 함께 할 수 있는 민주노총과 금속노조 집행부의 생각이 중요한 것이다.

쌍용자동차 노동자들의 투쟁은 자신들의 정리해고에서 출발했지만, 노동자들의 완강한 저항과 정리해고 철회를 요구하는 옥쇄파업으로 사회 문제화시켰고, 여론의 관심 속에 중국 국가자본(상하이차)과의 외교문제, 자본과 노동과의 기업 위기의 해결 방식의 문제, 정리해고 수용이냐 전면 거부냐 문제 등 정권과 자본 그리고 노동의 본질적인 투쟁으로 발전되었다. 이 투쟁의 성패는 세계경제 공황하에 자동차산업 전체와 한국 경제 전반에 걸쳐 영향을 미치는 것이었다. 쌍용자동차 노동자들의 투쟁을 받아 전국적인 전선을 만들어 내고 공황기 정리해고 투쟁의 새로운 양상을 만들어 갈 책임이 금속노조와 민주노총에 있었던 것이다.

쌍용자동차의 투쟁을 단지 2,646명 아니 976명(6월 8일 기준)의 정리해고 문제로 본다면 쌍용자동차 노동자만의 투쟁으로 축소되고 쌍용자동차의 회생 문제가 초점이 될 것이다. 그러나 이 투쟁은 잘못된 해외매각과 인수기업의 기술유출과 부실 경영, 그로 인한 회사의 위기를 노동자에게 전가하여 희생을 강요하는 것에서 비롯되었다. 따라서 책임 주체인 정부, 상하이차, 쌍용 경영진, 검찰(기술유출 조사, 발표 보류함), 경찰, 자본 등 이 나라 기득권 세력과의 일전인 것이다. 근래 보기 드문 광범위한 연대투쟁이 만들어졌던 것도 이 때문이었다. 그러나 금속노조와 민주노총은 이 지점을 자신의 과제로 떠안지 못했다.

투쟁에 참여했던 간부들과 조합원들에게 쌍용자동차가 앞으로 어떻게 될 것인가를 물었다. 대답을 종합해 보면 독자회생이 어려울 것이라는 전망이 대다수였다. 너무 많은 조합원들을 구조조정해서 관리직에 대한 구조조정이 불가피할 것이고, 정상화 후 매각이 가장 가능성이 클 것으로 예측하고 있다. 이미 상하이차가 신차개발을 C-200 외에는 4년간 전혀 안 했기에 버틸 수 있는 구조가 안 된다는 것이다.

어느 곳으로 매각되든지 무급휴직자와 정리해고자의 복직 문제를 반드시 해결하도록 해야 한다. 또한 아직도 해결되지 않은 상하이차의 지분 문제, 남아 있는 자들의 노동강도 강화 문제, 노동조합의 정상화 등 여러 가지 산적한 문제들이 있다. 사측의 약속불이행과 사법처리의 초법적 행태, 투쟁 이후 조합원들의 생계문제 등으로 다소 어려움이 있지만, 구속 동지들이 나오기까지 '정리해고특별위원회'를 중심으로 전열을 가다듬고 투쟁의 계획을 세워나가야 한다. 호적(회사의 적)을 두게 된 동지들과 정리해고된 동지들 간의 역할을 명확히 하여 장기적인 투쟁을 준비해야 한다. 불법적인 집행부임에도 사측의 비호아래 금속노조 탈퇴를 주도하고 노사평화선언까지 자행한 이른바 '독자노조'를 어떻게 할 것인가도 중요한 부분이다. 쌍용자동차지부 중심의 정리해고 철폐 투쟁과 복직 투쟁을 전개하며 현장을 다시 만들어가는 노력이 필요할 것이다. 77일간의 옥쇄파업의 기억이 고생이 아니라 경험으로 이후 정리해고자들이 모두 복직되고 노동조합이 원상회복되는 그날까지… 투쟁!

부록

- 투쟁일지
- 파업대오 명단
- 구속자
- 쌍용자동차지부 22년차 대의원 명단
- 참고자료

투쟁일지

2008.10.22	금속노조 쌍용자동차지부 비정규직지회 설립(600여 대상자 중 150명 가입)
2008.10.27	정일권 집행부 사측과 전환배치 합의(비정규직 347명 강제 휴업 합의)
2008.10.29	쌍용차지부 제2기 임원선거 공고
2008.11. 5	사측, 비정규직 노동자 330명 강제휴직(희망퇴직 유도)
2008.11. 6	쌍용차지부 제2기 지부장 선거 후보 명단 확정 공고
2008.11.25	사측, 노조에 복지사항 전체 중단과 연월차수당 지급 보류 일방통보
2008.11.26	노조, 사측의 복지중단, 연월차수당 지급 보류에 항의 방문. 사장과 면담
2008.12. 1~2	쌍용차지부 제2기 임원선거 1차투표 실시
2008.12. 4~5	쌍용차지부 제2기 임원선거 2차투표 실시
2008.12. 5	쌍용차지부 2기 집행부 한상균 지부장 당선 공고
2008.12.10	노조, 인수위 첫날. 일방적 복지중단에 대한 항의로 천막농성 시작
2008.12.12	당선자, 대의원 간담회에서 지부장 전권을 공식 위임 받음
2008.12.15	대의원 긴급 간담회, 16일 보고대회 투쟁방안 논의
2008.12.16	노조, 주 · 야간 전 조합원 보고대회 진행. 14시 중국대사관 앞 기자회견
2008.12.17	사측, 휴업 돌입

	노조, 조합원 출근투쟁. 개발중인 신차 "C-200" 기술 유출 관련 제보 발생. 노조, '불법적인 복지중단, 일방 휴무 강행' 규탄대회
2008.12.20	현장 제조직 간담회(21개 현장조직 의장단 참석)
2008.12.23	일방적 복지중단, 휴무강행 규탄대회
	14시 긴급 8차 임시대의원대회(구 · 연구동 4층) - 쟁대위 전환, 쟁발 결의
2008.12.23	10시 '구조조정 분쇄! 기술유출 저지! 단체협약 사수 결의대회' (평택시청). 1,500여 명 참가. 결의대회 후 평택역까지 도보 이동하며 대시민 선전전
	16시 노사 특별 협의
2008.12.24	평택지역 국회의원 정장선, 원유철 노조와 면담
2008.12.26	임시대의원대회 속개 - 구조조정 대응 건 만장일치로 결의
2008.12.27	18시 30분 박언주 상무 천막농성장 방문. 현재 회사 상황 설명
	22시 30분 류재완 상무 천막농성장 방문, 현재 상황 설명
2008.12.28	사측, 임원들(최형탁 대표 외) 천막농성장으로 찾아와 기술유출 관련하여 오래전부터 협의해왔으며 종결 지점에 다다랐다고 시인
2008.12.29	평택공장 정문 '기술유출 저지! 구조조정 분쇄! 단체협약 사수!' 를 위한 결의대회
	14시 여의도 국회의원 회관에서 노 · 사와 국회의원, 평택시장 회의

2008.12.30	10시 평택공장 정문 앞 '기술유출 저지! 구조조정 분쇄! 단체협약 사수!'를 위한 전 조합원 총력투쟁 결의대회 사측, '위기 극복을 위한 전 임직원 결의문' 강제 서명 시작
2009. 1. 5	'기술유출 저지! 강제적 결의문 서명 저지!'를 위한 전 조합원 결의대회(주간조 08:30~09:30/야간조 21시~22시, 복지동 민주광장), 현장순회 기술유출 저지! 일방적 복지축소! 단체협약 위반! 구조조정 분쇄를 위한 쟁의행위 찬반투표를 위한 총회 공고. 5~6일간 총회 투표 진행
2009. 1. 6	쟁의행위 찬/반 투표 완료. 투표율 95%. 개표는 대의원들 동의하에 잠정 보류 고용안정 특별대책위원회 구성, 외부 자문단 구성 2008년 12월 임금체불에 대해 노동부 진정 대표 3인(최형탁, 장하이타오, 란칭충)을 근로기준법 제43조 위반으로 노동부 평택지청 근로감독과에 고발 제22대 지부대의원 선거 일정 공고
2009. 1. 8	사측, 쌍용자동차 이사회 개최(중국 상해) 노조, 법정관리부터 매각까지 과정 조합원 설명
2009. 1. 9	상하이차, 기업회생절차(법정관리) 신청
2009. 1.12	지부, 조합 사무실에서 법정관리 신청에 따른 기자회견 갖고 담화문 발표. 사측의 개별동의서 요구, 강제진행 예상. 이에 대한 조합원 거부 호소 법원, 쌍용자동차에 대한 자산 보전 처분 결정

2009. 1.13 지부, 법정관리인 현 경영진 선임 반대, 전문경영인 선임을 위한 전 조합원 서명 돌입. '법정관리 신청 후 대응방향' 에 대한 전 조합원 교육. 교육 직후 지부 대의원 투표 진행

2009. 1.15 지부, 22년차 지부대의원 당선 공고

10시 30분 광화문 정부종합청사 '노동자 서민 살리기 금속노조 투쟁본부 선포대회'. 집회 후 한상균 지부장 등 국무총리실 방문, 쌍용자동차 정상화와 총고용 보장 등 대정부 요구안 전달

금속노조, 오후 2시, 쌍용차 사태 해결방안 모색을 위한 토론회 개최

2009. 1.16 쌍용차지부, 비정규직지회, 시민단체, 먹튀 자본 상하이차 규탄과 쌍용자동차 정상화를 위한 범국민 서명운동 진행하고 선전전

2009. 1.17 쌍용자동차 살리기 평택시민 대책위원회 구성

2009. 1.19 지부, 오전 9시 회의실에서 22대 대의원 간담회 개최

지부, 오후 3시 법정관리인을 제대로 선임해야 한다는 탄원서 제출. 한상균 지부장, 서울중앙지법 이동원 부장판사 면담

2009. 1.20 오전 11시 한상균 지부장 쌍용자동차 부품납품업체 '협동회' 회장단과 면담(공도연수원)

오후 2시 긴급 노사협의 진행. 노사 22~23일, 29~30일 4일간에 대한 휴업 합의

2009. 1.21 지부, 쌍용자동차 정상화를 위한 100만인 서명운동 돌입

2009. 1.22 금속노조, 오후 2시 세종문화회관 앞에서 상하이 자본 규탄, 정부책임 규명, 총고용 보장 금속노동자 결의대회

2009. 2. 2 지부, 상하이자본의 책임에 대한 노조 입장 정리. 1) 중국 내 한국 연구원 국내 소환, 2) 상하이와 공유 전산망을 차단해야 한다, 3) 한국 내 상하이 파견인들, 본국(중국)으로 철수해야 한다. 4) 미입금된 기술 사용료 600억 원을 즉시입금하고 손해배상 청구 및 사용료 재협상을 해야 한다.

지부, 설 연휴기간 동안 '쌍용자동차 정상화를 위한 100만인 서명운동' 전개. 2만 5,556명 서명 참여

2009. 2. 4 오전 11시 서울중앙지방법원 앞 '쌍용차 먹튀사태 책임규명과 공장 정상화를 바라는 시민 사회단체 기자회견' 진행

14시 본관 대회의실 C-200 공사 관련 특별단체교섭

2009. 2. 5 지부, 언론을 통해 보도되고 있는 현 경영진 포함하는 공동관리인 선임 반대

2009. 2. 6 서울중앙지방법원 쌍용자동차 회생절차 개시 명령. 법정관리인으로 이유일, 박영태 선임

지부, 쌍용자동차 경영파탄과 경영위기의 주범 박영태 상무의 공동관리인 선임 반대 입장 발표

한상균 지부장 경기도청 김문수 도지사 면담. 김문수 경기도지사 장학사업과 R&D부분에 대한 지원 약속

2009. 2. 9 지부, 이유일, 박영태 공동관리인에게 노조의 요구사항을 담은 질의서 전달

2009. 2.10 지부, 법정관리 이후 대응 방안을 위한 전 조합원 교육 실시, 교육 후 한상균 지부장과의 공청회 진행

2009. 2.11 오후 5시 본관 대회의실 단체협상 2차 교섭 진행. 5+5, 노동시간 단축 일자리 나누기 제안

지부, 우선회생, 총고용보장을 위한 조합원 공청회

2009. 2.12 금속노조 쌍용차 지부 2기 임원 이취임식 및 22년차 정기대의원대회 개최

2009. 2.16 14시 노사 특별단체협상 진행(3차 교섭). 교섭 결렬. 노조 4+4 양보안 제안. 사측 8+0(야간조 휴업) 강행만을 주장. 결렬 후 일방적 휴업 강행. 주간조만 근무. 야간조는 일방 강제 휴업

지부, 쟁의대책위원회(쟁대위) 긴급 지침 발령. "전 조합원 정상출근"

금속노조 임시대의원대회. 쌍용자동차 지부 구조조정 전면대응 확정

2009. 2.17 지부, 오후 15시 특별단체교섭 4차 교섭 진행. 사측, 급여시스템 문제(조정에 1년 소요)를 거론하며 노조의 일자리나누기 방안(5+5 또는 4+4) 거부

노사, 특별노사합의. 2월 17~28까지 라인 야간조 휴업을 한시적으로 시행

지부, 강제휴업에 맞서 정상출근 지침. 밤 9시 복지동 식당에서 조합원 집회

2009. 2.18 지부, 오전 11시 30분 서울 여의도 산업은행 본사 앞 쌍용자동차 산업은행 긴급 자금투입 촉구 금속노조 쌍용차지부 확대간부 결의대회 진행

	평택시민대책위, 오후 6시 평택 세교공원에서 '평택시민 그리고 쌍용자동차 가족과 함께하는 쌍용자동차 올바른 정상화를 위한 촛불문화제'
2009. 2.20~21	지부, 쌍용자동차지부/지회 상집 결의대회
2009. 2.22	박영태 관리인과 면담진행(정문 천막농성장). 노조 상하이자본과의 단절, 전산망 차단, 각종 계약관계 공개 요구
2009. 2.24	지부, 오전 10시 30분~오후 12시 30분 '법정관리 이후 대응 방안을 위한 조합원 교육(본관 식당)
2009. 2.24	오후 4시 30분 C-200 공사 관련 노사 공동점검회의 비정규직지회, 125일째 투쟁 진행 중. 임금체불과 38명 강제 계약해지 통고
2009. 2.25	오후 3시 본관 대회의실 근무형태변경을 위한 특별단체교섭(5차교섭) 진행 지부, 조립1팀 휴업자 대상 주1회 출근투쟁과 노동조합 교육 진행
2009. 2.26	오후 6시 평택 세교공원 '평택시민 그리고 쌍용자동차 가족과 함께하는 쌍용자동차 올바른 정상화를 위한 촛불문화제'
2009. 2.27	비정규직지회 지도부 삭발식(지회장, 부지회장, 사무국장) 오후 4시 본관대회의실 특별단체교섭(6차) 진행
2009. 2.28	오후 2시 금속노조, 함께 살자! 국민생존, 총고용 보장을 위한 전국금속노동자 결의대회(여의도 산업은행 앞) 쌍용차지부 참석(31명)

2009. 2.28~3.1 노사, 급여시스템 관련 실사를 통해 비용과 기간 산출

2009. 3. 2 특별단체교섭(7차교섭) 진행

2009. 3. 5 지부, 정기대의원대회 속개. 2009년 임금요구안 확정, 임금교섭위원 선출
지부, 산업은행의 긴급자금 투입 촉구
지부, 금속산별노조 09년 임금과 5대 공동요구안에 따른 단체교섭 요구

2009. 3. 6 지부, 오전 11시 30분 민주광장 조합원 보고대회

2009. 3. 9 비정규직 노동자 35명 해고통지

2009. 3.11 지부, 오전 11시 서울 여의도 산업은행 앞에서 쌍용자동차 우선회생! 총고용 사수! 긴급자금 투입 촉구를 위한 조합원 결의대회

2009. 3.31 지부, 투기자본감시센터와 함께 서울 서초동 서울지방법원 앞에서 기자회견. 위자료 청구 소액주주 소송 계획을 밝힘

2009. 4. 3 금속노조 공장 안에서 확대간부 결의대회 진행
지부, 비정규직지회 서울모터쇼장 기자회견. 정리해고 사태와 무급휴직, 살인적 노동 강도 폭로

2009. 4. 6 지부, 09-2차 긴급 임시대의원대회. 총고용 쟁취 전 조합원 참여 방안 논의

2009. 4. 7 지부, 지부 사무실에서 기자회견. 자구노력 방침을 밝힘

2009. 4.8 사측 2,646명 감원 계획 발표. 신차 C-200과 관련한 3~400여 명에 대한 순환휴직 실시. 운휴자산 매각 등으로 단기 유동성 확보 계획 발표

	지부 오전 10시 전체 집회. 상집간부 전체 삭발 지부, 공투본과 투기자본감시센터와 함께 정리해고 철회 기자회견
2009. 4.13~14	지부, 쟁의행위 찬반 투표 진행. 조합원 5,151명 중 5,025명 참여해 97.55% 투표 86.13% 찬성
2009. 4.14	언론, 지식경제부가 자동차 완성업체 5곳을 3개로 줄여야 한다는 내부검토 문건 보도
2009. 4.15	오전 11시 평택 쌍용자동차 정문에서 쌍용자동차 회생과 구조조정 저지를 위한 경기지역 정당, 사회단체 대책회의(약칭 '공투본')에서 기자회견을 열고 공식 출범 선언
2009. 4.16	사측, 4.16~30까지 대리직 대상으로 희망퇴직 접수
2009. 4.17	지부, 17시부터 쌍용차비정규직지회 투쟁기금 마련을 위한 하루주점 (평택공장 정문 앞 주차장 공터) 쌍용차 공투본, 제1차 집행위원회 회의(쌍차 지부 사무실)
2009. 4.23	지부, 09-2차 임시대의원대회 속개. 전 조합원 참여 방안 건 결정
2009. 4.24	지부, 4시간 총파업. 전 조합원 정리해고 반대 결의대회(정부 과천청사 앞)
2009. 4.28~30	지부, 교육파업. 오전 오후 2시간씩 부분파업. 현장 조합원 교육 실시. 조합원 90% 참석
2009. 5. 4~7	지부, 교육파업. 오전 오후 2시간씩 부분파업. 현장 조합원 교육 실시. 조합원 90% 참석
2009. 5. 4	서울중앙노동위원회 조정중지 명령, 노사 특별단체

교섭을 통해 문제 해결할 것 권고

2009. 5. 6 사측, 조립3팀에 한해 주야 2교대 8+8근무 변경(SUV 판매량 증가)

지부, 파상파업시작. 조립3팀 야간조 21시부터 8시간 파업(약 500여 명)

사측, 쌍용차지부 간부 11명에 대해 고소고발

지부, 쌍용자동차지부 가족대책위 준비 송택지역모임(약 70여 명 참석)

2009. 5. 7 지부, 오후 전 조합원 결의대회. 2시간 부분파업. 평택·창원·정비·비지회 조합원과 가족 등 5,000여 명 참석

12개 현장조직 의장단 삭발식

2009. 5. 8 사측, 노동부에 2,405명에 대한 정리해고 신청서 제출

지부, 14시부터 부분파업, 본관(사장실) 항의투쟁

지부, 노동청 앞 해고신청 저지 투쟁

2009. 5. 9 가족대책위 출범. 임시대표 이정아

2009. 5.11 사측 현장직에 대한 희망퇴직 신청접수

가대위 천막농성 돌입

2009. 5.13 지부, 정규직, 비정규직 3명(김을래 부지부장, 정비지회 김봉민 부지회장, 비정규직지회 서맹섭 부지회장) 평택공장에서 70미터 굴뚝농성 돌입

금속노조 공장 안에서 확대간부 집결투쟁

완성차 4사 노조 '쌍용차지부 공동투쟁' 선언

2009. 5.18 사측, 1차 희망퇴직 마지막 날. 5.25까지 희망퇴직

	연장 공고
2009. 5.21	지부, 평택공장 식당에서 전 조합원 집회. 22일부로 무기한 전면 총파업 선포
2009. 5.22	전면총파업 돌입. 오후 3시 30분 지부와 금속노조, '정리해고 분쇄, 구조조정 저지, 총고용 보장, 경제위기 극복을 위한 금속노조 5대요구안 쟁취' 결의대회 진행. 3,000여 명 참여
	1차 관계인집회. 법원, 9월 15일까지 회생계획안 제출 명령
2009. 5.26	지부, 관리자 전면통제하고 공장안에 있던 관리자 모두 몰아냄
2009. 5.27	엄인섭 조합원 신경성 스트레스로 인한 뇌출혈로 사망
2009. 5.31	지부, 가족과 함께하는 문화제 개최
	사측, 직장폐쇄
2009. 6. 1	쌍용차지부 기자회견, 노정교섭 제안
2009. 6. 2	사측, 정리해고자 명단 우편발송 개별통보(1,056명), 희망퇴직 6월 5일까지 재접수 방침발표
2009. 6. 3	금속노조 확대간부 파업 및 평택 집결, 금속노동자 결의대회
	경기도민 대책위 발족 및 기자회견
	일방적 정리해고반대, 자동차산업의 올바른 회생을 위한 범국민 대책위 발족 기자회견
	가족대책위와 시민대책위 민주당 정장선 의원 면담(지경부 차관 면담주선 약속)

	사측, 해고 비대상자에게 임금삭감 및 후생복지 중단, 연월차 반납 동의서 작성 요구
	사측, 공권력 투입 촉구 기자회견
2009. 6. 5	10시 평택시장, 노동청, 추미애 환노위 위원장, 노사 간담회
	15시) 국회지경위원장 주최 노사정 간담회(민주당, 민주노동당, 진보신당, 노조, 회사 등 참여)
	KBS, 추적 60분 쌍용차 관련 방영
2009. 6. 6	사측, 파업 풀고 해고유예하자는 제안을 하였으나 지부에서 거부
2009. 6. 8	지부, 기자회견 "유예하자는 것은 술책에 불과, 노조 그동안 회생안 제시했으나 사측 일방 정리해고하는 상황과 희망퇴직으로 근거 데이터도 변한 상황에서 기존 자구안 의미 없어 폐기", " 공적자금 투입과 공기업화, 상하이 지분 소각, 정리해고와 분사계획 철회하고 비정규포함 총고용보장 요구"
2009. 6.10	사측, 비해고자를 동원한 관제데모. 금속노조경기지부 확대간부, 민주노총경기지역본부, 쌍차공투본 등이 결합하여 공장 진입 시도를 저지
2009. 6.11	김영훈 조합원 구조조정압박 스트레스 등으로 허혈성 심근경색으로 사망
	지부 및 건강권 관련 단체, 정리해고에 따른 쌍용자동차 노동자들의 정신건강실태조사 결과 기자회견
2009. 6.16	사측, 비해고자를 동원한 진입 시도, 좌절 후 조건없는 대화 제안

	지부, 관제데모 중단하면 18일 대화 수용결정
2009. 6.17	가족대책위, 서울 대한문 앞 삼보일배 창원지회 가족대책위 발족 기자회견
2009. 6.18	노사대화, "관제데모 중단약속, 내일 보기로" MBC 뉴스후 쌍용차 관련 방송
2009. 6.19	노사대화, 노조 "상호 입장차 확인, 입장 변화 시 연락하라" MBC 스페셜 쌍용차 관련 방송 금속노조 조합원 상경투쟁 후 쌍용차 집결 문화제 진행
2009. 6.22	사측, 사내 인터넷 사용 차단
2009. 6.23	사측, 용역 동원한 관제데모 다시 시작, 공장출입 봉쇄
2009. 6.24	사측, 관제데모와 경찰에 맞선 대치
2009. 6.25	사측, 관제데모 부품협력사, 판매대리점 및 영업사원 등 총 3천 명 점거파업 철조망 뜯고 난입시도. 60여 명 공장 안쪽으로 일시난입 후 퇴각
2009. 6.26	사측, 오전 11시 긴급기자회견 통해 최종 제시안 일방적으로 발표 지부, 사측안은 일고의 가치도 없는 정리해고 강행 의사의 재확인에 불과. 수용불가 천명 오후 3시부터 공장난입시도. 곳곳에서 마찰. 오후 5시 30분 용역깡패를 앞세운 사측 본관 건물 장악
2009. 6.27	오전 10시부터 용역깡패를 앞세운 거점 난입시도. 오후 3시 용역깡패, 구사대, 경찰의 3중 입체작전이 펼쳐짐. 부상자 다수 발생

	사측, 저녁 10시 긴급기자회견 자청하며 전격적으로 공장에서 철수
2009. 6.29	금속노조 4시간 부분파업. 오후 4시와 6시반 금속노조 집중 결의대회, 3천여 명 집결. 사측, 노조에 퇴거명령 및 강제집행 신청
2009. 7. 1	사측, 물탱크 연결부 시설 파괴, 지부 긴급 복구 오후 3시 금속노조 총파업결의대회, 보건의료노조 천여 명 결합. 3천여 명 집회
2009. 7. 2	창원 희망퇴직 후 경제적 고통을 겪던 김고원 조합원, 번개탄 피우고 차 안에서 사망
2009. 7. 3	사측, 금속노조 정갑득 위원장 등 '외부세력' 62명에 대한 고소, 법원 강제집행 개시
2009. 7. 4	민주노총 "쌍용차 사태 해결을 위한 전국노동자대회" 오후 4시 서울 여의도 산업은행 앞
2009. 7. 5	가족상봉의 날 행사, 경찰의 봉쇄로 담을 넘어 만남
2009. 7. 6	지부, 서울상황실 설치 법원 평택공장에 압수수색 영장 발부
2009. 7. 7	사측, '공권력 투입촉구 결의대회' 3천5백 명 참석
2009. 7.10	사측, 청와대 '공권력 투입촉구' 탄원서 제출, 4만5천 명 서명
2009. 7.11	오전 9시 전격적으로 경찰병력 투입. 출입문 4곳 안으로 병력을 전진배치, 출입 완전 통제 범대위, 공투본 976인 하루단식농성(마로니에 공원)
2009. 7.13	부품사 협력사 채권단협의회 노사 모두에게 1천 억 손배소제기

금속노조 임시대대 "중앙교섭 타결 연기, 쌍용차 관련 주1회 파업, 임원선거 쌍차 투쟁 후 진행"등 결의

2009. 7.14 경찰청장 주재로 평택공장 '공권력 투입' 을 위한 대책회의

2009. 7.15 민주노총, 공권력 투입 반대 및 이후 투쟁 계획에 따른 기자회견. '도장공장' 공권력 침탈 시 전면총파업 돌입 천명

살아남은 자들의 모임 기자회견 임직원 방해로 무산. 희망퇴직자들 기자회견 진행

2009. 7.16 음식물 전면 차단. 금속노조 확대간부이상 파업결의대회 진행. 총 연행자 82명

2009. 7.17 언론노조와 가족대책위 국회 여의도 삼보일배 진행. MBC뉴스데스크 집중취재 '쌍용차 사측 가스살포 진압계획' 폭로

2009. 7.18 사측, 가대위 천막설치 방해목적으로 주변 땅 임대. 가대위 오후 2시부터 평택역에서 경찰서까지 '쌍용차 사태 평화적 해결과 정리해고 반대' 를 위한 삼보일배

2009. 7.19 민주노총, 수면가스 진압계획 규탄, 공권력투입기도 중단, 쌍용차 사태해결 촉구 기자회견

2009. 7.20 경기도경찰청장 기자회견 후 바로 경찰병력 쌍용차 본격적 침탈감행. 오전 9시 30분 34개 중대와 굴삭기, 크레인 등 동원할 수 있는 모든 장비를 동원 공장침탈. 노조 폐타이어를 중심으로 불을 놓아 진입을 차단. 정리해고 비대상자 2천 명 출근

12시경 사측 기자회견, 단수와 가스 중단발표

(12시경) 지부 정책부장 이재진 아내 자살 사실 알려짐

2009. 7.21 경찰, 3천 5백 리터 다량의 최루액 살포. 프레스 건물 확보
소화전 단수조치, 도장공장 화재에 대한 사측과 정권의 화재유발 시도

2009. 7.22 새벽 3시 용역으로 보이는 30명 가족대책위 천막 기습 철거 및 가대위 폭행
경찰과 용역들 각 공장 지속적으로 침탈노림. 용역들 TRE동을 확보하고 새총난사. 경찰헬기동원 다량의 최루액 살포. 살포된 최루액이 스트로폼에 닿자 바로 녹음
민주노총 총파업 결의대회 평택에서 진행, 3천여 명 참여. 경찰 강경진압. 단수, 소화전차단, 음식물 차단 의료진 출입 차단 등 일련의 살인진압에 항의 6시 공장정문으로 항의시위전개. 이 과정에서 경찰 테이저건 발사. 조합원 얼굴과 어깨 다리 등에 맞음. 금속노조 4시간 부분파업

2009. 7.23 9시 10분 윤충렬 조합원 독립문역 앞 고가도로에서 고공농성
10시, 용산범대위 비상시국회의에 가대위가 참여하여 쌍용차 연대 호소, 시국회의 참가자들 연대투쟁 결의, 천주교 공장 앞 시국미사 결의
12시 용역과 경찰, 프레스공장 앞에서 도장공장을 향해 전진, 농성대오는 타이어를 불태우며 대항
금속노조 4시간 부분파업

서울지대위, 구로정비공장 앞 선전전과 집중집회 시작. 매주 1회 진행

경찰, 노조 시위용품공개, 용접재료를 사제총알로 발표

ILO 긴급개입 - 이영희 노동부장관에게 우려표명 및 한국정부 입장 요구

2009. 7.24 10시 쌍용차 사태 해결을 위한 노사정회의가 평택시 청소년문화센터에서 열림. 노사는 다음날(25일) 오전 10시 평택공장에서 노사교섭을 열기로 합의

12시 10분 가족대책위 7명 여의도 한나라당사 점거. 박희태 한나라당 대표와의 면담 요구. 2시간여의 면담을 마치고 나옴

노사정 대화가 열리는 동안에도 경찰과 구사대 공장 침탈, 곳곳에서 전투

천주교 공장 앞 시국미사 시작

2009. 7.25 예정되었던 노사대화 사측의 불참 통보로 결렬

15시 민주노총, 평택역 앞에서 '쌍용자동차 문제 정부해결 촉구 전국노동자, 범국민대회'. 1만여 명 참여, 집회 후 평택공장으로 이동. 경찰과 충돌. 22시 자진 해산

2009. 7.27 도장공장 옥상 기자회견, 교섭 제안

홍콩노총, 공권력 투입 항의집회

2009. 7.29 15시 민주노총 법원삼거리에서 결의대회, 3천여 명 참여. 금속노조 6시간 파업, 물품전달 시도 실패

가대위, 정진석추기경 면담을 위한 명동성당 앞 노

숙농성
협동회, 총회에서 채권단 조기파산요구서 제출 결정
사측, 청산형 회생절차 신청 유보

2009. 7.30 노사 교섭 시작
국가인권위원회, 농성중인 쌍용차 노동자들에게 식수와 의약품을 반입토록 하는 긴급구제 권고 결정. 경기지방경찰청장에게 소화전 포함 식수 공급, 의료진 출입, 농성중인 조합원 중 심각한 질환을 앓고 있는 환자의 치료를 위한 의약품 및 생명유지를 위해 필요한 음식물 반입을 허용하라는 내용의 긴급구제 조치 권고
민주노총, 자동차범대위, 도민대책위, 공장 앞 무기한 농성 돌입
가대위, 정진석추기경 면담. 쌍용차 투쟁 상황 알리고 연대호소
가대위, 조계종 면담

2009. 7.31 노사 교섭 진행

2009. 8. 1 노사 교섭 진행

2009. 8. 2 사측, 일방적으로 교섭 결렬 선언. 결렬 선언 뒤 도장공장에 전기공급 중단 발표
지부, 사측의 일방적 교섭 결렬에 대한 기자회견. 단전 중 전화통화로 진행

2009. 8. 3 협동회, 채권단에 파산신청 연기요청

2009. 8. 4 13시 30분 경찰, 용역, 구사대 도장공장 진입 시도. 차체1팀, 차체2팀, TRE동 옥상에서도 충돌, 조립

	3 · 4팀 옥상 진입 시도했으나 실패. 차체공장 옥상 확보. 부상자 150여 명 발생
	가대위, 한나라당 대표 면담을 요구하며 한나라당사 앞 연좌농성, 전원연행
	가대위, 조계종 총무원장 지관스님 면담
	가대위, 국가인권위에 긴급구제 신청, 인권위 조사관이 평택공장 시찰
	민주노총, 범대위 기자회견. 쌍용차문제 평화적 해결과 기획파산 중단 · 공적자금투입을 통한 정상화촉구를 위해 6일, 9일 평택에서 대규모 집회 개최 천명
2009. 8. 5	새벽 4시 30분, 경찰병력 진입 시작. 차체2팀, 조립 3 · 4팀 옥상 등으로 도장공장을 향해 밀고 들어옴. 조립3 · 4팀 옥상에 특공대를 태운 컨테이너 상륙, 무차별 구타와 연행 시작, 농성대오 퇴각하여 도장2공장으로 밀려나면서 소강상태로 접어듬. 경찰이 도장2공장을 제외한 주요 시설물 확보. 부상자 발생, 도장공장 화재 위험, 이탈자 증가 등의 상황에서 지부장, 노사 교섭 요청키로
2009. 8. 6	9시 40분 지부가 사측에 대화 재개 요청
	12시부터 13시 40분 노사교섭 진행. 무급휴직 48%, 정리해고 52% 등 합의
	14시 보고대회, 17시 결의대회, 21시 조합원들 평택공장을 나옴
	경찰, 96명을 연행함

파업대오 명단

강동환 강문태 강미권 강상도 강석희 강성국 강성길 강성만 강수궁
강신길 강영진 강요섭 강윤용 강은모 강종철 강중석 강창숙 강현국
강현국 강형준 강호길 강환주 계영대 계영휘 고경준 고대수 고동민
고병수 고영선 고용곤 공만택 공석도 공석원 공재광 곽상원 곽수근
곽종현 곽해범 곽희창 권규택 권상대 권성용 권순정 권영관 권영국
권영일 권일주 권정일 권춘수 권혁산 권혁진 길탁균 김갑수 김갑수
김경민 김경수 김경수 김경엽 김경우 김경일 김경태 김관세 김광수
김광연 김광종 김구하 김규봉 김규헌 김근수 김기종 김기준 김기천
김길수 김남국 김남섭 김남수 김남오 김다일 김대륙 김대용 김대현
김덕흔 김도경 김도석 김도연 김동근 김동렬 김동선 김동철 김동환
김득중 김래현 김만수 김명회 김문수 김미랑 김미호 김민규 김민수
김민수 김민창 김범구 김범철 김병모 김병수 김병훈 김복환 김봉민
김봉식 김상구 김상민 김상영김상욱 김상유 김상철 김석만 김석진
김석호 김선동 김선영 김성겸 김성국 김성국 김성근 김성민 김성수
김성우 김성일 김성주 김성진 김성찬 김성태 김성홍 김성훈 김성훈
김수경 김수일 김승봉 김승중 김승태 김승호 김시경 김양순 김양희
김영만 김영수 김영일 김영조 김영채 김영훈 김완수 김완수 김용경
김용구 김용기 김용남 김용남 김용준 김용진 김우섭 김원유 김월조
김유신 김윤석 김은겸 김은수 김은하 김을래 김응중 김이기 김인선
김일두 김재도 김재환 김재환 김정관 김정균 김정수 김정우 김정욱
김정운 김정원 김정종 김정태김종민 김종안 김종연 김종인 김종재
김종탁 김종표 김종훈 김주성 김주영 김주중 김준식 김준재 김중식
김진봉 김찬영 김철섭 김철수 김철원 김철호 김태관 김태신 김태오
김태환 김태훈 김태흥 김학성 김한용 김한용 김한종 김현수 김현욱
김현웅 김현일 김현일 김현철 김형겸 김형남 김형대 김형선 김호성

김화식 김효상 나수종 나진연 남궁인 남상수 남성현 남정훈 노광호
노기상 노석주 노영민 노영우 노용순 노재송 노창수 류승호 류시왕
류충현 맹성호 명성민 문경생 문기주 문도철 문동균 문명호 문병국
문선오 문영진 문정호 문종선 문현식 문희권 민경일 민순기 박강열
박경석 박경수 박경호 박관홍 박광순 박광주 박권규 박근형 박금석
박기용 박기철 박기호 박남균 박대권 박대웅 박동인 박라용 박명희
박문수 박민준 박병원 박병택 박상용 박상준 박상훈 박선규 박수영
박순태 박승순 박영범 박영성 박용우 박원식 박원주 박은균 박인영
박 일 박장수 박장환 박장희 박재범 박재성 박재수 박재현 박정근
박정만 박정연 박정현 박정호 박종열 박종욱 박종호 박주섭 박주철
박주헌 박중현 박진배 박진수 박진형 박창수 박창진 박창현 박창환
박철완 박필수 박학수 박현상 박현재 박현호 박형곤 박형석 박호민
박호완 박환옥 박효성 박희연 박희준 방건용 방극재 방극주 방정문
배복식 배영만 배정삼 배진수 백길석 백남용 백성기 백종완 변종기
복기성 서강용 서광주 서기영 서기칠 서맹섭 서민식 서석문 서성기
서성수 서성주 서성표 서영득 서진철 서진호 서춘석 서현옥 선호식
설경률 설선구 성관섭 성정모 성주경 소병관 소재선 손기창 손기철
손남수 손수영 손승우 손영수 손인환 손효식 송경인 송광석 송기범
송등산 송명기 송수병 송연호 송은석 송재환 송태환 송현수 신경호
신대균 신동기 신동길 신복기 신성안 신승우 신영섭 신용복 신유섭
신중환 신철영 신희균 심규철 심명섭 심재만 심현수 안계현 안기현
안덕현 안병기 안병렬 안병현 안석평 안석환 안승국 안용주 안정철
안종찬 안준엽 안창호 안철진 안태욱 안호진 양대명 양동길 양동하
양진식 양형근 양희인 엄범용 엄익현 엄재명 엄태웅 여창우 여희영
염진영 오경민오경택 오광수 오상석 오석선 오석천 오세웅 오세윤
오영록 오응욱 오인배 오준호 오현식 왕기호 용석준 우관희 우광철
우보식 우현호 원면재 원상연 원성재 원유복 원종식 위진호 유명동

유명수 유병호 유성삼 유세종 유승구 유영남 유영용 유장종 유재신
유정희 유제선 유주성 유창우 유현상 유호준 윤대산 윤덕수 윤동기
윤민석 윤상철 윤상훈 윤성관 윤성일 윤송기 윤영섭 윤영호 윤은석
윤충열 윤태원 윤한길 이갑호 이강배 이강일 이경수 이계진 이관희
이광규 이광래 이광우 이광운 이광진 이광희 이규천 이규칠 이규홍
이근용 이근우 이금주 이기섭 이기철 이기철 이길재 이난수 이남국
이대구 이대희 이덕환 이동주 이동준 이동철 이동필 이동한 이두열
이만연 이만우 이명수 이명운 이명훈 이명희 이무섭 이문모 이민수
이민영 이민호 이범규 이범홍 이병섭 이복범 이상구 이상구 이상근
이상무 이상민 이상복 이상수 이상진 이상철 이상학 이상화 이상희
이석관 이석진 이선준 이성국 이성기 이성수 이성주 이성현 이성호
이세홍 이수민 이수복 이승률 이승범 이승완 이승인 이승철 이영구
이영수 이영운 이영재 이영호 이영훈 이용식 이용원 이용현 이욱원
이원상 이원용 이원용 이유빈 이윤형 이은덕 이은복 이은식 이인근
이인섭 이일규 이일범 이임순 이재진 이재학 이재호 이재화 이재훈
이정규 이정근 이정일 이정훤 이제훈 이종만 이종민 이종수 이종식
이종식 이종신 이종태 이종훈 이종훈 이종희 이주석 이주일 이주호
이준호 이중철 이지준 이진구 이진석 이진형 이창근 이창수 이천우
이철근 이청원 이충구 이충국 이충대 이충범 이태산 이태웅 이태환
이한석 이한수 이한우 이해선 이해욱 이 혁 이 혁 이현주 이현준
이현준 이형백 이형우 이형재 이호성 이호준 이환희 이황우 이황종
이훈상 이희남 이희열 이희윤 이희조 이희준 인봉기 임권택 임귀석
임무창 임상규 임수종 임승원 임양호 임영현 임인우 임창호 임채용
임태균 임형수 임희수 장경인 장기진 장대성 장대훈 장석호 장성진
장세정 장순성 장승엽 장쌍기 장영국 장영규 장영민 장용재 장점균
장정수 장준호 장창훈 장 철 장철환 장현환 장회진 장효남 장희조
전경호 전광식 전명수 전삼식 전승호 전용덕 전우창 전종훈 전창민

전태훈 전환식 정광채 정규찬 정규호 정근수 정기균 정기삼 정기열
정기호 정동혁 정동현 정병기 정봉원 정사원 정상원 정상재 정성일
정성화 정성훈 정성훈 정승진 정승현 정승환 정연서 정연수 정영석
정영창 정오영 정완석 정용기 정용화 정윤태 정은의 정익주 정일수
정재상 정재중 정재훈 정종온 정종진 정주용 정진성 정진우 정진원
정진태 정진홍 정찬기 정창규 정철우 정판호 정한욱 정한웅 정해영
정해윤 정현몽 정현호 정형구 정형숙 정효주 조경원 조광연 조광현
조규진 조남이 조덕현 조동하 조래영 조만희 조문경 조문석 조민후
조성권 조성복 조성영 조승형 조영수 조영제 조영호 조영훈 조재영
조창근 조철상 조현삼 조현홍 조형남 주봉수 주 식 지선열 지성남
진선후 진성만 진성봉 진장호 진정선 진창익 진현배 진현태 차교병
차득섭 차상두 차상문 차상훈 차준호 채규석 채병국 채성근 채정수
채희국 천민수 천유석 천창규 최경호 최관영 최규현 최근원 최기민
최노훈 최대환 최덕흥 최도정 최동일 최명용 최문순 최범렬 최병선
최상수 최석민 최선웅 최설로 최성국 최성기 최성욱 최성호 최승광
최승만 최승천 최영복 최영석 최영호 최용석 최 원 최원문 최원석
최원식 최원재 최원호 최윤용 최종락 최준오 최진영 최찬희 최철희
최태영 최 현 최현규 최형락 최형석 최호준 최화주 탁선곤 편도원
풍영은 하종열 하철호 한명육 한명현 한병수 한복동 한상국 한상귀
한상균 한상대 한 상 한상천 한상훈 한승훈 한오형 한윤수 한은수
한일동 한재웅 한재홍 한종덕 한주완 한준희 한혜철 한호정 한호직
함봉득 허문행 허병양 허성만 허 율 허 직 허 호 현석진 현철호
홍광연 홍근원 홍봉석 홍성광 홍성백 홍순천 홍윤형 홍정욱 홍주완
홍주형 홍태식 홍형운 황규동 황대원 황동환 황상규 황선규 황선택
황성길 황승욱 황승철 황윤하 황은종 황인복 황인석 황종문 황호선
(이상 936명)

*징계 문제 등으로 명단에서 빠진 분도 있습니다. 양해바랍니다.

구속자

2010.1.14. 현재

〈쌍용자동차지부 조합원〉

강동환 강현국 강형준 강환주 고동민 권승일 권영관 권혁산 김경수 김남수 김득중 김선영 김월조 김을래 김재환 김정욱 김정운 김종연 김종표 김종훈 김주성 김주중 문기주 박권규 박기웅 박대웅 박승순 박중현 백남용 서민식 서진철 선호식 안창호 안철진 양진식 양형근 유세종 이광래 이금주 이길재 이민영 이상민 이상복 이종훈 이창근 이태환 임창호 정병기 정성일 정주용 정진원 조광현 조만희 조문경 주경식 지성남 최기민 최노훈 최성국 최영호 한상균 한상천 한일동 홍성백 황상규

〈연대단위〉

강성철(구속노동자후원회) 권순만(금속노조) 정현덕(HK지회/구미)
김도연(HK지회/구미) 김동수(노동전선) 김영범(경기진보연대)
김혁(금속노조) 박세준(금속노조) 박정민(민주노동당)
박태식(GM대우지부) 서광수(경기진보연대) 양동규(금속노조)
오병철(플랜트 전북지부) 우병국(금속노조) 유승재(HK지회/구미)
이기호 이병삼(HK지회/구미) 이승렬(울산현중사내하청)
이영춘(울산현중사내하청) 정주현(기아자동차지부) 조병하(금속노조)

쌍용자동차지부 22년차 대의원 명단

평택

선거구	부서명	당선자	선거구	부서명	당선자	선거구	부서명	당선자
1	렉스턴의장A조	이금주	18	렉스턴 B조 제조품질	최태영	35	승용 샤시과	현병배
2	렉스턴의장A조	권영일	19	카이런의장A조	김종규	36	승용 샤시과	한일섭
3	렉스턴의장B조	김학성	20	카이런의장A조	조근호	37	승용 화이널	이재학
4	렉스턴의장B조	고대수	21	카이런의장B조	이광연	38	승용 화이널	이해남
5	렉스턴샤시A조	윤상훈	22	카이런의장B조	김용국	39	승용 완성과	최병선
6	렉스턴샤시A조	김동선	23	카이런샤시A조	엄범용	40	승용차체, 로디우스차체	정진우
7	렉스턴샤시B조	김경태	24	카이런샤시A조	유승구	41	W200	윤한길
8	렉스턴샤시B조	장점균	25	카이런샤시B조	조만희	42	공정기술. 승용품질	이종수
9	렉스턴완성A조	송재환	26	카이런샤시B조	정신권	43	승용. 카이런 차체보전	최승만
10	렉스턴완성B조	백인선	27	카이런완성A조	오세윤	44	승용제조품질, 사무실	노 철
11	렉스턴차체A조. B조	지선열	28	카이런완성B조, 개선반	정연규	45	도장A조	전인수
12	C200 혼류대응인원	서진호	29	조립 서브직	이천규	46	도장A조	이용대
13	카이런 차체	이현주	30	보전계획 조립보전	하동희	47	도장B조	신윤철
14	공정품질, 공정기술	이중연	31	카이런 제조 품질 A조	최상열	48	도장B조	현광철
15	4WD차체보전	장경인	32	카이런 제조 품질 B조	윤석환	49	도장품질	오원섭
16	4WD조립보전	문제형	33	승용의장과	임희수	50	도장A조	안철진
17	렉스턴 제조품질A조	한복동	34	승용의장과	유호준	51	도장A조	이진형

선거구	부서명	당선자	선거구	부서명	당선자	선거구	부서명	당선자
52	도장B조	김정태	64	카이런물류	박재남	76	수출입 관리팀	김윤식
53	도장B조	최용준	65	승용물류	안석평	77	공도 출고 사무소	박 철
54	도장공정기술	정영우	66	승용물류	허현진	78	프레스 금형팀	이승범
55	도장1팀보전	윤종선	67	품질보증, 경영	이동한	79	프레스 금형팀	박기호
56	도장2팀보전	임경빈	68	SQE부품팀	서현희	80	프레스 물류직	정선우
57	4WD물류	양진식	69	부품품질 검사	조영제	81	프레스 생산	권영관
58	4WD물류	송태현	70	본관	김성민	82	프레스 생산	이상업
59	4WD물류, SUB보급	김석만	71	공무시설	원면재	83	프레스 금형보전	이은식
60	엔진보급, 카드운영4WD	최창용	72	전기.시설.계획. 토목.건축	이재영	84	시작시험팀	배진수
61	생산지원1팀	장준범	73	환경안전관리	정승진	85	종합, 성능, NVH팀	함봉득
62	공정기술, 타이어샵	방성복	74	총무. 식당	이철호	86	P/T시작 시험팀	최태영
63	A/S물류. 카이런물류	권성용	75	생산관리팀	박민혁	87	구동설계팀	김남섭

정비

선거구	부서명	당선자	선거구	부서명	당선자	선거구	부서명	당선자
1	경인지역본부	권규택	4	구로정비사업소	조재영	7	대전정비사업소	안광주
2	성남부품센터	한도현	5	구로정비사업소	오응욱	8	광주정비사업소	조창근
3	구로정비사업소	이세홍	6	천안문류센터	임순호	9	양산정비사업소	이종호

창원

선거구	부서명	당선자	선거구	부서명	당선자	선거구	부서명	당선자
1	생산1팀 가공	김경수	6	생산1팀 조립	박기용	11	사업 관리팀	강병훈
2	생산2팀 가공	김병기	7	생산1팀 조립	박중현	12	품질관리팀	박유복
3	보전1	장쌍기	8	생산2팀 조립	박대웅	13	품질관리팀	박장희
4	보전 2	김월조	9	생산2팀 조립	이영구			
5	생산2팀R/A	박권규	10	생산 지원팀	이재운			

참고자료

쌍용자동차지부 자료

사업보고서, 중앙쟁대위 속보, 성명서, 담화문, 기자회견문, 보도자료, 취재요청서, 회의자료, 각종 연구 · 분석 자료, 사측과의 통신문, 선전물, 익명의 조합원이 보내온 투쟁 기간 일지

가족대책위, 비정규직지회 자료

인터넷 홈페이지와 카페

쌍용자동차지부, 가족대책위, 정비지회, 비정규직지회

단체 자료

전국금속노동조합 쌍차대책회의, 경제위기 고통전가 반대! 쌍용자동

차 정리해고 저지! 경기지역공동투쟁본부, 쌍용차 투쟁 서울지원대책위, 일방적 정리해고 반대 자동차산업의 올바른 회생을 위한 범국민대책위원회 등의 회의자료, 각종 연구 · 분석자료, 선전물, 기자회견, 보도자료, 취재요청서, 각종 토론회 자료

사측 자료
성명서, 기자회견, 보도자료, 취재요청서

언론
- 일간지
경기일보, 경향신문, 동아일보, 조선일보, 매일경제, 서울신문, 한겨레신문 외
- 인터넷언론
미디어충청, 민중의소리, 오마이뉴스, 프레시안, 참세상 외